THEMA

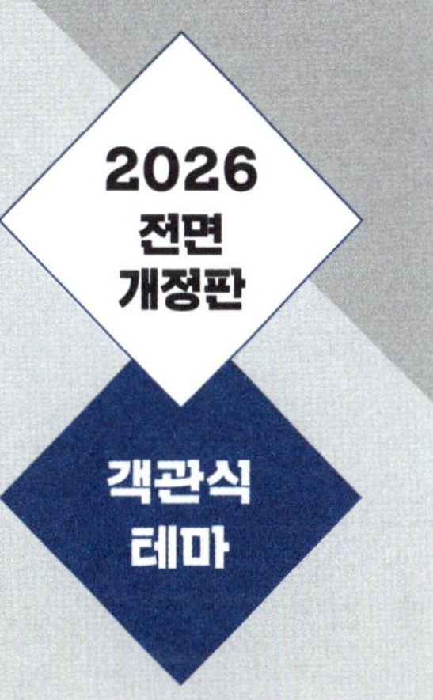

조충환 · 양건

형법 총론 I

조충환 · 양건 편저

2025년 상반기 기준 개정법령 · 판례 · 기출문제 반영

경찰승진 · 채용 · 간부 | 해경승진 · 채용 · 간부
법원직 · 검찰직 · 승진 | 철도경찰 · 마약수사

동영상강의 www.pmg.co.kr

박문각

조충환·양건

형법
THEMA

2026 테마 형법 전면개정판을 내면서

2년 만에 출간한 이번 전면개정판은 최근의 출제경향을 반영하여 다음과 같은 사안에 중점을 두었습니다.

첫째, 테마 형법의 특징

다른 교재[기본서, 판례집, 요약집(sub-note), 객관식 문제(기출문제)집 등]를 보지 않아도 테마 형법 한 권만으로 어느 시험에서든지 고득점으로 합격·승진하는 데 아무런 지장이 없도록 만들었습니다.

둘째, 개정 형법(신설 조항) 반영

공중협박죄(제116조의 2: 2025.3.18. 공포·시행)와 공공장소 흉기소지죄(제116조의 3: 2025.4.8. 공포·시행)를 반영하였습니다.

셋째, 기출문제 반영

최근(2020년~2025년 상반기)의 모든 직종(변호사시험, 법원행정고시, 경찰 순경채용·승진·간부·경위공채·경력채용·수사경과, 해양경찰 승진·간부·수사·해경채용, 9급 법원서기보, 7급 검찰·마약수사직, 9급 검찰·마약수사·철도경찰직 등)의 기출문제를 중심으로 전면 개편하였습니다.

넷째, 판례 반영

최근 판례(2025.5.30. 대법원 판례공보 및 미간행 판례)까지 빠짐없이 반영하였으며, 최근의 출제경향에 맞추어 기존 판례의 일부를 수정·교체·추가하였습니다.

다섯째, 테마와 객관식 문제(기출문제)

각 단원마다 출제 비중이 높은 것들(판례, 법조문, 이론)을 기본서 순서에 따라 파트별로 테마로 정리하고(사안마다 키워드와 6개년 기출표시를 색표시 했음), 이어서 관련 객관식(기출)문제를 배열하였습니다(예 위법성: 이론 ⇨ 정당방위 ⇨ 긴급피난 ⇨ 자구행위 ⇨ 피해자의 승낙 ⇨ 정당행위 ⇨ 위법성조각사유 종합문제).

애독자 여러분께 진심으로 감사드리며, 절실한 심정으로 초지일관하시어 우수한 성적으로 합격·승진하시길 간절히 기원합니다.

2025. 7.

공편저자 조충환·양건

CONTENTS

차례

제3장 위법성

제4장 책임론

총론 II

제5장 미수론

제6장 공범론

CONTENTS

차례

각론 I

각론 II

CONTENTS

차례

총론

THEMA

서 론

THEMA 01

1. 형법의 규범적 성격

① 가설적 규범 : 형법은 일정한 범죄행위를 조건으로('…한 자는') 이에 대한 법적 효과로서 일정한 형벌을 과할 것('…에 처한다.')을 규정한 가설적 규범이다〔⑩ 사람을 살해한 자는 사형, 무기 또는 5년 이상의 징역에 처한다(제250조)〕.

② 평가규범과 의사결정규범 : 형법은 일정한 행위를 범죄로 하고 형벌을 부과함으로써 그러한 범죄행위가 무가치하고 위법하다는 평가를 하는 평가규범이며, 일반 국민에게 무가치하고 위법한 행위를 결의해서는 안 된다는 의무를 부과하여 의사결정에 있어서의 기준을 제시하는 의사결정규범이다.

③ 행위규범과 재판규범 : 형법은 일반 국민에게 일정한 행위를 금지하거나 일정한 행위를 명령함으로써 행위의 준칙을 제시하는 행위규범이며, 법관을 수명자로 하여 법관에게 형벌권 행사의 한계를 설정함으로써 사법(司法)작용을 규제하는 재판규범이기도 하다. 23. 순경 1차

2. 형법의 기능

① 보호적 기능 : 형법은 형벌이라는 수단을 통하여 주로 '법익을 보호하는 기능'을 하며, '법익'이란 법률을 통해 보호할 가치 있는 이익을 의미한다. 23. 순경 1차 또한 형법은 사회 공동체의 일원으로서 개인이 실천해야 할 행위의 가치를 보호하는 기능도 갖는다.

  ☑ 형법의 보충성의 원칙(형법의 최소화) : 형법은 형벌이라는 강력한 제재에 의하여 법익을 보호하므로 다른 수단에 의하여 보호하기 어려운 경우에 최후의 수단으로서 보충적으로 적용되어야 한다는 원칙을 말한다.

② 보장적 기능 : 형법은 국가형벌권의 발동한계를 명확히 하여 국가형벌권의 자의적인 행사로부터 국민의 자유와 권리를 보장하는 기능을 가지며, 형법의 보장적 기능은 일반 국민은 물론 범죄인에게도 미친다. 따라서 형법의 보장적 기능은 자유민주주의 사회에서 가장 강조되는 기능이자 죄형법정주의의 근본원리가 된다.

  ☑ 보호적 기능과 보장적 기능의 조화 : 형법은 보호적 기능과 보장적 기능을 모두 가지며, 어느 한 기능을 강조하면 다른 한 기능이 그만큼 소홀하게 되는 반비례(비례 ×)관계에 있다(∵ 보장적 기능을 강조하면 개별형법 규정을 행위자에게 유리하게 해석하고, 보호적 기능을 강조하면 행위자에게 불리한 해석을 하게 되므로). 23. 순경 1차 따라서 보호적 기능과 보장적 기능은 균형과 조화가 필요하다.

③ 규제적 기능(진압적 기능, 규범적 기능) : 형법은 행위규범 내지 재판규범으로서 일반 국민과 사법관계자들을 규제하는 기능을 갖는다.

④ 사회보전적 기능(사회보호적 기능) : 형법은 형벌수단을 통하여 범죄행위를 방지함으로써 범죄로부터 사회 공동 질서를 유지·보호하는 기능을 갖는다. 이는 전체주의 국가에서 강조되는 기능이다.

3. 형법총칙의 적용

본법 총칙은 타법령에 정한 죄에 적용한다. 단, 그 법령에 특별한 규정이 있는 때에는 예외로 한다(제8조). 19. 순경 1차, 20. 해경승진, 21. 경찰승진

01 형법의 기본개념에 관한 설명 중 가장 적절하지 않은 것은? 23. 순경 1차

① 형법은 형벌이라는 수단을 통하여 주로 '법익을 보호하는 기능'을 하며, '법익'이란 법률을 통해 보호할 가치 있는 이익을 의미한다.

② 형법은 법규범으로 법공동체의 평화를 유지하기 위하여 부과된 것으로서 강제력이 수반되기 때문에 신중하게 규정되어야 한다.

③ 형법은 일반 국민에게 일정한 행위를 금지하거나 일정한 행위를 명령함으로써 행위의 준칙을 제시하는 행위규범이며, 법관을 수명자로 하여 법관에게 형벌권 행사의 한계를 설정함으로써 사법(司法)작용을 규제하는 재판규범이기도 하다.

④ 형법은 보호적 기능과 보장적 기능을 모두 가지며, 어느 한 기능을 강조하면 다른 한 기능도 함께 강화되는 상호 비례관계에 있다.

해설 ①②③ 타당하다.
④ × : ~ 가지며, 어느 한 기능을 강조하면 다른 한 기능이 그만큼 소홀하게 되는 반비례관계에 있다.

Answer 1.④

THEMA 02

1. 객관주의 : 고전학파(구파)

① 의의 : 객관주의는 형법적 평가의 중심은 외부적인 행위와 현실적으로 발생한 결과에 두고 책임과 형벌을 결정해야 한다는 견해이다(범죄주의, 사실주의, 행위주의).

② 배경 : 객관주의는 인간의 자유의사(의사비결정론)를 전제로 하는 자유주의·개인주의·계몽주의에서 출발하였다.

③ 공헌 : 형사책임의 기초를 외부적인 범죄사실에 둠으로써 국가형벌권의 행사를 제한하여 개인의 자유와 권리를 보장하는 데 기여하였다.

④ 학파 : 객관주의 범죄이론은 응보형주의 및 일반예방주의의 형벌이론과 결합하여 고전학파(구파)의 형법이론을 형성하였다.

2. 주관주의 : 근대학파(신파)

① 의의 : 주관주의는 외부적 행위와 현실적으로 발생한 결과가 아니라, 이를 발생시킨 행위자의 반사회적 성격에 두고 책임과 형벌을 결정해야 한다는 견해이다(범인주의, 성격주의, 행위자주의).

② 배경 : 인간의 자유의사를 부정하는 의사결정론을 전제로 하는 실증주의에서 출발하였다.

③ 공헌 : 범죄를 주관적인 측면에서 파악하므로 형벌의 개별화를 통한 범죄인의 개선·교화 및 재사회화를 촉진하여 범죄를 예방하자는 취지이다.

④ 학파 : 주관주의 범죄이론은 목적형주의(특별예방주의)의 형벌이론과 결합하여 근대학파(신파)의 형법이론을 형성하였다.

3. 형법학파의 대립

구 분	고전학파(구파)	근대학파(신파)
인간관	**의사자유론**(의사비결정론) : 인간은 자기의 행동을 완전히 규율할 수 있는 자유인이므로 범죄인도 일반인과 동일한 자유 의사를 가진다.	**의사결정론** : 범죄란 자유의사의 선택으로 되는 것이 아니라 개인적 소질과 사회적 환경에 의하여 결정된다.
범죄론	**객관주의**(침해결과 중시) : 범죄의 외부에 나타난 행위와 결과를 중시한다.	**주관주의**(침해적 인격 중시) : 행위자(범죄인)의 반사회적 성격을 중시한다.
① 기수와 미수의 구별	기수와 미수를 구별한다(미수는 예외적으로 처벌 ⇨ 필요적 감경).	기수와 미수를 구별할 필요가 없다(미수범도 기수범과 동일하게 처벌).
② 불능범과 불능미수의 구별	**객관설, 구체적 위험설** : 객관적으로 위험성이 없는 때에 불가벌인 불능범이다.	**주관설, 추상적 위험설** : 주관적 위험성까지 없어야 불능범이다.
③ 공동정범의 본질	범죄공동설	행위공동설
④ 공범의 종속성 유무	공범종속성설	공범독립성설

⑤ 책임론, 책임능력	• 도의적 책임론(행위 책임) • 범죄능력을 의미한다고 본다(한정책임능력자 인정).	• 사회적 책임론(행위자 책임) • 형벌능력을 의미한다고 본다(한정책임능력자 부인).
⑥ 죄수론	행위표준설, 구성요건표준설, 법익표준설	의사표준설
형벌론	• 응보형주의 • 일반예방주의(범죄인의 처벌로 일반인에 대한 범죄예방효과)	• 목적형·교육형주의 • 특별예방주의(범죄인에 대한 위하와 범죄인의 재사회화를 통하여 범죄인이 다시 죄를 범하는 것을 방지)
형벌과 보안처분	이원론	일원론

01 범죄의 본질에 관한 甲과 乙의 이론에 대한 설명 중 옳은 것은 모두 몇 개인가? 22. 순경 2차

> 甲 : 형법적 평가의 중심은 외부적인 행위와 현실적으로 발생한 결과에 두고 책임과 형벌을 결정해야 한다.
> 乙 : 그렇지 않다. 외부적 행위와 현실적으로 발생한 결과가 아니라, 이를 발생시킨 행위자의 반사회적 성격에 두고 책임과 형벌을 결정해야 한다.

> ㉠ 甲은 미수범의 처벌근거를 구성요건적 결과 실현에 근접한 위험에 있다고 주장하고, 乙은 행위자의 법적대적(法敵對的) 의사에 있다고 주장한다.
> ㉡ 甲은 공동정범의 본질을 행위 속에 표현된 의식적인 공동작용이라고 주장하고, 乙은 공동정범이 각자 최소한 하나의 객관적 구성요건 실현에 스스로 참여한 것이라고 주장한다.
> ㉢ 甲은 책임의 근거를 행위자의 반사회적 성격에 기인해 행위자가 사회방위처분을 받아야 하는 지위가 책임이라 주장하고, 乙은 행위자가 적법행위를 할 수 있었음에도 불구하고 위법행위를 했기 때문에 가해지는 도의적 비난이라 주장한다.
> ㉣ 甲은 공범의 종속성에 대해 타인으로 하여금 죄를 범하게 하려는 의사 자체가 외부로 표명되는 이상 정범의 실행행위와 상관없이 독자적으로 가벌성이 인정된다고 주장하고, 乙은 정범의 실행행위가 있어야 그 정범의 실행행위에 종속해서만 공범이 성립할 수 있다고 주장한다.

① 1개   ② 2개   ③ 3개   ④ 4개

해설 甲 : 객관주의 범죄이론, 乙 : 주관주의 범죄이론

㉠ ○ : 甲은 ~ 주장하고(객관설), 乙은 ~ 주장한다(주관설).

㉡ × : 범죄의 정형성을 중시하는 甲의 입장에서는 수인이 공동하여 특정한 범죄를 행하는 것이 공동정범이라고 보아 공동으로 행하는 대상을 1개의 특정한 범죄로 이해한다(공동정범의 본질 : 범죄공동설). 따라서 甲은 공동정범이 각자 최소한 하나의 객관적 구성요건 실현에 스스로 참여한 것이라고 주장한다. 반면에 범죄를 반사회적 성격의 징표로 파악하는 乙의 입장에서는 수인이 행위를 공동으로 하여 각자 자기의 범죄를 실현하는 것이 공동정범이라고 보아 공동으로 행하는 대상을 특정한 범죄가 아니라 행위 그 자체라고 이해한다(공동정범의 본질 : 행위공동설). 따라서 乙은 공동정범의 본질을 행위 속에 표현된 의식적인 공동작용이라고 주장한다.

㉢ × : 반대로 서술됨. 乙은 책임의 ~ 주장하고(사회적 책임론), 甲은 ~ 주장한다(도의적 책임론).

㉣ × : 반대로 서술됨. 乙은 공범의 ~ 주장하고(공범독립성설), 甲은 ~ 주장한다(공범종속성설).

Answer   1.①

죄형법정주의

제1절 법률주의(성문법주의)

THEMA 03 '법률주의(성문법주의)' 총정리

1. 성문법률주의란 범죄와 형벌은 성문의 법률로 규정되어야 한다는 원칙을 말하며, 여기서의 법률은 **형식적 의미의 법률**을 의미한다(대판 2003.11.14, 2003도3600). 18. 9급 철도경찰, 19. 경찰간부

2. 특히 ① 긴급한 필요가 있거나 미리 법률로써 자세히 정할 수 없는 부득이한 사정이 있는 경우에 **한하여** ② 수권법률(위임법률)이 구성요건의 점에서는 처벌대상인 행위가 어떠한 것인지 이를 예측할 수 있을 정도로 구체적으로 정하고, ③ 형벌의 점에서는 형벌의 종류 및 그 상한과 폭을 명확히 규정하는 것을 전제로 **위임입법이 허용된다**(대판 2002.11.26, 2002도2998). 16. 7급 검찰, 21. 9급 검찰·마약수사·철도경찰, 23. 해경승진·순경 1차·2차, 24. 경찰간부

⚖ 관련판례

● 위임입법의 한계나 죄형법정주의에 위반된다고 본 경우

> 법률의 시행령은 모법인 법률의 위임 없이 법률이 규정한 개인의 권리·의무에 관한 내용을 변경·보충하거나 법률에서 규정하지 아니한 새로운 내용을 규정할 수 없고, 특히 **법률의 시행령이 형사처벌에 관한 사항을 규정하면서 법률의 명시적인 위임 범위를 벗어나 처벌의 대상을 확장하는 것은 죄형법정주의의 원칙에도 어긋나는 것이므로, 그러한 시행령은 위임입법의 한계를 벗어난 것으로서 무효이다**(대판 2017.2.16, 2015도16014 전원합의체). 20. 9급 검찰·마약수사·7급 검찰, 23. 해경승진, 24. 경찰간부·경찰승진, 25. 변호사시험·9급 철도경찰

1. 의료법 제41조가 "환자의 진료 등에 필요한 당직의료인을 두어야 한다."라고 규정하고 있을 뿐인데도 시행령에 당직의료인의 수와 자격 등 배치기준을 규정하고 이를 위반하면 의료법 제90조에 의한 처벌의 대상이 되도록 한 것은 위임입법의 한계를 벗어난 것으로서 무효이다(대판 2017.2.16, 2015도16014 전원합의체). 18. 경력채용, 19. 순경 2차, 20. 경찰간부, 21. 7급 검찰, 22. 해경간부

2. 구 전기통신사업법 제53조 제2항에서 "제1항의 규정에 의한 공공의 안녕질서 또는 미풍양속을 해하는 것으로 인정되는 **통신의 대상 등은 대통령령으로 정한다.**"라고 규정한 것은 포괄위임입법금지원칙에 **위배된다**(헌재결 2002.6.27, 99헌마480). 16. 7급 검찰·철도경찰, 23. 9급 철도경찰

3. "약국을 관리하는 약사 또는 한약사는 보건복지부령으로 정하는 약국관리에 필요한 사항을 준수하여야 한다."라고 규정한 약사법 제19조 제4항(헌재결 2000.7.20, 99헌가15) ⇨ 헌법상 '포괄위임입법금지원칙'에 위반된다.

4. 화물자동차 운수사업법이 운송사업자 허가 취소 또는 운행 정지사유의 하나로 "중대한 교통사고 또는 빈번한 교통사고로 **많은 사상자**를 발생하게 한 경우"를 들면서 동법의 위임에 따라 그 시행령이 '1건의 교통사고로 인하여 **2인 이하**가 중상을 입은 때'도 '중대한 교통사고로 인하여 많은 사상자를 발생하게 한 때'에 포함시켜 규정한 것은 위임범위를 벗어난 것으로서 무효이다(대판 2012.12.20, 2011두30878 전원합의체).

5. 구 근로기준법에서 임금퇴직금 청산기일의 연장 합의의 한도에 관하여 아무런 제한을 두고 있지 아니함에도 불구하고, 같은 법 시행령에서 기일연장을 3월 이내로 제한한 것은 죄형법정주의의 원칙에 위배된다(대판 1998.10.15, 98도1759 전원합의체 ∵ ~ 죄형법정주의의 원칙에 위배되고 위임입법의 한계를 벗어난 것으로서 무효이다). 23. 순경 1차

6. 구 전기통신사업법이 형사처벌대상인 금지의 대상을 '공공의 안녕질서 또는 미풍양속을 해하는 내용의 통신'으로 규정하면서 "공공의 안녕질서 또는 미풍양속을 해하는 것으로 인정되는 통신의 대상은 대통령령으로 정한다."라고 규정한 것은 포괄위임입법금지원칙에 위배된다(헌재결 2002.6.27, 99헌마480). 23. 9급 철도경찰

7. 지방자치법 제22조, 행정규제기본법 제4조 제3항에 따르면 지방자치단체가 조례를 제정할 때 내용이 주민의 권리 제한 또는 의무 부과에 관한 사항이나 벌칙인 경우에는 법률의 위임이 있어야 한다. 법률의 위임 없이 주민의 권리를 제한하거나 의무를 부과하는 사항을 정한 조례는 효력이 없다(대판 2017.12.5, 2016추5162). 23. 9급 철도경찰

8. 구성요건의 실질적 내용을 직접 규정하지 아니하고 모두 단체협약에 위임하는 것은 죄형법정주의의 기본적 요청인 '법률'주의에 위배되고, 그 구성요건은 지나치게 애매하고 광범위하여 죄형법정주의의 명확성의 원칙에 위배된다(헌재결 1998.3.26, 96헌가20). 24. 경찰승진

● **위임입법의 한계나 죄형법정주의에 위반되지 않는다고 본 경우**

1. 공공기관의 운영에 관한 법률 제53조가 공기업의 임직원으로서 공무원이 아닌 사람은 형법 제129조의 적용에 있어서는 이를 공무원으로 본다고 규정하고 있을 뿐 구체적인 공기업의 지정에 관하여는 그 하위규범인 기획재정부장관의 고시에 의하도록 규정하였더라도 죄형법정주의에 위배되지 아니한다(대판 2013.6.13, 2013도1685). 17. 7급 검찰, 19. 경찰승진, 24. 순경 1차

2. 구 국가공무원복무규정 제27조 제2항 제4호(명목 여하를 불문하고 금전 또는 물질로 특정 정당 또는 정치 단체를 지지 또는 반대하는 것)는 명확성의 원칙에 위배되었거나 모법인 국가공무원법 제65조 제4항의 위임범위를 벗어났다고 할 수 없다(대판 2014.5.16, 2012도12867). 16. 경찰간부

3. 식품위생법 제11조 제2항이 과대광고 등의 범위 및 기타 필요한 사항을 보건복지부령에 위임하고 있는 것(대판 2002.11.26, 2002도2998) 14. 순경 1차, 19. 경찰간부

4. 유해화학물질관리법 제35조 제1항에서 금지하는 환각물질을 구체적으로 명확하게 규정하지 아니하고, 다만 그 성질에 관하여 '흥분·환각 또는 마취의 작용을 일으키는 유해화학물질로서 대통령령이 정하는 물질'로 그 한계를 설정하여 놓고, 같은 법 시행령 제22조에서 이를 구체적으로 규정하게 한 것(대판 2000.10.27, 2000도4187) 18. 경찰승진, 21. 해경간부

5. 특정범죄가중처벌 등에 관한 법률 제4조 제1항의 위임을 받은 특정범죄가중처벌 등에 관한 법률 시행령 제2조 제48호가 농업협동조합중앙회(수산업협동조합중앙회)를 정부관리기업체의 하나로 규정한 것이 위임입법의 한계를 벗어난 것으로 위헌·위법이라고 할 수 없다(대판 2008.4.11, 2007도8373 ; 대판 2007.4.27, 2007도1038). 14. 순경 2차

6. 일반적으로 법률의 위임에 의하여 효력을 갖는 법규명령의 경우 구법에 위임의 근거가 없어 무효였더라도 사후에 법 개정으로 위임의 근거가 부여되면 그때부터는 유효한 법규명령이 된다(대판 2012.7.5, 2010다72076). 14. 순경 2차, 24. 경찰승진

7. 청소년보호법 제10조 제1항은 청소년유해매체물의 결정기준을 규정하고 청소년보호위원회에 위임하여 청소년유해매체물을 결정하도록 한 경우(헌재결 2000.6.29, 99헌가16)

8. 구 '어선법 시행규칙'에서 어선검사증서에 기재할 사항을 구체적으로 규정하면서 기재할 사항에 총톤수를 포함시킨 것은 법의 위임에 따른 것으로서 위임입법의 한계를 벗어났다고 보기 어렵다(대판 2018.6.28, 2017도13426). 21. 해경간부·해경 1차

9. 결혼중개업법 제10조의 2 제4항에 의하여 대통령령에 규정하도록 위임된 '국제결혼중개업자의 이용자와 상대방의 신상정보의 제공 시기'를 동법 시행령 제3조의 2 제3항이 '이용자와 상대방의 만남 이전'으로 규정한 것은 위임입법의 한계를 벗어났다고 볼 수 없다(대판 2019.7.25, 2018도7989). 21. 경력채용, 23. 9급 철도경찰

10. 게임산업진흥에 관한 법률 제28조 제3호에서 게임물 관련 사업자에 대하여 '경품 등의 제공을 통한 사행성 조장'을 원칙적으로 금지하면서 제공이 허용되는 경품의 종류·지급기준·제공방법 등에 관한 구체적인 내용을 하위법령에 위임한 것은 경품의 환전이나 재매입 등의 우려가 없는 등 사행성을 제거할 수 있는 방법이 될 것이라는 예측이 가능하므로 죄형법정주의 내지 포괄위임금지의 원칙에 위배되지 아니한다(헌재결 2020.12.23, 2017헌바463). 21. 순경 2차

01 죄형법정주의와 관련하여 위임입법에 대한 설명으로 옳은 것은?(다툼이 있는 경우 판례에 의함)
23. 9급 철도경찰

① 조례의 제정권자인 지방의회는 선거를 통해서 그 지역적인 민주적 정당성을 지니고 있는 주민의 대표기관이므로 지방의회가 조례로써 주민의 권리 또는 의무에 관한 사항이나 벌칙을 정할 때에 법률의 위임을 받지 않아도 된다.

② 지방자치법에 따르면, 지방자치단체는 조례를 위반한 행위에 대하여 조례로써 1천만원 이하의 벌금을 정하여 부과할 수 있다.

③ 구 결혼중개업의 관리에 관한 법률이 형사처벌의 대상인 신상정보 제공의무와 관련하여 단지 "신상정보의 제공 시기 및 절차, 입증방법 등에 필요한 사항은 대통령령으로 정한다."라고만 규정하고 있는데, 동법 시행령이 '이용자와 상대방의 만남 이전'에 신상정보를 제공할 의무를 부과하고 있다면 이는 위임입법의 한계를 일탈한 것이다.

④ 구 전기통신사업법이 형사처벌대상인 금지의 대상을 '공공의 안녕질서 또는 미풍양속을 해하는 내용의 통신'으로 규정하면서 "공공의 안녕질서 또는 미풍양속을 해하는 것으로 인정되는 통신의 대상은 대통령령으로 정한다."라고 규정한 것은 포괄위임입법금지원칙에 위배된다.

> **해설** ① × : ~ (3줄) 정할 때에 법률이 구체적으로 범위를 정하지 않은 채 조례로 정하도록 포괄적으로 위임한 경우에도 법령에 위반되지 않는 범위 내에서 조례로써 제정할 수 있다(대판 2017.12.5, 2016추5162).
> ② × : 지방자치법 제22조, 행정규제기본법 제4조 제3항에 따르면 지방자치단체가 조례를 제정할 때 내용이 주민의 권리 제한 또는 의무 부과에 관한 사항이나 벌칙인 경우에는 법률의 위임이 있어야 한다. 법률의 위임 없이 주민의 권리를 제한하거나 의무를 부과하는 사항을 정한 조례는 효력이 없다(대판 2017.12.5, 2016추5162).
> ③ × : ~ 위임입법의 한계를 벗어났다고 볼 수 없다(대판 2019.7.25, 2018도7989).
> ④ ○ : 헌재결 2002.6.27, 99헌마480

02 위임입법에 관한 설명으로 옳은 것은 모두 몇 개인가?(다툼이 있는 경우 판례에 의함)

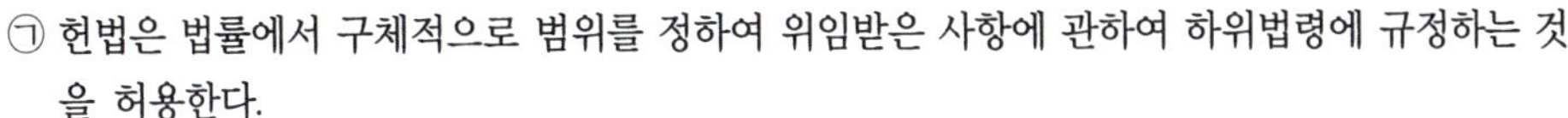

> ㉠ 헌법은 법률에서 구체적으로 범위를 정하여 위임받은 사항에 관하여 하위법령에 규정하는 것을 허용한다.
> ㉡ 법률의 시행령이나 시행규칙의 내용이 모법의 입법 취지와 관련 조항 전체를 유기적·체계적으로 살펴보아 모법의 해석상 가능한 것을 명시한 것에 지나지 아니하거나 모법 조항의 취지에 근거하여 이를 구체화하기 위한 것인 때에는 모법에 이에 관하여 직접 위임하는 규정을 두지 아니하였다고 하더라도 이를 무효라고 볼 수는 없다.
> ㉢ 법률의 시행령이 형사처벌에 관한 사항을 규정하면서 법률의 명시적인 위임 범위를 벗어나 그 처벌의 대상을 확장하는 것은 죄형법정주의의 원칙에도 어긋나는 것이므로, 그러한 시행령은 위임입법의 한계를 벗어난 것으로서 무효이다.
> ㉣ 형벌법규의 위임은 특히 긴급한 필요가 있거나 미리 법률로써 자세히 정할 수 없는 부득이한 사정이 있는 경우로 한정되어야 하며, 이러한 경우에도 법률에서 범죄의 구성요건은 처벌대상 행위가 어떠한 것일 것이라고 예측할 수 있을 정도로 구체적으로 정하여야 한다.

① 1개 　　　　② 2개 　　　　③ 3개 　　　　④ 4개

해설 ㉠ ○ : 헌법 제75조 ㉡ ○ : 대판 2020.4.9, 2015다34444
㉢ ○ : 대판 2017.2.16, 2015도16014 전원합의체 ㉣ ○ : 대판 2002.11.26, 2002도2998

03 위임입법에 관한 설명으로 가장 적절하지 않은 것은?(다툼이 있는 경우 판례에 의함) 24. 경찰승진

① 형사처벌에 관련된 모든 법규를 예외 없이 형식적 의미의 법률에 의하여 규정한다는 것은 사실상 불가능할 뿐만 아니라 실제에 적합하지도 않으므로 구성요건의 실질적 내용을 단체협약에 모두 위임하는 것도 허용된다.

② 법률의 시행령은 모법인 법률의 위임 없이 법률이 규정한 개인의 권리 의무에 관한 내용을 변경 보충하거나 법률에서 규정하지 아니한 새로운 내용을 규정할 수 없고, 특히 법률의 시행령이 형사처벌에 관한 사항을 규정하면서 법률의 명시적인 위임 범위를 벗어나 처벌의 대상을 확장하는 것은 위임입법의 한계를 벗어난 것으로서 무효이다.

③ 일반적으로 법률의 위임에 의하여 효력을 갖는 법규명령의 경우, 구법에 위임의 근거가 없어 무효였더라도 사후에 법개정으로 위임의 근거가 부여되면 그때부터는 유효한 법규명령이 된다.

④ 처벌법규의 구성요건 부분에 관한 기본사항에서 보다 구체적인 기준이나 범위를 정함이 없이 또는 그 대강이 확정되지 않은 상태에서 그 내용인 규범의 실질을 모두 하위법령에 포괄적으로 위임하는 것은 죄형법정주의 원칙에 반한다.

해설 ① × : 구성요건의 실질적 내용을 직접 규정하지 아니하고 모두 단체협약에 위임하는 것은 죄형법정주의의 기본적 요청인 '법률'주의에 위배되고, 그 구성요건은 지나치게 애매하고 광범위하여 죄형법정주의의 명확성의 원칙에 위배된다(헌재결 1998.3.26, 96헌가20). ② 대판 2017.2.16, 2015도16014 전원합의체 ③ 대판 2012.7.5, 2010다72076 ④ 헌재결 2000.7.20, 99헌가15

Answer　2.④　3.①

제2절 소급효금지의 원칙(형벌불소급의 원칙, 행위시법주의의 원칙)

THEMA 04 '소급효금지의 원칙(형벌불소급의 원칙)' 총정리

1. 의의 : 형벌법규는 그 시행 이후에 이루어진 행위에 대해서만 적용되고, 시행 이전의 행위에까지 소급하여 적용될 수 없다는 원칙을 말한다. 즉, 행위시에 범죄로 규정되어 있지 않은 행위에 대해서 사후 입법을 규정하여 소급하여 처벌할 수 없다는 것이다[행위시법주의 : 범죄의 성립과 처벌은 행위시의 법률에 따른다(제1조 제1항)].

2. 그러나 소급효도 행위자에게 유리한 경우에는 죄형법정주의 정신(인권보장)에 비추어 허용된다[범죄 후 법률이 변경되어 그 행위가 범죄를 구성하지 아니하게 되거나 형이 구법보다 가벼워진 경우에는 신법에 따른다(제1조 제2항)]. 21. 경찰승진

⚖️ 관련판례

1. 헌법재판소의 위헌결정으로 인하여 형벌에 관한 법률조항이 소급하여 그 효력을 상실한 경우에는 당해 조항을 적용하여 기소한 피고사건은 범죄로 되지 아니하는 때에 해당되므로 무죄가 된다 (대판 1999.12.24, 99도3003 ∴ 면소판결 ×, 무죄판결 ○). 13. 경찰승진, 18. 순경 2차·3차

   ▶ **유사판례**

   ① 헌법재판소가 형벌에 관한 법률조항에 대해 헌법불합치결정을 선고하면서 개정시한을 정하여 입법 개선을 촉구하였는데도 위 시한까지 법률 개정이 이루어지지 않은 경우, 위 법률조항은 소급하여 효력을 상실하므로 이를 적용하여 공소가 제기된 위 피고사건에 대하여 무죄(면소 ×)를 선고하여야 한다(대판 2011.6.23, 2008도7562 전원합의체 ∵ 헌법불합치결정은 형벌에 관한 법률조항에 대한 위헌결정이다). 18. 법원직, 20. 경찰승진·7급 검찰, 25. 9급 철도경찰

   ② 입법자가 헌법재판소의 헌법불합치결정에 따라 구법 조항을 개정하면서 부칙에 '개정 조항'의 소급적용에 관한 경과조치를 두고 있지 않더라도, 위 헌법불합치결정의 소급효가 미친다고 해야 하므로, 구법 조항을 그대로 적용할 수는 없고, 위헌성이 제거된 개정된 조항을 적용하여야 한다(대판 2021.5.27, 2018도13458).

   ③ 형법 제328조 제1항(직계혈족, 배우자, 동거친족, 동거가족 또는 그 배우자 간의 제323조의 죄는 그 형을 면제한다.)은 소급하지 않고 헌법재판소 결정이 있은 날(형법 제328조 제1항은 2025. 12. 31.을 시한으로 입법자가 개정할 때까지 적용중지를 명하는 헌법불합치 결정을 한다 ; 헌재결 2024.6. 27, 2020헌마468)로부터 효력이 상실한다(대판 2025.3.13, 2024도19846). 따라서 헌법재판소 결정(2024. 6. 27)이 있기 전까지 행위들에 대해서는 기존과 동일하게 친족상도례 적용을 받을 수 있다.

2. 인지가 범행 후에 이루어진 경우 인지의 소급효에 따라 형성되는 친족관계를 기초로 하여 친족상도례의 규정이 적용된다(대판 1997.1.24, 96도1731). 12. 변호사시험, 22. 해경 2차

3. 운전면허취소처분을 받은 후 자동차를 운전한 경우 위 면허취소처분이 행정쟁송절차에 의하여 취소되었다면 그 운전행위는 무면허운전이 아니다(대판 1999.2.5, 98도4239). 12. 법원행시
   자동차 운전면허가 취소된 사람이 그 처분의 원인이 된 교통사고 또는 법규위반에 대하여 혐의 없음 등으로 불기소처분을 받거나 무죄의 확정판결을 받은 경우 무죄판결이 확정된 경우에는 그 취소처분이 취소되지 않았더라도 도로교통법에 규정된 무면허운전의 죄로 처벌할 수는 없다(대판 2021.9.16, 2015도12632).

3. 소급효금지원칙에 위배되지 않아 죄형법정주의에 반하지 않는다고 본 경우

⚖ 관련판례

1. 행위 당시의 판례에 의하면 처벌대상이 되지 않는 것으로 해석되었던 행위를 판례의 변경에 따라 확인된 내용의 형법조항에 근거하여 처벌하는 것은 소급효금지원칙에 반하지 않는다(대판 1999.9.17, 97도3349). 18. 순경 1차, 20. 법원직, 22. 해경간부, 23. 경찰승진, 24. 경찰간부·경위공채·7급 검찰

   ▶ **비교판례** : 허위로 신고한 사실이 무고행위 당시 형사처분의 대상이 될 수 있었던 경우에는 무고죄는 기수에 이르고, 이후 그러한 사실이 형사범죄가 되지 않는 것으로 판례가 변경되었더라도 특별한 사정이 없는 한 이미 성립한 무고죄에는 영향을 미치지 않는다(대판 2017.5.30, 2015도15398). 17. 법원행시·순경 2차, 18. 경찰간부, 19. 수사경과, 21. 변호사시험, 22. 순경 1차

2. 대법원 양형위원회가 설정한 '양형기준'이 발효하기 전에 공소가 제기된 범죄에 대하여 위 '양형기준'을 참고하여 형을 양정한 경우, 소급적용금지의 원칙을 위반한 것은 아니다(대판 2009.12.10, 2009도11448 ∵ 양형기준은 법적 구속력을 가지지 아니하고 법관의 양형에 있어서 그 존중이 요구되는 것일 뿐이다). 16. 법원직, 17. 9급 검찰, 18. 경찰간부, 19. 경력채용, 20. 경찰승진, 22·25. 순경 1차

3. 진행 중인 공소시효를 연장하는 법률이나 이미 공소시효가 완성된 범죄에 대해 소급하여 공소시효를 정지한 법률을 제정한 경우(대판 1997.4.17, 96도3376 전원합의체) 12. 변호사시험, 15. 9급 철도경찰, 19. 순경 2차

   ☑ **헌재결 1999.7.22, 97헌바76, 대판 1997.4.17, 96도3376 전원합의체**

   • 진정소급입법〔새로운 입법으로 이미 종료된 사실관계 또는 법률관계에 작용케 하는 소급입법(⑩ 이미공소시효가 완성되었거나 고소기간이 도과한 후에 공소시효기간이나 고소기간을 사후적으로 연장하거나 정지한 입법)〕 ⇨ 허용 ×(원칙), 허용 ○(예외 : 기존의 법을 변경해야 할 공익적 필요는 심히 중대한 반면에 그 법적 지위에 대한 개인적 신뢰를 보호해야 할 필요가 상대적으로 적어 개인의 신뢰이익을 관철하는 것이 객관적으로 정당화될 수 없는 경우) 17. 9급 철도경찰, 21. 경찰승진, 22. 경찰간부, 24. 7급 검찰

   • 부진정소급입법〔현재 진행 중인 사실관계 또는 법률관계에 작용케 하는 소급입법(⑩ 진행 중인 공소시효를 연장하는 입법)〕 ⇨ 허용 ○(원칙)

   ▶ **유사판례** : 개정 형사소송법 시행 당시 공소시효가 완성되지 아니한 범죄에 대한 공소시효가 위 법률이 개정되면서 신설된 제253조 제3항에 의하여 피고인이 외국에 있는 기간 동안 정지된 경우, 공소제기시에 공소시효의 기간은 경과되지 아니하였다(대판 2015.6.24, 2015도5916). 18. 경찰승진

4. 보호관찰은 형벌이 아니라 보안처분의 성격을 갖는 것으로서 그에 관하여 반드시 행위 이전에 규정되어 있어야 하는 것은 아니며, 재판시의 규정에 의하여 보호관찰을 받을 것을 명할 수 있다(대판 1997.6.13, 97도703). 20. 법원행시, 21. 변호사시험, 22. 9급 검찰·마약수사·철도경찰, 23. 경찰간부·해경 3차, 24. 해경승진·순경 2차

   ▶ **유사판례**

   ① 아동·청소년의 성보호에 관한 법률에 정한 공개명령제도가 시행되기 이전에 범한 범죄에도 공개명령제도를 적용하도록 동법률이 개정된 경우(대판 2011.3.24, 2010도14393 ∵ 일종의 보안처분으로서 형벌에 관한 소급입법금지의 원칙이 그대로 적용 ×). 22. 경찰간부·7급 검찰, 24. 순경 1차

   ② 위치추적 전자장치의 부착명령(전자감시제도)은 일종의 보안처분으로 형벌과 구별되어 본질을 달리하는 것이므로 특정 범죄자에 대한 위치추적 전자장치 부착 등에 관한 법률을 개정하여 부착명령 기간을 연장하도록 규정하는 것은 죄형법정주의 원칙(소급입법금지의 원칙)에 반하지 않는다(대판 2010.12.23, 2010도11996). 17. 9급 검찰·철도경찰, 20. 법원행시, 21. 경찰승진, 22. 경찰간부

5. 형법 제1조 제2항은 "범죄 후 법률의 변경에 의하여 그 행위가 범죄를 구성하지 아니하거나 형이 구법보다 경한 때에는 신법에 의한다."고 규정하고 있으나 형이 구법보다 경한 때에 신법에 경과규정을 두어 신법의 적용을 배제하는 것도 허용된다(대판 1999.4.13, 99초76). 14. 순경 2차, 16. 경찰승진, 20. 법원행시, 21. 변호사시험

> ▶ **유사판례** : 형을 종전보다 가볍게 하는 내용으로 형벌법규를 개정하면서 그 부칙으로 개정 전의 범죄에 대하여는 종전의 형벌법규를 추급하여 적용하도록 규정하더라도 형벌불소급 원칙이나 신법우선주의 원칙에 반한다고 할 수는 없다(대판 1999.7.9, 99도1695). 15. 9급 철도경찰 · 경찰승진, 22. 9급 검찰 · 마약수사 · 철도경찰, 23. 경찰간부, 24. 해경승진

6. 절차법인 형사소송법에 대하여는 소급효금지의 원칙이 적용되지 아니한다(대판 2003.11.27, 2003도4327 ∵ 신법 시행 후의 소송절차에 대하여는 신법 적용됨). 16. 경찰승진, 20. 해경승진

7. '도로교통법 제44조 제1항을 2회 이상 위반한' 것에 (형의 실효 등에 관한 법률에 따라 형이 실효되었거나 사면법에 따라 형 선고의 효력이 상실된) 구 도로교통법 제44조 제1항을 위반한 음주운전 전과까지 포함되는 것으로 해석하는 것이 형벌불소급의 원칙이나 일사부재리의 원칙 또는 비례의 원칙에 위배된다고 할 수 없다(대판 2012.11.29, 2012도10269). 18. 경찰간부

> ▶ **유사판례** : '도로교통법 제44조 제1항(음주운전) 또는 제2항(음주측정 불응)을 2회 이상 위반한 사람'에 위와 같이 개정된 도로교통법이 시행된 2019. 6. 25. 이전에 구 도로교통법 제44조 제1항 또는 제2항을 위반한 전과가 포함된다고 보아야 한다. 이와 같이 해석하더라도 형벌불소급의 원칙이나 일사부재리의 원칙에 위배되지 않는다(대판 2020.8.20, 2020도7154). 21. 순경 2차 · 해경 2차

8. 디엔에이신원확인정보의 이용 및 보호에 관한 법률이 시행 당시 디엔에이감식시료 채취 대상 범죄로 이미 징역이나 금고 이상의 실형을 선고받아 그 형이 확정되어 수용 중인 사람에게도 적용될 수 있도록 한 위 법률 부칙 제2조 제1항은 소급입법금지원칙에 위배되는 것은 아니다(헌재결 2014. 8.28, 2013헌마215). 21. 변호사시험

9. 범죄의 성립과 처벌은 행위시의 법률에 의한다고 할 때의 '행위시'는 범죄행위의 종료시를 의미하는 것으로서, 포괄일죄로 되는 개개의 범죄행위가 법 개정의 전후에 걸쳐서 행하여진 경우에는 범죄실행 종료시의 법이라고 할 수 있는 신법을 적용하여 포괄일죄로 처단하여야 한다(대판 2009. 4.9, 2009도321). 18. 순경 3차, 23. 경찰승진, 24. 7급 검찰

> ▶ **비교판례** : 포괄일죄에 관한 기존 처벌법규에 대하여 그 표현이나 형량과 관련한 개정을 하는 경우가 아니라 애초에 죄가 되지 않던 행위를 구성요건의 신설로 포괄일죄의 처벌대상으로 삼는 경우에는 신설된 포괄일죄 처벌법규가 시행되기 이전의 행위에 대하여는 신설된 법규를 적용하여 처벌할 수 없고(형법 제1조 제1항), 이는 신설된 처벌법규가 상습범을 처벌하는 구성요건인 경우에도 마찬가지이다(대판 2022.12.29, 2022도10660). 20. 9급 철도경찰, 22. 법원행시, 25. 순경 1차

4. 소급효금지원칙에 위배되어 죄형법정주의에 반한다고(위배된다고) 본 경우

⚖ 관련판례

1. 가정폭력범죄의 처벌 등에 관한 특례법상 사회봉사명령을 부과하면서, 행위시법상 사회봉사명령 부과시간의 상한인 100시간을 초과하여 상한을 200시간으로 올린 신법을 적용한 것은 위법하다(대결 2008.7.24, 2008어4 ∵ 본법의 사회봉사명령은 형벌 그 자체가 아니라 보안처분의 성격을 가지는 것이 사실이나, 이는 형사처벌 대신 부과되는 것으로서 실질적으로는 신체적 자유를 제한하게 되므로, 이에 대하여는 원칙적으로 형벌불소급의 원칙에 따라 행위시법을 적용함이 상당하다). 20. 법원직 · 경찰승진, 21. 변호사시험, 22. 경찰간부, 23. 순경 2차, 24. 9급 검찰 · 마약수사 · 철도경찰 · 7급 검찰

2. 게임산업진흥에 관한 법 시행령 제18조의 3의 시행일 이전에 위 시행령 조항 각 호에 규정된 게임 머니를 환전, 환전 알선, 재매입한 영업행위를 처벌하는 것은 형벌법규의 소급효금지원칙에 위배된다(대판 2009.4.23, 2008도11017). 12. 순경 1차, 18. 경찰간부

3. 구성요건이 신설된 상습강제추행죄가 시행되기 이전의 범행은 상습강제추행죄로는 처벌할 수 없고 행위시법에 기초하여 강제추행죄로 처벌할 수 있을 뿐이며, 이 경우 그 소추요건도 상습강제추행죄에 관한 것이 아니라 강제추행죄에 관한 것이 구비되어야 한다(대판 2016.1.28, 2015도15669). 17. 순경 2차, 18. 경찰간부

4. 노역장유치기간의 하한을 정한 형법 제70조 제2항을 시행일 이후 최초로 공소제기되는 경우부터 적용하도록 한 형법 부칙(2014. 5. 14.) 제2조 제1항이 헌법상 형벌불소급원칙에 위반된다(대판 2018. 2.13, 2017도17809 ∵ 노역장유치는 그 실질이 신체의 자유를 박탈하는 것으로서 징역형과 유사한 형벌적 성격을 가지므로 형벌불소급원칙의 적용대상이 된다). 20. 경찰간부, 21. 변호사시험, 22. 7급 검찰, 24. 해경경위

5. 헌법 제13조 제1항 전단과 형법 제1조 제1항에서 정한 형벌법규의 소급효금지원칙에 비추어 보아, 법무사 등록증 대여를 처벌하는 법무사법 제72조 제1항에 더하여 2017. 12. 12. 동법 제72조 제2항의 몰수·추징 조항이 뒤늦게 신설되었다면, 개정된 법무사법이 시행된 이후의 행위로 취득한 금품 그 밖의 이익만이 개정된 법무사법 제72조 제2항에 따른 몰수나 추징의 대상이 된다고 보아야 하므로, 2014. 1.경부터 2018. 4. 9.경까지 법무사 등록증 대여 금지를 위반하여 취득한 이익 전부를 추징하면 형벌법규의 소급효금지원칙에 반한다(대판 2020.10.15, 2020도7307). 24. 순경 2차

---

01 **다음 설명 중 옳은 것은?**(다툼이 있는 경우 판례에 의함)　　　　　21. 변호사시험

① 가정폭력범죄의 처벌 등에 관한 특례법에서 규정하고 있는 사회봉사명령은 보안처분이므로 이 명령에 형벌불소급의 원칙이 적용되지 않는다.

② 종전보다 가벼운 형으로 형벌법규를 개정하면서, 개정된 법 시행 전의 범죄에 대해서 종전의 형벌법규를 적용하도록 그 부칙에 규정하는 것은 형벌불소급의 원칙에 반한다.

③ 행위시에 없던 보호관찰규정이 재판시에 신설되어 이를 근거로 보호관찰을 명할 경우, 형벌불소급의 원칙 또는 죄형법정주의에 위배된다.

④ 1억원 이상의 벌금형을 선고하는 경우 노역장유치기간의 하한을 중하게 정한 개정 형법 제70조 제2항을 시행일 이후 최초로 공소제기되는 경우부터 적용하도록 한 개정 형법 부칙 제2조 제1항은 형벌불소급의 원칙에 위반된다.

⑤ 디엔에이신원확인정보의 이용 및 보호에 관한 법률이 시행 당시 디엔에이감식시료 채취 대상 범죄로 이미 징역이나 금고 이상의 실형을 선고받아 그 형이 확정되어 수용 중인 사람에게도 적용될 수 있도록 한 위 법률 부칙 제2조 제1항은 소급입법금지원칙에 위배된다.

[해설] ① × : 가정폭력범죄의 처벌 등에 관한 특례법이 정한 사회봉사명령은 형사처벌 대신 부과되는 것으로서 가정폭력범죄를 범한 자에게 의무적 노동을 부과하고 여가시간을 박탈하여 실질적으로 신체적 자유를 제한하게 되므로, 이에 대해서는 형벌불소급원칙이 적용된다(대결 2008.7.24, 2008어4).
② × : ~ 원칙에 반한다고 할 수는 없다(대판 1999.7.9, 99도1695).
③ × : ~ 위배되지 않는다(대판 1997.6.13, 97도703).
④ ○ : 대판 2018.2.13, 2017도17809
⑤ × : ~ 위배되는 것은 아니다(헌재결 2014.8.28, 2013헌마215).

02 소급효금지의 원칙에 대한 설명으로 가장 적절한 것은?(다툼이 있는 경우 판례에 의함)

21. 경찰승진

① 특정 범죄자에 대한 위치추적 전자장치 부착 등에 관한 법률에 의한 전자감시제도는 보안처분이지만, 실질적으로 행동의 자유를 지극히 제한하므로 형벌에 관한 소급입법금지원칙이 적용된다.
② 소급효금지의 원칙은 죄형법정주의의 파생원칙으로서 행위자에게 유리한 사후법의 소급효도 인정되지 않는다.
③ 공소시효가 이미 완성된 경우, 그 공소시효를 연장하는 법률은 진정소급입법으로서 예외 없이 소급효금지의 원칙이 적용된다.
④ 행위 당시의 판례에 의하면 처벌대상이 되지 아니하는 것으로 해석되었던 행위를 판례의 변경에 따라 확인된 내용의 형법 조항에 근거하여 처벌한다고 하여 그것이 소급효금지의 원칙에 반한다고 할 수는 없다.

[해설] ① × : ~ 전자감시제도는 일종의 보안처분으로 형벌과 구별되어 그 본질을 달리하므로 소급입법금지원칙이 적용되지 않는다(대판 2010.12.23, 2010도11996).
② × : ~ 행위자에게 불리한 사후법의 소급을 금지하는 것이지, 유리한 사후법의 소급효는 인정된다(제1조 제2항).
③ × : 기존의 법을 변경해야 할 공익적 필요는 심히 중대한 반면에 그 법적 지위에 대한 개인적 신뢰를 보호해야 할 필요가 상대적으로 적어 개인의 신뢰이익을 관철하는 것이 객관적으로 정당화될 수 없는 경우에는 예외적으로 공소시효에 대한 진정소급입법이 허용될 수 있다(대판 1997.4.17, 96도3376 전원합의체).
④ ○ : 대판 1999.9.17, 97도3349

03 다음은 보안처분과 소급효에 대한 설명이다. 옳은 것은 모두 몇 개인가?(다툼이 있는 경우 판례에 의함)

22. 경찰간부

> ㉠ 보호관찰은 형벌이 아니라 보안처분의 성격을 갖는 것으로서, 과거의 불법에 대한 책임에 기초하고 있는 제재가 아니라 장래의 위험성으로부터 행위자를 보호하고 사회를 방위하기 위한 합목적적인 조치이므로, 그에 관하여 반드시 행위 이전에 규정되어 있어야 하는 것은 아니며, 재판시의 규정에 의하여 보호관찰을 받을 것을 명할 수 있다.

ⓛ 아동·청소년의 성보호에 관한 법률에 정한 공개명령 제도는 범죄행위를 한 자에 대한 응보 등을 목적으로 그 책임을 추궁하는 사후적 처분인 형벌과 구별되어 그 본질을 달리하는 것으로서, 공개명령 제도가 시행되기 이전에 범한 범죄에도 공개명령 제도를 적용하도록 아동·청소년의 성보호에 관한 법률이 개정되었다고 하더라도 그것이 소급입법금지의 원칙에 반한다고 볼 수 없다.

ⓒ 가정폭력처벌법이 정한 보호처분 중의 하나인 사회봉사명령은 형벌 그 자체가 아니라 보안처분의 성격을 가지는 것이 사실이나, 한편으로 이는 가정폭력범죄행위에 대하여 형사처벌 대신 부과되는 것으로서, 가정폭력범죄를 범한 자에게 의무적 노동을 부과하고 여가시간을 박탈하여 실질적으로는 신체적 자유를 제한하게 되므로, 행위시법상 상한인 100시간을 초과하여 상한을 200시간으로 올린 신법을 적용하는 것은 형벌불소급의 원칙에 반한다.

ⓔ 특정 범죄자에 대한 위치추적 전자장치 부착 등에 관한 법률에 의한 전자감시제도는, 범죄행위를 한 자에 대한 응보를 주된 목적으로 그 책임을 추궁하는 사후적 처분인 형벌과 구별되어 그 본질을 달리하는 것으로서, 위 법률이 개정되어 부착명령기간을 연장하도록 규정하고 있더라도 그것이 소급입법금지의 원칙에 반한다고 볼 수 없다.

① 1개 　　　② 2개 　　　③ 3개 　　　④ 4개

해설 ㉠ ○ : 대판 1997.6.13, 97도703
ⓛ ○ : 대판 2011.3.24, 2010도14393
ⓒ ○ : 대판 2008.7.24, 2008어4
ⓔ ○ : 대판 2010.12.23, 2010도11996

04 **죄형법정주의에 대한 설명으로 옳지 않은 것은?**(다툼이 있는 경우 판례에 의함)　　22. 7급 검찰

① 노역장유치는 그 실질이 신체의 자유를 박탈하는 것으로서 징역형과 유사한 형벌적 성격을 가지고 있으므로 형벌불소급의 원칙의 적용대상이 된다.

② 아동·청소년의 성보호에 관한 법률에 정한 공개명령 제도는 형벌과 구별되어 그 본질을 달리하는 것으로서 형벌에 관한 소급입법금지의 원칙이 그대로 적용되지 않는다.

③ 집행유예시에 명할 수 있는 보호관찰(형법 제62조의 2 제1항)이 범죄행위 이전에 규정되어 있지 않았으나 재판시에 신설되어 있어 이를 근거로 보호관찰을 받을 것을 명한 것은 형벌불소급의 원칙에 위반된다.

④ 가정폭력범죄의 처벌 등에 관한 특례법상 사회봉사명령에 대하여는 원칙적으로 형벌불소급의 원칙에 따라 행위시법을 적용함이 상당하다.

해설 ① 대판 2018.2.13, 2017도17809
② 대판 2011.3.24, 2010도14393
③ × : ~ 형벌불소급의 원칙에 반하지 않는다(대판 1997.6.13, 97도703).
④ 대판 2008.7.24, 2008어4

05 형벌불소급의 원칙에 대한 설명으로 옳지 않은 것은?(다툼이 있는 경우 판례에 의함)

24. 7급 검찰

① 형사처벌의 근거가 되는 것은 법률이지 판례가 아니므로, 행위 당시 판례에 의하면 처벌대상이 되지 아니하는 것으로 해석되었던 행위를 판례의 변경에 따라 확인된 내용의 형법조항에 근거하여 처벌한다고 하여 그것이 형벌불소급의 원칙에 반한다고 할 수는 없다.

② 아동·청소년의 성보호에 관한 법률이 정한 신상공개명령, 전자장치 부착 등에 관한 법률이 정한 전자감시, 가정폭력범죄의 처벌 등에 관한 특례법이 정한 사회봉사명령 등은 형벌이 아니라 보안처분의 성격을 갖는 것으로서 형벌불소급의 원칙이 적용되지 아니한다.

③ 범죄의 성립과 처벌은 행위시의 법률에 의한다고 할 때의 '행위시'는 범죄행위의 종료시를 의미하는 것으로서, 포괄일죄로 되는 개개의 범죄행위가 법 개정의 전후에 걸쳐서 행하여진 경우에는 범죄실행 종료시의 법이라고 할 수 있는 신법을 적용하여 포괄일죄로 처단하여야 한다.

④ 이미 공소시효가 완성되었음에도 그 시효를 연장하는 것과 같은 진정소급입법이라 하더라도, 기존의 법을 변경하여야 할 공익적 필요는 심히 중대한 반면에 그 법적 지위에 대한 개인의 신뢰를 보호하여야 할 필요가 상대적으로 적어 개인의 신뢰이익을 관철하는 것이 객관적으로 정당화될 수 없는 경우에는 예외적으로 허용될 수 있다.

해설 ① 대판 1999.9.17, 97도3349

② × : ┌ • 형법불소급의 원칙이 적용 × : 신상공개명령(대판 2011.3.24, 2010도14393), 전자감시(위치추적 전자장치의 부착명령 : 대판 2010.12.23, 2010도11996)
└ • 형법불소급의 원칙이 적용 ○ : 사회봉사명령(대결 2008.7.24, 2008어4)

③ 대판 2009.4.9, 2009도321

④ 대판 1997.4.17, 96도3376 전원합의체

Answer 5. ②

제3절　유추해석금지의 원칙

THEMA 05　'유추해석금지의 원칙' 총정리

> 형벌법규의 해석은 엄격하여야 하고, 명문의 형벌법규의 의미를 피고인에게 불리한 방향으로 지나치게 확장해석하거나 유추해석하는 것은 죄형법정주의의 원칙에 어긋나는 것으로서 허용되지 아니하나, 형벌법규의 해석에서도 법률문언의 통상적인 의미를 벗어나지 않는 한 그 법률의 입법취지와 목적, 입법 연혁 등을 고려한 목적론적 해석이 배제되는 것은 아니다(대판 2018.7.24, 2018도3443). 20. 법원직·법원행시·순경 2차, 21. 9급 검찰·마약수사·철도경찰·해경 1차, 24. 경위공채

1. 이 원칙은 모든 형벌법규의 구성요건과 가벌성에 관한 규정에 준용되며(대판 1997.3.20, 96도1167 전원합의체), 12. 9급 검찰·철도경찰 그 형벌법규의 적용대상이 행정법규가 규정한 사항을 내용으로 하고 있는 경우에 그 행정법규의 규정을 해석하는 데에도 마찬가지로 적용된다(대판 2007.6.29, 2006도4582). 18. 9급 철도경찰, 22. 순경 1차, 24. 해경승진

2. 그러나 피고인에게 유리한 유추해석은 허용된다. 따라서 위법성 및 책임조각사유나 소추조건 또는 처벌조각사유(형면제 사유) 등과 같이 피고인에게 유리한 사유를 제한적으로(좁게) 유추적용하는 것은 이 원칙에 위반된다〔대판 1997.3.20, 96도1167 전원합의체 ∵ 행위자의 가벌성의 범위가 확대(축소 ×)되어 행위자에게 불리하게 됨〕. 20. 법원행시·법원직, 22. 경찰승진·순경 2차, 23. 해경승진, 24. 경찰간부·해경간부·경위공채, 25. 변호사시험·순경 1차

   ▶ **유사판례**
   ① 처벌규정의 소극적 구성요건을 문언의 가능한 의미를 벗어나 지나치게 좁게 해석하게 되면 피고인에 대한 가벌성의 범위를 넓히게 되어 죄형법정주의의 파생원칙인 유추해석금지원칙에 어긋날 우려가 있으므로 법률문언의 통상적인 의미를 벗어나지 않는 범위 내에서 합리적으로 해석할 필요가 있다(대판 2018.10.25, 2018도7041). 23. 경찰승진
   ② 법규정 문언의 가능한 의미를 벗어나 형벌법규를 해석하는 것은 유추해석으로서 죄형법정주의에 위반된다. 유추해석금지의 원칙은 모든 형벌법규의 구성요건과 가벌성에 관한 규정에 준용되므로, 위법성 및 책임의 조각사유나 소추조건 또는 처벌조각사유인 형면제 사유에 관하여 범위를 제한적으로 유추적용하면 행위자의 가벌성의 범위가 확대되어 행위자에게 불리하고, 이는 가능한 문언의 의미를 넘어 범죄구성요건을 유추적용하는 것과 같은 결과를 초래하므로 죄형법정주의의 파생원칙인 유추해석금지의 원칙을 위반하여 허용될 수 없다(대판 2023.6.29, 2021도17733). 25. 순경 1차

3. 형벌법규의 해석에 있어서도 법률체계적 연관성에 따라 그 문언의 논리적 의미를 분명히 밝히는 체계적·논리적 해석방법은 허용된다〔대판 2007.6.14, 2007도2162 : 그러나 문언 자체가 비교적 명확한 개념으로 구성되어 있다면 원칙적으로 이러한 해석방법은 활용할 필요가 없거나 제한될 수밖에 없다(대판 2017.12.21, 2015도8335 전원합의체)〕. 20. 법원행시, 21. 해경간부·해경승진, 23. 경력채용, 25. 순경 1차

4. 형벌법규의 해석에 있어서 유추해석이나 확장해석도 피고인에게 유리한 경우에는 가능한 것이나, 문리를 넘어서는 이러한 해석은 그렇게 해석하지 아니하면 그 결과가 현저히 형평과 정의에 반하거나 심각한 불합리가 초래되는 경우에 한하여야 할 것이고, 그렇지 아니하는 한 입법자가 그 나름대로의 근거와 합리성을 가지고 입법한 경우에는 입법자의 재량을 존중하여야 하는 것이다(대판 2004.11.11, 2004도4049). 22. 순경 2차

5. 유추해석금지의 원칙에 위반되어(반하여) **죄형법정주의에 반한다고**(위배·위반된다고) **본 경우**(즉, 유추해석에 해당된 경우)

⚖ **관련판례**

1. 공직선거 및 선거부정방지법의 '자수'를 범행발각 전에 자수한 경우로 한정하여 해석한 경우(대판 1997.3.20, 96도1167 전원합의체 ∵ 자수에는 지명수배된 후의 자진출두도 포함되는 것으로 판례가 해석함) 15. 경찰승진, 17. 7급 검찰·경찰간부, 18. 순경 1차, 19. 법원행시, 21. 경력채용, 22. 순경 2차

2. 군형법 제64조 제1항의 상관면전모욕죄의 구성요건에 전화를 통하여 통화한 경우를 포함시키는 경우(대판 2002.12.2, 2002도2539) 14. 순경 1차, 15. 순경 2차, 18. 경찰승진, 22. 경찰간부

3. 청소년의 성보호에 관한 법률 제16조에 규정된 반의사불벌죄에서 피해자인 청소년에게 의사능력이 있음에도 그 처벌을 희망하지 않는다는 의사표시 또는 처벌희망 의사표시의 철회에 명문의 근거 없이 법정대리인의 동의가 필요하다고 보는 것(대판 2009.11.19, 2009도6058 전원합의체 ∵ 처벌을 희망하지 않는다는 의사표시 또는 처벌희망 의사표시의 철회는 이른바 소극적 소송조건에 해당하고, 이러한 소송조건에는 죄형법정주의의 파생원칙인 유추해석금지의 원칙이 적용된다.) 18. 9급 검찰·마약수사, 22. 변호사시험, 23. 법원행시, 24. 경력채용, 25. 경찰승진·순경 1차

4. 형법 제225조의 공문서변조나 위조죄의 주체인 공무원 또는 공무소에는 형법 기타 특별법에 의해 공무원으로 의제되는 경우뿐만 아니라 계약 등에 의하여 공무와 관련되는 업무를 일부대행하는 경우도 포함된다고 해석한 경우(대판 1996.3.26, 95도3073) 12. 경찰승진, 13. 법원행시

▶ **유사판례**

① 선박안전기술공단이 해양수산부장관을 대행하여 이사장 명의로 발급하는 선박검사증서는 공무원 또는 공무소가 작성하는 문서라고 볼 수 없으므로 공문서위조죄나 허위공문서작성죄에서의 공문서에 해당하지 아니한다(대판 2016.1.14, 2015도9133 ∵ 공단 임직원 ⇨ 공문서의 작성 주체인 '공무원' ×). 20. 해경 1차

② 한국환경공단법 등이 한국환경공단 임직원을 형법 제129조 내지 제132조의 적용에 있어 공무원으로 본다고 규정한다고 하여 그들 또는 그들이 직무를 행하는 한국환경공단을 형법 제227조의 2에 정한 공무원 또는 공무소에 해당한다고 보는 것은 형벌법규를 피고인에게 불리하게 확장해석하거나 유추해석하는 것이어서 죄형법정주의 원칙에 반한다〔대판 2020.3.12, 2016도19170 ∵ 법률에 특별한 규정이 없음에도 형법 제227조의 2(공전자기록위작·변작)의 행위주체에 공무원, 공무소와 계약 등에 의하여 공무와 관련되는 업무를 일부 대행하는 경우까지 포함된다고 해석하는 것은 죄형법정주의 원칙에 반한다〕. 21. 법원행시·7급 검찰, 22. 경찰승진, 23. 해경승진, 24. 해경간부, 25. 9급 철도경찰

5. 형법 제229조, 제228조 제1항의 "공정증서원본"에 공정증서의 정본을 포함시키는 경우(대판 2002.3.26, 2001도6503) 14. 경찰승진, 16. 사시, 24. 해경간부

6. 외국인(대한민국 국적을 상실한 사람)이 외국(독일)에 거주하다가 반국가단체의 지배하에 있는 지역(북한)으로 들어간 행위는 국가보안법 제6조 제1항·제2항의 '탈출'에 해당한다고 해석하는 경우(대판 2008.4.17, 2004도4899 전원합의체 ∵ 대한민국 국적을 상실하기 전의 방문행위는 국가보안법 제6조 제2항의 탈출에 해당하지만 대한민국 국적을 상실한 후의 방문행위는 국가보안법 제6조 제2항의 탈출 개념에 해당하지 않는다.) 15. 변호사시험·법원행시

7. "지방세에 관한 범칙행위에 대하여는 조세범처벌법령을 준용한다."고 규정하고 있는 지방세법 제84조 제1항의 '조세범처벌법령'에 특정범죄가중처벌 등에 관한 법률도 포함된다고 해석하는 것(대판 2008.3.27, 2007도7561) 17. 경찰간부, 21. 해경 1차, 25. 해경경사

8. 초병이 하자 있는 의사에 의하여 총기를 편취당한 경우에도 군용물분실죄(군형법 제74조)의 '분실'에 해당한다고 해석한 경우(대판 1999.7.9, 98도1719 ∵ 군용물분실죄는 과실범에 적용되는 것으로, 행위자가 자신의 의사에 의한 재산적 처분행위를 함으로써 군용물의 소지를 상실한 경우에도 동 규정을 적용하는 것은 유추해석금지원칙에 반한다.) 16. 사시

9. 타인에 의해 이미 생성된 주민등록번호를 단순히 사용한 것을 허위의 주민등록번호를 생성하여 자기 또는 다른 사람의 재물이나 재산상의 이익을 위해 사용한 것으로 보는 경우(대판 2004.2.27, 2003도6535) 17. 경찰간부, 21. 해경승진

10. 신체 이상 등의 사유로 인하여 호흡조사에 의한 측정에 응할 수 없는 운전자가 혈액채취에 의한 측정을 거부하거나 이를 불가능하게 하였다고 하더라도 이를 들어 음주측정에 불응한 것으로 해석한 경우(대판 2010.7.15, 2010도2935) 18. 경력채용, 25. 해경경위

11. 형법 제207조 제3항의 외국에서 통용하는 지폐에 강제통용력을 가지지 아니하나 일반인의 관점에서 통용할 것이라고 오인할 가능성이 있는 지폐까지 포함시켜 해석한 경우(대판 2004.5.14, 2003도3487) 12. 9급 검찰, 23. 순경 2차

12. 의료기관의 개설자격이 있는 의료인이 다른 의료인 또는 의료기관을 개설할 자격이 있는 자의 명의를 빌려 의료기관을 개설한 경우를 의료법 제30조 제2항 본문의 "의료기관을 개설할 자격이 없는 자가 의료기관을 개설하는 경우"에 포함시키는 경우(대판 2014.9.25, 2014도7217)

   ▶ **비교판례** : 약사법 제5조 제3항에서 면허증의 대여를 금지한 취지는 약사 자격이 없는 자가 타인의 면허증을 빌려 영업을 하게 되는 경우 국민의 건강에 위험이 초래된다는 데에 있다 할 것이므로, 약사 자격이 있는 자에게 빌려주는 행위까지 금지되는 것으로 보는 것 ⇨ 유추해석 ×(대판 2003.6.24, 2002도6829) 10. 사시, 20. 경찰간부

13. 친고죄에 관한 고소의 주관적 불가분원칙을 규정하고 있는 형사소송법 제233조가 공정거래위원회의 고발에도 유추적용된다고 해석한다면 이는 공정거래위원회의 고발이 없는 행위자에 대해서까지 형사처벌의 범위를 확장하는 것으로 유추해석한 경우에 해당하여 죄형법정주의에 반한다(대판 2010.9.30, 2008도4762). 17. 경찰간부, 19. 법원행시

14. 구 음반·비디오물 및 게임물에 관한 법률이 금지하는 '문화관광부장관이 정하여 고시하는 방법에 의하지 아니하고 경품을 제공하는 행위'에 게임제공업자가 제공된 경품을 재매입하는 행위가 해당한다고 보는 경우(대판 2007.6.28, 2007도873) 16. 9급 철도경찰

15. 음란한 영상화면을 수록한 컴퓨터 프로그램파일을 컴퓨터 통신망을 통하여 전송하는 방법으로 판매한 경우 컴퓨터 프로그램파일이 형법 제243조 소정의 '기타 물건'에 포함된다고 해석하는 것(대판 1999.2.24, 98도3140) 08. 법원행시

16. 성폭력범죄의 처벌 및 피해자보호 등에 관한 법률 제5조 제2항에 정하는 특수강도강제추행죄의 주체는 규정상 형법의 특수강도범 및 특수강도미수범의 신분을 가진 자에 한정되는 것으로 보아야 하고, 형법의 준강도범 내지 준강도미수범을 이에 포함시켜 해석하는 것(대판 2006.8.25, 2006도2621) 10. 경찰승진

17. 구 아동복지법상 금지되는 '아동에게 음행을 시키는' 행위는 행위자가 아동으로 하여금 제3자를 상대방으로 하여 음행을 하게 하는 행위를 가리키는 것일 뿐 행위자 자신이 직접 그 아동의 음행의 상대방이 되는 것까지를 포함하는 의미로 보는 경우(대판 2000.4.25, 2000도223) 21. 법원행시

18. 보건범죄단속에 관한 특별조치법에 정한 '소매가격'이라 함은 위 법 규정에 해당하는 의약품 그 자체의 소매가격을 가리키는 것으로 보아야 그 의약품에 대응하는 허가된 의약품 또는 위·변조의 대상이 된 제품의 소매가격을 의미하는 것으로 해석한 경우(대판 2007.2.9, 2006도8797) 10. 경찰승진

19. 화물자동차로 형식승인을 받고 등록된 밴형 자동차를 구(舊) 자동차관리법 시행규칙에서 정한 승용 또는 승합자동차에 해당한다고 보는 해석은 형벌법규의 명확성이나 그 엄격해석을 요구하는 죄형법정주의의 원칙에도 반하는 것이어서 허용될 수 없다(대판 2004.11.18, 2004도1228 전원합의체). 12. 순경 2차

20. 성폭력범죄의 처벌 등에 관한 법률 제8조 장애인에 대한 간음·추행죄에서 '신체장애'에 정신박약 등으로 인한 정신장애도 포함된다고 해석한 경우(대판 1998.4.10, 97도3392) 20. 법원행시

21. 공직선거법 제250조 제1항 허위사실공표죄에서 '경력 등'이란 후보자의 '경력·학력·학위·상벌'을 말하는데(같은 법 제64조 제5항), '어떤 단체가 특정 후보자를 지지·추천하는지 여부'를 '경력'에 포함된다고 해석하는 것(대판 2011.3.10, 2010도16942) 21. 법원행시·순경 2차

22. 형법 제155조 제1항은 '타인의 형사사건 또는 징계사건에 관한 증거를 인멸, 은닉, 위조 또는 변조하거나 위조 또는 변조한 증거를 사용한 자'를 처벌하고 있는데, '증거 자체에는 아무런 허위가 없으나 그 증거가 허위 주장과 결합하여 허위 사실을 증명하게 되는 경우(돈을 송금하였다가 되돌려 받는 방법으로 송금자료를 만들어 피해 변제의 증거로 제출한 경우)'를 '증거위조'에 포함된다고 해석하는 것(대판 2021.1.28, 2020도2642) 21. 법원행시

23. 예비·음모를 처벌한다고 규정하고 있으나 그 형에 관하여 따로 규정하고 있지 않은 이상 본범이나 미수범에 준하여 처벌한다고 해석함은 죄형법정주의 원칙에 반한다(즉, 처벌할 수 없다. 대판 1977.6.28, 77도251). 14. 변호사시험, 15. 9급 검찰·마약수사, 17. 철도경찰

6. 유추해석금지의 원칙에 반하지(위배·위반되지) 않아 죄형법정주의에 위배되지(반하지·위반되지) 않는다고 본 경우(즉, 유추해석에 해당되지 않는 경우)

⚖ **관련판례**

1. 정보통신망에 의하여 처리·보관 또는 전송되는 타인의 정보를 훼손하거나 타인의 비밀을 침해·도용 또는 누설하는 행위를 금지·처벌하는 규정인 정보통신망 이용촉진 및 정보보호 등에 관한 법률 제49조 및 제62조 제6호의 '타인'에는 생존하는 개인뿐만 아니라 이미 사망한 자도 포함된다고 해석하는 경우(대판 2007.6.14, 2007도2162) 14. 경찰간부, 15. 순경 3차, 19. 9급 철도경찰

2. 자신의 뇌물수수 혐의에 대한 결백을 주장하기 위하여 제3자로부터 사건 관련자들이 주고받은 이메일 출력물을 교부받아 징계위원회에 제출하는 행위는 '정보통신망에 의하여 처리·보관 또는 전송되는 타인의 비밀'인 이메일의 내용을 '누설하는 행위'에 해당한다고 해석한 경우(대판 2008.4.24, 2006도8644) 14. 순경 1차, 15. 경찰간부·순경 2차

3. 미성년자의제강간·강제추행죄를 규정한 형법 제305조에 규정한 형법 제297조와 제298조의 "예에 의한다."는 의미에 미성년자의제강간·강제추행죄의 처벌에 있어 그 법정형뿐만 아니라 미수범에 관하여도 강간죄와 강제추행죄의 예에 따른다는 취지로 해석하는 경우(대판 2007.3.15, 2006도9453) 15. 경찰간부, 24. 법원행시

4. 견인료납부를 요구하는 교통관리직원을 승용차 앞범퍼 부분으로 들이받아 폭행한 행위를 폭력행위 등 처벌에 관한 법률 제3조 제1항의 '위험한 물건을 휴대한' 행위로 처벌하는 것(대판 1997.5.30, 97도597 ∵ 폭력행위 등 처벌에 관한 법률 제3조 제1항에 있어 위험한 물건을 '휴대하여'라는 말은 소지뿐만 아니라 널리 이용한다는 뜻도 포함하고 있다.) 14. 경찰간부, 15. 순경 1차

5. 복사한 문서의 사본은 문서위조 및 동 행사죄의 객체인 문서에 해당한다고 해석하는 것(대판 1989.9.12, 87도506 전원합의체) 15. 경찰간부

6. 자동차를 움직이게 할 의도 없이 **다른 목적을 위하여** 자동차의 시동을 걸었으나 실수 등으로 인하여 자동차가 움직이게 된 경우에는 '자동차의 **운전**'에 **해당하지 않는다**고 해석하는 것(대판 2004.4.23, 2004도1109 ⑩ 술에 취한 피고인이 자동차 안에서 잠을 자다가 추위를 느껴 히터를 가동시키기 위하여 시동을 걸어 자동차가 움직이게 된 경우 ⇨ 자동차의 운전에 해당 × ∵ '운전'이란 고의의 운전행위만을 의미함) 14. 경찰간부, 21. 해경 2차

7. 특정경제범죄 가중처벌 등에 관한 법률 제9조 제1항에 정해진 "**저축을 하는 자**"에 사법상 법률효과가 귀속되는 '저축의 주체'가 아니라고 하더라도, '**저축과 관련된 행위를 한 자**'도 포함된다고 해석하는 것(대판 2006.3.9, 2003도6733) 11. 경찰승진, 12. 순경 3차

8. 총포 · 도검 · 화약류 등 단속법 시행령 제23조 제2항(쏘아 올리는 **꽃불류의 사용**은 화약류관리보안책임자의 책임하에 하여야 한다)에서의 '사용'에는 쏘아 올리는 **꽃불류의 설치행위도 포함**되는 것으로 해석하는 것(대판 2010.5.13, 2009도13332) 12. 순경 2차

9. **노래방**에서 고객들로 하여금 노래방 기기에 녹음 · 녹화된 음악저작물을 이용하게 하는 것이 저작권법 소정의 '**공연**'에 해당한다고 해석한 경우(대판 2001.9.28, 2001도4100) 11. 사시

10. 음란한 부호 등이 전시된 웹페이지에 대한 **링크행위**가 음란한 부호 등의 **공연전시**에 해당한다고 해석한 경우(대판 2003.7.8, 2001도1335) 09. 사시

11. **외국환관리법**상의 추징은 관세법상의 추징과는 그 조문의 규정 내용과 형식이 모두 다르다 하더라도 외국환관리법 위반의 경우에까지 **공동연대 추징**의 해석을 하는 것(대판 1998.5.21, 95도2002 전원합의체 ∵ 징벌적 제재의 성격 ○ ∴ 범칙자 전원에 대해 취득가액 전부 추징) 09. 경찰승진

12. 형법 제170조 제2항의 '자기의 소유에 속하는 제166조 또는 제167조에 기재한 물건'을 자기의 소유에 속하는 제166조에 기재한 물건 또는 **자기나 타인의 소유**에 속하는 제167조에 기재한 물건이라고 해석한 경우(대판 1994.12.20, 94모32) 16. 사시, 22. 경찰간부

13. 권한 없는 자에 의한 명령입력행위를 컴퓨터 등 사용사기죄의 구성요건인 '부정한 명령을 입력하는 행위'에 포함된다고 해석하는 경우(대판 2003.1.10, 2002도2363) 16. 9급 철도경찰

14. 폭행 또는 협박의 정도에 이르지 않는 위력을 가하여 공무원이 직무상 수행하는 공무를 방해하는 행위에 대해서는 업무방해죄로 의율할 수는 없다(대판 2011.7.28, 2009도11104). 19. 법원행시

● 최신 기출 판례 총정리

1. '약국 개설자가 아니면 의약품을 판매하거나 판매 목적으로 취득할 수 없다.'고 규정한 구 약사법 제44조 제1항의 '판매'에 무상으로 의약품을 양도하는 '수여'를 포함시키는 해석은 죄형법정주의에 위배되지 아니한다(대판 2011.10.13, 2011도6287). 14. 경찰간부, 15. 순경 2차, 17. 변호사시험, 18. 법원행시 · 순경 1차, 19. 경찰승진, 21. 해경간부

2. '블로그', '미니홈페이지', '카페' 등의 이름으로 개설된 사적 인터넷 게시공간의 운영자가 게시공간에 게시된 타인의 글을 **삭제할 권한이 있는데도 이를 삭제하지 아니한 경우**를 국가보안법 제7조 제5항의 '**소지**' 행위로 보는 것은 유추해석금지원칙에 반한다(대판 2012.1.27, 2010도8336). 14. 사시 · 경찰간부, 15. 순경 3차, 16. 7급 · 9급 철도경찰 · 7급 검찰, 17. 변호사시험, 19 · 25. 경찰승진

3. 구 특정 범죄자에 대한 위치추적 전자장치 부착 등에 관한 법률 제5조 제1항 제3호에서 부착명령청구 요건으로 정한 '성폭력범죄를 2회 이상 범하여(유죄의 확정판결을 받은 경우를 포함한다.)'에 '소년법에 의한 **보호처분을 받은 전력**'이 포함된다고 보는 것은 유추해석금지원칙에 **반한다**(대판 2012.3.22, 2011도15057 전원합의체 ∵ 소년법에 의한 보호처분 ⇨ 유죄의 확정판결 ×). 15. 법원직, 16. 순경 2차, 17. 변호사시험, 22. 경찰간부, 23. 법원행시

4. 도로교통법 제43조 '운전면허를 받지 아니하고'라는 법률문언의 의미에 '운전면허를 받았으나 그 후 운전면허의 효력이 정지된 경우'가 포함된다고 해석할 수 없다(대판 2011.8.25, 2011도7725). 14. 경찰간부, 15. 순경 3차, 16. 사시, 17. 경찰승진·변호사시험, 20. 순경 2차, 21. 법원행시

5. 도로교통법에서 정한 도로가 아닌 곳에서 운전면허 없이 운전한 경우에는 무면허운전에 해당하지 않는다. 도로에서 운전하지 않았는데도 무면허운전으로 처벌하는 것은 유추해석금지원칙에 반한다. 따라서 일반교통경찰권이 미치는 공공성이 있는 장소가 아니라 특정인이나 그와 관련된 용건이 있는 사람만 사용할 수 있고 자체적으로 관리되는 곳이라면 무면허운전으로 처벌할 수 없다(대판 2017.12.28, 2017도17762 ❹ 자동차운전면허를 받지 않고 아파트 단지 안에 있는 지하주차장 약 50m 구간에서 승용차를 운전한 경우 ⇨ 무면허운전죄 ×). 18. 7급 검찰, 19. 순경 2차, 20. 법원행시, 22. 9급 검찰·마약수사·철도경찰, 25. 경찰승진

6. 항공보안법 제42조(항공기 항로 변경죄)의 '항로'에 항공기가 지상에서 이동하는 경로도 포함된다고 해석하는 것은 죄형법정주의에 반한다(대판 2017.12.21, 2015도8335 전원합의체). 18. 순경 1차·9급 철도경찰, 20. 경찰간부·해경승진

7. 의사가 환자와 대면하지 아니하고 전화나 화상 등을 이용하여 환자의 용태를 스스로 듣고 판단하여 처방전 등을 발급한 행위를 구 의료법상 '직접 진찰한 의사'가 아닌 자가 처방전 등을 발급한 경우에 해당한다고 해석하는 것은 죄형법정주의에 위배된다(대판 2013.4.11, 2010도1388). 16. 순경 2차, 18. 경력채용, 21. 법원행시, 25. 경찰승진

▶ 비교판례

① 의사인 피고인이 전화 통화만으로 환자에게 전문의약품을 처방한 처방전을 작성하여 교부한 경우, 피고인이 위 전화 통화 이전에 환자를 대면하여 진찰한 적이 단 한 번도 없고, 전화 통화 당시 환자의 특성 등에 대해 알고 있지도 않았다면, 위와 같은 피고인의 행위는 신뢰할 만한 환자의 상태를 토대로 한 것이라고 볼 수 없으므로 결과적으로 피고인이 환자에 대하여 진찰을 하였다고 할 수 없다(대판 2020.5.14, 2014도9607 ∴ '직접 진찰한 의사'가 아닌 자가 처방전을 발급한 경우에 해당함). 21. 법원행시

② 의료인이 전화 등을 통해 원격지에 있는 환자에게 행하는 의료행위는 특별한 사정이 없는 한 의료법 제33조 제1항에 위반되는 행위로 봄이 타당하다(대판 2020.11.5, 2015도13830 ❹ 피고인이 환자의 요청이 있다 하여 전화로 환자를 진료한 것은 의료법 제33조 제1항을 위반한 행위라고 본 사안임). 21. 법원행시

③ 의사 등이 구 의료법 제17조 제1항에 따라 직접 진찰하여야 할 환자를 진찰하지 않은 채 그 환자를 대상자로 표시하여 진단서·증명서 또는 처방전을 작성·교부하였다면 구 의료법 제17조 제1항을 위반한 것으로 보아야 하고, 이는 환자가 실제 존재하지 않는 허무인인 경우에도 마찬가지이다(대판 2021.2.4, 2020도13899). 21. 법원행시

8. 음주운전과 관련한 도로교통법 위반죄의 범죄수사를 위하여 미성년자인 피의자의 혈액채취가 필요한 경우에도 피의자에게 의사능력이 있다면 피의자 본인만이 혈액채취에 관한 유효한 동의를 할 수 있고, 피의자에게 의사능력이 없는 경우에도 명문의 규정이 없는 이상 법정대리인이 피의자를 대리하여 동의할 수는 없다(대판 2014.11.13, 2013도1228). 17. 법원직, 18. 변호사시험

9. 2011. 1. 1. 이전에 아동·청소년 대상 성폭력범죄를 범하고 아직 유죄판결이 확정되지 아니한 자에 대하여는 판결과 동시에 고지명령을 선고할 수 있는 근거를 따로 두고 있지 아니하므로, 2011. 1. 1. 이후 '아동·청소년 대상 성폭력범죄를 저지른 자'에 대하여만 판결과 동시에 고지명령을 선고할 수 있다고 보아야 한다(대판 2014.2.13, 2013도14349). 16. 경찰간부, 17. 경찰승진

10. 국내 특정 지역의 수삼과 다른 지역의 수삼으로 만든 **홍삼을 주원료로** 하여 특정 지역에서 제조한 **홍삼 절편**의 제품명이나 제조·판매자명에 **특정 지역의 명칭을 사용한 행위**를 '원산지를 혼동하게 할 우려가 있는 표시를 하는 행위'라고 해석하는 것은 죄형법정주의에 **위배된다**(대판 2015.4.9, 2014도14191). 15. 순경 3차, 17. 경찰승진

11. 성폭력범죄의 처벌 등에 관한 특례법 제13조의 **통신매체 이용음란죄**에서 통신매체를 이용하지 아니한 채 '**직접**' 상대방에게 물건 등을 도달하게 하는 행위까지 포함하여 위 규정으로 처벌할 수 있다고 보는 것은 유추해석금지의 원칙에 위반된다(대판 2016.3.10, 2015도17847). 18. 9급 검찰·마약수사·법원행시, 20. 순경 2차·해경승진, 21. 해경 1차, 25. 경찰승진·9급 철도경찰

12. 성폭력범죄의 처벌 등에 관한 특례법 제13조 제1항(**카메라 등 이용촬영죄**)의 처벌대상은 '다른 사람의 **신체 그 자체**'를 카메라 등 기계장치를 이용해서 '**직접**' 촬영하는 경우에 한정되므로 다른 사람의 신체 이미지가 담긴 영상은 위 규정의 "다른 사람의 신체"에 포함된다고 볼 수 없다(대판 2013.6.27, 2013도4279 **예** 인터넷 화상채팅을 통하여 실시간으로 전송받은 피해자의 나체가 나오는 **컴퓨터 모니터 채팅 화면을 촬영**한 것은 성폭력특별법상 '다른 사람의 신체'를 촬영한 행위에 해당하지 아니한다). 14. 경찰간부, 18. 경력채용, 21. 법원행시·해경 2차, 25. 해경경사

13. **특수폭행치상죄**의 경우 형법 제258조의 2의 특수상해죄의 신설에도 불구하고 종전과 같이 형법 제257조 제1항의 **상해죄의 예에 의하여 처벌**하는 것으로 해석하여야 한다(대판 2018.7.24, 2018도3443). 19. 9급 철도경찰, 21. 해경간부, 22. 변호사시험·순경 1차, 24. 법원행시

14. '**기업구매전용카드**'를 이용하여 물품의 판매 등 방법으로 자금을 융통한 경우에 여신전문금융업법상 '**신용카드'의 이용에 해당하지 아니한다**(대판 2013.7.25, 2011도14687 ∵ '기업구매전용카드'는 동법의 '신용카드'에 해당 ×). 19. 경찰간부, 25. 해경경사

15. 일반음식점 영업자인 피고인이 주로 술과 안주를 판매함으로써 구 식품위생법상 준수사항을 위반하였다는 내용으로 기소된 사안에서 위 준수사항 중 '**주류만을 판매하는 행위**'에 안주류와 함께 **주로 주류를 판매하는 행위도 포함된다고 해석하는 것은 죄형법정주의에 위배된다**(대판 2012.6.28, 2011도15097). 13·15. 순경 2차

16. '**주간에**' 사람의 주거 등에 **침입**하여 '**야간에**' 타인의 재물을 **절취**한 경우에는 야간주거침입절도죄(형법 제330조)로 처벌할 수 없다(대판 2011.4.14, 2011도300). 13. 법원행시, 17. 경찰간부·순경 2차, 19. 변호사시험·법원직·9급 철도경찰

17. '**전기통신의 감청**'은 '**감청**'의 개념 규정에 비추어 전기통신이 이루어지고 있는 상황에서 **실시간으로** 전기통신의 내용을 **지득·채록**하는 경우와 통신의 송·수신을 **직접적으로 방해하는 경우**를 의미하는 것이지, 이미 **수신이 완료된 전기통신**에 관하여 남아 있는 기록이나 내용을 **열어보는** 등의 행위는 포함하지 않는다(대판 2016.10.13, 2016도8137). 17. 법원직

18. 외국환거래법 제30조가 규정하는 몰수·추징의 대상은 범인이 해당 행위로 인하여 취득한 외국환 기타 지급수단 등을 뜻하고, 이는 범인이 외국환거래법에서 규제하는 행위로 인하여 취득한 외국환 등이 있을 때 이를 몰수하거나 추징한다는 취지로서, 여기서 **취득이란** 해당 범죄행위로 인하여 **결과적으로 이를 취득한 때를 말한다고** 제한적으로 해석함이 타당하다(대판 2017.5.31, 2013도8389). 17. 순경 2차, 25. 해경경위

19. 자동차관리법 제80조 제7호의 2에서 처벌의 대상으로 정한 '자동차 이력 및 판매자정보를 허위로 제공한 자'의 '**허위 제공**'에는 '**단순 누락**'이 포함될 수 없다(대판 2017.11.14, 2017도13421). 18. 법원행시, 20. 순경 2차

20. 식품 판매자가 식품을 판매하면서 특정 구매자에게 그 식품이 질병의 치료에 효능이 있다고 설명하고 상담한 행위는 구 식품위생법 제13조 제1항에서 금지하는 '식품에 관하여 의약품과 혼동할 우려가 있는 광고'에 해당한다고 볼 수 없다(대판 2014.4.30, 2013도15002). 15. 순경 2차

21. 형사소송법(제253조 제2항)은 공범 사이의 처벌에 형평을 기하기 위하여 공범 중 1인에 대한 공소의 제기로 다른 공범자에 대하여도 공소시효가 정지되도록 규정하고 있는데, 여기에서 말하는 '공범'에는 뇌물공여죄와 뇌물수수죄 사이와 같은 대향범 관계에 있는 자는 포함되지 않는다(대판 2015.2.12, 2012도4842). 16. 변호사시험

22. 가축분뇨의 배출시설을 설치한 자가 설치 당시에 신고대상자가 아니었다면 그 후 법령의 개정에 따라 그 시설이 신고대상에 해당하게 되었더라도, 신고대상자인 '배출시설을 설치하고자 하는 자'에 해당한다고 볼 수 없다(대판 2011.7.14, 2011도2471). 15. 순경 1차

23. 국내에서 출생한 소가 출생지 외의 지역에서 사육되다가 도축된 경우 해당 소가 어느 정도의 기간 동안 사육되면 비로소 사육지 등을 원산지로 표시할 수 있는지에 관하여 관계 법령에 아무런 규정이 없다면 특정 지역(횡성군)에서 단기간이라도 일정 기간(2개월) 사육된 소의 경우 쇠고기에 해당 시·도명이나 시·군·구명을 원산지로 표시하여 판매하였다고 하더라도 이를 곧바로 위와 같은 원산지 표시 규정 위반행위에 해당한다고 단정할 수는 없다(대판 2012.10.25, 2012도3575). 13. 법원행시

24. 중개사무소 개설등록을 하지 아니하고 부동산 거래를 중개하면서 그에 대한 수수료를 약속하였으나 현실적으로 수령하지 아니한 경우, 공인중개사의 업무 및 부동산거래신고에 관한 법률의 처벌대상이 아니다(대판 2011.5.13, 2010도16970 ∵ 보수를 현실적으로 받지 아니하고 단지 보수를 받을 것을 약속하거나 요구하는 데 그친 경우 위 법조에서 정한 '중개업'에 해당 ×). 12. 순경 1차

25. 구 화물자동차 운수사업법 제39조의 처벌대상이 되는 '자가용화물자동차를 유상으로 화물운송용에 제공하거나 임대하는 행위'란 자가용화물자동차를 '유상으로 화물운송용에 제공하는 행위'와 '임대하는 행위'를 의미하는 것이지 그에 더하여 위 자동차에 의한 화물운송행위 역시 유상으로 이루어진 사실이 인정되어야 하는 것은 아니다(대판 2011.4.14, 2008도6693). 12. 순경 1차

26. 구 전자금융거래법상 금지·처벌의 대상인 '접근매체의 양도(양수)'에서 "양도(양수)"에는 단순히 접근매체를 빌려 주거나(대여받거나) 일시적으로 사용하게 하는 행위(일시적인 사용을 위한 위임을 받은 행위)는 포함되지 아니한다고 보아야 한다(대판 2012.7.5, 2011도16167 ; 대판 2013.8.23, 2013도4004 ∵ 접근매체의 양도나 양수는 소유권 내지 처분권을 확정적으로 이전해 주거나 이전받는 것을 의미함). 13. 순경 1차

27. 게임산업진흥에 관한 법률 제32조 제1항 제7호에 정한 '환전'에는 '게임결과물을 수령하고 돈을 교부하는 행위'뿐만 아니라 '게임결과물을 교부하고 돈을 수령하는 행위'도 포함되는 것으로 해석함이 상당하고, 이를 지나친 확장해석이나 유추해석이라고 할 수 없다(대판 2012.12.13, 2012도11505). 19. 경력채용, 23. 순경 1차

28. 구 농수산물의 원산지 표시에 관한 법률 제6조 제1항 제1호에서 정한 '원산지를 혼동하게 할 우려가 있는 표시를 하는 행위'에 원산지 표시란에는 국내산으로 바르게 표시한 후 국내 유명 특산물의 생산지역명을 표시한 포장재를 사용한 행위가 포함된다(대판 2014.1.29, 2013도14586). 21. 해경 1차

29. 대통령기록물 관리에 관한 법률 제30조 제2항 제1호, 제14조에 의해 유출이 금지되는 대통령기록물에 원본 문서나 전자파일 이외에 그 사본이나 추가 출력물까지 포함된다고 해석하는 것은 죄형법정주의 원칙에 반한다(대판 2021.1.14, 2016도7104). 21. 경력채용

30. 상품권을 할인 매입하면서 그 대금으로 금전을 교부하는 것은 대부업 등의 등록 및 금융이용자 보호에 관한 법률의 규율 대상이 되는 '금전의 대부'에 해당하지 않는다(대판 2019.9.26, 2018도7682). 21. 법원행시, 25. 해경경위

31. 치과의사가 보톡스 시술법을 이용하여 환자의 눈가와 미간의 주름 치료를 한 경우, 치과의사에게 면허된 것 이외의 의료행위라고 볼 수 없고 시술이 미용 목적이라 하여 달리 볼 것은 아니다(대판 2016.7.21, 2013도850 전원합의체). 21. 해경승진

32. 동물보호법 시행규칙 제36조 제2호에 규정한 '소비자'는 반려동물을 구매하여 가정에서 반려 목적으로 기르는 사람을 의미하며, 여기서의 '소비자'에 반려동물을 구매하여 다른 사람에게 판매하는 영업을 하는 자도 포함된다고 보는 것은 유추해석에 해당되어 죄형법정주의에 반한다(대판 2016.11.24, 2015도18765). 21. 해경승진

33. 고농도 니코틴 용액에 프로필렌글리콜(Propylene Glycol)과 식물성 글리세린(Vegetable Glycerin)과 같은 희석액, 소비자의 기호에 맞는 향료를 일정한 비율로 첨가하여 전자장치를 이용해 흡입할 수 있는 니코틴 용액을 만든 것을 담배의 제조행위라고 보는 것은 죄형법정주의 원칙에 위반되지 않는다(대판 2018.9.28, 2018도9828). 21. 경력채용

34. 형법 제55조 제1항은 형벌의 종류에 따라 법률상 감경의 방법을 규정하고 있는데, 유기징역형에 대한 법률상 감경을 하면서 형법 제55조 제1항 제3호에서 정한 것과 같이 장기와 단기를 모두 2분의 1로 감경하는 것이 아닌 장기 또는 단기 중 어느 하나만을 2분의 1로 감경하는 방식이나 2분의 1보다 넓은 범위의 감경을 하는 방식은 죄형법정주의 원칙에 반한다(대판 2021.1.21, 2018도5475 전원합의체). 21. 법원행시 · 경력채용 · 순경 2차, 22 · 23. 경찰간부, 24. 9급 검찰 · 마약수사 · 철도경찰

35. 유형위조만을 처벌하는 사문서위조와 달리 제232조의 2(사전자기록위작 · 변작)에서 정한 '위작'에 무형위조(권한 있는 사람이 그 권한을 남용하여 허위의 정보를 입력)도 포함하는 것으로 보더라도 피고인에게 불리한 유추해석 또는 확장해석을 한 것이라고 볼 수 없다(대판 2020.8.27, 2019도11294 전원합의체). 21. 7급 검찰, 22. 경찰간부 · 경찰승진, 23. 해경승진, 24. 해경간부, 25. 9급 철도경찰

36. 법원의 재판 또는 국회의 심의를 방해 또는 위협할 목적으로 법정이나 국회회의장 또는 그 부근에서 모욕 또는 소동한 자를 처벌하는 형법 제138조(법원소동죄)에서의 '법원의 재판'에 '헌법재판소의 심판'을 포함시키는 해석이 피고인에게 불리한 확장해석이나 유추해석에 해당하지 않는다(대판 2021.8.26, 2020도12017). 22. 경찰승진 · 7급 검찰, 23. 법원행시 · 해경승진 · 경찰간부

37. 원인불명으로 재산상 이익인 가상자산을 이체받은 자가 가상자산을 사용 · 처분한 경우 이를 형사처벌하는 명문의 규정이 없는 현재의 상황에서 착오송금시 횡령죄 성립을 긍정한 판례를 유추하여 신의칙을 근거로 피고인을 배임죄로 처벌하는 것은 죄형법정주의에 반한다(대판 2021.12.16, 2020도9789 @ 피고인이 알 수 없는 경위로 甲의 특정 거래소 가상지갑에 들어 있던 비트코인을 자신의 계정으로 이체받은 후 이를 자신의 다른 계정으로 이체한 경우 ⇨ 배임죄 × ∵ 비트코인이 법률상 원인관계 없이 甲으로부터 피고인 명의의 전자지갑으로 이체되었더라도 피고인이 신임관계에 기초하여 甲의 사무를 맡아 처리하는 것으로 볼 수 없는 이상 甲에 대한 관계에서 '타인의 사무를 처리하는 자'에 해당하지 않는다). 22. 순경 1차, 23. 해경승진 · 법원행시, 24. 경위공채

38. 비트코인은 경제적인 가치를 디지털로 표상하여 전자적으로 이전, 저장과 거래가 가능하도록 한 가상자산의 일종으로 사기죄의 객체인 재산상 이익에 해당한다(대판 2021.11.11, 2021도9855). 22. 순경 1차 · 법원행시, 23. 경력채용, 24. 경찰승진 · 해경승진

39. 피고인 乙회사의 대표인 피고인 甲이 피고인 乙회사가 운영하는 식당과 별도의 장소에 일정한 시설을 갖추어 식품을 만든 다음 피고인 乙회사가 각지에서 직영하는 음식점들에 배송하는 방법으로 일괄 공급함으로써 그 음식점들을 거쳐서 최종소비자가 취식할 수 있게 한 행위는 무등록 식품제조·가공업을 한 것에 해당한다(대판 2021.7.15, 2020도13815). 22. 법원행시

40. 올림픽대로에 "10t 이상 화물차량 통행제한"이라고 표시한 알림판은 그 내용만으로 건설기계(덤프트럭)에 대한 통행제한 내용이 충분히 공고되었다고 볼 수 있다(대판 2021.10.28, 2021도9629). 22. 법원행시

41. 허위 사실을 뒷받침하는 데 사용되었다는 이유만으로 내용과 작성명의에 아무런 허위가 없는 증거를 증거위조에 해당한다고 보는 것은 법률 문언이 가진 통상적인 의미를 넘어 부당하게 처벌범위를 확대하는 것이어서 죄형법정주의의 원칙상 허용되지 아니한다(대판 2021.1.28, 2020도2642 ∵ 증거위조죄에서 '위조'란 문서에 관한 죄의 위조 개념과는 달리 새로운 증거의 창조를 의미한다). 22. 순경 1차·7급 검찰, 23. 법원행시

42. 게임물의 내용 구현과 밀접한 관련이 있는 게임물의 운영방식을 등급분류신청서나 그에 첨부된 게임물내용설명서에 기재된 내용과 다르게 변경하여 이용에 제공하는 행위가 게임산업진흥에 관한 법률 제32조 제1항 제2호에서 정한 '등급을 받은 내용과 다른 내용의 게임물을 이용에 제공하는 행위'에 해당한다(대판 2021.7.21, 2021도4785). 22. 법원행시

43. 약사 등이 아닌 사람이 이미 개설된 약국의 시설과 인력을 인수하고 그 운영을 지배·관리하는 등 종전 개설자의 약국 개설·운영행위와 단절되는 새로운 개설·운영행위를 한 것으로 볼 수 있는 경우에도 약사법에서 금지하는 약사 등이 아닌 사람의 약국 개설행위에 해당한다(대판 2021.7.29, 2021도6092). 22. 법원행시

44. 인터넷 신문 또는 인터넷 언론사를 운영하는 자는 공직선거법 제97조 제2항, 제3항에서 정한 방송·신문·통신·잡지 기타 간행물을 경영·관리하거나 편집·취재·집필·보도하는 자에 해당한다(대판 2021.4.8, 2021도1177). 22. 법원행시, 25. 해경경사

45. 자동차관리법상 승인이 필요한 '자동차의 튜닝'은 '자동차의 안전운행에 필요한 성능과 기준이 설정되어 있는 자동차의 구조·장치가 일부 변경되거나 자동차에 부착물을 추가함으로써 그러한 자동차 구조·장치의 일부 변경에 이르게 된 경우'를 의미한다(대판 2021.6.24, 2019도110). 22. 법원행시

46. 수산물품질관리법령에 따라 '생산제품의 종류'란에 수산물원형동결(오징어)이라고 기재된 수산물가공업(냉동·냉장업) 등록증을 받은 자가 수산물처리동결(오징어) 제품을 가공한 행위를 수산물가공업(냉동·냉장업)의 등록 없이 해당 영업을 한 경우로 볼 수 없다(대판 2015.1.29, 2014도8448). 20. 해경 1차, 24. 해경승진

47. 수산물의 표시·광고에서 '생물'은 포획 후 냉동하지 않은 채 살아 있거나 그에 준할 정도로 신선한 상태로 유통되는 수산물을 표현하는 용어로 '냉동'과 구별되는 개념으로 사용되고 있으므로, 냉동 수산물 또는 냉동 후 해동한 수산물에 '생물'이라고 표시·광고하는 것은 수산물의 품질에 관하여 사실과 다른 표시·광고를 한 것으로 보아야 한다(대판 2017.4.7, 2016도19084). 20. 해경 1차

48. 한의사가 진단용 의료기기를 사용하는 것이 한의사의 '면허된 것 이외의 의료행위'에 해당하는지에 관한 새로운 판단 기준에 따르면, 한의사가 초음파 진단기기를 사용하여 환자의 신체 내부를 촬영하여 화면에 나타난 모습을 보고 이를 한의학적 진단의 보조수단으로 사용하는 것은 한의사의 '면허된 것 이외의 의료행위'에 해당하지 않는다(대판 2022.12.22, 2016도21314 전원합의체 ∵ 의료법위반죄 ×). 23. 경력채용

49. 사망의 진단은 의사 등이 환자의 사망 당시 또는 사후에라도 현장에 입회해서 직접 환자를 대면하여 수행해야 하는 의료행위이고, 간호사는 의사 등의 개별적 지도·감독이 있더라도 사망의 진단을 할 수 없다(대판 2022.12.29, 2017도10007). 23. 경력채용

50. 어린이집 대표자를 변경하였음에도 변경인가를 받지 않은 채 어린이집을 운영한 행위에 대해 설치인가를 받지 않고 사실상 어린이집의 형태로 운영하는 행위 등을 처벌하는 규정인 영유아보육법 제54조 제4항 제1호를 적용하거나 유추적용할 수 없다(대판 2022.12.1, 2021도6860). 24. 순경 1차

51. 의료법인 명의로 개설된 의료기관의 개설자격 여부를 판단할 때, 비의료인의 주도적 자금 출연 내지 주도적 관여 사정만을 근거로 비의료인이 실질적으로 의료기관을 개설·운영하였다고 판단할 경우, 허용되는 행위와 허용되지 않는 행위의 구별이 불명확해져 죄형법정주의 원칙에 반할 수 있다(대판 2023.7.17, 2017도1807 전원합의체). 24. 9급 검찰·마약수사·철도경찰 ⓓ 피고인이 乙병원 직원들의 체불임금 지급을 위한 자금을 출연하면서 甲법인을 인수한 다음 의료기관 운영에 관한 주요 사항을 주도적으로 처리하였다는 사정만으로 피고인이 탈법적인 수단으로 乙병원을 개설·운영한 것으로 단정할 수 없다(대판 2023.8.18, 2020도6492 ∴ 의료법위반죄 ×).

52. 동성인 군인 사이의 항문성교나 그 밖에 이와 유사한 행위(키스나 구강성교)가 사적 공간에서 자발적 의사 합치에 따라 이루어지는 등 군이라는 공동사회의 건전한 생활과 군기를 직접적·구체적으로 침해한 것으로 보기 어려운 경우, 군형법 제92조의 6에서 처벌대상으로 규정한 '항문성교나 그 밖의 추행'에 해당하지 않는다(대판 2022.4.21, 2019도3047 전원합의체). 22. 순경 2차, 23. 경력채용, 24. 법원행시

53. 도로교통법 제43조(무면허운전 등의 금지)를 위반하여 운전면허를 받지 아니하고 자동차를 운전하는 행위를 대상으로 하는 교통사고처리 특례법 제3조 제2항 단서 제7호를 운전면허 취소사실을 알지 못하고 자동차를 운전하는 경우도 포함하는 것으로 해석하는 것은 유추해석금지의 원칙에 반한다(대판 2023.6.29, 2021도17733). 24. 순경 2차

54. 군형법 제64조 제3항 상관명예훼손죄에 대해 형법 제310조(위법성의 조각)와 같은 규정을 별도로 두지 않았다고 하더라도 법규범의 체계, 입법 의도와 목적 등에 비추어 정당하다고 평가되는 한도 내에서 그와 유사한 사안에 관한 법규범을 적용할 수 있다고 할 것이므로 형법 제310조는 군형법 제64조 제3항의 행위에 대해 유추적용된다고 보아야 한다(대판 2024.4.16, 2023도13333). 24. 순경 2차

55. 형사소송법 제33조 제1항 제1호가 정한 필요적 국선변호인 선정사유인 '피고인이 구속된 때'란 피고인이 해당 형사사건에서 구속되어 재판을 받고 있는 경우에 한정된다고 볼 수 없고, 피고인이 별건으로 구속영장이 발부되어 집행되거나 다른 형사사건에서 유죄판결이 확정되어 그 판결의 집행으로 구금 상태에 있는 경우 또한 포괄하고 있다고 보아야 한다(대판 2024.5.23, 2021도6357 전원합의체). 25. 변호사시험

56. 통신비밀보호법 제3조 제1항은 누구든지 이 법과 형사소송법 또는 군사법원법의 규정에 의하지 아니하고는 우편물의 검열·전기통신의 감청 또는 공개되지 않은 타인 간의 대화를 녹음 또는 청취하지 못한다고 규정하고 있고, 같은 법 제16조 제1항은 이를 위반하는 행위를 처벌하도록 규정하고 있다. 여기서 '청취'는 타인 간의 대화가 이루어지고 있는 상황에서 실시간으로 그 대화의 내용을 엿듣는 행위를 의미하고, 대화가 이미 종료된 상태에서 그 대화의 녹음물을 재생하여 듣는 행위(대화가 녹음된 파일을 청취한 행위)는 '청취'에 포함되지 않는다(대판 2024.2.29, 2023도8603). 25. 변호사시험

57. 정보통신망을 이용한 명예훼손 행위에 대하여, 특정 소수에게 전달한 경우에도 그로부터 불특정 또는 다수인에 대한 전파가능성 여부를 가려 개인의 사회적 평가가 침해될 일반적 위험성이 발생하였는지를 검토하는 것이 실질적인 공연성 판단에 부합되고, 공연성의 범위를 제한하는 구체적인 기준이 될 수 있다. 다만, 이러한 공연성의 의미는 형법과 정보통신망법 등의 특별법에서 동일하게 적용되어야 한다(대판 2020.11.19, 2020도5813 전원합의체). 25. 변호사시험

58. ① 피고인이 전화를 걸어 피해자의 휴대전화에 벨소리가 울리게 하거나 부재중 전화 문구 등이 표시되도록 하여 상대방에게 불안감이나 공포심을 일으키는 행위는 실제 전화통화가 이루어졌는지와 상관없이 스토킹처벌법 제2조 제1호 (다)목에서 정한 스토킹행위에 해당한다(대판 2023.5.18, 2022도12037). 24. 순경 1차

② 피고인이 피해자와의 전화통화 당시 아무런 말을 하지 않아 '말을 도달하게 하는 행위'에 해당하지 않더라도 피해자의 수신 전 전화 벨소리가 울리게 하거나 발신자 전화번호가 표시되도록 한 것까지 포함하여 피해자에게 불안감이나 공포심을 일으킨 것으로 평가된다면 '음향, 글 등을 도달하게 하는 행위'에 해당하므로 마찬가지로 위 조항 스토킹행위에 해당한다(대판 2023.5.18, 2022도12037). 24. 순경 1차

③ 스토킹행위를 전제로 하는 스토킹범죄는 행위자의 어떠한 행위를 매개로 이를 인식한 상대방에게 불안감 또는 공포심을 일으킴으로써 그의 자유로운 의사결정의 자유 및 생활형성의 자유와 평온이 침해되는 것을 막고 이를 보호법익으로 하는 위험범이라고 볼 수 있으므로, 스토킹행위가 객관적·일반적으로 볼 때 이를 인식한 상대방에게 불안감 또는 공포심을 일으키기에 충분한 정도라고 평가될 수 있다면 현실적으로 상대방이 불안감 내지 공포심을 갖게 되었는지와 관계없이 '스토킹행위'에 해당하고, 나아가 그와 같은 일련의 스토킹행위가 지속되거나 반복되면 '스토킹범죄'가 성립한다(대판 2023.12.14, 2023도10313). 24. 순경 1차

● **최신 기타 판례 총정리**

1. 인터넷 이용자가 링크 부분을 클릭함으로써 링크된 웹페이지나 개개의 저작물에 직접 연결된다 하더라도 링크를 하는 행위는 저작권법이 규정하는 게시물의 복제 및 전송에 해당하지 아니한다(대판 2015.3.12, 2012도13748 ∵ 링크는 단지 저작물 등의 전송을 의뢰하는 지시나 의뢰의 준비행위 또는 해당 저작물로 연결되는 통로에 해당할 뿐이므로).

2. 외국인이 불법으로 입국한 이상, 비록 국제운전면허증을 발급받아 소지하고 있고 국내에 입국한 날부터 1년 이내에 자동차를 운전하였더라도, 도로교통법 제96조 제1항이 예외적으로 허용하는 국제운전면허증에 의한 운전이라고 하기 어려워 무면허운전에 해당한다(대판 2017.10.31, 2017도9230).

3. 의료인의 비밀누설 금지의무를 규정한 구 의료법 제19조에서 정한 '다른 사람'에 생존하는 개인 이외에 이미 사망한 사람도 포함된다(대판 2018.5.11, 2018도2844).

4. 타인의 페이스북 게시물에 대하여 아무런 글을 부기하지 않고 언론의 인터넷 기사를 단순히 1회 '공유하기' 한 행위만으로 공직선거법상 선거운동에 해당한다고 볼 수 없다(대판 2018.11.29, 2017도2972).

5. 피고인에 대한 음주감지기 시험 결과 음주 반응이 나타났으므로, 피고인이 그 이후 음주측정기에 의한 측정을 위하여 예정되어 있는 경찰관의 일련의 요구(음주측정기가 있는 인근 지구대로 임의동행 요구)에 불응한다면 음주측정 거부에 해당한다고 볼 여지가 있다(대판 2018.12.13, 2017도12949).

6. 교차로 진입 전 정지선과 횡단보도가 설치되어 있지 않았다 하더라도 피고인이 황색의 등화를 보고서도 교차로 직전에 정지하지 않았다면 신호를 위반하였다고 봄이 타당하다(대판 2018.12.27, 2018도14262).

7. 경찰관들이 집시법상 질서유지선에 해당하지 아니한다고 하여 집회 또는 시위의 장소에 출입하거나 그 장소 안에 머무르는 경찰관들의 행위를 곧바로 위법하다고 할 것은 아니고, 집시법 제19조에 의한 출입에 해당하는 경우라면 적법한 공무집행으로 볼 수 있을 것이다(대판 2019.1.10, 2016도21311).

8. 공인중개사가 개설등록을 하지 않은 채 부동산중개업을 하는 경우뿐만 아니라 공인중개사가 아니어서 애초에 중개사무소 개설등록을 할 수 없는 사람이 부동산중개업을 영위하는 경우에도 구 공인중개사법 제48조 제1호에서 정한 형사처벌의 대상이 된다(대판 2018.2.13, 2017도18292).

9. 성폭력범죄의 처벌 등에 관한 특례법 제27조에 따라 성폭력범죄 피해자의 변호사는 피해자를 대리하여 피고인에 대한 처벌을 희망하는 의사표시를 철회하거나 처벌을 희망하지 않는 의사표시를 할 수 있다(대판 2019.12.13, 2019도10678).

10. 피고인이 甲명의로 개통된 유심을 구입한 후 이를 자신이 소지하던 공기계 휴대폰에 장착하고 전기통신역무를 제공받을 수 있도록 휴대폰을 甲 명의로 활성화시켜 사용한 행위 역시 이동통신단말장치 부정이용에 해당한다(대판 2020.2.13, 2019도15087).

11. 사용사업주가 근로자파견계약 또는 이에 준하는 계약을 체결하고 파견사업주로부터 그에게 고용된(취업활동을 할 수 있는 체류자격을 가지지 않은) 외국인을 파견받아 자신을 위한 근로에 종사하게 하였다고 하더라도 이를 출입국관리법 제94조 제9호, 제18조 제3항이 금지하는 고용이라고 볼 수 없다(대판 2020.5.14, 2018도3690).

12. 피고인이 차량을 운전하려는 의도로 제동장치를 조작하여 차량이 뒤로 진행하게 되었다고 해도, 시동이 켜지지 않은 상태였던 이상 자동차를 본래의 사용방법에 따라 사용했다고 보기 어렵다(대판 2020.12.30, 2020도9994).

13. 농업용 동력운반차는 농업기계화촉진법 제2조 제1호에서 정한 농업기계로서 구 자동차관리법 제3조에서 정한 각종 자동차에 해당하지 않으므로 무면허운전 처벌규정의 적용대상인 구 도로교통법 제2조 제18호에 정한 자동차에도 해당하지 않는다(대판 2021.9.30, 2017도13182).

14. 특정범죄가중법 제5조의 10(운행 중인 자동차의 운전자를 폭행·협박하거나 이로 인하여 상해 또는 사망에 이르게 한 경우를 가중처벌)의 '자동차'는 도로교통법상의 자동차를 의미하고 도로교통법상 원동기장치자전거는 '자동차'에 포함되지 않는다(대판 2022.4.28, 2022도1013).

15. 사업주가 사업장에서 안전조치가 취해지지 않은 상태에서의 작업이 이루어지고 있고 향후 그러한 작업이 계속될 것이라는 사정을 미필적으로 인식하고서도 이를 그대로 방치하고, 이로 인하여 사업장에서 안전조치가 취해지지 않은 채로 작업이 이루어졌다면, 사업주가 그러한 작업을 개별적·구체적으로 지시하지 않았더라도 산업안전보건법위반죄가 성립한다(대판 2022.7.14, 2020도9188).

16. 대화에 원래부터 참여하지 않는 제3자가 일반 공중이 알 수 있도록 공개되지 않은 타인 간의 발언을 녹음하거나 전자장치 또는 기계적 수단을 이용하여 청취하는 것은 특별한 사정이 없는 한 통신비밀보호법 제3조 제1항(공개되지 않은 타인 간의 대화를 녹음 또는 청취하지 못하도록 한 것)에 위반된다(대판 2022.8.31, 2020도1007).

17. 특정범죄 가중처벌 등에 관한 법률 제11조는 마약 및 향정신성의약품의 '가액'은 '국내 시장에서의 통상적인 거래가액'이 확인되는 경우에는 이에 따름이 원칙이라 할 것이고, 예외적으로 이를 알 수 없는 경우에는 '실제 거래가격'을 의미한다고 봄이 타당하다(대판 2022.9.7, 2022도8341).

18. 타인 명의 금융계좌에서 범죄로 인한 피해금을 인출해 주는 일을 하고 수수료를 받기로 약속한 후 그 금융계좌에 연결된 접근매체를 전달받아 보관한 것은, 대가를 수수하기로 약속함과 동시에 범죄에 이용할 목적으로 접근매체를 보관한 것으로 봄이 타당하고, 피고인이 받기로 한 수수료가 보관행위에 대한 직접적인 대가가 아니라거나 실제로는 그 체크카드를 이용한 범죄가 현실화될 수 없다는 이유로 '대가관계'나 '범죄 이용 목적'이 없다고 할 수는 없다(대판 2023.1.12, 2021도10861).

19. 고소·고발장에 다른 정보주체의 개인정보를 첨부하여 경찰서에 제출한 것은 그 정보주체의 동의도 받지 아니하고 관련 법령에 정한 절차를 거치지 아니한 이상 부당한 목적하에 이루어진 개인정보의 '누설'에 해당한다(대판 2022.11.10, 2018도1966 ∵ 고소·고발에 수반하여 이를 알지 못하는 수사기관에 개인정보를 알려주었다고 하더라도, 그러한 행위를 개인정보 보호법에 따른 개인정보 '누설'에서 제외할 수는 없다).

20. 가정폭력범죄의 처벌 등에 관한 특례법에 따른 피해자보호명령을 받은 甲이 이를 이행하지 않아 같은 법 제63조 제1항 제2호의 보호처분 등의 불이행죄로 기소된 이후에 피해자보호명령의 전제가 된 가정폭력행위에 대하여 무죄판결을 선고받아 확정된 사안에서, 甲이 가정폭력행위자로 인정되어 피해자보호명령을 받고 이를 이행하지 않은 이상, 가정폭력범죄의 처벌 등에 관한 특례법 제63조 제1항 제2호의 보호처분 등의 불이행죄가 성립한다(대판 2023.6.1, 2020도5233).

21. 반의사불벌죄에서 성년후견인은 명문의 규정이 없는 한 의사무능력자인 피해자를 대리하여 피고인 또는 피의자에 대하여 처벌을 희망하지 않는다는 의사를 결정하거나 처벌을 희망하는 의사표시를 철회하는 행위를 할 수 없다. 이는 성년후견인의 법정대리권 범위에 통상적인 소송행위가 포함되어 있거나 성년후견개시심판에서 정하는 바에 따라 성년후견인이 소송행위를 할 때 가정법원의 허가를 얻었더라도 마찬가지이다(대판 2023.7.17, 2021도11126 전원합의체).

22. 아동·청소년 등이 일상적인 생활을 하면서 신체를 노출한 것일 뿐 적극적인 성적 행위를 한 것이 아니더라도 이를 몰래 촬영하는 방식 등으로 성적 대상화하였다면 이와 같은 행위를 표현한 영상 등은 아동·청소년이용음란물에 해당한다(대판 2023.11.16, 2021도4265).

23. 시간당 알코올분해량에 관하여 알려져 있는 신빙성 있는 통계자료 중 피고인에게 가장 유리한 것을 대입하여 위드마크 공식을 적용하여 운전시의 혈중알코올농도를 계산하는 것은 피고인에게 실질적인 불이익을 줄 우려가 없으므로 그 계산결과는 유죄의 인정자료로 사용할 수 있다고 하여야 한다(대판 2023.12.28, 2020도6417).

24. 피해아동의 부모가 피해아동의 가방에 녹음기를 넣어 수업시간 중 교실에서 아동학대범죄 처벌법 위반으로 기소된 피고인(피해아동의 담임교사)이 한 발언을 녹음한 녹음파일, 녹취록 등은 통신비밀보호법 제14조 제1항을 위반하여 공개되지 아니한 타인 간의 대화를 녹음한 것이므로 통신비밀보호법 제14조 제2항 및 제4조에 따라 증거능력이 부정된다(대판 2024.1.11, 2020도1538).

25. 마약류관리법 제40조의 2 제2항에 따른 수강명령 또는 이수명령 대상인 '마약류사범'은 마약류를 스스로 투약, 흡연 또는 섭취함으로써 마약류에 직접 노출된 사람만을 의미한다고 보아야 한다. 따라서 직접 마약류를 투약, 흡연 또는 섭취하지 않은 자라면 설령 마약류관리법 위반죄에 관한 공범으로 처벌을 받더라도 여기서의 마약류사범에는 해당하지 않는다(대판 2024.9.12, 2024도5033).

01 죄형법정주의에 대한 설명 중 가장 적절한 것은?(다툼이 있는 경우 판례에 의함) 20. 경찰승진

① 위법성 및 책임의 조각사유나 소추조건, 또는 처벌조각사유인 형면제 사유에 관하여 그 범위를 제한적으로 유추적용하게 되면 행위자의 가벌성의 범위는 확대되어 행위자에게 불리하게 되므로 유추해석금지의 원칙에 반한다.

② 대법원 양형위원회가 설정한 양형기준이 발효하기 전에 공소가 제기된 범죄에 대하여 위 양형기준을 참고하여 형을 양정한 경우 피고인에게 불리한 법률을 소급하여 적용하였으므로 소급효금지의 원칙에 반한다.

③ 가정폭력범죄의 처벌 등에 관한 특례법이 정한 보호처분 중의 하나인 사회봉사명령은 형벌 그 자체가 아니라 보안처분의 성격을 가지는 것이므로 형벌불소급의 원칙이 적용되지 않고 재판시법을 적용함이 상당하다.

④ 헌법재판소가 형벌조항에 대해 헌법불합치결정을 선고하면서 개정시한을 정하여 입법개선을 촉구하였는데도 위 시한까지 법률 개정이 이루어지지 않은 경우 공소가 제기된 피고사건에 대하여 형사소송법 제326조 제4호에 따라 면소를 선고하여야 한다.

[해설] ① ○ : 대판 1997.3.20, 96도1167 전원합의체
② × : ~ 소급효금지의 원칙에 반하지 않는다(대판 2009.12.10, 2009도11448).
③ × : ~ 보안처분의 성격을 가지고 있으나, 형벌불소급의 원칙이 적용되어 행위시법을 적용함이 타당하다(대결 2008.7.24, 2008어4).
④ × : ~ 무죄(면소 ×)를 선고하여야 한다(대판 2011.6.23, 2008도7562 전원합의체).

02 죄형법정주의에 대한 설명으로 가장 적절하지 않은 것은?(다툼이 있는 경우 판례에 의함)
20. 순경 2차

① 성폭력범죄의 처벌 등에 관한 특례법 제13조는 성적 수치심을 일으킬 수 있는 내용의 말, 글, 물건 등을 통신매체를 이용하여 상대방에게 전달하는 행위를 처벌하고자 함이 명백하므로, 성적수치심 등을 일으키는 내용의 편지를 피고인이 직접 상대방 주거지 출입문에 끼워 넣음으로써 상대방에게 전달한 행위는 본 규정을 통해 처벌할 수 있다.

② 자동차관리법 제80조 제7호의 2는 구체적·한정적으로 '자동차 이력 및 판매자 정보를 허위로 제공한 자'만을 처벌하는 것이며 제58조 제3항 위반을 일괄적으로 처벌하는 의미가 아니므로 '허위 제공'의 의미를 '단순 누락'의 경우도 포함하는 것으로 해석하는 것은 죄형법정주의 원칙에 어긋나서 허용되지 않는다.

③ 무면허운전 등을 금지한 도로교통법 제43조는 운전자의 금지사항으로 운전면허를 받지 아니한 경우와 운전면허의 효력이 정지된 경우를 구별하여 대등하게 나열하고 있다. 그렇다면 '운전면허를 받지 아니하고'라는 법률문언의 통상적인 의미에 '운전면허를 받았으나 그 후 운전면허의 효력이 정지된 경우'가 당연히 포함된다고는 해석할 수 없다.

④ 형벌법규는 문언에 따라 엄격하게 해석·적용하여야 하고 피고인에게 불리한 방향으로 지나치게 확장해석하거나 유추해석하여서는 안 된다.

Answer 1.① 2.①

해설 ① × : ~ 처벌할 수 없다(대판 2016.3.10, 2015도17847).
② 대판 2017.11.14, 2017도13421 ③ 대판 2011.8.25, 2011도7725 ④ 대판 2018.7.24, 2018도3443

03 죄형법정주의에 대한 설명으로 옳은 것은?(다툼이 있는 경우 판례에 의함)　　21. 경찰간부

① 외국환거래법 제30조가 규정하는 몰수·추징의 대상은 범인이 해당 행위로 인하여 취득한 외국환 기타 지급수단 등을 뜻하고, 여기서 취득이란 해당 범죄행위로 인하여 결과적으로 이를 취득한 때를 말한다고 제한적으로 해석할 필요는 없다.

② 국가보안법 제7조 제5항에서 규정하고 있는 '소지'에 블로그 등의 운영자가 그 사적(私的) 인터넷 게시공간에 게시된 타인의 글을 삭제할 권한이 있는데도 이를 삭제하지 아니하고 그대로 둔 경우를 포함하여 위 규정으로 처벌할 수 있다고 보는 것은 죄형법정주의 원칙 위반이라 할 수 없다.

③ 공공기관의 운영에 관한 법률 제53조가 공공기관의 임직원으로서 공무원이 아닌 사람은 형법 제129조의 적용에서는 이를 공무원으로 본다고 규정하고, 동법 제4조 제1항에서 구체적인 공공기관은 기획재정부장관의 고시에 의하도록 한 것은 죄형법정주의에 위반되지 않는다.

④ 성폭력범죄의 처벌 등에 관한 특례법 제13조는 '성적 수치심이나 혐오감을 일으키는 말, 음향, 글, 그림, 영상 또는 물건을 상대방에게 도달'하게 하는 경우를 처벌하고 있는바, 상대방에게 성적 수치심을 일으키는 그림 등이 담겨 있는 웹페이지의 인터넷 링크를 보내는 행위가 이에 해당된다고 해석하는 것은 죄형법정주의 원칙에 위반된다.

해설 ① × : ~ 제한적으로 해석함이 타당하다(대판 2017.5.31, 2013도8389).
② × : ~ 할 수 있다(대판 2012.1.27, 2010도8336). ③ ○ : 대판 2013.6.13, 2013도1685
④ × : ~ 해석하는 것은 죄형법정주의 원칙에 위반되지 않는다(대판 2017.6.8, 2016도21389 ∵ 상대방에게 성적 수치심을 일으키는 그림 등이 담겨 있는 웹페이지 등에 대한 인터넷 링크(internet link)를 보내는 행위를 통해 그와 같은 그림 등이 상대방에 의하여 인식될 수 있는 상태에 놓이고, 이에 따라 상대방이 이러한 링크를 이용하여 별다른 제한 없이 성적 수치심을 일으키는 그림 등에 바로 접할 수 있는 상태가 실제로 조성되었다면, 성적 수치심을 일으키는 그림 등을 상대방에게 도달하게 한다는 구성요건을 충족한다).

04 죄형법정주의에 대한 설명 중 적절하지 않은 것을 모두 고른 것은?(다툼이 있으면 판례에 의함)　　21. 경력채용

> ㉠ 결혼중개업법 제10조의 2 제4항에 의하여 대통령령에 규정하도록 위임된 '신상정보의 제공 시기'를 이용자와 상대방의 만남 이전으로 규정한 결혼중개업법 시행령 제3조의 2 제3항은 위임입법의 한계를 벗어나 죄형법정주의 원칙에 반한다.
>
> ㉡ 대통령기록물 관리에 관한 법률 제30조 제2항 제1호, 제14조에 의해 유출이 금지되는 대통령기록물에 원본 문서나 전자파일 이외에 그 사본이나 추가 출력물까지 포함된다고 해석하는 것은 죄형법정주의 원칙에 반한다.

ⓒ 고농도 니코틴 용액에 프로필렌글리콜(Propylene Glycol)과 식물성 글리세린(Vegetable Gly-cerin)과 같은 희석액, 소비자의 기호에 맞는 향료를 일정한 비율로 첨가하여 전자장치를 이용해 흡입할 수 있는 니코틴 용액을 만든 것을 담배의 제조행위라고 보는 것은 유추해석금지원칙에 반한다.

ⓔ 형법 제55조 제1항은 형벌의 종류에 따라 법률상 감경의 방법을 규정하고 있는데, 유기징역형에 대한 법률상 감경을 하면서 형법 제55조 제1항 제3호에서 정한 것과 같이 장기와 단기를 모두 2분의 1로 감경하는 것이 아닌 장기 또는 단기 중 어느 하나만을 2분의 1로 감경하는 방식이나 2분의 1보다 넓은 범위의 감경을 하는 방식은 죄형법정주의 원칙에 반한다.

ⓜ 단순한 목적론적 축소해석에 그치는 것이 아니라, 형면제사유에 대한 제한적 유추를 통하여 처벌범위를 실정법 이상으로 확대하는 것은 유추해석금지의 원칙에 반한다.

① 1개 　　　　② 2개 　　　　③ 3개 　　　　④ 4개

해설 ㉠ × : ~ (3줄) 한계를 벗어났다고 볼 수 없어 죄형법정주의 원칙에 반하지 않는다(대판 2019.7.25, 2018도7989). ㉡ ○ : 대판 2021.1.14, 2016도7104
㉢ × : ~ (3줄) 제조행위라고 보는 것은 죄형법정주의 원칙에 위반되지 않는다(대판 2018.9.28, 2018도9828). ㉣ ○ : 대판 2021.1.21, 2018도5475 전원합의체
㉤ ○ : 대판 1997.3.20, 96도1167 전원합의체

05 다음 중 유추해석금지의 원칙에 대한 설명으로 가장 옳지 않은 것은?(다툼이 있는 경우 판례에 의함)
20. 해경 1차

① 수산물품질관리법령에 따라 '생산제품의 종류'란에 수산물원형동결(오징어)이라고 기재된 수산물가공업(냉동·냉장업) 등록증을 받은 자가 수산물처리동결(오징어) 제품을 가공한 행위를 수산물가공업(냉동·냉장업)의 등록 없이 해당 영업을 한 경우로 볼 수 있다.

② 구(舊) 농수산물의 원산지 표시에 관한 법률 제6조 제1항 제1호에서 정한 '원산지를 혼동하게 할 우려가 있는 표시를 하는 행위'에 원산지 표시란에는 국내산으로 바르게 표시한 후 국내 유명 특산물의 생산지역명을 표시한 포장재를 사용한 행위가 포함된다.

③ 수산물의 표시·광고에서 '생물'은 포획 후 냉동하지 않은 채 살아 있거나 그에 준할 정도로 신선한 상태로 유통되는 수산물을 표현하는 용어로 '냉동'과 구별되는 개념으로 사용되고 있으므로, 냉동수산물 또는 냉동 후 해동한 수산물에 '생물'이라고 표시·광고하는 것은 수산물의 품질에 관하여 사실과 다른 표시·광고를 한 것으로 보아야 한다.

④ 구(舊) 선박안전기술공단이 선박안전법 제60조 제1항에 따라 해양수산부장관의 선박검사업무 등을 대행하는 경우, 선박검사증서 발급 업무를 수행하는 공단 임직원을 공문서의 작성주체인 '공무원'으로 볼 수 없고 공단이 해양수산부장관을 대행하여 이사장 명의로 발급하는 선박검사증서가 공문서위조죄나 허위공문서작성죄에서의 '공문서'에 해당하지 않는다.

해설 ① × : ~ 볼 수 없다(대판 2015.1.29, 2014도8448).
② 대판 2014.1.29, 2013도14586 ③ 대판 2017.4.7, 2016도19084 ④ 대판 2016.1.14, 2015도9133

06 죄형법정주의와 관련된 설명으로 가장 적절하지 않은 것은?(다툼이 있는 경우 판례에 의함)

22. 경찰간부

① 특정 범죄자에 대한 위치추적 전자장치 부착 등에 관한 법률 제5조 제1항 제3호에 검사가 전자장치 부착명령을 법원에 청구할 수 있는 경우 중의 하나로 규정된 '성폭력범죄를 2회 이상 범하여'에 소년보호처분을 받은 성폭력범죄 행위가 포함된다고 해석하는 것은 유추금지에 반한다.

② 항공보안법 제42조는 "위계 또는 위력으로써 운항 중인 항공기의 항로를 변경하게 하여 정상 운항을 방해한 사람은 1년 이상 10년 이하의 징역에 처한다."라고 규정하고 있다. 같은 법 제2조 제1호는 '운항 중'을 '승객이 탑승한 후 항공기의 모든 문이 닫힌 때로부터 내리기 위하여 문을 열 때까지'로 정의하였다. 따라서 승객이 탑승한 후 항공기의 모든 문이 닫힌 때부터 내리기 위하여 문을 열 때까지 항공기가 지상에서 이동하는 경로도 항공보안법 제42조의 '항로'에 포함된다고 해석하는 것은 문언의 가능한 범위를 벗어나는 것이 아니다.

③ 형법 제55조 제1항 제3호는 "유기징역 또는 유기금고를 감경할 때에는 그 형기의 2분의 1로 한다."라고 법률상 감경의 방법을 규정하고 있는데, 유기징역형에 대한 법률상 감경을 하면서 장기 또는 단기 중 어느 하나만을 2분의 1로 감경하는 방식이나 2분의 1보다 넓은 범위의 감경을 하는 방식 등은 죄형법정주의 원칙상 허용될 수 없다.

④ 형법 제170조 제2항에서 말하는 '자기의 소유에 속하는 제166조 또는 제167조에 기재한 물건'이라 함은 '자기의 소유에 속하는 제166조에 기재한 물건 또는 자기의 소유에 속하든, 타인의 소유에 속하든 불문하고 제167조에 기재한 물건'을 의미하는 것이라고 해석한다고 하더라도 죄형법정주의의 원칙상 금지되는 유추해석이나 확장해석에 해당한다고 볼 수는 없다.

> [해설] ① 대판 2012.3.22, 15057 전원합의체
> ② × : ~ 벗어난 것이다(대판 2017.12.21, 2015도8335 전원합의체).
> ③ 대판 2021.1.21, 2018도5475 전원합의체
> ④ 대결 1994.12.20, 94모32 전원합의체

07 유추해석금지의 원칙에 대한 설명으로 가장 적절한 것은?(다툼이 있는 경우 판례에 의함)

22. 경찰승진, 23. 해경승진

① 형법 제232조의 2(사전자기록위작·변작)에서 정한 '위작'에 권한 있는 사람이 그 권한을 남용하여 허위의 정보를 입력함으로써 전자기록을 생성하는 행위까지도 포함하여 해석하는 것은 유추해석금지의 원칙에 반한다.

② 법정소동죄 등을 규정한 형법 제138조에서의 '법원의 재판'에 '헌법재판소의 심판'을 포함시켜 해석하는 것은 유추해석금지의 원칙에 반한다.

Answer　6.② 7.④

③ 유추해석금지의 원칙은 모든 형벌법규의 구성요건과 가벌성에 관한 규정에 준용되나, 위법성 및 책임의 조각사유나 소추조건 또는 처벌조각사유인 형면제사유에 관하여 그 범위를 제한적으로 적용하여 가벌성의 범위가 확대되더라도 유추해석금지의 원칙에 반하지 아니한다.

④ 법률에 특별한 규정이 없음에도 형법 제227조의 2(공전자기록위작·변작)의 행위주체에 공무원, 공무소와 계약 등에 의하여 공무와 관련되는 업무를 일부 대행하는 경우까지 포함된다고 해석하는 것은 죄형법정주의 원칙에 반한다.

[해설] ① × : ~ 유추해석금지의 원칙에 반하지 않는다(대판 2020.8.27, 2019도11294 전원합의체).
② × : ~ 유추해석금지의 원칙에 반하지 않는다(대판 2021.8.26, 2020도12017).
③ × : ~ 범위가 확대되면 유추해석금지의 원칙에 반한다(대판 1997.3.20, 96도1167 전원합의체).
④ ○ : 대판 2020.3.12, 2016도19170

08 **죄형법정주의 원칙에 비추어 허용될 수 없는 해석에 해당하지 않는 것은?**(다툼이 있는 경우 판례에 의함) **21. 법원행시**

① 구 도로교통법(2019. 12. 24. 개정되기 전의 것) 제154조 제2호는 '원동기장치자전거를 운전할 수 있는 운전면허를 받지 아니하고 원동기장치자전거를 운전한 사람'을 처벌하였는데, '운전면허를 받았으나 그 후 면허의 효력이 정지된 경우'를 '운전면허를 받지 아니한 것'에 포함된다고 해석하는 것

② 성폭력범죄의 처벌 등에 관한 특례법 제14조 제1항은 '카메라나 그 밖에 이와 유사한 기능을 갖춘 기계장치를 이용하여 성적 욕망 또는 수치심을 유발할 수 있는 사람의 신체를 촬영대상자의 의사에 반하여 촬영한 자'를 처벌하고 있는데, '다른 사람의 신체 이미지가 담긴 영상'을 촬영한 경우를 '사람의 신체'를 촬영한 것에 포함된다고 해석하는 것

③ 형법 제155조 제1항은 '타인의 형사사건 또는 징계사건에 관한 증거를 인멸, 은닉, 위조 또는 변조하거나 위조 또는 변조한 증거를 사용한 자'를 처벌하고 있는데, '증거 자체에는 아무런 허위가 없으나 그 증거가 허위 주장과 결합하여 허위 사실을 증명하게 되는 경우(돈을 송금하였다가 되돌려 받는 방법으로 송금자료를 만들어 피해 변제의 증거로 제출한 경우)'를 '증거위조'에 포함된다고 해석하는 것

④ 구 약사법(2007. 10. 17. 개정되기 전의 것) 제44조 제1항은 "약국 개설자가 아니면 의약품을 판매하거나 또는 판매 목적으로 취득할 수 없다."고 규정하고 있는데, '국내에 있는 불특정 또는 다수인에게 무상으로 의약품을 양도하는 수여행위'를 '판매'에 포함된다고 해석하는 것

⑤ 공직선거법 제250조 제1항 허위사실공표죄에서 '경력 등'이란 후보자의 '경력·학력·학위·상벌'을 말하는데(같은 법 제64조 제5항), '어떤 단체가 특정 후보자를 지지·추천하는지 여부'를 '경력'에 포함된다고 해석하는 것

Answer 8.④

[해설] • 유추해석금지의 원칙(죄형법정주의 원칙)에 반한 해석 : ① 대판 2011.8.25, 2011도7725 ② 대판 2013.6.27, 2013도4279 ③ 대판 2021.1.28, 2020도2642 ⑤ 대판 2011.3.10, 2010도16942
• 유추해석금지의 원칙(죄형법정주의 원칙)에 비추어 허용된 해석 : ④ 대판 2011.10.13, 2011도6287

09 다음 설명 중 가장 옳지 않은 것은?(다툼이 있는 경우 판례에 의함) 　　22. 법원행시

① 폭력행위 등 처벌에 관한 법률 제2조 제3항 제1호에서 정한 '징역형'에는 보복의 목적으로 형법 제257조 제1항, 제260조 제1항, 제276조 제1항, 제283조 제1항의 죄를 저질러 가중처벌되는 특정범죄 가중처벌 등에 관한 법률 제5조의 9 제2항을 위반한 죄로 처벌받은 전력도 포함된다.

② 올림픽대로에 "10t 이상 화물차량 통행제한"이라고 표시한 알림판은 그 내용만으로 건설기계에 대한 통행제한 내용이 충분히 공고되었다고 볼 수 없다.

③ 비트코인은 경제적인 가치를 디지털로 표상하여 전자적으로 이전, 저장과 거래가 가능하도록 한 가상자산의 일종으로 사기죄의 객체인 재산상 이익에 해당한다.

④ 피고인 乙회사의 대표인 피고인 甲이 피고인 乙회사가 운영하는 식당과 별도의 장소에 일정한 시설을 갖추어 식품을 만든 다음 피고인 乙회사가 각지에서 직영하는 음식점들에 배송하는 방법으로 일괄 공급함으로써 그 음식점들을 거쳐서 최종소비자가 취식할 수 있게 한 행위는 무등록 식품제조·가공업을 한 것에 해당한다.

⑤ 형법 제138조(법정 또는 국회회의장모욕)에서 정한 '법원의 재판'에는 헌법재판소의 심판이 포함된다.

[해설] ① 옳다. ② × : ~ 건설기계(덤프트럭)에 대한 통행제한 내용이 충분히 공고되었다고 볼 수 있다. 일반인의 관점에서 건설기계(덤프트럭)가 '화물차량'에는 포함된다고 충분히 인식할 수 있다고 보아야 하고, 운전자 중 이에 대한 인식이 없는 운전자가 있다고 하더라도 이는 법률의 부지에 불과하다(대판 2021.10.28, 2021도9629).
③ 대판 2021.11.11, 2021도9855 ④ 대판 2021.7.15, 2020도13815 ⑤ 대판 2021.8.26, 2020도12017

10 유추해석(적용) 금지의 원칙에 관한 설명 중 가장 적절하지 않은 것은?(다툼이 있는 경우 판례에 의함) 　　22. 순경 2차

① 위법성조각사유처럼 피고인에게 유리한 규정의 범위를 제한적으로 유추적용하게 되면 행위자의 가벌성의 범위가 확대되므로 이는 가능한 문언의 의미를 넘어 범죄구성요건을 유추적용하는 것과 같은 결과가 초래되어 허용될 수 없다.

② 형벌법규의 적용대상이 행정법규가 규정한 사항을 내용으로 하는 경우, 그 행정법규를 해석함에 있어서는 유추해석 금지의 원칙이 적용되지 아니한다.

③ 유추해석은 피고인에게 유리한 경우에는 가능한 것이나, 문리를 넘어서는 이러한 해석은 그렇게 해석하지 아니하면 그 결과가 현저히 형평과 정의에 반하거나 심각한 불합리가 초래되는 경우에 한하여 가능하다.

④ 공직선거법 제262조의 '자수'를 통상 관용적으로 사용되는 용례에서 갖는 개념 외에 '범행 발각 전'이라는 또 다른 개념을 추가하는 것은 형 면제 사유에 대한 제한적 유추를 통해 처벌범위를 실정법 이상으로 확대하게 되어 유추해석 금지의 원칙에 반한다.

해설 ① 대판 1997.3.20, 96도1167 전원합의체
② × : ~ 원칙이 적용된다(대판 2021.11.25, 2021도10981).
③ 대판 2004.11.11, 2004도4049(형벌법규의 해석에 있어서 유추해석이나 확장해석도 피고인에게 유리한 경우에는 가능한 것이나, 문리를 넘어서는 이러한 해석은 그렇게 해석하지 아니하면 그 결과가 현저히 형평과 정의에 반하거나 심각한 불합리가 초래되는 경우에 한하여야 할 것이고, 그렇지 아니하는 한 입법자가 그 나름대로의 근거와 합리성을 가지고 입법한 경우에는 입법자의 재량을 존중하여야 하는 것이다.)
④ 대판 1997.3.20, 96도1167 전원합의체

11 죄형법정주의에 관한 다음 설명 중 옳지 않은 것은 모두 몇 개인가?(다툼이 있는 경우 판례에 의함)
23. 법원행시

> ㉠ 원인불명으로 재산상 이익인 가상자산을 이체받은 자가 가상자산을 사용·처분한 경우 이를 형사처벌하는 명문의 규정이 없는 현재의 상황에서 착오송금시 횡령죄 성립을 긍정한 판례를 유추하여 신의칙을 근거로 피고인을 배임죄로 처벌하는 것은 죄형법정주의에 반한다.
> ㉡ 증거 자체에는 아무런 허위가 없으나 그 증거가 허위주장과 결합하여 허위 사실을 증명하게 되는 경우가 있고, 이러한 행위는 국가의 형벌권 행사에 중대한 지장을 초래할 수 있는 행위로서 비난받아 마땅하다는 점은 부인하기 어려우므로, 위와 같은 행위를 처벌하는 구성요건을 신설하는 것 외에 형법 제155조 제1항이 규정한 '증거위조'의 의미를 확장해석하는 방법으로 그 목적을 달성하는 것도 죄형법정주의 원칙상 허용되지 아니한다고 볼 수 없다.
> ㉢ 법정소동죄 등을 규정한 형법 제138조에서의 '법원의 재판'에 '헌법재판소의 심판'을 포함시키는 해석은 피고인에게 불리한 확장해석이나 유추해석에 해당하지 않는다.
> ㉣ 반의사불벌죄에 있어서 피해자에게 의사능력이 있음에도 불구하고 그 처벌을 희망하지 않는다는 의사표시 또는 처벌희망 의사표시의 철회에 법정대리인의 농의가 있어야 한나고 해석하는 것은 죄형법정주의의 유추해석금지 원칙에 반한다.
> ㉤ 구 특정 범죄자에 대한 위치추적 전자장치 부착 등에 관한 법률 제5조 제1항 제3호는 '성폭력범죄를 2회 이상 범하여(유죄의 확정판결을 받은 경우를 포함한다) 그 습벽이 인정된 때'라고 규정하고 있는데, 피부착명령 청구자가 2회 이상 성폭력범죄를 범하였는지를 판단할 때 위 법률의 목적과 위 규정의 취지에 비추어 소년보호처분을 받은 전력이 이에 해당한다고 보더라도 확장해석이나 유추해석에 해당하지 아니한다.

① 1개   ② 2개   ③ 3개
④ 4개   ⑤ 5개

해설 ㉠ ○ : 대판 2021.12.16, 2020도9789
㉡ × : ~ (3줄) 부인하기 어렵다. 그러나 위와 같은 행위를 처벌하는 구성요건을 신설하는 것 외에 형법 제155조 제1항이 규정한 '증거위조'의 의미를 확장해석하는 방법으로 그 목적을 달성하는 것은 죄형법정주의 원칙상 허용되지 아니한다(대판 2021.1.28, 2020도2642).

ⓒ ○ : 대판 2021.8.26, 2020도12017
ⓔ ○ : 대판 2009.11.19, 2009도6058 전원합의체
ⓜ × : ~ (4줄) 전력이 포함된다고 보는 것은 유추해석금지원칙에 반한다(대판 2012.3.22, 2011도15057 전원합의체).

12 죄형법정주의에 관한 설명으로 가장 적절하지 않은 것은?(다툼이 있는 경우 판례에 의함)

23. 경력채용

① 한의사가 진단용 의료기기를 사용하는 것이 한의사의 '면허된 것 이외의 의료행위'에 해당하는지에 관한 새로운 판단 기준에 따르면, 한의사가 초음파 진단기기를 사용하여 환자의 신체 내부를 촬영하여 화면에 나타난 모습을 보고 이를 한의학적 진단의 보조수단으로 사용하는 것은 한의사의 '면허된 것 이외의 의료행위'에 해당하지 않는다.

② 환자가 사망한 경우 사망진단 전에 이루어지는 사망 징후 관찰은 구 의료법 제2조 제2항 제5호에서 간호사의 임무로 정한 '상병자 등의 요양을 위한 간호 또는 진료 보조'에 해당한다고 할 수 있다. 그리고 사망의 진단은 의사 등이 환자의 사망 당시 또는 사후에라도 현장에 입회해서 직접 환자를 대면하여 수행해야 하는 의료행위이지만, 간호사는 의사 등의 개별적 지도·감독이 있으면 사망의 진단을 할 수 있다.

③ 법률을 해석할 때 입법취지와 목적, 제·개정 연혁, 법질서 전체와의 조화, 다른 법령과의 관계 등을 고려하는 체계적·논리적 해석 방법을 사용할 수 있으나, 문언 자체가 비교적 명확한 개념으로 구성되어 있다면 원칙적으로 이러한 해석 방법은 활용할 필요가 없거나 제한되어야 한다.

④ 군형법 제92조의 6은 "제1조 제1항부터 제3항까지에 규정된 사람(이하 '군인 등'이라 한다)에 대하여 항문성교나 그 밖의 추행을 한 사람은 2년 이하의 징역에 처한다."고 규정하고 있는데, 전체 법질서의 변화를 종합적으로 고려하면 위 규정은 동성인 군인 사이의 항문성교나 그 밖에 이와 유사한 행위가 사적 공간에서 자발적 의사 합치에 따라 이루어지는 등 군이라는 공동사회의 건전한 생활과 군기를 직접적·구체적으로 침해한 것으로 보기 어려운 경우에는 적용되지 않는다.

해설 ① 대판 2022.12.22, 2016도21314 전원합의체
② × : ~ (3줄) 할 수 있다. 그러나 사망의 진단은 의사 등이 환자의 사망 당시 또는 사후에라도 현장에 입회해서 직접 환자를 대면하여 수행해야 하는 의료행위이고, 간호사는 의사 등의 개별적 지도·감독이 있더라도 사망의 진단을 할 수 없다(대판 2022.12.29, 2017도10007).
③ 대판 2022.3.11, 2018도18872
④ 대판 2022.4.21, 2019도3047 전원합의체

Answer 12. ②

13 죄형법정주의에 관한 설명으로 옳은 것을 모두 고른 것은?(다툼이 있는 경우 판례에 의함)

> ㉠ '블로그', '미니 홈페이지', '카페' 등 사적(私的) 인터넷 게시 공간의 운영자가 게시공간에 게시된 타인의 글을 삭제할 권한이 있는데도 삭제하지 아니하고 그대로 둔 경우를 국가보안법 제7조 제5항의 '소지'행위로 보는 것은 죄형법정주의에 위배되지 않는다.
> ㉡ 의사가 환자와 대면하지 아니하고 전화나 화상 등을 이용하여 환자의 용태를 스스로 듣고 판단하여 처방전 등을 발급한 행위를 구 의료법(2009. 1. 30. 법률 제9386호로 개정되기 전의 것) 제17조 제1항의 '진찰한 의사'가 아닌 자가 처방전 등을 발급한 경우에 해당한다고 해석하는 것은 죄형법정주의에 위배된다.
> ㉢ 甲이 약 20일 동안 6회에 걸쳐 피해자 A의 성적 수치심 등을 일으키는 내용의 편지를 작성하여 옆집에 사는 A의 주거지 출입문에 끼워 넣어 A에게 전달한 행위는 성폭력범죄의 처벌 등에 관한 특례법상 통신매체이용음란죄에 해당하지 않는다.
> ㉣ 도로가 아닌 곳에서 운전면허 없이 운전한 행위를 도로교통법상 무면허운전으로 처벌하는 것은 유추해석금지의 원칙에 반하지 않는다.

① ㉠, ㉡   ② ㉠, ㉣   ③ ㉡, ㉢   ④ ㉢, ㉣

해설 ㉠ × : ~ 보는 것은 유추해석금지원칙에 반한다(대판 2012.1.27. 2010도8336).
㉡ ○ : 대판 2013.4.11. 2010도1388
㉢ ○ : 대판 2016.3.10. 2015도17847
㉣ × : ~ 유추해석금지의 원칙에 반한다(대판 2017.12.28. 2017도17762).

14 다음 중 죄형법정주의에 대한 설명으로 가장 옳지 않은 것은?(다툼이 있으면 판례에 의함)

① 자동차관리법상 승인이 필요한 '자동차의 튜닝'은 '자동차의 안전운행에 필요한 성능과 기준이 설정되어 있는 자동차의 구조·장치가 일부 변경되거나 자동차에 부착물을 추가함으로써 그러한 자동차 구조·장치의 일부 변경에 이르게 된 경우'를 의미한다.

② 경찰공무원의 음주측정요구에 신체 이상 등의 사유로 호흡조사에 의한 음주측정에 응할 수 없는 운전자가(척추장애로 지체장애 3급 장애인) '혈액채취'에 의한 측정을 거부하거나 이를 불가능하게 하였다고 하더라도 이를 들어 음주측정에 불응한 것으로 해석하는 것은 죄형법정주의 원칙에 반한다.

③ 외국환거래법 제30조가 규정하는 몰수·추징의 대상은 범인이 해당 행위로 인하여 취득한 외국환 기타 지급수단 등을 뜻하고, 이는 범인이 외국환거래법에서 규제하는 행위로 인하여 취득한 외국환 등이 있을 때 이를 몰수하거나 추징한다는 취지로서, 여기서 취득이란 해당 범죄행위로 인하여 결과적으로 이를 취득한 때를 말한다고 제한적으로 해석할 필요는 없다.

④ 인터넷 사이트에 '소액대출 및 소액결제 현금화' 등의 문구를 적시한 광고글을 게시하여 이를 보고 접근한 의뢰인들에게 문화상품권을 소액결제를 하고 구매 후 인증되는 문화상품권의 핀(PIN) 번호를 자신에게 알려주게 하여 의뢰인들이 구매한 문화상품권 액면가 22% 금액을 선이자 명목으로 공제하고 나머지 77.8% 금액을 대부해 준 것은 '금전의 대부'에 해당하지 않는다.

해설 ① 대판 2021.6.24, 2019도110
② 대판 2010.7.15, 2010도2935
③ × : ~ (4줄) 말한다고 제한적으로 해석함이 타당하다(대판 2017.5.31, 2013도8389).
④ 대판 2019.9.26, 2018도7682

15 다음 중 죄형법정주의에 대한 설명으로 가장 옳지 않은 것은?(다툼이 있으면 판례에 의함)

25. 해경경사

① "지방세에 관한 범칙행위에 대하여는 조세범처벌법령을 준용한다."는 지방세법 제84조 제1항의 조세범처벌법령에 특정범죄 가중처벌 등에 관한 법률도 포함된다는 해석은 죄형법정주의에 반하여 허용되지 않는다.
② 다른 사람의 신체 이미지가 담긴 영상도 성폭력범죄의 처벌 등에 관한 특례법 제14조 제1항의 '다른 사람의 신체'에 포함된다고 해석하는 것은 법률문언의 통상적인 의미를 벗어나는 것이므로 죄형법정주의 원칙상 허용될 수 없다.
③ 인터넷 신문 또는 인터넷 언론사를 운영하는 자는 공직선거법 제97조 제2항, 제3항에서 정한 방송·신문·통신·잡지 기타 간행물을 경영·관리하거나 편집·취재·집필·보도하는 자에 해당한다.
④ '기업구매전용카드'를 이용하여 물품의 판매 등 방법으로 자금을 융통한 경우에 여신전문금융업법상 '신용카드'의 이용에 해당한다.

해설 ① 대판 2008.3.27, 2007도7561
② 대판 2013.6.27, 2013도4279
③ 대판 2021.4.8, 2021도1177
④ × : '기업구매전용카드'를 이용하여 물품의 판매 등 방법으로 자금을 융통한 경우에 여신전문금융업법상 '신용카드'의 이용에 해당하지 아니한다(대판 2013.7.25, 2011도14687 ∵ '기업구매전용카드'는 동법의 '신용카드'에 해당 ×).

Answer 15.④

제4절 명확성의 원칙

THEMA 06 '명확성의 원칙' 총정리

1. 명확성의 원칙은 법치국가원리의 한 표현으로서 기본권을 제한하는 법규범의 내용은 명확하여야 한다는 헌법상의 원칙이며, 그 근거는 법규범의 의미내용이 불확실하면 법적 안정성과 예측가능성을 확보할 수 없고, 법집행 당국의 자의적인 법해석과 집행을 가능하게 할 것이기 때문이다. 그러나 법규범의 문언은 어느 정도 가치개념을 포함한 일반적·규범적 개념을 사용하지 않을 수 없는 것이기 때문에 명확성의 원칙이란 기본적으로 **최대한이 아닌 최소한의 명확성**을 요구하는 것으로서, 그 문언이 법관의 보충적인 가치판단을 통해서 그 의미내용을 확인할 수 있고, 그러한 보충적 해석이 해석자의 개인적인 취향에 따라 좌우될 가능성이 없다면 명확성의 원칙에 반한다고 할 수 없다(대판 2008.10.23, 2008초기264). 20. 9급 검찰·마약수사·철도경찰, 22. 순경 1차, 23. 경찰승진

2. 명확성 원칙은 **모든 법률에 동일한 정도로 요구되는 것은 아니고** 개개의 법률이나 법조항의 성격에 따라 요구되는 정도에 차이가 있을 수 있다(대판 2018.4.24, 2018초기306). 24. 해경경위

3. 범죄의 구성요건은 명확하게 규정되어야 하지만 **모든 구성요건이 단순한 서술적 개념으로 규정되어야 하는 것은 아니므로,** 25. 변호사시험 통상의 해석방법에 의하여 **건전한 상식과 통상적인 법감정을 가진 사람이** 당해 처벌법규의 보호법익과 금지된 행위 및 처벌의 종류와 정도를 알 수 있도록 규정하는 한 명확성 원칙에 반하지 아니한다(대판 2014.1.29, 2013도12939). 20·22. 9급 검찰·마약수사·철도경찰, 23. 경찰간부·경찰승진·해경승진·해경 3차

4. 특히 형벌과 관련하여 절대적 부정기형(**예** 구 부정선거관련자처벌법 제5조 제4항 "동법 제5조 제1항의 예비·음모는 이를 처벌한다."는 규정 : 대판 1977.6.28, 77도251)은 금지되나 상대적 부정기형(**예** '… 한 자는 단기 1년, 장기 3년에 처한다.')은 일반적으로 허용되고 있다. 우리 형법은 부정기형 자체를 채택하고 있지 않으나, 소년법은 상대적 부정기형을 채택하고 있다(소년법 제60조). 다만, 장기는 10년, 단기는 5년을 초과하지 못한다. 09. 사시, 12. 7급 검찰

5. 처벌법규의 입법목적이나 그 전체적 내용, 구조 등을 살펴 보아 **사물의 변별능력을 제대로 갖춘 일반인의 이해와 판단**으로서 그의 구성요건 요소에 해당하는 행위유형을 정형화하거나 한정할 합리적 해석기준을 찾을 수 있다면 죄형법정주의가 요구하는 형벌법규의 명확성의 원칙에 반하는 것이 아니다(대판 2003.4.11, 2003도451). 19. 법원행시, 24. 경찰간부

⚖ 관련판례

• 명확성의 원칙에 반하지 않아 죄형법정주의에 반하지 않는다고 본 경우

1. 폭력행위 등 처벌에 관한 법률 제4조 제1항에서 규정하고 있는 범죄단체 구성원으로서의 '활동'의 개념(대판 2008.5.29, 2008도1857) 17. 순경 1차, 19. 경력채용, 21. 순경 2차

2. 건설공사의 수주 및 시공과 관련하여 발주자, 수급인, 하수급인 또는 이해관계인이 부정한 청탁에 의한 금품을 수수하는 것을 금지하고 형사처벌하는 건설산업기본법 제38조의 2의 '이해관계인' 규정(대판 2009.9.24, 2007도6185) 12. 경찰간부, 22. 경력채용

3. 형법 제243조 음화반포죄의 구성요건에 '음란'이라는 규범적 구성요건요소를 사용한 경우(대판 1995.6.16, 94도2413) 10. 법원행시, 20. 법원직, 22. 경력채용

4. 청소년보호법 제26조의 2 제8호 '풍기를 문란하게 하는 영업행위를 하거나 그를 목적으로 장소를 제공하는 행위'라는 조항(대판 2003.12.26, 2003도5980) 12. 순경 3차, 19. 순경 2차

5. 형법 뇌물죄의 적용에 있어서 지방공사·공단의 임직원을 공무원으로 본다는 규정(지방공기업법 제83조 : 대판 2001.1.19, 99도5753) 10. 사시

6. "교육감 선거에 관하여 이 법에 정한 것을 제외하고는 그 성질에 반하지 않는 범위 안에서 공직선거법의 시·도지사선거에 관한 규정을 준용한다."고 정한 지방교육자치에 관한 법률 제22조 제3항(대판 2009.10.29, 2009도5945) 13. 순경 2차

7. 향토예비군설치법 제15조 제9항 후문이 '소집통지서를 수령할 의무가 있는 자'의 범위를 별도로 정하지 않은 경우(헌재결 2003.3.27, 2002헌바35) 12. 순경 2차

8. 형사소송법 제307조(사실의 인정은 증거에 의하여야 한다), 제308조(증거의 증명력은 법관의 자유판단에 의한다)에 규정된 '증거' 또는 '자유심증'이라는 용어(대판 2006.5.26, 2006초기92) 12. 순경 2차

9. 구 정보통신망 이용촉진 및 정보보호 등에 관한 법률 제65조 제1항 제3호에서 규정하는 "불안감"이란 개념(대판 2008.12.24, 2008도9581) 15. 경찰간부, 22. 경력채용, 23. 순경 1차

10. 형법(1953. 9. 18. 법률 제293호로 제정된 것) 제125조(폭행, 가혹행위) 중 '경찰에 관한 직무를 행하는 자 또는 이를 보조하는 자가 그 직무를 행함에 당하여 형사피의자 또는 기타 사람에 대하여 폭행을 가한 때'와 관련된 부분은 죄형법정주의의 명확성의 원칙에 위반되지 않는다(헌재결 2015.3.26, 2013헌바140). 16. 순경 2차, 21. 7급 검찰

11. 국가공무원법 제66조(집단행위의 금지) 제1항에서 '공무 외의 일을 위한 집단행위'로 포괄적이고 광범위하게 규정하고 있다 하더라도 명확성의 원칙과 과잉금지의 원칙에 반한다고 볼 수 없다(대판 2017.4.13, 2014두8469). 17. 7급 검찰

12. 앞지르기 금지장소로서 규정된 도로교통법 제20조의 2 제2호의 "도로의 구부러진 곳"이라는 표현(헌재결 2000.2.24, 99헌가4)

13. 형법상 내란선동죄에서 '선동'이라는 표현(대판 2015.1.22, 2014도10978 전원합의체) 21. 9급 검찰·마약수사·철도경찰

14. 구 도시 및 주거환경정비법 제69조 제1항 제6호에서 정한 "관리처분계획의 수립"에 경미한 사항이 아닌 관리처분계획의 주요 부분을 실질적으로 변경하는 것이 포함된다고 해석하는 것은 죄형법정주의 내지 형벌법규 명확성의 원칙을 위반하였다고 보기 어렵다(대판 2019.9.25, 2016도1306). 21. 법원행시·해경간부

15. 형법 제349조(부당이득)에서 정하는 '현저하게 부당한 이익'이 법률조항이 지니는 약간의 불명확성은 법관의 통상적인 해석 작용에 의하여 충분히 보완될 수 있고 건전한 상식과 통상적인 법감정을 가진 일반인이라면 금지되는 행위가 무엇인지를 예측할 수 있으므로 이 사건 법률조항은 죄형법정주의에서 요구되는 명확성의 원칙에 위배되지 아니한다(헌재 2006.7.27, 2005헌바19). 23. 순경 2차

● **명확성의 원칙에 반하여 죄형법정주의에 어긋난다고 본 경우**

1. 외국환관리규정의 '도박 기타 범죄 등 선량한 풍속 및 사회질서에 반하는 행위'라는 요건(대판 1998. 6.18, 97도2231 전원합의체) 12. 경찰승진, 22. 경력채용

2. 미성년자보호법 제2조의 2의 불량만화에 대한 정의 중 '잔인성을 조장할 우려가 있거나 범죄의 충동을 일으키게 할 수 있는' 규정 및 구 아동복지법상의 '아동의 덕성을 심히 해할 우려가 있는 도서 등의 제작행위'를 처벌하는 규정(헌재결 2002.2.28, 99헌가8) 09. 경찰승진, 16. 순경 2차

3. '공익'을 해할 목적으로 전기통신설비에 의하여 공연히 허위의 통신을 한 자를 형사처벌하는 전기통신기본법 제47조 제1항은 죄형법정주의의 명확성원칙에 위반된다(헌재결 2010.12.28, 2008헌바157). 15. 경찰간부

▶ 유사판례 : '공공의 안녕질서 또는 미풍양속을 해하는'이라는 전기통신사업법 제53조 제1항의 불온통신의 개념(헌재결 2002.6.27, 99헌마480) 07. 사시

4. "약국을 관리하는 약사 또는 한약사는 보건복지부령으로 정하는 약국관리에 필요한 사항을 준수하여야 한다."는 약사법 제19조 제4항(헌재결 2000.7.20, 99헌가15 ∵ 형벌법규를 하위법령에 위임할 때 처벌법규의 기본사항에 관하여 구체적 기준이나 범위를 정함이 없이 포괄적으로 하위법령에 위임하였다면 명확성의 원칙에 위배되어 죄형법정주의에 반한다.) 17. 9급 검찰 · 마약수사 · 철도경찰

5. '여러 사람의 눈에 뜨이는 곳에서 공공연하게 알몸을 지나치게 내놓거나 가려야 할 곳을 내놓아 다른 사람에게 부끄러운 느낌이나 불쾌감을 준 사람'을 처벌하는 구 경범죄처벌법 제3조 제1항 제33호는 죄형법정주의의 명확성원칙에 위배된다(헌재결 2016.11.24, 2016헌가3). 24. 순경 1차

01 죄형법정주의의 내용으로서 명확성의 원칙에 관한 설명 중 가장 적절하지 않은 것은?(다툼이 있는 경우 판례에 의함) 22. 경력채용

① 형법 제243조(음화반포 등), 제244조(음화제조 등)에서 규정하는 '음란'은 평가적 · 정서적 판단을 요하는 규범적 구성요건 요소로서, '음란'이란 개념을 불명확하다고 볼 수는 없다.

② 외국환관리규정 소정의 '도박 기타 범죄 등 선량한 풍속 및 사회질서에 반하는 행위'라는 요건은 죄형법정주의가 요구하는 명확성의 원칙에 반한다.

③ 건설공사의 수주 및 시공과 관련하여 발주자, 수급인, 하수급인 또는 이해관계인이 부정한 청탁에 의한 금품을 수수하는 것을 금지하고 형사처벌하는 건설산업기본법 제38조의 2와 제95조의 2의 입법목적, 같은 법 제38조의 2의 문언, 규정체계 능을 종합하여 볼 때, 같은 법 제38조의 2에 규정된 '이해관계인'이라는 표현은 명확성의 원칙에 위배된다.

④ 구 정보통신망 이용촉진 및 정보보호 등에 관한 법률 제65조 제1항 제3호에서 규정하는 '불안감'이란 개념은 명확성의 원칙에 반하지 않는다.

해설 ① 대판 1995.6.16, 94도2413
② 대판 1998.6.18, 97도2231 전원합의체
③ × : ~ (4줄) 표현은 명확성의 원칙에 위배된다고 할 수 없다(대판 2009.9.24, 2007도6185).
④ 대판 2008.12.24, 2008도9581

Answer 1. ③

---

01 다음 설명 중 가장 옳지 않은 것은?(다툼이 있는 경우 판례에 의함)　　20. 법원직

① 소급효금지의 원칙은 형벌에만 적용되는 것이므로 가정폭력범죄의 처벌 등에 관한 특례법이 정한 사회봉사명령에는 원칙적으로 형벌불소급의 원칙이 적용되지 아니한다.

② 판례의 변경으로 인한 소급처벌은 소급효금지의 원칙에 반하지 아니한다.

③ 형벌법규의 해석에서 법률문언의 통상적인 의미를 벗어나지 않는 한 그 법률의 입법취지와 목적, 입법연혁 등을 고려한 목적론적 해석도 가능하다.

④ 형법 제243조의 '음란한 문서·도화'와 제244조의 '음란한 물건'의 '음란'은 불명확하다고 볼 수 없기 때문에 죄형법정주의에 반하지 아니한다.

> **해설** ① × : 가정폭력범죄의 처벌 등에 관한 특례법이 정한 사회봉사명령은 형사처벌 대신 부과되는 것으로서 가정폭력범죄를 범한 자에게 의무적 노동을 부과하고 여가시간을 박탈하여 실질적으로 신체적 자유를 제한하게 되므로, 이에 대해서는 형벌불소급원칙이 적용된다(대결 2008.7.24, 2008어4).
> ② 대판 1999.9.17, 97도3349 ③ 대판 2018.7.24, 2018도3443 ④ 대판 1995.6.16, 94도2413

02 죄형법정주의에 대한 설명으로 옳지 않은 것은 모두 몇 개인가?(다툼이 있는 경우 판례에 의함)　　20. 경찰간부

> ㉠ 항공보안법 제42조(항공기 항로 변경죄)의 '항로'에 항공기가 지상에서 이동하는 경로도 포함된다고 해석하는 것은 죄형법정주의에 반한다.
>
> ㉡ 보호관찰은 형벌이 아니라 보안처분의 성격을 갖는 것으로서, 과거의 불법에 대한 책임에 기초하고 있는 제재가 아니라 장래의 위험성으로부터 행위자를 보호하고 사회를 방위하기 위한 합목적적인 조치이므로, 소급효금지원칙이 적용되지 아니한다.
>
> ㉢ 형벌법규에 대한 체계적·논리적 해석방법은 그 규정의 본질적 내용에 가장 접근한 해석을 위한 것으로서 죄형법정주의의 원칙에 부합한다.
>
> ㉣ 약사법 제5조 제3항에서 면허증의 대여를 금지한 취지는 약사자격이 없는 자가 타인의 면허증을 빌려 영업을 하게 될 경우 국민의 건강에 위험이 초래된다는 데 있다 할 것이므로, 약사자격이 있는 자에게 빌려주는 행위까지 금지되는 것으로 보는 것은 유추해석에 해당한다.
>
> ㉤ 의료법 제41조는 "각종 병원에는 응급환자와 입원환자의 진료 등에 필요한 당직의료인을 두어야 한다."라고 규정하고 있을 뿐인데도 시행령에 당직의료인의 수와 자격 등 배치기준을 규정하고 이를 위반하면 의료법 제90조에 의한 처벌의 대상이 되도록 한 것은 위임입법의 한계를 벗어난 것으로 죄형법정주의에 반한다.
>
> ㉥ 노역장유치는 그 실질이 신체의 자유를 박탈하는 것으로서 징역형과 유사한 형벌적 성격을 가지므로 형벌불소급원칙의 적용대상이 된다.

① 1개　　② 2개　　③ 3개　　④ 4개

해설 ㉠ ○ : 대판 2017.12.21, 2015도8335 전원합의체
㉡ ○ : 대판 1997.6.13, 97도703
㉢ ○ : 대판 2017.12.21, 2015도8335 전원합의체
㉣ × : 유추해석 ×(대판 2003.6.24, 2002도6829)
㉤ ○ : 대판 2017.2.16, 2015도16014 전원합의체
㉥ ○ : 대판 2018.2.13, 2017도17809

03 **죄형법정주의에 대한 설명으로 옳지 않은 것은?**(다툼이 있는 경우 판례에 의함)

20. 9급 검찰 · 마약수사 · 철도경찰

① 위임입법은 수권법률이 처벌대상 행위가 어떠한 것인지를 예측할 수 있을 정도로 구체적으로 정하고, 형벌의 종류 및 그 상한과 폭을 명확히 규정하는 것을 전제로 한다.

② 법규범의 문언은 어느 정도 가치개념을 포함할 수밖에 없지만 가급적 일반적 · 규범적 개념을 사용하지 않는 것이 바람직하다는 의미에서, 명확성의 원칙이란 기본적으로 최대한의 명확성을 요구하는 것으로 볼 수 있다.

③ 법관의 보충적인 해석을 필요로 하더라도 통상의 해석방법에 의하여 당해 처벌법규의 보호법익과 금지된 행위 및 처벌의 종류와 정도를 알 수 있다면 명확성의 요구에 배치된다고 보기 어렵다.

④ 법률의 시행령이 형사처벌에 관한 사항을 규정하면서 법률의 명시적인 위임 범위를 벗어나 그 처벌의 대상을 확장하는 것은 죄형법정주의의 원칙에 어긋난다.

해설 ① 대판 2002.11.26, 2002도2998
② × : ~ 기본적으로 최대한이 아닌 최소한의 명확성을 요구하는 것이다(대판 2008.10.23, 2008초기264).
③ 대판 2014.1.29, 2013도12939 ④ 대판 2017.2.16, 2015도16014 전원합의체

04 **죄형법정주의에 대한 설명으로 옳은 것만을 모두 고르면?**(다툼이 있는 경우 판례에 의함)

21. 9급 검찰 · 마약수사 · 철도경찰

㉠ 형법상 내란선동죄에서 '선동'은 단지 언어적인 표현행위일 뿐이므로 그 행위에 대한 평가 여하에 따라서는 적용범위가 무한히 확장될 가능성이 있어 죄형법정주의 원칙에 반한다.

㉡ 형사처벌에 관련된 모든 법규를 예외 없이 형식적 의미의 법률에 의하여 규정한다는 것은 사실상 불가능할 뿐만 아니라 실제에 적합하지도 않다.

㉢ 위임명령에 규정될 내용 및 범위의 기본사항은 구체적이고 분명하게 규정되어 있어야 하므로, 법률이나 상위명령으로부터 위임명령에 규정될 내용의 대강만을 예측할 수 있는 경우에는 죄형법정주의 원칙에 반한다.

㉣ 형벌법규의 의미를 피고인에게 불리한 방향으로 지나치게 확장해석하거나 유추해석하는 것은 죄형법정주의 원칙에 반한다.

① ㉠, ㉡   ② ㉠, ㉢   ③ ㉡, ㉣   ④ ㉢, ㉣

Answer 3. ② 4. ③

[해설] ㉠ × : 형법상 내란선동죄에서 '선동'은 죄형법정주의 원칙(명확성의 원칙)에 반한다고 볼 수 없다 (대판 2015.1.22, 2014도10978 전원합의체 ∵ 내란선동은 주로 언동, 문서, 도화 등에 의한 표현행위의 단계에서 문제되는 것이므로 내란선동죄의 구성요건을 해석함에 있어서는 국민의 기본권인 표현의 자유가 위축되거나 본질이 침해되지 아니하도록 죄형법정주의의 기본정신에 따라 엄격하게 해석하면 됨).
㉡ ○ : 대판 2002.11.26, 2002도2998
㉢ × : 위임명령은 법률이나 상위명령에서 구체적으로 범위를 정한 개별적인 위임이 있을 때에 가능하다. 구체적인 위임의 범위는 위임명령에 규정될 내용 및 범위의 기본사항이 구체적으로 규정되어 있어서 누구라도 당해 법률이나 상위명령으로부터 위임명령에 규정될 내용의 대강을 예측할 수 있어야 한다(대판 2018.6.28, 2017도13426). 따라서 ㉢의 경우에는 죄형법정주의 원칙에 반하지 않는다.
㉣ ○ : 대판 2018.7.24, 2018도3443

05 죄형법정주의에 대한 설명으로 가장 적절하지 않은 것은?(다툼이 있는 경우 판례에 의함)

21. 순경 2차

① 게임산업진흥에 관한 법률 제28조 제3호에서 게임물 관련 사업자에 대하여 '경품 등의 제공을 통한 사행성 조장'을 원칙적으로 금지하면서 제공이 허용되는 경품의 종류·지급 기준·제공방법 등에 관한 구체적인 내용을 하위법령에 위임한 것은 경품의 환전이나 재매입 등의 우려가 없는 등 사행성을 제거할 수 있는 방법이 될 것이라는 예측이 불가능하여 포괄위임금지의 원칙에 반한다.

② 폭력행위 등 처벌에 관한 법률 제4조 제1항에서 규정하고 있는 범죄단체 구성원으로서의 '활동'은 명확성의 원칙에 반하지 아니한다.

③ 어떤 단체가 특정 후보자를 지지·추천하는지 여부를 공직선거법 제250조 제1항에서 규정한 허위사실공표죄의 '경력 등'에 관한 사실에 해당한다고 해석하는 것은 죄형법정주의에 반한다.

④ 도로교통법(2018. 12. 24. 법률 제16037호로 개정되어 2019. 6. 25. 시행된 것) 제148조의 2 제1항에서 정한 '제44조 제1항 또는 제2항을 2회 이상 위반한 사람'에 개정된 도로교통법이 시행된 2019. 6. 25. 이전에 구 도로교통법 제44조 제1항 또는 제2항을 위반한 전과가 포함된다고 해석하는 것은 형벌불소급의 원칙에 반하지 아니한다.

[해설] ① × : ~ (4줄) 예측이 가능하므로 죄형법정주의 내지 포괄위임금지의 원칙에 위배되지 아니한다(헌재결 2020.12.23, 2017헌바463).
② 대판 2008.5.29, 2008도1857
③ 대판 2011.6.9, 2011도3717
④ 대판 2020.8.20, 2020도7154

06 다음 중 죄형법정주의에 관한 설명으로 옳은 것은 모두 몇 개인가?(다툼이 있는 경우 판례에 의함)

21. 해경간부

> ㉠ 구 어선법 시행규칙에서 어선검사증서에 기재할 사항을 구체적으로 규정하면서 기재할 사항에 총 톤수를 포함시킨 것은 법의 위임에 따른 것으로서 위임입법의 한계를 벗어났다고 보기 어렵다.
> ㉡ 국내에 있는 불특정 또는 다수인에게 무상으로 의약품을 양도하는 수여행위도 구 약사법 제44조 제1항의 '판매'에 포함된다고 해석하는 것은 유추해석금지의 원칙에 위반된다.
> ㉢ 유해화학물질관리법 제35조 제1항에서 금지하는 환각물질을 구체적으로 명확하게 규정하지 아니하고, 다만 그 성질에 관하여 '흥분 · 환각 또는 마취의 작용을 일으키는 유해화학물질로서 대통령령이 정하는 물질'로 그 한계를 설정하여 놓고 같은 법 시행령 제22조에서 이를 구체적으로 규정하게 하고, 같은 법 제35조 제1항의 '섭취 또는 흡입'이라고만 규정하고 그 섭취 기준을 따로 정하지 않은 것은 죄형법정주의에 반한다.
> ㉣ 법률을 해석할 때 체계적 · 논리적 해석방법을 사용할 수 있으나, 문언 자체가 비교적 명확한 개념으로 구성되어 있다면 원칙적으로 이러한 해석방법은 활용할 필요가 없거나 제한될 수밖에 없다.
> ㉤ 구 도시 및 주거환경정비법 제69조 제1항 제6호에서 정한 "관리처분계획의 수립"에 경미한 사항이 아닌 관리처분계획의 주요 부분을 실질적으로 변경하는 것이 포함된다고 해석하는 것은 명확성의 원칙에 위반된다.
> ㉥ 형법 제258조의 2 특수상해죄의 신설로 형법 제262조, 제261조의 특수폭행치상죄에 대하여 그 문언상 특수상해죄의 예에 의하여 처벌하는 것이 가능하게 되었다는 이유만으로 형법 제258조의 2 제1항의 예에 따라 처벌하는 것은 죄형법정주의원칙에 반한다.

① 1개   ② 2개   ③ 3개   ④ 4개

해설 ㉠ ○ : 대판 2018.6.28, 2017도13426
㉡ × : ~ 원칙에 위반되지 아니한다(대판 2011.10.13, 2011도6287).
㉢ × : ~ 반하지 아니한다(대판 2000.10.27, 2000도4187).
㉣ ○ : 대판 2017.12.21, 2015도8335 전원합의체
㉤ × : ~ (2줄) 것은 죄형법정주의 내지 형벌법규 명확성의 원칙을 위반하였다고 보기 어렵다(대판 2019.9.25, 2016도1306).
㉥ ○ : 대판 2018.7.24, 2018도3443

07 죄형법정주의에 대한 설명으로 옳은 것은?(다툼이 있는 경우 판례에 의함)   23. 경찰간부

① 헌법재판소의 헌법재판은 법정이 아닌 심판정에서 이루어지므로 법정소동죄 등을 규정한 형법 제138조에서의 '법원의 재판'에 헌법재판소의 심판이 포함된다고 해석하는 것은 피고인에게 불리한 확장해석임과 동시에 유추해석이다.

② 행위시에 없던 보호관찰규정이 재판시에 신설되어 법원이 이를 근거로 보호관찰을 명할 경우, 형벌불소급의 원칙 또는 죄형법정주의에 위배된다.

Answer   6.③   7.④

③ 처벌법규의 구성요건은 명확하여야 하므로 처벌법규의 구성요건이 다소 광범위하여 어떤 범위에서는 법관의 보충적인 해석을 필요로 하는 개념을 사용한다면, 이는 헌법이 요구하는 처벌법규의 명확성 원칙에 배치된다.

④ 형을 종전보다 가볍게 형벌법규를 개정을 하면서 개정된 법의 시행 전의 범죄에 대하여 종전의 형벌법규를 적용하도록 부칙에 정하는 것은 형벌불소급의 원칙이나 신법우선주의에 반하지 아니한다.

[해설] ① × : 법원의 재판 또는 국회의 심의를 방해 또는 위협할 목적으로 법정이나 국회회의장 또는 그 부근에서 모욕 또는 소동한 자를 처벌하는 형법 제138조(법원소동죄)에서의 '법원의 재판'에 '헌법재판소의 심판'을 포함시키는 해석이 피고인에게 불리한 확장해석이나 유추해석에 해당하지 않는다(대판 2021.8.26, 2020도12017).

② × : ~ 죄형법정주의에 위배되지 않는다(대판 1997.6.13, 97도703).

③ × : 처벌법규의 구성요건이 명확하여야 한다고 하여 모든 구성요건을 단순한 서술적 개념으로 규정하여야 하는 것은 아니고, 다소 광범위하여 법관의 보충적인 해석을 필요로 하는 개념을 사용하였다고 하더라도 통상의 해석방법에 의하여 건전한 상식과 통상적인 법감정을 가진 사람이면 당해 처벌법규의 보호법익과 금지된 행위 및 처벌의 종류와 정도를 알 수 있도록 규정하였다면 헌법이 요구하는 처벌법규의 명확성에 배치되는 것이 아니다(대판 2006.5.11, 2006도920).

④ ○ : 대판 1999.7.9, 99도1695

08 죄형법정주의에 대한 설명 중 가장 적절하지 않은 것은?(다툼이 있는 경우 판례에 의함)

23. 경찰승진

① 원인불명으로 재산상 이익인 가상자산을 이체받은 자가 가상자산을 사용·처분한 경우 이를 형사처벌하는 명문의 규정이 없는 현재의 상황에서 착오송금시 횡령죄 성립을 긍정한 판례를 유추하여 신의칙을 근거로 배임죄로 처벌하는 것은 죄형법정주의에 반한다.

② 처벌규정의 소극적 구성요건을 문언의 가능한 의미를 벗어나 지나치게 좁게 해석하게 되면 피고인에 대한 가벌성의 범위를 넓히게 되어 죄형법정주의의 파생원칙인 유추해석금지원칙에 어긋날 우려가 있으므로 법률문언의 통상적인 의미를 벗어나지 않는 범위 내에서 합리적으로 해석할 필요가 있다.

③ 형법 조항에 관한 판례의 변경은 그 법률조항 자체가 변경된 것으로 볼 수 있기 때문에, 행위 당시의 판례에 의하면 처벌대상이 되지 아니하는 것으로 해석되었던 행위를 판례의 변경에 따라 확인된 내용의 형법 조항에 근거하여 처벌한다면 이는 헌법상 평등의 원칙과 형벌불소급의 원칙에 반한다.

④ 처벌법규의 구성요건이 다소 광범위하여 법관의 보충적인 해석을 필요로 하는 개념을 사용하였다고 하더라도 통상의 해석방법에 의하여 건전한 상식과 통상적인 법감정을 가진 사람이면 당해 처벌법규의 보호법익과 금지된 행위 및 처벌의 종류와 정도를 알 수 있도록 규정하였다면 명확성 원칙에 반하지 않는다.

Answer ▶ 8.③

해설 ① 대판 2021.12.16, 2020도9789
② 대판 2018.10.25, 2018도7041
③ × : ~ (1줄) 볼 수 없기 때문에, 행위 당시의 판례에 의하면 처벌대상이 되지 아니하는 것으로 해석되었던 행위를 판례의 변경에 따라 확인된 내용의 형법 조항에 근거하여 처벌한다고 하여 헌법상 평등의 원칙과 형벌불소급의 원칙에 반한다고 할 수 없다(대판 1999.9.17, 97도3349).
④ 대판 2006.5.11, 2006도920

09 죄형법정주의에 관한 설명으로 옳지 않은 것을 모두 고른 것은?(다툼이 있는 경우 판례에 의함)

22. 순경 1차

> ㉠ 법규범의 문언은 어느 정도 가치개념을 포함한 일반적, 규범적 개념을 사용하지 않을 수 없는 것이기 때문에 기본적으로 최소한이 아닌 최대한의 명확성을 요구한다.
>
> ㉡ 유추해석금지의 원칙은 형벌법규의 구성요건과 가벌성에 관한 규정에 준용되므로 형벌법규의 적용대상이 행정법규가 규정한 사항을 내용으로 하고 있는 경우에 그 행정법규의 규정을 해석하는 데에도 마찬가지로 적용된다.
>
> ㉢ 대법원 양형위원회가 설정한 '양형기준'이 발효하기 전에 공소가 제기된 범죄에 대하여 위 '양형기준'을 참고하여 형을 양정한 경우, 소급효금지의 원칙에 위반된다.
>
> ㉣ 알 수 없는 경위로 가상자산을 이체받은 자가 가상자산을 사용처분한 경우 이를 형사처벌하는 명문의 규정이 없다고 하더라도 착오송금시 횡령죄 성립을 긍정한 판례를 유추하여 신의칙을 근거로 배임죄로 처벌하는 것은 죄형법정주의에 반하지 않는다.
>
> ㉤ 형법 제258조의 2 특수상해죄의 신설로 형법 제262조 제261조의 특수폭행치상죄에 대하여 그 문언상 특수상해죄의 예에 의하여 처벌하는 것이 가능하게 되었다는 이유만으로 형법 제258조의 2 제1항의 예에 따라 처벌할 수 있다고 하는 것은 죄형법정주의에 반한다.

① ㉠, ㉡, ㉢　　　　　　　　　② ㉠, ㉢, ㉣
③ ㉠, ㉢, ㉤　　　　　　　　　④ ㉡, ㉣, ㉤

해설 ㉠ × : ~ 최대한이 아닌 최소한의 명확성을 요구한다(대판 2008.10.23, 2008초기264).
㉡ ○ : 대판 2007.6.29, 2006도4582
㉢ × : ~ 원칙을 위반한 것은 아니다(대판 2009.12.10, 2009도11448).
㉣ × : ~ (2줄) 명문의 규정이 없는 현재의 상황에서 착오송금시 횡령죄 성립을 긍정한 판례를 유추하여 신의칙을 근거로 배임죄로 처벌하는 것은 죄형법정주의에 반한다(대판 2021.12. 16, 2020도9789 ∵ 가상자산 권리자의 착오나 가상자산 운영 시스템의 오류 등으로 법률상 원인관계 없이 다른 사람의 가상자산 전자지갑에 가상자산이 이체된 경우, 가상자산을 이체받은 자는 가상자산의 권리자 등에 대한 부당이득반환의무를 부담하게 될 수 있다. 그러나 이는 당사자 사이의 민사상 채무에 지나지 않고 이러한 사정만으로 가상자산을 이체받은 사람이 신임관계에 기초하여 가상자산을 보존하거나 관리하는 지위에 있다고 볼 수 없다. ∴ 배임죄의 주체인 '타인의 사무를 처리하는 자 ×).
㉤ ○ : 대판 2008.7.24, 2018도3443

Answer　9. ②

10 죄형법정주의에 관한 설명 중 가장 적절하지 않은 것은?(다툼이 있는 경우 판례에 의함)

23. 순경 1차

① 구 정보통신망 이용촉진 및 정보보호 등에 관한 법률에서 규정하는 '불안감'은 평가적 정서적 판단을 요하는 규범적 구성요건요소이고, '불안감'이란 개념이 사전적으로 '마음이 편하지 아니하고 조마조마한 느낌'이라고 풀이되고 있어 이를 불명확하다고 볼 수는 없으므로, 위 규정 자체가 죄형법정주의에 반한다고 볼 수 없다.

② 형벌법규의 위임은 특히 긴급한 필요가 있거나 미리 법률로써 자세히 정할 수 없는 부득이한 사정이 있는 경우로 한정되어야 하며, 이러한 경우에도 위임법률에서 범죄의 구성요건은 처벌 대상행위가 어떠한 것일 것이라고 예측할 수 있을 정도로 구체적으로 정하여야 하며, 형벌의 종류 및 그 상한과 폭을 명백히 규정하여야 한다.

③ 구 근로기준법에서 임금퇴직금 청산기일의 연장 합의의 한도에 관하여 아무런 제한을 두고 있지 아니함에도 불구하고, 같은 법 시행령에서 기일연장을 3월 이내로 제한한 것은 죄형법정주의의 원칙에 위배된다.

④ 게임산업진흥에 관한 법률 제32조 제1항 제7호의 '환전'의 의미를 '게임결과물을 수령하고 돈을 교부하는 행위'뿐만 아니라 '게임결과물을 교부하고 돈을 수령하는 행위'도 포함되는 것으로 해석하는 것은 죄형법정주의에 위배된다.

> **해설** ① 대판 2008.12.24, 2008도9581 ② 대판 2002.11.26, 2002도2998
> ③ 대판 1998.10.15, 98도1759 전원합의체(~ 죄형법정주의의 원칙에 위배되고 위임입법의 한계를 벗어난 것으로서 무효이다.)
> ④ × : 게임산업진흥에 관한 법률 제32조 제1항 제7호에 정한 '환전'에는 '게임결과물을 수령하고 돈을 교부하는 행위'뿐만 아니라 '게임결과물을 교부하고 돈을 수령하는 행위'도 포함되는 것으로 해석함이 상당하고, 이를 지나친 확장해석이나 유추해석이라고 할 수 없다(대판 2012.12.13, 2012도11505).

11 죄형법정주의에 관한 설명으로 가장 적절하지 않은 것은?(다툼이 있는 경우 판례에 의함)

23. 순경 2차

① 형법 제349조(부당이득)에서 정하는 '현저하게 부당한 이익'은 그 비교기준이 되는 정당한 이익 내지는 원래의 급부가치는 무엇인지에 대한 규정이 없어 일반 국민들로서는 해당 법률 조항으로는 어느 정도가 정당한 이익인지를 예측하기 어렵고, 수사기관으로서도 객관적이고 구속적인 해석 및 집행의 기준을 제공받지 못하므로 자의적·선별적인 법집행에로 이끌리기 쉬워 해당 법률조항은 죄형법정주의의 명확성의 원칙에 반한다.

② 형법 제207조(통화의 위조 등) 제3항에 규정된 '외국에서 통용된다'고 함은 그 외국에서 강제통용력을 가지는 것을 의미하는 것이므로, 일반인의 관점에서 통용할 것이라고 오인할 가능성이 있다고 하여 외국에서 통용되지 아니하는, 즉 강제 통용력을 가지지 아니하는 지폐까지 형법 제207조 제3항의 외국에서 통용하는 지폐에 포함시키면 이는 유추해석 내지 확장해석하여 적용하는 것이 되어 죄형법정주의의 원칙에 위배된다.

Answer   10.④ 11.①

③ 형사처벌에 관한 위임입법은 특히 긴급한 필요가 있거나 미리 법률로써 자세히 정할 수 없는 부득이한 사정이 있는 경우에 한하여 수권법률(위임법률)이 구성요건의 점에서는 처벌대상인 행위가 어떠한 것인지 이를 예측할 수 있을 정도로 구체적으로 정하고, 형벌의 점에서는 형벌의 종류 및 그 상한과 폭을 명확히 규정하는 것을 전제로 허용된다.

④ 가정폭력범죄의 처벌 등에 관한 특례법이 정한 보호처분 중의 하나인 사회봉사명령은 가정폭력범죄행위에 대하여 형사처벌 대신 부과되는 것으로서, 가정폭력범죄를 범한 자에게 의무적 노동을 부과하고 여가시간을 박탈하여 실질적으로는 신체적 자유를 제한하게 되므로, 이에 대하여는 원칙적으로 형벌불소급의 원칙에 따라 행위시법을 적용함이 상당하다.

해설 ① × : 형법 제349조(부당이득)에서 정하는 '현저하게 부당한 이익'이 법률조항이 지니는 약간의 불명확성은 법관의 통상적인 해석 작용에 의하여 충분히 보완될 수 있고 건전한 상식과 통상적인 법감정을 가진 일반인이라면 금지되는 행위가 무엇인지를 예측할 수 있으므로 이 사건 법률조항은 죄형법정주의에서 요구되는 명확성의 원칙에 위배되지 아니한다(헌재결 2006.7.27, 2005헌바19 ▶ ①의 지문은 반대 의견임).
② 대판 2004.5.14, 2003도3487 ③ 대판 2002.11.26, 2002도2998 ④ 대결 2008.7.24, 2008어4

12 죄형법정주의에 관한 설명으로 가장 적절하지 않은 것은?(다툼이 있는 경우 판례에 의함)
24. 경찰간부

① 형사처벌의 근거가 되는 것은 법률과 판례이므로 형법 조항에 관한 판례의 변경은 그 법률조항 자체가 변경된 것으로 보아 행위 당시의 판례에 의하면 처벌대상이 되지 아니하는 것으로 해석되었던 행위를 판례의 변경에 따라 확인된 내용의 형법 조항에 근거하여 처벌하는 것은 헌법상 평등의 원칙과 형벌불소급의 원칙에 반한다.

② 형벌을 신설하거나 가중하는 형법법규는 그 시행 이후에 이루어진 행위에 대하여만 적용되고 시행 이전의 행위에까지 소급하여 적용될 수 없다는 것이 소급효금지원칙인데, 이때 소급효는 형벌에 대해서 적용되며, 자유형이든, 벌금형이든, 주형이든, 부가형이든 묻지 않는다.

③ 처벌법규의 입법목적이나 그 전체적 내용, 구조 등을 살펴보아 사물의 변별능력을 제대로 갖춘 일반인의 이해와 판단으로서 그의 구성요건 요소에 해당하는 행위유형을 정형화하거나 한정할 합리적 해석기준을 찾을 수 있다면 죄형법정주의가 요구하는 형벌법규의 명확성의 원칙에 반하지 않는다.

④ 위법성 및 책임의 조각사유나 소추조건, 또는 처벌조각사유인 형면제 사유에 관하여 그 범위를 제한적으로 유추적용하게 되면 행위자의 가벌성의 범위는 확대되어 행위자에게 불리하게 되므로 유추해석금지의 원칙에 반한다.

해설 ① × : 형사처벌의 근거가 되는 것은 법률이지 판례가 아니고, 형법 조항에 관한 판례의 변경은 그 법률조항의 내용을 확인하는 것에 지나지 아니하여 이로써 그 법률조항 자체가 변경된 것이라고 볼 수는 없으므로, 행위 당시의 판례에 의하면 처벌대상이 되지 아니하는 것으로 해석되었던 행위를 판례의 변경에 따라 확인된 내용의 형법 조항에 근거하여 처벌한다고 하여 그것이 형벌불소급의 원칙에 반한다고 할 수는 없다(대판 1999.9.17, 97도3349).
② ○ : 옳다. ③ ○ : 대판 2003.4.11, 2003도451 ④ ○ : 대판 1997.3.20, 96도1167 전원합의체

Answer 12.①

13 죄형법정주의에 대한 설명으로 옳지 않은 것은?(다툼이 있는 경우 판례에 의함)

24. 9급 검찰 · 마약수사 · 철도경찰

① 의료법인 명의로 개설된 의료기관의 개설자격 위반 여부를 판단할 때, 비의료인의 주도적 자금 출연 내지 주도적 관여 사정만을 근거로 비의료인이 실질적으로 의료기관을 개설 · 운영하였다고 판단하였다면, 이는 허용되는 행위와 허용되지 않는 행위를 구별할 수 있는 기준에 따라 판단한 것으로서 죄형법정주의 원칙에 반하지 않는다.

② 범죄의 성립과 처벌에 관하여 규정한 형벌법규 자체 또는 그로부터 수권 내지 위임을 받은 법령의 변경에 따라 범죄를 구성하지 아니하게 되거나 형이 가벼워진 경우에는, 종전 법령이 범죄로 정하여 처벌한 것이 부당하였다거나 과형이 과중하였다는 반성적 고려에 따라 변경된 것인지 여부를 따지지 않고 원칙적으로 형법 제1조 제2항이 적용된다.

③ 가정폭력범죄의 처벌 등에 관한 특례법이 정한 보호처분 중 하나인 사회봉사명령은 가정폭력범죄행위에 대하여 형사처벌 대신 부과되는 것으로서, 가정폭력범죄를 범한 자에게 의무적 노동을 부과하고 여가시간을 박탈하여 실질적으로는 신체적 자유를 제한하게 되므로, 이에 대하여는 원칙적으로 형벌불소급의 원칙에 따라 행위시법을 적용함이 상당하다.

④ 유기징역형에 대한 법률상 감경을 하면서 형법 제55조 제1항 제3호에서 정한 것과 같이 장기와 단기를 모두 2분의 1로 감경하는 것이 아닌 장기 또는 단기 중 어느 하나만을 2분의 1로 감경하는 방식이나 2분의 1보다 넓은 범위의 감경을 하는 방식 등은 죄형법정주의 원칙상 허용될 수 없다.

> **해설** ① × : ~ (3줄) 판단하였다면, 이는 허용되는 행위와 허용되지 않는 행위의 구별이 불명확해져 죄형법정주의 원칙에 반할 수 있다(대판 2023.7.17, 2017도1807 전원합의체).
> ② 대판 2022.12.22, 2020도16420 전원합의체
> ③ 대결 2008.7.24, 2008어4
> ④ 대판 2021.1.21, 2018도5475 전원합의체

14 죄형법정주의에 관한 설명으로 가장 적절하지 않은 것은?(다툼이 있는 경우 판례에 의함)

24. 순경 1차

① '여러 사람의 눈에 뜨이는 곳에서 공공연하게 알몸을 지나치게 내놓거나 가려야 할 곳을 내놓아 다른 사람에게 부끄러운 느낌이나 불쾌감을 준 사람'을 처벌하는 구 경범죄처벌법 제3조 제1항 제33호는 죄형법정주의에 위배된다.

② 아동 · 청소년의 성보호에 관한 법률상 공개명령제도에 대해서는 소급입법금지의 원칙이 적용되지 않는다.

③ 어린이집 대표자를 변경하였음에도 변경인가를 받지 않은 채 어린이집을 운영한 행위에 대해 설치인가를 받지 않고 사실상 어린이집의 형태로 운영하는 행위 등을 처벌하는 규정인 영유아보육법 제54조 제4항 제1호를 적용하는 것은 죄형법정주의에 위배된다.

Answer   13.①   14.④

④ 구 공공기관의 운영에 관한 법률 제53조가 공기업의 임직원으로서 공무원이 아닌 사람을 형법 제129조의 적용에서는 공무원으로 본다고 규정하면서도, 구체적인 공기업 지정과 관련하여 하위규범인 기획재정부장관의 고시에 의하도록 규정한 것은 죄형법정주의에 위배된다.

해설 ① ○ : ~ (3줄) 제33호는 죄형법정주의의 명확성원칙에 위배된다(헌재결 2016.11.24, 2016헌가3).
② ○ : 대판 2011.3.24, 2010도14393
③ ○ : ~ (3줄) 제4항 제1호를 적용하거나 유추적용할 수 없다(대판 2022.12.1, 2021도6860).
④ × : ~ (3줄) 죄형법정주의에 위배되지 아니한다(대판 2013.6.13, 2013도1685).

15 죄형법정주의에 관한 설명으로 옳지 않은 것은?(다툼이 있는 경우 판례에 의함) 24. 경위공채

① 관습법은 형법의 해석에 보충적인 수단으로 작용할 수 있으므로 관습법에 의하여 형법규정의 적용을 확대하거나 형을 가중하는 것은 허용될 수 있다.

② 판례에 의하면 처벌대상이 되지 아니하는 것으로 해석되었던 행위를 판례의 변경에 따라 확인된 내용의 형법조항에 근거하여 처벌한다고 하여 형벌불소급의 원칙에 반한다고 할 수 없다.

③ 법률의 시행령이 형사처벌에 관한 사항을 규정하면서 법률의 명시적인 위임 범위를 벗어나 처벌의 대상을 확장하는 것은 죄형법정주의의 원칙에도 어긋나는 것이므로 그러한 시행령은 위임입법의 한계를 벗어난 것으로서 무효이다.

④ 형벌법규의 해석은 엄격하여야 하고, 문언의 가능한 의미를 벗어나 피고인에게 불리한 방향으로 해석하는 것은 죄형법정주의의 내용인 확장해석금지에 따라 허용되지 아니한다.

해설 ① × : ~ 수단으로 작용할 수 있으나 관습법에 의하여 형법규정의 적용을 확대하거나 형을 가중하는 것은 허용될 수 없다.
② 대판 1999.9.17, 07도3340
③ 대판 2017.2.13, 2015도16014 전원합의체
④ 대판 2018.7.24, 2018도3443

16 죄형법정주의에 관한 설명으로 가장 적절하지 않은 것은?(다툼이 있는 경우 판례에 의함)
24. 경력채용

① 반의사불벌죄에 있어서 처벌을 희망하지 않는다는 의사표시 또는 처벌희망 의사표시의 철회는 이른바 소극적 소송조건에 해당하고, 소송조건에는 유추해석금지의 원칙이 적용된다.

② 원인불명으로 재산상 이익인 가상자산을 이체받은 자가 가상 자산을 사용 처분한 경우 이를 형사처벌하는 명문의 규정이 없다면, 착오송금시 횡령죄 성립을 긍정한 판례를 유추하여 신의칙을 근거로 피고인을 배임죄로 처벌하는 것은 죄형법정주의에 반한다.

③ 법률에서 위임받은 사항을 전혀 규정하지 않고 재위임하는 것뿐만 아니라 위임받은 사항에 관하여 대강을 정하고 그중의 특정사항을 범위를 정하여 하위법령에 다시 위임하는 경우도 위임명령의 제정 형식에 관한 수권법의 내용을 변경하는 것이 되므로 허용되지 않는다.

④ 행위 당시의 판례에 의하면 처벌대상이 되지 아니하는 것으로 해석되었던 행위를 판례의 변경에 따라 확인된 내용의 형법 조항에 근거하여 처벌한다고 하여 그것이 소급효금지의 원칙에 반한다고 할 수는 없다.

해설 ① 대판 2009.11.19, 2009도6058 전원합의체 ② 대판 2021.12.16, 2020도9789
③ × : ~ (1줄) 재위임하는 것은 백지재위임금지의 법리에 반할 뿐 아니라 수권법의 내용 변경을 초래하는 것이므로 허용되지 아니하나, 위임받은 사항에 관하여 대강을 정하고 그중의 특정사항을 범위를 정하여 하위법령에 다시 위임하는 경우에는 재위임이 허용된다(대판 2013.3.28, 2012도16383).
④ 대판 1999.9.17, 97도3349

17 죄형법정주의에 관한 설명으로 가장 적절하지 않은 것은?(다툼이 있는 경우 판례에 의함)

24. 순경 2차

① 형법 제62조의 2 제1항에 따라 형의 집행유예시 부과할 수 있는 보호관찰은 형벌이 아니라 보안처분의 성격을 갖는 것으로서 재판시의 규정에 의하여 보호관찰을 받을 것을 명할 수 있다고 해석하는 것은 형벌불소급의 원칙에 반하지 않는다.

② 도로교통법 제43조(무면허운전 등의 금지)를 위반하여 운전면허를 받지 아니하고 자동차를 운전하는 행위를 대상으로 하는 교통사고처리 특례법 제3조 제2항 단서 제7호를 운전면허 취소사실을 알지 못하고 자동차를 운전하는 경우도 포함하는 것으로 해석하는 것은 유추해석금지의 원칙에 반하지 않는다.

③ 가정폭력범죄의 처벌 등에 관한 특례법이 정한 보호처분 중 하나인 사회봉사명령은 보안처분의 성격을 가지나, 이는 가정폭력 범죄행위에 대하여 형사처벌 대신 부과되는 것으로서 원칙적으로 형벌불소급의 원칙에 따라 행위시법을 적용함이 상당하다.

④ 군형법 제64조 제3항 상관명예훼손죄에 대해 형법 제310조(위법성의 조각)와 같은 규정을 별도로 두지 않았다고 하더라도 법규범의 체계, 입법 의도와 목적 등에 비추어 정당하다고 평가되는 한도 내에서 그와 유사한 사안에 관한 법규범을 적용할 수 있다고 할 것이므로 형법 제310조는 군형법 제64조 제3항의 행위에 대해 유추적용된다고 보아야 한다.

해설 ① 대판 1997.6.13, 97도703
② × : ~ (4줄) 유추해석금지의 원칙에 반한다(대판 2023.6.29, 2021도17733 ∵ 도로교통법 위반(무면허운전)죄는 도로교통법 제43조를 위반하여 운전면허를 받지 아니하고 자동차를 운전하는 경우에 성립하는 범죄로, 유효한 운전면허가 없음을 알면서도 자동차를 운전하는 경우에만 성립하는 고의범이다. 교통사고처리 특례법 제3조 제2항 단서 제7호에서 말하는 '도로교통법 제43조를 위반'한 행위는 도로교통법 위반(무면허운전)죄와 마찬가지로 유효한 운전면허가 없음을 알면서도 자동차를 운전하는 경우만을 의미한다고 보아야 한다. ∴ 운전면허 취소사실을 알지 못하고 운전 ⇨ 무면허운전죄의 고의 × ⇨ 무면허운전죄 ×).
③ 대판 2008.7.24, 2008어4 ④ 대판 2024.4.16, 2023도13333

Answer 17. ②

18 죄형법정주의에 관한 설명 중 옳은 것은?(다툼이 있는 경우 판례에 의함)　　　25. 변호사시험

① 법률의 시행령이 형사처벌에 관한 사항을 명확히 규정하고 있다면 법률의 명시적인 위임 범위를 벗어나 처벌의 대상을 확장하더라도 죄형법정주의에 어긋나는 것은 아니다.

② 처벌법규의 구성요건이 서술적 개념으로 규정되어 있지 않다면 이는 죄형법정주의에서 파생되는 명확성의 원칙에 어긋난다.

③ 형사소송법 제33조(국선변호인)에 규정된 법원이 직권으로 변호인을 선정하여야 할 사유 중 하나인 '피고인이 구속된 때'의 의미에 피고인이 해당 형사사건이 아닌 별개의 사건, 즉 별건으로 구속되어 있거나 다른 형사사건에서 유죄로 확정되어 수형 중인 경우도 포함된다고 보는 것은 문언해석의 한계를 벗어나지 않는다.

④ 형면제 사유에 관하여 범위를 제한적으로 유추적용하는 것은 죄형법정주의에 어긋나지 않는다.

⑤ 정보통신망을 이용한 명예훼손죄는 사실적시 행위를 공공연하게 할 것을 요구하므로 특정 개인이나 소수에게 말하여 그로 인해 불특정 또는 다수인에게 전파가능성이 있다는 이유로 공연성을 인정하는 것은 죄형법정주의에서 금지하는 유추해석에 해당한다.

해설 ① × : 법률의 시행령이 형사처벌에 관한 사항을 규정하면서 법률의 명시적인 위임 범위를 벗어나 처벌의 대상을 확장하는 것은 죄형법정주의의 원칙에도 어긋나는 것이므로, 그러한 시행령은 위임입법의 한계를 벗어난 것으로서 무효이다(대판 2017.2.16, 2015도16014 전원합의체).

② × : 처벌법규의 구성요건이 명확하여야 한다고 하여 모든 구성요건을 단순한 서술적 개념으로 규정하여야 하는 것은 아니고, 다소 광범위하여 법관의 보충적인 해석을 필요로 하는 개념을 사용하였다고 하더라도 통상의 해석방법에 의하여 건전한 상식과 통상적인 법감정을 가진 사람이면 당해 처벌법규의 보호법익과 금지된 행위 및 처벌의 종류와 정도를 알 수 있도록 규정하였다면 헌법이 요구하는 처벌법규의 명확성에 배치되는 것이 아니다(대판 2006.5.11, 2006도920).

③ ○ : 대판 2024.5.23, 2021도6357 전원합의체

④ × : 위법성 및 책임의 조각사유나 소추조건, 또는 처벌조각사유인 형면제 사유에 관하여 그 범위를 제한적으로 유추적용하게 되면 행위자의 가벌성의 범위는 확대되어 행위자에게 불리하게 되므로 유추해석금지의 원칙에 반한다(대판 1997.3.20, 96도1167 전원합의체).

⑤ × : 정보통신망을 이용한 명예훼손 행위에 대하여, 특정 소수에게 전달한 경우에도 그로부터 불특정 또는 다수인에 대한 전파가능성 여부를 가려 개인의 사회적 평가가 침해될 일반적 위험성이 발생하였는지를 검토하는 것이 실질적인 공연성 판단에 부합하고, 공연성의 범위를 제한하는 구체적인 기준이 될 수 있다. 다만, 이러한 공연성의 의미는 형법과 정보통신망법 등의 특별법에서 동일하게 적용되어야 한다(대판 2020.11.19, 2020도5813 전원합의체 ▶ ⑤는 반대의견임).

19 죄형법정주의에 관한 설명으로 가장 적절한 것은?(다툼이 있는 경우 판례에 의함) 25. 순경 1차

① 대법원 양형위원회가 설정한 '양형기준'이 발효하기 전에 공소가 제기된 범죄에 대하여 위 '양형기준'을 참고하여 형을 양정하더라도 피고인에게 불리한 법률을 소급하여 적용한 것으로 볼 수는 없다.

② 형벌법규는 문언에 따라 엄격하게 해석·적용하여야 하므로, 형벌법규의 해석에 있어서 가능한 문언의 의미 내에서 당해 규정의 입법 취지와 목적 등을 고려한 법률체계적 연관성에 따라 그 문언의 논리적 의미를 분명히 밝히는 체계적·논리적 해석방법은 유추해석에 해당하여 허용되지 않는다.

③ 소추조건에 관한 규정을 유추적용하여 행위자의 가벌성의 범위가 확대되었다고 하더라도, 이는 범죄의 성립요건에 관한 내용이 아니므로 유추해석금지의 원칙에 위반된다고 할 수 없다.

④ 죄가 되지 않던 행위를 구성요건의 신설로 포괄일죄의 처벌대상으로 삼는 경우, 신설된 포괄일죄에 해당하는 행위가 그 법의 시행 이전과 이후에 걸쳐서 이루어졌다면 시행 이전의 행위에 대하여도 신설된 법규를 적용하여 처벌할 수 있다.

해설 ① ○ : 대판 2009.12.10, 2009도11448

② × : ~ (1줄) 엄격하게 해석·적용하여야 하고 피고인에게 불리한 방향으로 지나치게 확장해석하거나 유추해석하여서는 아니 되나, 형벌법규의 해석에 있어서 가능한 문언의 의미 내에서 당해 규정의 입법 취지와 목적 등을 고려한 법률체계적 연관성에 따라 그 문언의 논리적 의미를 분명히 밝히는 체계적·논리적 해석방법은 허용된다(대판 2007.6.14, 2007도2162).

③ × : 법규정 문언의 가능한 의미를 벗어나 형벌법규를 해석하는 것은 유추해석으로서 죄형법정주의에 위반된다. 유추해석금지의 원칙은 모든 형벌법규의 구성요건과 가벌성에 관한 규정에 준용되므로, 위법성 및 책임의 조각사유나 소추조건 또는 처벌조각사유인 형면제 사유에 관하여 범위를 제한적으로 유추적용하면 행위자의 가벌성의 범위가 확대되어 행위자에게 불리하고, 이는 가능한 문언의 의미를 넘어 범죄구성요건을 유추적용하는 것과 같은 결과를 초래하므로 죄형법정주의의 파생원칙인 유추해석금지의 원칙을 위반하여 허용될 수 없다(대판 2023.6.29, 2021도17733).

④ × : ~ (2줄) 이루어졌다고 하더라도 시행 이전의 행위에 대하여는 신설된 법규를 적용하여 처벌할 수 없다(대판 2022.12.29, 2022도10660).

형법의 적용범위(형법의 효력) www.pmg.co.kr

제1절) 시간적 적용범위

관련조문

제1조【범죄의 성립과 처벌】 ① 범죄의 성립과 처벌은 행위시의 법률에 따른다.

② 범죄 후 법률이 변경되어 그 행위가 범죄를 구성하지 아니하게 되거나 형이 구법보다 가벼워진 경우에는 신법에 따른다. 11. 법원행시, 21. 해경승진

③ 재판이 확정된 후 법률이 변경되어 그 행위가 범죄를 구성하지 아니하게 된 경우(형이 구법보다 가벼워진 경우 ×)에는 형의 집행을 면제한다. 16. 법원행시, 18. 7급 검찰, 19. 순경 1차, 20. 해경승진, 24. 순경 1차

▶ **주의** : 재판확정 후 법률변경으로 형이 경하게 된 경우 ⇨ 우리 형법상 고려되어 있지 않다. 22. 9급 철도경찰, 24. 순경 1차

THEMA 07 시간적 적용범위

1. **원칙** : 행위시법주의(소급효금지의 원칙) ⇨ 제1조 제1항

2. **예외** : 재판시법주의(소급효 인정) ⇨ 제1조 제2항, 제1조 제3항

① 범죄의 성립과 처벌은 행위시의 법률에 의한다고 할 때의 '행위시'라 함은 범죄행위의 종료시〔▶ 주의 : 범죄행위의 실행의 착수시 ×, 결과발생시(기수시) ×〕를 의미한다〔대판 1994.5.10, 94도563 ∴ 구법 시행시 행위가 종료하였으나 결과는 신법 시행시에 발생한 경우에는 구법(신법 ×)이 적용됨〕 20. 경찰승진, 23. 변호사시험 · 법원직

② '법률의 변경'은 총체적 법률상태의 변경, 즉 전체로서의 법률(실질적 의미의 형법)의 변경을 의미하므로 명령도 포함된다. 또한 형법에 영향을 미칠 수 있는 다른 법률을 포함한다. 16. 변호사시험, 21. 해경 1차

③ 행위시와 재판시 사이에 여러 차례 법령이 개정되어 형이 변경된 경우, (당사자의 주장이 없더라도) 그 전부를 비교하여 가장 형이 가벼운 법을 적용해야 한다〔대판 1968.12.17, 68도1324 ⓔ 단순강간행위에 상해 · 치상죄를 범한 후 동죄에 대해서는 특정강력범죄의 처벌에 관한 특례법(특강법)이 적용되지 않는 것으로 개정되었다가 다시 적용되는 것으로 개정된 경우 가장 형이 가벼운 법령(적용되지 않는 특강법)이 적용되므로 '특정강력범죄'에 해당하지 않는다 : 대판 2012.9.13, 2012도7760〕. 16. 변호사시험, 18. 법원직, 19. 법원행시 · 순경 2차, 21. 해경승진, 22 · 23. 경찰간부, 24. 경찰승진

④ 범죄 후 법률의 변경이 있더라도 형이 중하게 변경되는 경우나 형의 변경이 없는 경우에는 형법 제1조 제1항에 따라 행위시법을 적용하여야 할 것이다(대판 2020.11.12, 2016도8627). 17. 9급 철도경찰, 21. 해경승진, 23. 변호사시험 · 9급 검찰 · 마약수사 · 철도경찰

🔵 **유사판례** : 검사가 재판시법인 신법의 적용을 구하였더라도 그 범행에 대한 형의 경중의 차이가 없으면 공소장변경절차를 거치지 않고도 행위시법인 구법을 적용할 수 있다(대판 2002.4.12, 2000도3350). 11. 경찰승진, 22. 순경 1차

⑤ **포괄일죄**(계속범 : 감금죄)로 되는 개개의 범죄행위가 법 개정의 전후에 걸쳐서 행하여진 경우에는 신·구법의 법정형에 대한 경중을 비교할 필요도 없이 범죄실행종료시법인 **신법**을 적용하여 포괄일죄로 처단하여야 한다(대판 2009.4.9, 2009도321). 18. 순경 3차, 19. 9급 검찰, 20. 9급 철도경찰·해경승진·해경 3차, 21. 해경 2차, 22. 법원행시, 23. 경찰승진, 24. 해경경위

⚖ **비교판례**

1. 포괄일죄에 관한 기존 처벌법규에 대하여 그 표현이나 형량과 관련한 개정을 하는 경우가 아니라 애초에 죄가 되지 않던 행위를 구성요건의 신설로 포괄일죄의 처벌대상으로 삼는 경우에는 신설된 포괄일죄 처벌법규가 시행되기 이전의 행위에 대하여는 신설된 법규를 적용하여 처벌할 수 없고(형법 제1조 제1항), 이는 신설된 처벌법규가 상습범을 처벌하는 구성요건인 경우에도 마찬가지이다(대판 2022.12.29, 2022도10660). 18. 9급 철도경찰, 20. 7급 검찰, 22. 법원행시, 25. 순경 1차

   ⓔ 1. 구성요건이 신설된 상습강제추행죄가 시행되기 이전의 범행은 상습강제추행죄로는 처벌할 수 없고 행위시법에 기초하여 강제추행죄로 처벌할 수 있을 뿐이며, 이 경우 그 소추요건도 상습강제추행죄에 관한 것이 아니라 강제추행죄에 관한 것이 구비되어야 한다(대판 2016.1.28, 2015도15669). 17. 순경 2차, 18. 경찰간부, 21. 해경 2차, 22. 법원행시, 23. 변호사시험, 24. 경찰승진

   2. 개정규정이 시행되기 전인 아동·청소년성착취물 제작으로 인한 청소년성보호법 위반 부분에 대하여는 개정규정을 적용하여 청소년성보호법 위반(상습성착취물제작·배포 등)죄로 처벌할 수 없고, 행위시법에 기초하여 청소년성보호법 위반(성착취물제작·배포 등)죄로 처벌할 수 있을 뿐이다(대판 2022.12.29, 2022도10660).

2. 일반적으로 계속범의 경우 실행행위가 종료되는 시점에서의 법률이 적용되어야 할 것이나, 법률이 개정되면서 그 부칙에서 '개정된 법 시행 전의 행위에 대한 벌칙의 적용에 있어서는 종전의 규정에 의한다'는 경과규정을 두고 있는 경우 개정된 법이 시행되기 전의 행위에 대해서는 개정 전의 법을, 그 이후의 행위에 대해서는 개정된 법을 각각 적용하여야 한다(대판 2001.9.25, 2001도3990). 22. 법원행시, 24. 경력채용

⚖ **참고판례**

1. 포괄일죄인 뇌물수수범행이 특정범죄가중처벌 등에 관한 법률(이하 '특가법') 신설 규정의 시행 전후에 걸쳐 행하여진 경우 특가법 제2조 제2항에 규정된 벌금형 산정 기준이 되는 수뢰액은 위 규정이 신설된 이후에 수수한 금액으로 한정된다(대판 2011.6.10, 2011도4260). 19. 법원행시·경찰간부

2. 비의료인이 주도적인 입장에서 한 일련의 의료기관 개설행위는 특별한 사정이 없는 한 포괄하여 일죄에 해당하고, 여기서의 개설행위가 개설신고를 마친 때에 종료된다고 볼 수는 없으며 비의료인이 위와 같은 주도적인 처리 관계에서 이탈하였을 때 비로소 종료된다고 보아야 한다(대판 2018.11.29, 2018도10779).

⑥ 범죄 후 법률의 개정에 의하여 법정형이 가벼워진 경우에는 형법 제1조 제2항에 의하여 당해 범죄사실에 적용될 가벼운 법정형〔신법(구법 ×)의 법정형〕이 공소시효기간의 기준이 된다(대판 2008.12.11, 2008도4376). 15. 변호사시험, 20. 9급 철도경찰, 21. 해경승진, 22. 경찰승진

⑦ 형의 경중의 비교는 원칙적으로 법정형을 표준으로 할 것이고 처단형에 의할 것이 아니며, 법정형의 경중을 비교함에 있어서 법정형 중 병과형 또는 선택형이 있을 때에는 이 중 가장 중한 형을 기준으로 하여 다른 형과 경중을 정하는 것이 원칙이다(대판 1992.11.13, 92도2194). 19. 9급 검찰, 21. 해경승진, 22. 경찰승진·순경 1차, 23. 9급 검찰·마약수사·철도경찰

⑧ 형법 제1조 제2항은 "범죄 후 법률의 변경에 의하여 그 행위가 범죄를 구성하지 아니하거나 형이 구법보다 경한 때에는 신법에 의한다."고 규정하고 있으나 형이 구법보다 경한 때에 신법에 **경과규정**을 두어 신법의 적용을 배제하는 것도 허용된다(대판 1999.4.13, 99초76). 14. 순경 2차, 15. 변호사시험, 16. 경찰승진, 20. 9급 철도경찰

 ⚖️ **유사판례** : 형을 종전보다 가볍게 형벌법규를 개정하면서 그 **부칙**으로 개정된 법의 시행 전의 범죄에 대하여 종전의 형벌법규를 적용하도록 규정한다 하여 헌법상의 형벌불소급의 원칙이나 신법우선주의에 반한다고 할 수 없다(대판 1999.7.9, 99도1695). 15. 사시, 23. 변호사시험 · 법원행시 · 경찰승진

 ⚖️ **비교판례** : 피해자의 의사에 상관없이 처벌할 수 있었던 근로기준법위반죄가 **반의사불벌죄로 개정**되었으나 부칙에는 그 적용과 관련한 **경과규정이 없다면**, 개정 전의 행위에 대해서는 개정법률이 피고인에게 더 유리할 것이므로, 형법 **제1조 제2항**에 의하여 **개정법률이 적용**되어야 한다(대판 2002.3.15, 2002도158). 19. 9급 검찰 · 마약수사

⑨ 헌법재판소의 **위헌결정**으로 인하여 형벌에 관한 법률 또는 법률조항이 소급하여 그 효력을 상실한 경우에는 당해 법조를 적용하여 기소한 피고사건에 대해서는 **면소판결이 아닌 무죄판결**(∵ 범죄로 되지 아니한 때에 해당 : 형소법 제325조)을 선고하여야 한다(대판 1999.12.24, 99도3003). 18. 순경 2차 · 3차, 20. 해경승진 · 7급 검찰, 23. 변호사시험, 25. 9급 철도경찰

⑩ 행위시 형법을 적용하면 집행유예 결격사유에 해당하지 아니하지만 **현행 형법을 적용할** 경우 **집행유예 결격사유에 해당**한다면, 이 경우 피고인에게 유리한 **행위시 형법**을 적용하여야 한다(대판 2008.3.27, 2007도7874). 19. 7급 검찰

⑪ '1개의 죄가 본법 시행 전후에 걸쳐서 행하여진 때에는 본법 시행 전에 범한 것으로 간주한다.'고 규정한 형법 부칙 제4조 제1항은 신 · 구 형법 사이의 관계가 아닌 다른 법률 사이의 관계에서는 적용되거나 유추적용되지 않는다(대판 1992.12.8, 92도407). 19. 법원행시, 20. 9급 철도경찰

⑫ 재판확정 후 법률의 변경에 의하여 그 행위가 범죄를 구성하지 아니하는 때에는 **형의 집행을 면제한다**(제1조 제3항). 11. 경찰승진, 16. 법원행시, 18. 7급 검찰, 19. 순경 1차

⑬ 형법 제1조 제2항은 "범죄 후 법률의 변경에 의하여 그 행위가 범죄를 구성하지 아니하거나 형이 구법보다 경한 때에는 신법에 의한다."고 규정하고 있으나 형이 구법보다 경한 때에 신법에 **경과규정**을 두어 신법의 적용을 배제하는 것도 허용된다(대판 1999.4.13, 99초76). 14. 순경 2차, 15. 변호사시험, 16. 경찰승진, 20. 9급 철도경찰

⑭ 행위시 **양벌규정**에는 법인에 대한 면책규정이 없었으나 법률 개정으로 **면책규정이 추가된 경우**, 법원은 형법 제1조 제2항에 따라 피고인에게 개정된 양벌규정을 적용해야 한다(대판 2012.5.9, 2011도11264). 23. 9급 검찰 · 마약수사 · 철도경찰

⑮ 특수상해죄(형법 제258조의 2 제1항)를 신설하면서 그 법정형을 구 폭력행위 등 처벌에 관한 법률 제3조 제1항보다 낮게 규정한 것은 형법 제1조 제2항의 '범죄 후 법률의 변경에 의하여 형이 구법보다 경한 때'에 해당한다(대판 2022.12.22, 2020도16420 전원합의체). 19. 9급 검찰 · 마약수사, 21. 경력채용

THEMA 08 형법 제1조 제2항 적용 여부(추급효 인정 여부) : 대판 2022.12.22, 2020도16420 전원합의체

① 범죄행위 당시 적용되는 형벌법규 자체 또는 그로부터 수권 내지 위임을 받은 법령이 범죄행위 이후 변경되어, 범죄행위 이후에는 범죄를 구성하지 아니하게 되거나 형이 가벼워진 경우에는, 개정 법령의 취지가 '종전 법령이 범죄로 정하여 처벌한 것이 부당하였다거나 과형이 과중하였다는 반성적 고려에 따라 변경된 것인지 여부'를 따지지 않고 원칙적으로 형법 제1조 제2항(신법 적용)과 형사소송법 제326조 제4호(범죄 후의 법령개폐로 형이 폐지되었을 때 ⇨ 면소판결)가 적용되므로, 피고인에게 유리하게 변경된 신법(재판시법)에 따라야 한다. 23. 9급 검찰 · 마약수사 · 철도경찰 · 순경 2차, 24. 경위공채 · 해경경장

② 이와 달리 형법 제1조 제2항과 형사소송법 제326조 제4호(범죄행위 이후 피고인에게 유리한 법령 변경이 있는 경우 유리한 신법을 적용하도록 한 규정)는 법령 변경의 동기가 종래의 처벌 자체가 부당하였다거나 과형이 과중하였다는 반성적 고려에서 변경하였을 경우인 때에만 적용(이른바 동기설)된다고 한 종래의 대법원 판례를 모두 변경한다. 23. 법원행시

③ 형법 제1조 제2항과 형사소송법 제326조 제4호에서 말하는 법령의 변경은 해당 형벌법규에 따른 범죄의 성립 및 처벌과 직접 관련된 것이어야 하고, 이는 결국 해당 형벌법규의 가벌성에 관한 형사법적 관점의 변화를 전제로 한 법령의 변경을 의미한다. 23. 법원행시 · 순경 2차

✅ 동기설(종전 판례)

형법 제1조 제2항(신법적용)과 형사소송법 제326조 제4호(범죄 후의 법령개폐로 형이 폐지되었을 때 ⇨ 면소판결)의 규정은 형벌법규 제정의 이유가 된 법률이념의 변경에 따라 종래의 처벌(종전 법령에 범죄로 정하여 처벌한 것) 자체가 부당하였다거나 또는 과형이 과중하였다는 반성적 고려에서 법령을 변경하였을 경우에만 적용하여야 할 것이고〔추급효 부정, 신법(재판시법) 적용〕, 이와 같은 법률이념의 변경에 의한 것이 아닌 다른 사정의 변천에 따라 그때 그때의 특수한 필요에 대처하기 위한 정책적 조치에 따라 법령을 변경하는 경우에는 적용할 수 없다〔추급효 긍정, 구법(행위시법) 적용, 처벌 ○〕. 23. 법원행시

1. 형법 제1조 제2항과 형사소송법 제326조 제4호는 입법자가 법령의 변경 이후에도 종전 법령 위반행위에 대한 형사처벌을 유지한다는 내용의 경과규정을 따로 두지 않는 한 그대로 적용되어야 한다〔신법(재판시법) 적용, 추급효 부정〕. 25. 순경 1차

2. "형벌법규가 법규명령(대통령령, 총리령, 부령)이 아닌 고시 등 규정(행정규칙, 행정명령, 조례 등)에 구성요건의 일부를 수권 내지 위임한 경우"에도 이러한 고시 등 규정이 위임입법의 한계를 벗어나지 않는 한 형벌법규와 결합하여 법령을 보충하는 기능을 하는 것이므로, 그 변경에 따라 범죄를 구성하지 아니하게 되거나 형이 가벼워졌다면 마찬가지로 형법 제1조 제2항과 형사소송법 제326조 제4호가 적용된다〔신법(재판시법) 적용, 추급효 부정〕. 23. 경력채용 · 순경 2차, 24. 해경경장

3. 그러나 법령이 개정 내지 폐지된 경우가 아니라, "스스로 유효기간을 구체적인 일자나 기간으로 특정하여 효력의 상실을 예정하고 있던 법령이 그 유효기간을 경과함으로써 더 이상 효력을 갖지 않게 된 경우"도 형법 제1조 제2항과 형사소송법 제326조 제4호에서 말하는 법령의 변경에 해당한다고 볼 수 없어 형법 제1조 제2항과 형사소송법 제326조 제4호가 적용되지 않는다〔구법(행위시법) 적용, 추급효 긍정, 처벌 ○〕. 23. 법원행시 · 경력채용 · 순경 2차, 24. 순경 1차 · 해경경위, 25. 9급 철도경찰

4. 한편 해당 형벌법규 자체 또는 그로부터 수권 내지 위임을 받은 법령이 아닌 "다른 법령이 변경"된 경우 형법 제1조 제2항과 형사소송법 제326조 제4호를 적용하려면, 해당 형벌법규에 따른 범죄의 성립 및 처벌과 직접적으로 관련된 형사법적 관점의 변화를 주된 근거로 하는 법령의 변경에 해당

하여야 하므로, 이와 관련이 없는 법령의 변경으로 인하여 해당 형벌법규의 가벌성에 영향을 미치게 되는 경우에는 형법 제1조 제2항과 형사소송법 제326조 제4호가 적용되지 않는다〔구법(행위시법) 적용, 추급효 긍정, 처벌 ○〕. 23. 법원행시 · 경력채용 · 순경 2차, 24. 해경경장

예 1. 법무사인 피고인이 개인파산 · 회생사건 관련 법률사무를 위임받아 취급하여 변호사법 제109조 제1호 위반으로 기소되었는데, 범행 이후 개정된 법무사법 제2조 제1항 제6호에 의하여 '개인의 파산사건 및 개인회생사건 신청의 대리'가 법무사의 업무로 추가된 경우, 위 법무사법 개정은 범죄사실의 해당 형벌법규 자체인 변호사법 제109조 제1호 또는 그로부터 수권내지 위임을 받은 법령이 아닌 별개의 다른 법령의 개정에 불과하고, 변호사법 제109조 제1호 위반죄의 성립 요건과 구조를 살펴보더라도 법무사법 제2조의 규정이 보충규범으로서 기능하고 있다고 보기 어려운 점 등을 종합하면, 위 법무사법 개정은 형사법적 관점의 변화를 주된 근거로 하는 법령의 변경에 해당하지 않는다(대판 2023.2.23, 2022도4610 ∴ 형법 제1조 제2항이 적용 × ⇨ 변호사법위반죄 ○). 23. 경력채용, 24. 순경 1차

2. 구 특정범죄가중법 제5조의 11 제1항에서의 '원동기장치자전거'에는 전동킥보드와 같은 개인형 이동장치도 포함된다고 판단되고, 비록 개정 도로교통법이 전동킥보드와 같은 개인형 이동장치에 관한 규정을 신설하면서 이를 "자동차 등"이 아닌 "자전거 등"으로 분류하였다고 하여 이를 형법 제1조 제2항의 '범죄 후 법률이 변경되어 그 행위가 범죄를 구성하지 아니하게 된 경우'라고 볼 수는 없다〔대판 2023.6.29, 2022도13430 ∴ 개정 도로교통법 시행 전의 '전동 킥보드의 운전자'는 여전히 특정범죄가중법 위반(위험운전치상)죄의 주체에 해당한다〕. 24. 9급 철도경찰

---

01 한시법의 효력에 관한 설명으로 가장 옳지 않은 것은?(다툼이 있으면 판례에 의함)

① 추급효 인정설은 한시법의 추급효를 인정하지 않으면 한시법의 실효기일이 임박할수록 위반행위가 속출하는데도 이것을 처벌할 수 없어 형사정책적 목적을 달성하기 어렵다는 것을 논거로 든다.

② 형법전에 한시법의 추급효를 인정하는 명문규정이 있으면 한시법의 추급효 인정 여부는 논란의 대상이 되지 않는다.

③ 백지형법에서 보충규범의 변경은 형법 제1조 제2항의 '법률의 변경'에 해당하지 않는다.

④ 추급효 부정설은 법률이 실효된 후에 특별한 규정이 없음에도 불구하고 추급효를 인정하면 죄형법정주의에 위배된다고 본다.

⑤ 우리 형법전에는 한시법의 추급효에 관한 명문규정이 없다.

해설 ①②④⑤ 옳다.

③ × : 백지형법이란 일정한 형벌만을 규정하고(상위규범), 그 형벌의 전제가 되는 구성요건의 전부 또는 일부의 내용을 다른 법률 · 명령 · 고시에 의하여 보충해야(보충규범) 할 공백을 가진 형벌법규를 말한다. 이런 경우 보충규범도 상위규범과 합하여 전체로서 형벌법규를 이루므로 보충규범의 변경도 형법 제1조 제2항의 '법률의 변경'에 해당한다(다수설 · 판례).

02 형벌규정의 적용에 대한 설명으로 옳지 않은 것은?(다툼이 있는 경우 판례에 의함)

20. 9급 철도경찰

① '1개의 죄가 본법 시행 전후에 걸쳐서 행하여진 때에는 본법 시행 전에 범한 것으로 간주' 하는 형법 부칙 제4조 제1항은 신·구형법 사이의 관계가 아닌 다른 법률 사이의 관계에 그대로 적용하거나 유추적용할 것이 아니다.

② 범죄 후 법률의 변경으로 형이 구법보다 경하게 된 때에는 신법에 의하여야 하지만, 신법 에 경과규정을 두어 신법의 적용을 배제하는 것도 허용된다.

③ 포괄일죄로 되는 개개의 범죄행위가 법률 개정의 전후에 걸쳐서 행하여진 때는 범죄실행 종료 시의 법인 신법을 적용하여 포괄일죄로 처단하여야 한다.

④ 범죄 후 법률의 개정으로 법정형이 가벼워진 경우에도 개정 전 구법의 법정형이 공소시 효기간의 기준이 된다.

해설 ① 대판 1992.12.8, 92도407 ② 대결 1999.4.13, 99초76 ③ 대판 2009.4.9, 2009도321
④ × : ~ 가벼워진 경우에는 가벼운(개정 전 구법 ×) 법정형이 공소시효기간의 기준이 된다(대판 2008. 12.11, 2008도4376).

03 형법의 시간적 적용범위에 관한 다음 설명 중 옳지 않은 것은 모두 몇 개인가?(다툼이 있는 경 우 판례에 의함)

22. 법원행시

> ㉠ 형법 제1조 제1항은 "범죄의 성립과 처벌은 행위시의 법률에 따른다."라고 규정하고 있는데, 이는 헌법 제13조 제1항에 근거한 것으로 행위시법주의 원칙을 선언한 것이다.
>
> ㉡ 포괄일죄에 관한 기존 처벌법규에 대하여 그 표현이나 형량과 관련한 개정을 하는 경우가 아 니라 애초에 죄가 되지 아니하던 행위를 구성요건의 신설로 포괄일죄의 처벌대상으로 삼는 경우에는 신설된 포괄일죄 처벌법규가 시행되기 이전의 행위에 대하여는 신설된 법규를 적용 하여 처벌할 수 없다. 이는 신설된 처벌법규가 상습범을 처벌하는 구성요건인 경우에도 마찬 가지라고 할 것이므로, 구성요건이 신설된 상습강제추행죄가 시행되기 이전의 범행은 상습강 제추행죄로는 처벌할 수 없고 행위시법에 기초하여 강제추행죄로 처벌할 수 있을 뿐이다.
>
> ㉢ 포괄일죄로 되는 개개의 범죄행위가 법 개정의 전후에 걸쳐서 행하여진 경우에는 신법과 구법 의 법정형에 대한 경중을 비교하여 볼 필요도 없이 범죄실행 종료시의 법이라고 할 수 있는 신법을 적용하여 포괄일죄로 처단하여야 한다.
>
> ㉣ 판례는 법률이 개정되면서 그 부칙에서 "개정된 법 시행 전의 행위에 대한 벌칙의 적용에 있 어서는 종전의 규정에 의한다."는 경과규정을 두고 있더라도 계속범의 경우 실행행위가 종료 되는 시점에서의 법률이 적용되어야 하므로 개정된 법률을 적용하여야 한다고 판단하였다.
>
> ㉤ 형법 제324조 제1항이 2016. 1. 6. 개정되면서 강요죄의 법정형에 벌금형을 추가한 것은 형법 제1조 제2항에서 정한 '범죄 후 법률의 변경에 의하여 형이 구법보다 경한 때'에 해당하므로 위 규정에 따라 신법을 적용하여야 한다.

① 1개　　　　② 2개　　　　③ 3개　　　　④ 4개　　　　⑤ 5개

해설 ㉠ ○ : 옳다. ㉡ ○ : 대판 2016.1.28, 2015도15669 ㉢ ○ : 대판 2009.4.9, 2009도321
㉣ × : 일반적으로 계속범의 경우 실행행위가 종료되는 시점에서의 법률이 적용되어야 할 것이나, 법률이
개정되면서 그 부칙에서 '개정된 법 시행 전의 행위에 대한 벌칙의 적용에 있어서는 종전의 규정에 의한다.'
는 경과규정을 두고 있는 경우 개정된 법이 시행되기 전의 행위에 대해서는 개정 전의 법을, 그 이후의
행위에 대해서는 개정된 법을 각각 적용하여야 한다(대판 2001.9.25, 2001도3990).
㉤ ○ : 대판 2022.12.22, 2020도16420 전원합의체

04 형법의 적용범위에 대한 설명으로 가장 적절한 것은?(다툼이 있는 경우 판례에 의함) 22. 경찰승진

① 형을 종전보다 가볍게 형벌법규를 개정하면서 그 부칙으로 개정된 법의 시행 전의 범죄
에 대하여 종전의 형벌법규를 적용하도록 규정하는 것은 죄형법정주의에 반한다.

② 행위시법인 구법에 규정된 형이 3년 이하의 징역이고 재판시법인 신법에 규정된 형이
5년 이하의 징역 또는 1천만원 이하의 벌금이라면, 구법에 비하여 벌금형을 선택할 수
있는 신법의 형이 더 경하므로 신법을 적용하여야 한다.

③ 법률의 변경으로 과거의 형벌법규가 부당하다는 반성적 고려에서 형이 폐지된 경우에는
과거의 형벌법규에 대한 위반행위의 가벌성이 소멸되므로 처벌할 수 없고, 다른 사정의
변천에 따라 그때 그때의 특수한 필요에 대처하기 위하여 법령을 개폐하는 경우에는 그
법령이 개폐되더라도 처벌할 수 있다.

④ 범죄 후 법률의 개정으로 법정형이 가벼워졌다고 하더라도 행위시법인 구법의 법정형이
공소시효기간의 기준이 된다.

해설 ① × : ~ 반한다고 할 수 없다(대판 1999.7.9, 99도1695).
② × : ~ 벌금이라면, 구법의 형이 더 경하므로 구법을 적용하여야 한다(대판 1992.11.13, 92도2194 ∵ 형의
경중의 비교는 원칙적으로 법정형을 표준으로 할 것이고 처단형에 의할 것이 아니며, 법정형의 경중을 비교
함에 있어서 법정형 중 병과형 또는 선택형이 있을 때에는 이 중 가장 중한 형을 기준으로 하여 다른 형과
경중을 정하는 것이 원칙이다).
③ × : 종전 판례(동기설)에 의하면 옳은 지문이나, 최근의 전원합의체 판결(대판 2022.12.22, 2020도16420
전원합의체)에 의하면 틀린 지문이다.
④ × : 범죄 후 법률의 개정에 의하여 법정형이 가벼워진 경우에는 법률에 특별한 규정이 없는 한 신법의
법정형이 공소시효기간의 기준이 된다(대판 2008.12.11, 2008도4376).

05 형법의 시간적 적용범위에 관한 설명으로 가장 적절한 것은?(다툼이 있는 경우 판례에 의함)
22. 순경 1차

① 구법에 규정된 형이 '3년 이하의 징역'이고 신법에 규정된 형이 '5년 이하의 징역 또는
1천만원 이하의 벌금'이라면 벌금형이 병과되었다는 점에서 형이 경하게 변경된 것이므
로 형법 제1조 제2항에 따라 신법을 적용하여야 한다.

② 법률이념의 변경에 의한 것이 아니라 다른 사정의 변천에 따라 그때 그때의 특수한 필요
에 대처하기 위하여 법령이 개폐된 경우라 하더라도 형법 제1조 제2항이 적용된다.

③ 법원이 인정하는 범죄사실이 공소사실과 차이가 없이 동일한 경우에는 비록 검사가 재판 시법인 신법의 적용을 구하였더라도 그 범행에 대한 형의 경중의 차이가 없으면 공소장 변경절차를 거치지 않아도 구법을 적용할 수 있다.

④ 포괄일죄에 관한 기존 처벌법규에 대하여 그 표현이나 형량과 관련한 개정을 하는 경우가 아니라 애초에 죄가 되지 아니하던 행위를 구성요건의 신설로 포괄일죄의 처벌대상으로 삼는 경우에는 신설된 포괄일죄 처벌법규가 시행되기 이전의 행위에 대하여도 신설된 법규를 적용하여 처벌할 수 있다.

[해설] ① × : ~ (2줄) 벌금'이라면, 구법의 형이 더 경하므로 구법을 적용하여야 한다(대판 1992.11.13, 92도2194 ∵ 형의 경중의 비교는 원칙적으로 법정형을 표준으로 할 것이고 처단형에 의할 것이 아니며, 법정형의 경중을 비교함에 있어서 법정형 중 병과형 또는 선택형이 있을 때에는 이 중 가장 중한 형을 기준으로 하여 다른 형과 경중을 정하는 것이 원칙이다).
② ○ : 대판 2022.12.22, 2020도16420 전원합의체
③ ○ : 대판 2002.4.12, 2000도3350
④ × : ~ 처벌할 수 없다(대판 2016.1.28, 2015도15669).

06 형법의 시간적 적용범위에 관한 설명 중 옳은 것은?(다툼이 있는 경우 판례에 의함)
23. 변호사시험

① 형법 제1조 제1항 "범죄의 성립과 처벌은 행위시의 법률에 따른다."라고 할 때의 '행위시'라 함은 범죄행위 종료시를 의미하므로 구법 시행시 행위가 종료하였으나 결과는 신법 시행시에 발생한 경우에는 신법이 적용된다.

② 상습강제추행죄가 시행되기 이전에 범해진 강제추행행위는 습벽에 의한 것이라도 상습강제추행죄로 처벌할 수 없고 강제추행죄로 처벌할 수 있을 뿐이다.

③ 범죄 후 법률의 변경이 있더라도 형이 중하게 변경되는 경우나 형의 변경이 없는 경우에는 행위시법을 적용하여서는 안 된다.

④ 헌법재판소가 형벌법규에 대해 위헌결정을 한 경우, 당해 법조를 적용하여 기소한 피고사건은 범죄 후의 법령개폐로 형이 폐지되었을 때에 해당하므로 면소의 선고를 하여야 한다.

⑤ 형을 종전보다 가볍게 형벌법규를 개정하면서 그 부칙으로 개정된 법의 시행 전의 범죄에 대하여 종전의 형벌법규를 적용하도록 개정하는 경우 신법우선주의에 반한다.

[해설] ① × : ~ 경우에는 구법(신법 ×)이 적용된다(대판 1994.5.10, 94도563).
② ○ : 대판 2016.1.28, 2015도15669
③ × : ~ 행위시법을 적용하여야 한다(대판 2020.11.12, 2016도8627).
④ × : ~ 피고사건은 범죄로 되지 아니한 때에 해당하므로 무죄의 선고를 하여야 한다(대판 1999.12.24, 99도3003).
⑤ × : ~ 경우 신법우선주의에 반한다고 할 수 없다(대판 1999.7.9, 99도1695).

Answer 6. ②

07 형법 제1조 제2항에 대한 설명으로 옳지 않은 것은?(다툼이 있는 경우 판례에 의함)

23. 9급 검찰·마약수사·철도경찰

① 범죄 후 법률의 변경이 있더라도 형의 변경이 없는 경우에는 형법 제1조 제1항에 따라 행위시법을 적용해야 한다.

② 형의 경중의 비교는 원칙적으로 법정형을 표준으로 하고, 처단형이나 선고형에 의할 것은 아니다.

③ 범죄 후 형벌법규의 위임을 받은 법령의 변경에 따라 범죄를 구성하지 아니하게 된 경우, 종전 법령이 범죄로 정하여 처벌한 것이 부당하였다는 반성적 고려에 따라 변경된 경우에 한하여 형법 제1조 제2항이 적용된다.

④ 행위시 양벌규정에는 법인에 대한 면책규정이 없었으나 법률 개정으로 면책규정이 추가된 경우, 법원은 형법 제1조 제2항에 따라 피고인에게 개정된 양벌규정을 적용해야 한다.

해설 ① 대판 2020.11.12, 2016도8627(~ 있더라도 형이 중하게 변경되는 경우나 형의 변경이 없는 경우에는 형법 제1조 제1항에 따라 행위시법을 적용해야 한다.)

② 대판 1992.11.13, 92도2194

③ × : 범죄행위 당시 적용되는 형벌법규 자체 또는 그로부터 수권 내지 위임을 받은 법령이 범죄행위 이후 변경되어, 범죄행위 이후에는 범죄를 구성하지 아니하게 되거나 형이 가벼워진 경우에는, 개정 법령의 취지가 '종전 법령이 범죄로 정하여 처벌한 것이 부당하였다거나 과형이 과중하였다는 반성적 고려에 따라 변경된 것인지 여부'를 따지지 않고 원칙적으로 형법 제1조 제2항(신법 적용)과 형사소송법 제326조 제4호(범죄 후의 법령개폐로 형이 폐지되었을 때 ⇨ 면소판결)가 적용되므로, 피고인에게 유리하게 변경된 신법(재판시법)에 따라야 한다(대판 2022.12.22, 2020도16420 전원합의체).

④ 대판 2012.5.9, 2011도11264

08 재판시법주의에 관한 다음 설명 중 옳은 것은 모두 몇 개인가?(다툼이 있는 경우 판례에 의함)

23. 법원행시

> ㉠ 대법원은 종래 형벌법규 제정의 이유가 된 법률이념의 변경에 따라 종래의 처벌 자체가 부당하였다거나 또는 과형이 과중하였다는 반성적 고려에서 법령을 변경하였을 경우가 아니라, 그때그때의 특수한 필요에 대처하기 위하여 법령을 변경한 것에 불과한 때에는 재판시법주의에 관한 형법 제1조 제2항을 적용하지 않는다는 태도를 취한 바 있다.
>
> ㉡ 스스로 유효기간을 구체적인 일자나 기간으로 특정하여 효력의 상실을 예정하고 있던 법령이 그 유효기간을 경과함으로써 더 이상 효력을 갖지 않게 된 경우나 형사처벌에 관한 규범적 가치판단의 요소가 배제된 극히 기술적인 규율의 변경 등에 따라 간접적인 영향을 받는 것에 불과한 경우에는 형법 제1조 제2항이나 형사소송법 제326조 제4호에서 말하는 법령의 변경에 해당한다고 볼 수 없다.
>
> ㉢ 피고인에게 유리하게 형벌법규를 개정하면서 부칙에서 신법 시행 전의 범죄에 대하여는 종전 형벌법규를 적용하도록 규정한다고 하여 헌법상의 형벌불소급의 원칙이나 신법우선주의에 반한다고 할 수 없으므로, 범죄 후 피고인에게 유리하게 법령이 변경된 경우라도 입법자는 경과규정을 둠으로써 재판시법의 적용을 배제하고 행위시법을 적용하도록 할 수 있다.

Answer   7. ③   8. ⑤

> ㉣ 형법 제1조 제2항과 형사소송법 제326조 제4호에서 말하는 법령의 변경은 해당 형벌법규에 따른 범죄의 성립 및 처벌과 직접 관련된 것이어야 하고, 이는 결국 해당 형벌법규의 가벌성에 관한 형사법적 관점의 변화를 전제로 한 법령의 변경을 의미한다.

① 없 음   ② 1개   ③ 2개   ④ 3개   ⑤ 4개

해설 ㉠ ○ : 대판 1997.12.9, 97도2682 ㉡ ○ : 대판 2022.12.22, 2020도16420 전원합의체
㉢ ○ : 대판 1999.7.9, 99도1695 ㉣ ○ : 대판 2022.12.22, 2020도16420 전원합의체

09 형법의 시간적 적용범위에 관한 설명으로 가장 적절하지 않은 것은?(다툼이 있는 경우 판례에 의함)
23. 순경 2차·경력채용

① 범죄의 성립과 처벌에 관하여 규정한 형벌법규 자체 또는 그로부터 수권 내지 위임을 받은 법령의 변경에 따라 범죄를 구성하지 아니하게 되거나 형이 가벼워진 경우에는 종전 법령이 범죄로 정하여 처벌한 것이 부당하였다거나 과형이 과중하였다는 반성적 고려에 따라 변경된 것인지 여부를 따지지 않고 원칙적으로 형법 제1조 제2항이 적용된다.

② 형벌법규가 대통령령, 총리령, 부령과 같은 법규명령이 아닌 고시 등 행정규칙·행정명령, 조례 등에 구성요건의 일부를 수권 내지 위임한 경우에도 이러한 고시 등 규정이 위임입법의 한계를 벗어나지 않는 한 형벌법규와 결합하여 법령을 보충하는 기능을 하는 것이므로, 그 변경에 따라 범죄를 구성하지 아니하게 되거나 형이 가벼워졌다면 형법 제1조 제2항이 적용된다.

③ 형벌법규 자체 또는 그로부터 수권 내지 위임을 받은 법령이 아닌 다른 법령이 변경된 경우 형법 제1조 제2항을 적용하려면, 해당 형벌법규에 따른 범죄의 성립 및 처벌과 직접적으로 관련된 형사법적 관점의 변화를 주된 근거로 하는 법령의 변경에 해당하여야 한다.

④ 법령이 개정 내지 폐지된 경우가 아니라, 스스로 유효기간을 구체적인 일자나 기간으로 특정하여 효력의 상실을 예정하고 있던 법령이 그 유효기간을 경과함으로써 더 이상 효력을 갖지 않게 된 경우도 형법 제1조 제2항에서 말하는 법령의 변경에 해당한다.

⑤ 법무사인 甲이 개인파산 회생사건 관련 법률사무를 위임받아 취급하여 비변호사의 법률사무취급을 금지하는 변호사법 제109조 제1호 위반으로 기소되었는데 범행 이후에 개정된 법무사법 제2조 제1항 제6호에 의하여 '개인의 파산사건 및 개인회생사건 신청의 대리'가 법무사의 업무로 추가되었다면, 위 법무사법 개정은 형사법적 관점의 변화를 주된 근거로 하는 법령의 변경에 해당하므로 형법 제1조 제2항이 적용된다.

해설 ① 대판 2022.12.22, 2020도16420 전원합의체
② 대판 2022.12.22, 2020도16420 전원합의체 ③ 대판 2022.12.22, 2020도16420 전원합의체
④ × : ~ (3줄) 경우도 형법 제1조 제2항에서 말하는 법령의 변경에 해당한다고 볼 수 없어 형법 제1조 제2항이 적용되지 않는다(대판 2022.12.22, 2020도16420 전원합의체).
⑤ × : ~ (4줄) 법무사의 업무로 추가된 경우, 위 법무사법 개정은 형사법적 관점의 변화를 주된 근거로 하는 법령의 변경에 해당하지 않아 형법 제1조 제2항이 적용되지 않는다(대판 2023.2.23, 2022도4610).

Answer 9.④⑤

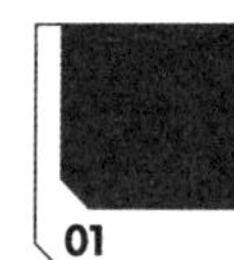

제2절 장소적 적용범위

관련조문

제2조【국내범】 본법은 대한민국 영역 내에서 죄를 범한 내국인과 외국인에게 적용한다. ⇨ 속지주의

제3조【내국인의 국외범】 본법은 대한민국 영역 외에서 죄를 범한 내국인에게 적용한다. ⇨ 속인주의

제4조【국외에 있는 내국선박 등에서 외국인이 범한 죄】 본법은 대한민국 영역 외에 있는 대한민국의 선박 또는 항공기 내에서 죄를 범한 외국인에게 적용한다. ⇨ 기국주의(속지주의) 22. 해경간부 · 해경 2차, 24. 변호사시험 · 해경승진

제5조【외국인의 국외범】 본법은 대한민국 영역 외에서 다음에 기재한 죄를 범한 외국인에게 적용한다.
⇨ 보호주의 18. 순경 2차, 24. 법원행시 · 해경순경, 25. 해경경위

1. 내란의 죄

2. 외환의 죄

3. 국기에 관한 죄(▶ 국교에 관한 죄 : 외국에 대한 사전죄, 중립명령위반죄, 외교상 기밀누설죄 ⇨ 적용 ×)

4. 통화에 관한 죄

5. 유가증권, 우표와 인지에 관한 죄

6. 문서에 관한 죄 중 제225조 내지 제230조(▶ 공문서 ○, 사문서 ×)

7. 인장에 관한 죄 중 제238조(▶ 공인 ○, 사인 ×)

제6조【대한민국과 대한민국 국민에 대한 국외범】 본법은 대한민국 영역 외에서 대한민국 또는 대한민국 국민에 대하여 전조에 기재한 이외의 죄를 범한 외국인에게 적용한다. 단, 행위지의 법률에 의하여 범죄를 구성하지 아니하거나 소추 또는 형의 집행을 면제할 경우에는 예외로 한다. ⇨ 보호주의

제7조【외국에서 집행된 형의 산입】 죄를 지어 외국에서 형의 전부 또는 일부가 집행된 사람에 대해서는 그 집행된 형의 전부 또는 일부를 선고하는 형에 산입한다. <개정 2016.12.20> 18. 7급 검찰 · 순경 3차, 19. 순경 2차, 20. 해경 3차, 21. 경찰승진, 24. 변호사시험 · 해경승진 · 순경 1차

  ▶ 주의 : 범죄에 의하여 외국에서 형의 전부 또는 일부의 집행을 받은 자에 대하여는 형을 감경 또는 면제할 수 있다. (×)

제8조【총칙의 적용】 본법 총칙은 타법령에 정한 죄에 적용한다. 단, 그 법령에 특별한 규정이 있는 때에는 예외로 한다.

제296조의 2【세계주의】 제287조부터 제292조까지 및 제294조는 대한민국 영역 밖에서 죄를 범한 외국인에게도 적용한다. ⇨ 세계주의 19. 순경 2차, 23. 경찰간부 · 해경승진, 24. 순경 2차 · 해경순경

  ▶ 주의 : 외국인이 외국에서 형법상 약취 · 유인죄나 인신매매죄 또는 그 미수범을 범한 경우에는 우리나라 형법이 적용되지만, 단순히 같은 죄의 예비 · 음모를 한 데 불과한 경우에는 우리나라 형법이 적용되지 않는다. 17. 법원행시 · 경찰승진, 18. 경찰간부 · 9급 검찰 · 마약수사 · 철도경찰, 24. 변호사시험

최신판례

군형법 제60조의 6 제1호는 군인 등이 군사기지 및 군사시설 보호법 제2조 제1호에서 정한 군사기지에서 군인 등을 폭행한 경우에 폭행죄를 반의사불벌죄로 규정한 형법 제260조 제3항을 적용하지 않도록 정하고 있다. 따라서 군인 등이 대한민국의 국군이 군사작전을 수행하기 위한 근거지에서 군인 등을 폭행했다면 그곳이 대한민국의 영토 내인지, 외국군의 군사기지인지 등과 관계없이 군형법 제60조의 6 제1호에 따라 형법 제260조 제3항이 적용되지 않는다(대판 2023.6.15, 2020도927). 24. 법원행시

01 **다음 설명 중 가장 옳지 않은 것은?**(다툼이 있는 경우 판례에 의함) 16. 법원행시

① 영국에 모여 대한민국에 대한 내란죄를 음모·예비한 러시아인들에게 대한민국 형법이 적용될 수 있다.

② 재판확정 후 법률의 변경에 의하여 그 행위가 범죄를 구성하지 아니하는 때에는 형의 집행을 면제한다.

③ 범죄에 의하여 외국에서 형의 전부 또는 일부의 집행을 받은 자에 대하여 형의 임의적 감면을 규정한 형법 제7조는 이중처벌금지원칙, 과잉금지원칙에 위배되지 않는다는 이유로 합헌 결정을 받았다.

④ 대한민국에 체재(滯在)하는 외국의 원수에 대하여 폭행을 가한 자는 우리 형법으로 처벌할 수 있으나, 그 외국정부의 명시한 의사에 반하여 공소를 제기할 수는 없다.

⑤ 도박죄를 처벌하지 않는 외국 카지노에서 도박을 한 한국인에 대하여도 대한민국 형법이 적용되고, 한편 그와 같이 도박죄를 처벌하지 않는 국가에서 도박을 하였다는 사정만으로 위법성이 조각된다고 볼 수도 없다.

해설 ① 제5조 제1호 ② 제1조 제3항
③ × : 형법 제7조는 이중처벌금지원칙에 위배되지 않고 과잉금지원칙에 위배되어 신체의 자유를 침해하므로 헌법에 합치되지 아니하나(합헌결정 ×, 헌법불합치결정 ○), 2016년 12월 31일을 시한으로 입법자가 개정할 때까지 계속 적용된다(헌재결 2015.5.28, 2013헌바129).
④ 제110조(제107조) ⑤ 대판 2004.4.23, 2002도2518

02 **형법의 적용범위에 관한 설명으로 적절한 것은 모두 몇 개인가?**(다툼이 있는 경우 판례에 의함)
20. 순경 1차

⑦ 형법 제7조에서 규정하고 있는 '외국에서 형의 전부 또는 일부가 집행된 사람'이란 '외국 법원의 유죄판결에 의하여 자유형이나 벌금형 등의 전부 또는 일부가 실제로 집행된 사람'을 말한다.

ⓛ 형법의 적용에 관하여 같은 법 제2조는 대한민국 영역 내에서 죄를 범한 내국인과 외국인에게 적용한다고 규정하고 있으며, 같은 법 제6조 본문은 대한민국 영역 외에서 대한민국 또는 대한민국 국민에 대하여 같은 법 제5조에 기재한 이외의 죄를 범한 외국인에게 적용한다고 규정하고 있는바, 중국 북경시에 소재한 대한민국 영사관 내부는 여전히 중국의 영토에 속할 뿐 이를 대한민국의 영토로서 그 영역에 해당한다고 볼 수 없다.

ⓒ 독일인이 독일 내에서 북한의 지령을 받아 베를린 주재 북한 이익대표부를 방문하고 그곳에서 북한공작원을 만난 행위는 외국인의 국외범에 해당하여, 형법 제5조와 제6조에서 정한 요건에 해당하지 않는 이상 우리 형법으로 처벌할 수 없다.

ⓔ 형사사건으로 외국 법원에 기소되었다가 무죄판결을 받은 사람은, 설령 그가 무죄판결을 받기까지 상당 기간 미결구금되었더라도 이를 유죄판결에 의하여 형이 실제로 집행된 것으로 볼 수는 없으므로, '외국에서 형의 전부 또는 일부가 집행된 사람'에 해당한다고 볼 수 없다.

ⓜ 미국인 甲이 일본에서 중국 국적의 미성년자 A를 영리 목적으로 매매한 경우 甲에게 대한민국의 형법을 적용할 수 있다.

① 2개   ② 3개   ③ 4개   ④ 5개

해설 ㉠㉢ ○ : 대판 2017.8.24, 2017도5977 전원합의체
㉡ ○ : 대판 2006.9.22, 2006도5010
㉢ ○ : 대판 2008.4.17, 2004도4899 전원합의체
㉤ ○ : 제296조의 2(세계주의)

03 형법의 적용범위에 관한 설명 중 옳은 것은?(다툼이 있는 경우 판례에 의함)

21. 변호사시험, 22. 해경간부

① 북한에서 행하여진 범죄에 대해서는 대한민국 형법이 적용되지 않는다.
② 도박죄를 처벌하지 않는 외국 카지노에서 대한민국 국민이 도박을 한 경우, 대한민국 형법이 적용되지 않는다.
③ 형법 제6조 본문에서 정한 '대한민국 또는 대한민국 국민에 대하여 죄를 범한 때'란 대한민국 또는 대한민국 국민의 법익이 직접적으로 침해되는 결과를 야기하는 죄를 범한 경우를 의미한다.
④ 우리 형법은 외국에서 형의 전부 또는 일부의 집행을 받은 자에 대하여 임의적으로 형의 산입 여부를 정할 수 있도록 하고 있다.
⑤ 중국인이 중국에 소재하고 있는 대한민국 영사관 내에서 여권발급신청서 1장을 위조하여 제출한 경우, 대한민국 형법이 적용된다.

해설 ① × : ~ 적용된다(대판 1997.11.20, 97도2021 전원합의체).
② × : ~ 적용된다(대판 2004.4.23, 2002도2518).
③ ○ : 대판 2011.8.25, 2011도6507
④ × : ~ 대하여 필요적(임의적 ×)으로 형의 전부 또는 일부를 산입하도록 하고 있다(제7조).
⑤ × : 속지주의(제2조) 적용 ×, 보호주의(제5조 제5호, 제6조) 적용 ×(대판 2006.9.22, 2006도5010)

04 형법의 적용범위에 대한 설명으로 가장 적절하지 않은 것은?(다툼이 있는 경우 판례에 의함)

21. 순경 1차

① 외국인이 대한민국 공무원에게 알선한다는 명목으로 금품을 수수하는 행위가 대한민국 영역 내에서 이루어진 이상, 비록 금품수수의 명목이 된 알선행위를 하는 장소가 대한민국 영역 외라 하더라도 대한민국 영역 내에서 죄를 범한 것이라고 하여야 한다.
② 대한민국 영역 외에서 외국인이 우리나라의 공문서를 위조한 경우, 그 행위가 행위지의 법률에 의하여 범죄를 구성하지 않는다면 우리나라 형법을 적용할 수 없다.
③ 내국 법인의 대표자인 외국인이 내국 법인이 외국에 설립한 특수목적법인에 위탁해 둔 자금을 정해진 목적과 용도 외에 임의로 사용하여 횡령한 경우, 그 행위가 외국에서 이루어졌다고 하더라도 행위지의 법률에 의하여 범죄를 구성하지 아니하거나 소추 또는 형의 집행을 면제할 경우가 아니라면 그 외국인에 대해서도 우리나라 형법이 적용된다.

Answer   3. ③   4. ②

④ 형사사건으로 외국 법원에 기소되었다가 무죄판결을 받은 사람은, 설령 그가 무죄판결을 받기까지 상당 기간 미결구금되었더라도 이를 유죄판결에 의하여 형이 실제로 집행된 것으로 볼 수는 없으므로, '외국에서 형의 전부 또는 일부가 집행된 사람'에 해당한다고 볼 수 없고, 그 미결구금기간은 형법 제7조에 의한 산입의 대상이 될 수 없다.

해설 ① 대판 2000.4.21, 99도3403
② ✕ : ~ 구성하지 않는다고 하더라도 우리나라 형법을 적용할 수 있다(제5조 제6호).
③ 대판 2017.3.22, 2016도17465 ④ 대판 2017.8.24, 2017도5977 전원합의체

05 형법의 적용에 대한 설명으로 옳지 않은 것은?(다툼이 있는 경우 판례에 의함) 21. 9급 철도경찰
① 도박죄를 처벌하지 않는 외국의 카지노에서 우리나라 국민이 도박을 한 경우 우리나라 형법이 적용된다.
② 외국인이 외국에 소재한 우리나라 영사관 내에서 외국인 명의의 사문서를 위조한 경우 우리나라 형법이 적용되지 않는다.
③ 외국인이 우리나라 공무원에게 알선한다는 명목으로 금품을 수수한 행위의 장소가 우리나라라면 금품수수의 명목이 된 알선행위의 장소가 외국인 경우에도 우리나라 형법이 적용된다.
④ 외국의 영공을 지나고 있는 우리나라 국적기 안에서 외국인이 다른 외국인을 상해한 경우 우리나라 형법이 적용되지 않는다.

해설 ① 대판 2004.4.23, 2002도2518 ② 대판 2006.9.22, 2006도5010 ③ 대판 2000.4.21, 99도3403
④ ✕ : ~ 형법이 적용된다(제4조).

06 외국인이 범한 다음 행위 중 우리나라 형법이 적용될 수 있는 것은?(다툼이 있는 경우 판례에 의함) 22. 7급 검찰, 24. 해경간부
① 캐나다에서 대한민국 국민에 대하여 위조사문서를 행사한 경우
② 행사할 목적으로 중국에서 대한민국 국적 주식회사의 인장을 위조한 경우
③ 행사할 목적으로 중국 북경시에 소재한 대한민국 영사관 내에서 타인 명의의 여권발급신청서를 위조한 경우
④ 행사할 목적으로 중국에서 대한민국의 통화를 위조한 경우

해설 • 우리나라 형법 적용 ○ : ④ 제5조 제4호(보호주의) 적용 ○
• 우리나라 형법 적용 ✕ : ① 캐나다 시민권자인 피고인이 캐나다에서 위조사문서를 행사한 경우 위조사문서행사죄는 형법 제5조 제1호 내지 제7호에 열거된 죄에 해당하지 않고, 위조사문서행사를 형법 제6조의 대한민국 또는 대한민국 국민의 법익을 직접적으로 침해하는 행위라고 볼 수도 없으므로 피고인의 행위에 대하여는 우리나라에 재판권이 없다(대판 2011.8.25, 2011도6507). ② 보호주의(제5조 제5호, 제6조) 적용 ✕(대판 2002.11.26, 2002도4929) ③ 속지주의(제2조) 적용 ✕, 보호주의(제5조 제5호, 제6조) 적용 ✕(대판 2006.9.22, 2006도5010)

07 형법의 장소적 적용범위에 관한 설명 중 옳은 것을 모두 고른 것은?(다툼이 있는 경우 판례에 의함)

24. 변호사시험

> ㉠ 영국인이 미국 영해에서 운항 중인 대한민국 국적의 선박에서 미국인을 살해한 경우에는 우리나라 형법이 적용된다.
> ㉡ 일본인이 행사할 목적으로 중국에서 미화 100달러 지폐를 위조한 경우에는 우리나라 형법이 적용된다.
> ㉢ 우리나라 형법상 약취·유인 및 인신매매의 죄는 그 예비·음모를 제외하고 우리나라 영역 밖에서 죄를 범한 외국인에게도 적용된다.
> ㉣ 중국인이 우리나라로 입국하기 위하여 중국에 소재한 우리나라 영사관에서 그곳에 비치된 여권발급신청서를 위조한 경우 보호주의에 의하여 우리나라 형법이 적용된다.
> ㉤ 범죄에 의하여 외국에서 형의 전부 또는 일부의 집행을 받은 자에 대하여는 그 형을 감경 또는 면제할 수 있다.

① ㉠, ㉡, ㉢   ② ㉠, ㉡, ㉣   ③ ㉠, ㉢, ㉤
④ ㉡, ㉣, ㉤   ⑤ ㉢, ㉣, ㉤

[해설] ㉠ ○ : 국외에 있는 내국선박에서 외국인이 범한 죄(기국주의 : 제4조)
㉡ ○ : 외국인의 국외범(보호주의 : 제5조 제4호)
㉢ ○ : 세계주의(제296조의 2)
㉣ × : ~ 우리나라 형법이 적용되지 않는다(대판 2006.9.22, 2006도5010).
㉤ × : 죄를 지어 외국에서 형의 전부 또는 일부가 집행된 사람에 대해서는 그 집행된 형의 전부 또는 일부를 선고하는 형에 산입한다(제7조).

08 甲에 대해 대한민국 형법을 적용할 수 있는 경우만을 모두 고르면?(다툼이 있는 경우 판례에 의함)

24. 9급 철도경찰

> ㉠ 한국인 甲이 도박이 허용되는 필리핀의 카지노에서 도박을 한 경우
> ㉡ 일본인 甲이 행사할 목적으로 미국에서 100달러짜리 미화 10장을 위조한 경우
> ㉢ 미국인 甲이 서울 소재 호텔 커피숍에서 한국인 A와 공모한 후 홍콩에서 중국인 B로부터 필로폰을 매수한 경우
> ㉣ 중국인 甲이 중국 북경시에 소재한 대한민국 영사관에서 한국인 A명의의 여권발급신청서를 위조한 경우

① ㉠, ㉢   ② ㉠, ㉡, ㉢
③ ㉠, ㉡, ㉣   ④ ㉡, ㉢, ㉣

[해설] • 대한민국 형법 적용 ○ : ㉠ 대판 2001.9.25, 99도3337 ㉡ 제5조 제4호 ㉢ 대판 1998.11.27, 98도2734
• 대한민국 형법 적용 × : ㉣ 대판 2006.9.22, 2006도5010

09 다음 설명 중 옳지 않은 것은 모두 몇 개인가?(다툼이 있는 경우 판례에 의함)　　24. 법원행시

> ㉠ 대한민국 국적의 甲이 일본에서 안마시술업소를 운영하면서 안마사 자격 인정을 받지 아니한 종업원들을 고용하여 안마를 하게 한 경우 그 종업원들의 안마행위가 의료법 제88조 제4호, 제82조 제1항의 구성요건에 해당한다고 볼 수 없으므로 이들을 고용한 甲도 양벌규정에 따라 처벌할 수 없다.
>
> ㉡ 필리핀에서 카지노의 외국인 출입이 허용되어 있으므로, 필리핀에서 도박을 한 대한민국 국적의 乙에게 대한민국 형법이 당연히 적용된다고 볼 수는 없다.
>
> ㉢ 중국 국적자가 중국에서 대한민국 국적 주식회사의 인장을 위조한 경우 형법 제5조(외국인의 국외범)의 규정에 따라 사인위조죄로 처벌된다.
>
> ㉣ 내국 법인의 대표자인 외국인이 외국에서 내국 법인이 그 외국에 설립한 특수목적법인에 위탁해 둔 자금을 정해진 목적과 용도 외에 임의로 사용한 경우, 그 행위가 행위지의 법률에 의하여 범죄를 구성하지 아니하거나 소추 또는 형의 집행을 면제할 경우가 아니라면 그 외국인에 대하여도 대한민국 법원에 재판권이 있다.
>
> ㉤ 형법 제5조에서 외국인의 국외범으로 규정한 죄는 내란의 죄, 외환의 죄, 국기에 관한 죄, 통화에 관한 죄, 유가증권, 우표와 인지에 관한 죄, 문서에 관한 죄 중 제225조 내지 제230조, 인장에 관한 죄 중 제238조뿐이다.

① 없 음　　　　　② 1개　　　　　③ 2개
④ 3개　　　　　⑤ 4개

해설 ㉠ ○ : 대판 2018.2.8, 2014도10051(∵ 대한민국 영역 외에서 안마업을 하려는 사람에게까지 시 · 도지사의 자격인정을 받아야 할 의무가 없음)

㉡ × : ~ 출입이 허용되어 있더라도, 필리핀에서 도박을 한 대한민국 국적의 乙에게 대한민국 형법이 당연히 적용된다(대판 2001.9.25, 99도3337).

㉢ × : 중국인이 중국에서 대한민국 국적 주식회사의 인장을 위조한 경우 외국인의 국외범으로서 재판권이 없다〔대판 2002.11.26, 2002도4929 ∵ 사인위조죄(제239조 제1항)는 제5조의 처벌규정에 해당 ×, 제6조의 대한민국 또는 대한민국 국민에 대하여 범한 죄에 해당 ×〕

㉣ ○ : 대판 2017.3.22, 2016도17465

㉤ ○ : 제5조

종합문제 형법의 적용범위

01 형법의 적용범위에 대한 설명으로 옳은 것은?(다툼이 있는 경우 판례에 의함) 20. 7급 검찰

① 형사사건으로 외국 법원에 기소되었다가 무죄판결을 받은 사람이 무죄판결을 받기까지 일정 기간 미결구금되었던 경우, 그 미결구금기간에 대하여는 외국에서 집행된 형의 산입 규정인 형법 제7조가 적용되어야 한다.

② 대한민국 영역 외에서 형법상 공문서에 관한 죄를 범한 외국인에게는 대한민국 형법을 적용한다. 다만, 행위지의 법률에 의하여 범죄를 구성하지 아니하거나 소추 또는 형의 집행을 면제할 경우에는 예외로 한다.

③ 애초에 죄가 되지 아니하던 행위를 구성요건을 신설하여 포괄일죄의 처벌대상으로 삼는 경우, 신설된 포괄일죄 처벌법규가 시행되기 이전의 행위에 대하여는 신설된 법규를 적용하여 처벌할 수 없다.

④ 형벌에 관한 법률조항에 대하여 헌법불합치결정이 선고된 경우, 당해 조항을 적용하여 공소가 제기된 피고사건에 대하여 법원은 공소기각판결을 선고하여야 한다.

> **해설** ① × : ~ 제7조가 적용될 수 없다(대판 2017.8.24, 2017도5977 전원합의체).
> ② × : 제6조 단서(단, ~ 한다)는 제5조에 기재한 이외의 죄를 범한 외국인에게 적용되므로 공문서에 관한 죄(제5조 제6호)에는 적용되지 않는다.
> ③ ○ : 대판 2016.1.28, 2015도15669
> ④ × : ~ 무죄판결(공소기각판결 ×, 면소판결 ×)을 선고하여야 한다(대판 2011.6.23, 2008도7562 전원합의체).

02 형법의 적용범위에 대한 설명으로 가장 적절하지 않은 것은?(다툼이 있는 경우 판례에 의함)

21. 경찰승진

① 한국인이 외국에서 죄를 지어 현지 법률에 따라 형의 전부 또는 일부의 집행을 받은 때에는 대한민국 법원은 그 집행된 형의 전부 또는 일부를 선고하는 형에 반드시 산입하여야 한다.

② 범죄행위시와 재판시 사이에 여러 차례 법령이 개정되어 형의 변경이 있는 경우에는 그 전부의 법령을 비교하여 그중 가장 형이 가벼운 법령을 적용하여야 한다.

③ 범죄행위는 범죄의사가 외부적으로 표현된 상태로서 주관적·내부적인 의사와 객관적·외부적인 표현(동작)을 그 요소로 하는 것이므로, 공모공동정범의 공모지는 형법 제2조(국내범)가 적용되는 범죄지로 볼 수 없다.

④ 형법총칙은 다른 법령에 정한 죄에 적용되지만, 그 법령에 특별한 규정이 있는 때에는 예외로 한다.

> **해설** ① 제7조 ② 대판 1968.12.17, 68도1324
> ③ × : ~ 범죄지로 볼 수 있다(대판 1998.11.27, 98도2734). ④ 제8조

Answer 1. ③ 2. ③

03 형법의 적용범위에 관한 설명이다. 아래 설명 중 옳은 것은 모두 몇 개인가?(다툼이 있는 경우 판례에 의함)
22. 경찰간부

> ㉠ 형법 제7조 '외국에서 형의 전부 또는 일부가 집행된 사람'의 규정은 무죄판결을 받기 이전 미결구금된 경우도 포함하여 해석하여야 하고, 그 미결구금의 기간은 형법 제7조에 의한 산입의 대상이 된다.
> ㉡ 외국인이 대한민국 공무원에게 알선한다는 명목으로 금품을 수수한 행위가 대한민국 영역 내에서 이루어졌으나, 금품수수의 명목이 된 알선행위의 장소가 대한민국 영역 외인 경우에는 대한민국의 형벌법규를 적용할 수 없다.
> ㉢ 내국 법인의 대표자인 외국인이 내국 법인이 외국에 설립한 특수목적법인에 위탁해 둔 자금을 정해진 목적과 용도 외에 임의로 사용한 데 따른 횡령행위에는 행위지의 법률에 의하여 범죄를 구성하지 아니하거나 소추 또는 형의 집행을 면제할 경우가 아니라면 우리 형법이 적용된다.
> ㉣ 외국인이 중국 북경시 소재 대한민국 영사관 내에서 여권발급신청서를 위조한 경우, 외국인의 국외범에 해당하기 때문에 대한민국 형법을 적용할 수 없다.
> ㉤ 범죄행위시와 재판시 사이에 여러 차례 법령이 개정되어 형의 변경이 있는 때에는 당사자가 신청하는 경우에 한하여 그 전부의 법령을 비교하여 가장 형이 가벼운 법령을 적용한다.
> ㉥ 형법총칙은 다른 법령에 정한 죄에 적용되지만, 그 법령에 특별한 규정이 있는 때에는 예외로 한다.

① 1개　　　　　② 2개　　　　　③ 3개　　　　　④ 4개

해설 ㉠ × : 무죄판결을 받기 이전 미결구금의 기간 ⇨ 제17조에 의한 산입의 대상 ×(대판 2017.8.24, 2017도5977 전원합의체) ㉡ × : ~ 적용할 수 있다(대판 2000.4.21, 99도3403).
㉢ ○ : 대판 2017.3.22, 2016도17465
㉣ ○ : 대판 2006.9.22, 2006도5010
㉤ × : ~ 때에는 당사자의 주장이 없더라도 그 전부의 법령을 비교하여 가장 형이 가벼운 법령을 적용한다(대판 1968.12.17, 68도1324).
㉥ ○ : 제8조

04 형법의 적용범위에 대한 설명으로 옳은 것은?(다툼이 있는 경우 판례에 의함)　　22. 9급 철도경찰
① 재판이 확정된 후 법률이 변경되어 형이 구법보다 가벼워진 경우에는 형의 집행을 면제한다.
② 인신매매죄는 대한민국 영역 밖에서 죄를 범한 외국인에게도 적용된다.
③ 외국인이 대한민국 영역 외에서 대한민국 국민 명의의 사문서를 위조한 때에는 대한민국 형법을 적용한다.
④ 죄를 지어 외국에서 형의 전부 또는 일부가 집행된 사람에 대하여 법관은 재량으로 그 집행된 형의 전부 또는 일부를 선고하는 형에 산입하지 않을 수 있다.

해설 ① × : ~ 경우에는 우리 형법상 고려되어 있지 않다.
② ○ : 제296조의 2　③ × : 사문서위조죄 ⇨ 우리 형법 적용 ×(제5조 제6호)
④ × : ~ 대하여 필요적(임의적 ×)으로 형의 전부 또는 일부를 산입하도록 하고 있다(제7조).

Answer　3.③　4.②

05 **형법의 적용범위에 대한 설명으로 옳지 않은 것은?**(다툼이 있는 경우 판례에 의함) 23. 경찰간부

① 형법은 범인의 국적과 범죄지 여하를 불문하고 우리나라 형벌법규를 적용하는 세계주의에 관한 조항을 두고 있다.

② 백지형법의 보충규범인 고시가 변경된 경우 변경의 동기를 따져 '애당초 잘못된 것이었다'는 법이념상의 반성적 고려에 의한 것이 아닌 한, 그 고시가 변경되기 이전에 범하여진 위반행위에 대한 가벌성이 소멸되는 것은 아니다.

③ 범죄행위시와 재판시 사이에 여러 차례 법령이 개정되어 형의 변경이 있는 경우에는 형법 제1조 제2항에 의하여 신법을 적용한다.

④ 외국에서 집행된 형은 그것이 형의 전부집행이든 형의 일부집행이든 우리나라 법원이 선고하는 형에 반드시 산입하여야 한다.

해설 ① 제296조의 2[세계주의]
② × : 백지형법의 보충규범인 고시가 변경된 경우 형벌법규와 결합하여 법령을 보충하는 기능을 하는 것이므로 그 변경에 따라 범죄를 구성하지 아니하게 되거나 형이 가벼워졌다면 마찬가지로 형법 제1조 제2항과 형사소송법 제326조 제4호가 적용된다(대판 2022.12.22, 2020도16420 전원합의체 ∴ 가벌성이 소멸된다).
③ × : 범죄행위시와 재판시 사이에 여러 차례 법령이 개정되어 형이 변경된 경우, (당사자의 주장이 없더라도) 그 전부를 비교하여 가장 형이 가벼운 법을 적용해야 한다(대판 1968.12.17, 68도1324).
④ 제7조

06 **형법의 적용범위에 대한 설명 중 가장 적절하지 않은 것은?**(다툼이 있는 경우 판례에 의함)
23. 경찰승진

① 포괄일죄로 되는 개개의 범죄행위가 법 개정의 전후에 걸쳐서 행하여진 경우에는 신·구법의 법정형에 대한 경중을 비교하여 볼 필요도 없이 범죄 실행 종료시의 법이라고 할 수 있는 신법을 적용하여 포괄일죄로 처단하여야 한다.

② 범죄 후 법률의 변경에 의하여 형이 구법보다 가벼운 때에는 원칙적으로 신법에 따라야 하므로, 신법에 경과규정을 두어 이러한 신법의 적용을 배제하는 것도 허용되지 않는 것으로서, 형을 종전보다 가볍게 형벌법규를 개정하면서 그 부칙에서 개정된 법의 시행 전의 범죄에 대하여는 종전의 형벌법규를 적용하도록 규정하였다면 신법우선의 원칙에 반한다.

③ 한국인 甲이 도박이 허용되는 외국의 카지노에서 도박을 한 경우 형법 제3조 속인주의 원칙에 따라 대한민국 형법이 적용된다.

④ 중국인 甲이 중국 북경시에 소재한 대한민국 영사관에서 A명의의 여권발급신청서를 위조한 경우 외국인의 국외범에 해당하므로 대한민국 형법이 적용되지 않는다.

해설 ① 대판 2009.4.9, 2009도321
② × : ~ (1줄) 신법에 따라야 하나, 신법에 경과규정을 두어 이러한 신법의 적용을 배제하는 것은 허용되므로, 형을 종전보다 ~ 적용하도록 규정한다 하여 신법우선의 원칙에 반하지 않는다(대판 1999.7.9, 99도1695).
③ 대판 2001.9.25, 99도3337 ④ 대판 2006.9.22, 2006도5010

Answer 5. ②③ 6. ②

07 형법의 적용범위에 관한 설명 중 가장 옳은 것은?(다툼이 있는 경우 판례에 의함)   23. 법원직

① 범죄의 성립과 처벌은 행위시의 법률에 의한다고 할 때의 '행위시'라 함은 '범죄행위의 실행의 착수시'를 의미한다.

② 의료법은 '의료인이 아니면 누구든지 의료행위를 할 수 없다.'라고 규정하고 그 위반자를 처벌하도록 규정하고 있으므로, 보건복지부장관의 의사, 치과의사, 한의사, 조산사, 간호사에 관한 면허를 받지 아니한 내국인이 대한민국 영역 외에서 의료행위를 하는 경우에도 당연히 의료법위반죄로 처벌된다.

③ 캐나다 시민권자가 캐나다에서 위조사문서를 행사하였다고 하더라도 형법 제234조의 위조사문서행사죄는 형법 제5조 제1호 내지 제7호에 열거된 죄에 해당하지 않고, 위조사문서행사를 형법 제6조의 대한민국 또는 대한민국 국민의 법익을 직접적으로 침해하는 행위라고 볼 수도 없으므로 대한민국 법원에 재판권이 없다.

④ 외국에서 무죄판결을 받기 전까지 미결구금되어 있었던 경우, 형법 제7조를 유추적용하여 그 미결구금일수의 전부 또는 일부를 선고하는 형에 산입하여야 한다.

> **해설** ① × : ~ '범죄행위의 종료시'를 의미한다(대판 1994.5.10, 94도563).
> ② × : 의료법위반죄 ×(대판 2020.4.29, 2019도19130 ∵ 의료법은 대한민국 영역 내에서 이루어지는 의료행위를 규율하기 위한 것이므로 대한민국 영역 외에서 이루어진 의료행위의 경우 의료법위반의 구성요건해당성이 없다.)
> ③ ○ : 대판 2017.3.22, 2016도17465
> ④ × : ~ 선고하는 형에 산입하여서는 안 된다(대판 2017.8.24, 2017도5977 전원합의체).

08 형법의 적용범위에 관한 설명으로 가장 적절하지 않은 것은?(다툼이 있는 경우 판례에 의함)
24. 경찰승진

① 범죄행위시와 재판시 사이에 여러 차례 법령이 개정되어 형의 변경이 있는 경우에는 이 점에 관한 당사자의 주장이 없더라도 형법 제1조 제2항에 의하여 직권으로 그 전부의 법령을 비교하여 그중 가장 형이 가벼운 법령을 적용하여야 한다.

② 형법 제2조의 범죄지라 함은 범죄구성사실의 전부 또는 일부가 대한민국의 영역 내에서 범하여지면 된다고 볼 것이므로 공모공동정범의 경우 공모가 국내에서 이루어졌다면, 형법 제2조의 범죄지에 공모지도 포함된 것으로 보아야 한다.

③ 구성요건이 신설된 상습강제추행죄가 시행되기 이전의 범행은 상습강제추행죄로는 처벌할 수 없고 행위시법에 기초하여 강제추행죄로 처벌할 수 있을 뿐이며, 이 경우 그 소추요건도 상습강제추행죄에 관한 것이 아니라 강제추행죄에 관한 것이 구비되어야 한다.

④ 형사사건으로 외국 법원에 기소되었다가 무죄판결을 받은 사람이 무죄판결을 받기까지 상당 기간 미결구금된 경우, 형법 제7조의 '외국에서 형의 전부 또는 일부가 집행된 사람'에 해당한다고 볼 수 있으므로, 그 미결구금 기간은 형법 제7조에 의한 산입의 대상이 될 수 있다.

Answer   7.③   8.④

해설 ① 대판 1968.12.17, 68도1324 ② 대판 1998.11.27, 98도2734 ③ 대판 2016.1.28, 2015도15669
④ × : ~ (3줄) 볼 수 없으므로, 그 미결구금 기간은 형법 제7조에 의한 산입의 대상이 될 수 없다(대판
2017.8.24, 2017도5977 전원합의체).

09 형법의 적용범위에 관한 설명으로 가장 적절한 것은?(다툼이 있는 경우 판례에 의함)
24. 순경 1차

① 범죄에 의하여 외국에서 형의 전부 또는 일부의 집행을 받은 자에 대하여는 형을 감경
또는 면제할 수 있다.

② 법령 제정 당시부터 또는 폐지 이전에 스스로 유효기간을 구체적인 일자나 기간으로 특
정하여 효력의 상실을 예정하고 있던 법령이 그 유효기간을 경과함으로써 더 이상 효력
을 갖지 않게 된 경우, 그 유효기간 경과 전에 행해진 법령 위반행위의 가벌성은 소멸하
므로 더 이상 행위자를 처벌할 수 없게 된다.

③ 재판이 확정된 후 법률이 변경되어 그 행위가 범죄를 구성하지 아니하게 되거나 형이
구법보다 가벼워진 경우, 형의 집행을 면제한다.

④ 캐나다 시민권자인 甲이 투자금을 교부받더라도 선물시장에 투자하여 운용할 의사나 능
력이 없음에도 캐나다에서 그곳에 거주하는 대한민국 국민 A를 기망하여 직접 투자금을
수령한 경우, 甲의 행위가 캐나다 법률에 의해 범죄를 구성하고 그에 대한 소추나 형의
집행이 면제되지 않는 경우에만 우리 형법이 적용된다.

해설 ① × : 죄를 지어 외국에서 형의 전부 또는 일부가 집행된 사람에 대해서는 그 집행된 형의 전부
또는 일부를 선고하는 형에 산입한다(제7조).
② × : ~ (3줄) 가벌성은 소멸되지 않아 행위자를 처벌할 수 있다(대판 2022.12.22, 2020도16420 전원합의
체 ∵ 형법 제1조 제2항에서 말하는 법률의 변경에 해당한다고 볼 수 없어 제1조 제2항이 적용되지 않음).
③ × : ~ 범죄를 구성하지 아니하게 된 경우(형이 구법보다 가벼워진 경우 ×), 형의 집행을 면제한다(제1조
제3항). ④ ○ : 대판 2011.8.25, 2011도6507

10 형법의 적용범위에 관한 설명으로 가장 적절하지 않은 것은?(다툼이 있는 경우 판례에 의함)
24. 경력채용

① 계속범의 경우 실행행위가 종료되는 시점에서의 법률이 적용되어야 하므로 법률이 개정
되면서 그 부칙에서 '개정된 법 시행 전의 행위에 대한 벌칙의 적용에 있어서는 종전의
규정에 의한다'는 경과규정을 두고 있다 하더라도 개정된 법이 시행되기 전의 행위뿐만
아니라 그 이후의 행위에 대해서도 개정된 법을 적용하여야 한다.

② 피고인이 필리핀에서 살인죄를 범하였다가 무죄 취지의 재판을 받고 석방된 후 국내에서
다시 기소되어 제1심에서 징역 10년을 선고받게 된 경우, 필리핀에서 미결 상태로 구금
된 5년여의 기간에 대하여는 '외국에서 집행된 형의 산입' 규정인 형법 제7조가 적용될
수 없다.

③ 중국인이 중국 북경시에 소재한 대한민국 영사관 내에서 여권 발급신청서를 위조한 경우, 외국인의 국외범에 해당하기 때문에 대한민국 형법을 적용할 수 없다.

④ 도박죄를 처벌하지 않는 외국 카지노에서 대한민국 국민이 도박을 한 경우, 대한민국 형법이 적용된다.

> **해설** ① × : 일반적으로 계속범의 경우 실행행위가 종료되는 시점에서의 법률이 적용되어야 할 것이나, 법률이 개정되면서 그 부칙에서 '개정된 법 시행 전의 행위에 대한 벌칙의 적용에 있어서는 종전의 규정에 의한다'는 경과규정을 두고 있는 경우 개정된 법이 시행되기 전의 행위에 대해서는 개정 전의 법을, 그 이후의 행위에 대해서는 개정된 법을 각각 적용하여야 한다(대판 2001.9.25, 2001도3990).
> ② 대판 2017.8.24, 2017도5977 전원합의체
> ③ 대판 2006.9.22, 2006도5010
> ④ 대판 2004.4.23, 2002도2518

11 형법의 적용범위에 관한 설명으로 가장 적절하지 않은 것은?(다툼이 있는 경우 판례에 의함)

24. 순경 2차

① 법무사 등록증 대여를 처벌하는 법무사법 제72조 제1항에 더하여 2017. 12. 12. 동법 제72조 제2항의 몰수·추징 조항이 뒤늦게 신설되었다면, 2014. 1.경부터 2018. 4. 9.경까지 법무사 등록증 대여 금지를 위반하여 취득한 이익 전부를 추징하더라도 형벌법규의 소급효금지원칙에 반하지 않는다.

② 유사수신 약정체결 및 출자금 수수행위가 대한민국 영역 내에서 이루어진 이상, 비록 인터넷 홈페이지를 개설한 장소나 출자금을 최종적으로 수령한 장소가 대한민국 영역 외라 하더라도 성명 국적 불상의 회사 운영자들에게 형법 제2조(국내범), 제8조(총칙의 적용)에 따라 대한민국의 형벌법규인 유사수신행위법이 적용된다.

③ 미합중국 군대의 군속 중 통상적으로 대한민국에 거주하고 있는 자는 SOFA 협정이 적용되는 군속의 개념에서 배제되므로, 10년 넘게 대한민국에 머물면서 한국인 아내와 결혼하여 가정을 마련하고 직장 생활을 하는 등 생활근거지를 대한민국에 두고 있었던 미합중국 국적의 甲이 저지른 범죄에 대해 대한민국의 형사재판권을 행사할 수 있다.

④ 대한민국 영역 밖에서 형법 제287조의 미성년자 약취·유인죄를 범한 외국인에게도 대한민국 형법이 적용된다.

> **해설** ① × : 헌법 제13조 제1항 전단과 형법 제1조 제1항에서 정한 형벌법규의 소급효금지원칙에 비추어 보아, 법무사 등록증 대여를 처벌하는 법무사법 제72조 제1항에 더하여 2017. 12. 12. 동법 제72조 제2항의 몰수·추징 조항이 뒤늦게 신설되었다면, 개정된 법무사법이 시행된 이후의 행위로 취득한 금품 그 밖의 이익만이 개정된 법무사법 제72조 제2항에 따른 몰수나 추징의 대상이 된다고 보아야 하므로, 2014. 1.경부터 2018. 4. 9.경까지 법무사 등록증 대여 금지를 위반하여 취득한 이익 전부를 추징하면 형벌법규의 소급효금지원칙에 반한다(대판 2020.10.15, 2020도7307).
> ② 대판 2020.7.9, 2018도5519
> ③ 대판 2006.5.11, 2005도798
> ④ 제196조의 2

Answer　11.①

12 죄형법정주의와 형법의 적용범위에 대한 설명으로 옳은 것만을 모두 고르면?(다툼이 있는 경우 판례에 의함)
21. 7급 검찰

> ㉠ 구 의료법 제87조 제1항 제2호, 제27조 제1항은 대한민국 영역 외에서 의료행위를 하려는 사람에게까지 보건복지부장관의 면허를 받을 의무를 부과하고 나아가 이를 위반한 자를 처벌하는 규정이라고 보기 어려우므로 내국인이 대한민국 영역 외에서 의료행위를 하는 경우에는 구 의료법 제87조 제1항 제2호, 제27조 제1항의 구성요건 해당성이 없다.
>
> ㉡ 형법 제125조의 구성요건 중 '그 직무를 행함에 당하여'라 함을 '경찰 등이 그 직무를 행하는 기회'라는 뜻으로 해석한다면, 이런 해석은 다소 포괄적이며 불명확하여 처벌범위를 자의적으로 확장시킨다고 볼 여지가 있어 죄형법정주의의 명확성 원칙에 위반된다.
>
> ㉢ 한국환경공단법 등이 한국환경공단 임직원을 형법 제129조(수뢰·사전수뢰) 내지 제132조(알선수뢰)의 적용에 있어 공무원으로 본다고 규정하고 있으므로 그들 또는 그들이 직무를 행하는 한국환경공단을 형법 제227조의 2(공전자기록위작·변작)에 정한 공무원 또는 공무소에 해당한다고 보는 것은 죄형법정주의의 원칙에 반하지 않는다.
>
> ㉣ 의료법 제41조가 "환자의 진료 등에 필요한 당직 의료인을 두어야 한다."라고 규정하고 있을 뿐인데도, 이 사건 시행령 조항은 그 당직의료인의 수와 자격 등 배치기준을 규정하고 이를 위반하면 의료법 제90조에 의한 처벌의 대상이 되도록 함으로써 법률의 명시적인 위임 범위를 벗어나 처벌의 대상을 확장했으므로 죄형법정주의의 원칙에 어긋난다.

① ㉠, ㉡

② ㉠, ㉣

③ ㉡, ㉢

④ ㉠, ㉢, ㉣

해설 ㉠ ○ : 대판 2020.4.29, 2019도19130

㉡ × : 형법 제125조(폭행·가혹행위)의 구성요건 중 '그 직무를 행함에 당하여'라 함을 '경찰 등이 그 직무를 행하는 기회'라는 뜻으로 해석한다면, 이런 해석은 다소 포괄적이라도 그 내용이 불명확하여 처벌범위를 자의적으로 확장시킨다고 볼 여지가 없어 죄형법정주의의 명확성 원칙에 위반되지 않는다(헌재결 2015.3.26, 2013헌바140).

㉢ × : 한국환경공단법 등이 한국환경공단 임직원을 형법 제129조 내지 제132조의 적용에 있어 공무원으로 본다고 규정한다고 하여 그들 또는 그들이 직무를 행하는 한국환경공단을 형법 제227조의 2에 정한 공무원 또는 공무소에 해당한다고 보는 것은 형벌법규를 피고인에게 불리하게 확장해석하거나 유추해석하는 것이어서 죄형법정주의 원칙에 반한다(대판 2020.3.12, 2016도19170).

㉣ ○ : 대판 2017.2.16, 2015도16014 전원합의체

13 다음 사례에 대한 설명으로 옳지 않은 것은?(다툼이 있는 경우 판례에 의함)　　24. 경위공채

> 한국인 유학생 甲은 일본 지하철에서 일본인 여성의 치마 속 신체를 휴대전화로 몰래 촬영하여
> 보관하고 있던 중 성폭력 범죄의 처벌 등에 관한 특례법이 개정되었다. 개정된 법률은 구법보다
> 법정형이 가벼워진 대신 신상정보 공개명령과 공소시효를 10년으로 연장하는 특례조항이 신설되
> 었고, 부칙에서는 법시행 전 행위에 대해서도 신법을 적용하도록 하였다.

① 甲에 대해서는 형법 제3조에 의하여 우리 형법이 적용된다.

② 법정형과 관련하여 구법이 반성적 고려에 따라 법정형이 변경되었다면 甲에게는 개정
　후 법정형이 적용되지만, 반성적 고려에 따라 변경된 것이 아니라면 개정 전 법정형이
　적용된다.

③ 甲의 범죄행위에 대한 공소시효가 완료되지 않은 상태에서 신법이 시행된 경우 甲에게
　신법을 적용하더라도 죄형법정주의에 위반되지 않는다.

④ 신상정보 공개명령제도는 일종의 보안처분이기 때문에 甲에게 개정된 법률을 소급적용
　하더라도 소급효금지의 원칙에 반하지 않는다.

해설 ① 옳다〔∵ 甲은 대한민국 영역 외(일본)에서 죄를 범한 내국인임〕.
② × : ~ 고려에 따라 법정형이 변경된 것인지 여부를 따지지 않고 원칙적으로 형법 제1조 제2항이 적용되
므로, 甲에게 유리하게 변경된 신법(개정 전 법정형 ×)이 적용된다(대판 2022.12.22, 2020도16420 전원합
의체).
③ 대판 1997.4.17, 96도3376 전원합의체
④ 대판 2011.3.24, 2010도14393

02
PART

범죄론

제1절 범죄의 성립요건 · 처벌조건 · 소추조건

THEMA 09 '범죄의 성립요건 · 처벌조건 · 소추조건' 총정리

1. 범죄의 성립요건

① 구성요건해당성 : 행위가 구성요건에 해당하여야 한다.

② 위법성 : 구성요건에 해당하나 위법성 조각사유에 해당하면 범죄성립이 안 된다.

③ 책임성 : 구성요건에 해당하고 위법하나, 책임이 없으면 범죄성립이 안 된다.

2. 처벌조건(가벌조건, 가벌성)

• 객관적 처벌조건 : 사전수뢰죄에 있어서 '공무원 또는 중재인이 된 사실'(제129조 제2항)

• 인적 처벌조각사유 : 친족상도례에 있어서 일정한 친족의 신분(제328조 제1항)

3. 소추조건 : 친고죄의 고소, 반의사불벌죄에 있어서 피해자의 명시한 의사

☑ 주의 : 1.의 ①②③ 중 어느 하나가 없으면 범죄가 성립되지 않으며, 2. 3.은 범죄의 성립과는 무관하다.

4. 범죄성립요건과 처벌조건의 구별실익 21. 9급 철도경찰

① 객관적 구성요건요소는 고의의 인식대상이나, 처벌조건에 대한 인식은 고의의 내용이 아니므로 이에 대한 착오는 범죄의 성립에 영향을 미치지 아니한다.

② 처벌조건이 결여되어 벌할 수 없는 경우에도 **정당방위**가 가능하다.

③ 처벌조건이 결여된 자의 행위에 **협의의 공범(교사범 또는 종범)** 성립이 가능하다.

④ 범죄성립요건을 결하면 **무죄판결**을 하나, 처벌조건이 결여된 경우에는 **형면제 판결**을 해야 한다.

---

01 범죄의 처벌조건과 소추조건에 대한 설명으로 옳지 않은 것은? 21. 9급 철도경찰

① 사전수뢰죄(제129조 제2항)에 있어서 '공무원 또는 중재인이 된 사실'은 객관적 처벌조건에 해당한다.

② 처벌조건이 결여되어 벌할 수 없는 행위라도 이에 대한 정당방위는 가능하다.

③ 폭행죄, 협박죄 등 반의사불벌죄에 있어서 피해자의 처벌불원의사는 인적 처벌조각사유에 해당한다.

④ 조세범처벌법이나 관세법 등 일부 특별법의 경우 해당 기관장의 고발이 소추조건이 되는 경우도 있다.

해설 ①②④ 옳다. ③ × : ~ 처벌불원의사는 소추조건(인적 처벌조각사유 ×)에 해당한다.

Answer 1. ③

제2절 │ **범죄의 종류**

THEMA 10 │ '범죄의 종류' 총정리

1. 형법상 친고죄와 반의사불벌죄 18. 경력채용, 19. 경찰간부 · 법원직, 23. 해경승진 · 해경 2차

구 분	해당 범죄
친고죄	사자명예훼손죄 · 모욕죄(제312조 제1항), 비밀침해죄 · 업무상 비밀누설죄(제318조) ▶ 주의 : 형법상 4가지 범죄만 친고죄임. ▶ 제328조 제2항의 친족간에 절도죄 등을 범한 경우(친족상도례) ⇨ 친고죄 ○
반의사 불벌죄	폭행 · 존속폭행죄(제260조 제3항), 협박 · 존속협박죄(제283조 제3항), 명예훼손죄 · 출판물 등에 의한 명예훼손죄(제312조 제2항), 과실치상죄(제266조 제2항), 외국국기 · 국장모독죄(제110조), 외국원수 · 외국사절에 대한 폭행 · 협박 · 모욕죄(제110조)
주의할 점	• 사자명예훼손죄 ⇨ 친고죄, 명예훼손죄 ⇨ 반의사불벌죄 • 상해죄는 친고죄도 반의사불벌죄도 아니나, 과실치상죄는 반의사불벌죄이다. • 특수폭행, 특수협박, 학대 · 존속학대, 과실치사죄, 업무상 과실 · 중과실치사상죄, 업무방해죄, 신용훼손죄 ⇨ 반의사불벌죄가 아니다. ▶ 주의 : 현행법상 성범죄는 친고죄도 반의사불벌죄도 아님. 17. 법원행시

2. 침해범과 위험범 : 보호법익의 침해 정도에 따른 구별

① 침해범 : 보호법익의 현실적 침해가 있어야 기수가 되는 범죄를 말한다.

　　예 살인죄, 상해죄, 강도죄 등 대부분의 결과범

② 위험범(위태범) : 보호법익에 대한 위험상태의 야기만으로 기수가 되는 범죄를 말한다. 위험범에는 위험이 현실적으로 발생할 것을 요하는 구체적 위험범과 추상적(일반적) 위험만으로 기수가 되는 추상적 위험범이 있다. 18. 경찰간부, 21. 해경승진, 22. 순경 1차, 25. 경찰승진

구 분	구체석 위험범	주상석 위험범
위험의 정도	위험이 현실적으로 발생할 것을 요함	추상적(일반적) 위험으로 족함
위험의 발생	구성요건요소 ○('… 위험을 발생시킨 자 …')	구성요건요소 ×
고의의 내용	고의의 인식대상 ○(위험의 인식을 요함)	고의의 인식대상 ×(위험의 인식을 요하지 않음)
범죄의 예	자기소유일반건조물방화죄, 일반물건방화죄, 앞의 2개의 죄에 대한 실화죄, 자기소유일반건조물일수죄, 과실일수죄, 폭발성물건파열죄, 가스 · 전기 등 방류죄, 가스 · 전기 등 공급방해죄, '중'자 범죄(생명에 대한 위험발생 : 중상해죄 · 중유기죄 · 중권리행사방해죄, 생명 · 신체에 대한 위험발생 : 중손괴죄) ▶ 주의 : 중체포 · 감금죄(가혹한 행위) ⇨ 위험범 ×	현주건조물방화죄, 공용건조물방화죄, 타인소유일반건조물방화죄, 앞의 3개의 죄에 대한 실화죄, 현주건조물 · 공용건조물일수죄, 교통방해죄, 유가증권위조죄, 유기죄, 낙태죄, 문서위조죄, 통화위조죄, 명예훼손죄, 업무방해죄, 비밀침해죄, 강제집행면탈죄, 위증죄, 무고죄 등

⚖ 관련판례

1. 일반교통방해죄는 이른바 추상적 위험범으로서 교통이 불가능하거나 또는 현저히 곤란한 상태가 발생하면 바로 기수가 되고 교통방해의 결과가 현실적으로 발생하여야 하는 것은 아니다(대판 2018.5.11, 2017도9146). 18. 경력채용, 19. 9급 철도경찰·7급 검찰, 21. 9급 검찰·마약수사·철도경찰, 23. 경찰승진, 24. 경찰간부

2. 강제집행면탈죄는 이른바 위태범(위험범)으로서 강제집행을 당할 구체적인 위험이 있는 상태에서 재산을 은닉, 손괴, 허위양도 또는 허위의 채무를 부담하면 바로 성립하는 것이고, 반드시 채권자를 해하는 결과가 야기되거나 이로 인하여 행위자가 어떤 이득을 취하여야 범죄가 성립하는 것은 아니다(대판 2008.5.8, 2008도198). 13. 법원행시·경찰승진, 16. 법원직, 19. 경찰간부

3. 공무집행방해죄는 추상적 위험범(구체적 위험범 ×)으로서 공무원에 대하여 폭행·협박을 하면 기수에 이르며, 구체적으로 직무집행의 방해라는 결과발생을 요하지도 아니한다(대판 2018.3.29, 2017도21537). 18. 순경 2차, 19. 변호사시험, 20. 해경 3차, 23. 해경승진, 25. 경찰승진

4. 협박죄는 사람의 의사결정의 자유를 보호법익으로 하는 위험범으로서, 상대방이 고지된 해악의 의미를 인식한 이상 현실적으로 공포심을 일으켰는지 여부와 관계없이 협박죄의 기수가 된다(대판 2007.9.28, 2007도606 전원합의체). 14. 경찰간부, 15. 경찰승진, 17. 순경 2차, 18. 순경 1차, 20. 변호사시험·해경 3차

5. 배임죄의 '손해를 가한 때'란 그 문언상 '손해를 현실적으로 발생하게 한 때'만을 의미하는 것이 아니라 실해발생의 위험이 있는 경우도 이에 해당하므로 위험범(침해범 ×)으로 보아야 한다(대판 2000.4.11, 99도334). 20. 경찰승진, 21. 9급 검찰·마약수사·철도경찰

6. 범인도피죄는 위험범으로서 현실적으로 형사사법의 작용을 방해하는 결과를 초래할 것을 요하지 아니하나, 도피하게 하는 행위는 은닉행위에 비견될 정도로 수사기관의 발견·체포를 곤란하게 하는 행위, 즉 직접 범인을 도피시키는 행위 또는 도피를 직접적으로 용이하게 하는 행위에 한정된다(대판 2013.1.10, 2012도13999). 20. 변호사시험, 21. 해경간부

7. 추상적 위험범으로서 명예훼손죄는 개인의 명예에 대한 사회적 평가를 진위에 관계없이 보호함을 목적으로 하고, 적시된 사실이 특정인의 사회적 평가를 침해할 가능성이 있을 정도로 구체성을 띠어야 하나, 위와 같이 침해할 위험이 발생한 것으로 족하고 침해의 결과를 요구하지 않는다(대판 2020.11.19, 2020도5813 전원합의체). 23. 경찰승진, 22·24. 경찰간부

8. 형법 제158조의 장례식방해죄는 장례식을 방해함으로써 성립하는 죄로 추상적(구체적 ×) 위험범에 해당한다(대판 2008.2.1, 2007도5296). 24. 경찰간부

9. 형법 제230조의 공문서부정행사죄는 공무원 또는 공무소의 문서 또는 도화를 부정 행사함으로써 성립하는 죄로 추상적 위험범에 해당한다(대판 2022.9.29, 2021도14514). 24. 경찰간부, 25. 경찰승진

10. 컴퓨터 등 업무방해죄는 위험범이므로 정보처리에 장애를 발생하게 하여 업무방해의 결과를 초래할 위험성이 있는 경우 범죄가 성립하고, 반드시 업무방해의 결과가 발생할 것을 요하지 않는다(대판 2009.4.9, 2008도11978). 22. 경찰승진, 24. 경찰간부·변호사시험·해경수사

11. 스토킹범죄는 위험범이라고 볼 수 있으므로, 스토킹행위가 객관적·일반적으로 볼 때 이를 인식한 상대방으로 하여금 불안감 또는 공포심을 일으키기에 충분한 정도라고 평가될 수 있다면 현실적으로 상대방이 불안감 내지 공포심을 갖게 되었는지 여부와 관계없이 '스토킹행위'에 해당하고, 나아가 그와 같은 일련의 스토킹행위가 지속되거나 반복되면 '스토킹범죄'가 성립한다(대판 2023.9.27, 2023도6411).

3. **즉시범, 계속범, 상태범** : 범죄행위의 시간적 계속성을 기준으로 구별

① 즉시범 : 결과의 발생과 동시에 곧 범죄가 기수에 이르고 종료되는 범죄로서 살인죄, 상해죄 등의 대부분의 범죄가 여기에 해당된다. 즉시범은 범죄성립과 동시에 공소시효가 진행한다.

② 계속범 : 구성요건적 행위가 다소의 시간적 계속을 요하므로 법익침해가 계속되는 동안은 범죄사실은 계속되고 종료되지 않는 범죄를 말한다. 계속범은 기수와 범죄행위의 종료시가 일치하지 않으므로 기수시가 아니라 범죄 종료 이후부터 공소시효가 시작된다. 21. 경찰승진, 23. 순경 1차 일반적으로 계속범의 경우 실행행위가 종료되는 시점에서의 법률이 적용되어야 할 것이나, 법률이 개정되면서 그 부칙에서 '개정된 법 시행 전의 행위에 대한 벌칙의 적용에 있어서는 종전의 규정에 의한다'는 경과규정을 두고 있는 경우 개정된 법이 시행되기 전의 행위에 대해서는 개정 전의 법을, 그 이후의 행위에 대해서는 개정된 법을 각각 적용하여야 한다(대판 2001.9.25, 2001도3990). 21. 경찰승진, 22. 법원행시 계속범은 기수 이후에도 법익침해상태가 지속되므로 그에 대한 공범성립 및 정당방위 인정이 가능하다. 21. 해경간부, 23. 순경 1차

③ 상태범 : 구성요건적 행위에 의해 법익침해가 발생함으로써 범죄가 기수로 되고 종료되지만(즉, 기수시기와 종료시기가 일치함) 그 위법상태가 범죄 종료 후에도 계속되는 범죄로서(즉, 범죄행위의 종료시와 위법상태의 종료시는 일치하지 않음), 이러한 범죄 완성 후의 위법상태는 새로운 법익침해가 없는 한 별도의 죄를 구성하지 않는 불가벌적 사후행위가 된다. 18. 경찰승진, 23. 순경 1차 상태범은 기수시까지 공범성립 및 정당방위가 가능하다. 23. 순경 1차

⚖️ **관련판례**

1. 학대죄는 자기의 보호 또는 감독을 받는 사람에게 육체적으로 고통을 주거나 정신적으로 차별대우를 하는 행위가 있음과 동시에 범죄가 완성되는 상태범 또는 즉시범(계속범 ×)이다(대판 1986.7.8, 84도2922). 18. 경찰간부, 19. 경찰승진, 20. 변호사시험, 24. 해경수사

2. 체포죄는 계속범으로서 체포행위에 확실히 사람의 신체의 자유를 구속한다고 인정할 수 있을 정도의 시간적 계속을 요한다(대판 2018.2.28, 2017도21249). 18. 법원행시, 19. 순경 1차 · 철도경찰 · 7급 검찰, 21 · 23. 경찰승진, 23 · 24. 해경승진

3. 일반교통방해죄에서 교통방해행위는 계속범의 성질을 가지는 것이어서 교통방해의 상태가 계속되는 한 위법상태는 계속 존재한다(대판 2018.5.11, 2017도9146). 19. 변호사시험 · 순경 1차, 21. 경찰승진, 25. 9급 검찰 · 마약수사 · 철도경찰

4. 폭력행위 등 처벌에 관한 법률 제4조 소정의 단체 등의 조직죄는 같은 법에 규정된 범죄를 목적으로 한 단체 또는 집단을 구성하거나 가입함으로써 즉시 성립하고 그와 동시에 완성되는 즉시범이라 할 것이다(대판 1997.10.10, 97도1829). 19. 7급 검찰, 20. 9급 검찰 · 마약수사 · 철도경찰, 22. 해경간부, 24. 해경승진

5. 직무유기죄는 작위의무를 수행하지 아니하는 위법한 부작위상태가 계속되는 한 가벌적 위법상태는 계속 존재하고 있다고 할 것이므로 즉시범이라고 할 수 없다(대판 1997.8.29, 97도675 ∴ 계속범 ○). 16. 법원직, 20. 변호사시험 · 9급 검찰 · 마약수사 · 철도경찰, 21. 해경간부, 24. 해경승진

6. 내란죄는 국토참절 또는 국헌문란의 목적으로 다수인이 한 지방의 평온을 해할 정도의 폭행 · 협박행위를 하였을 때 기수가 되는 상태범이다(대판 1997.4.17, 96도3376 전원합의체). 13. 경찰간부, 14. 9급 검찰 · 법원행시, 19. 변호사시험, 20. 9급 검찰 · 마약수사 · 철도경찰, 24. 해경승진

7. 범인도피죄는 범인을 도피하게 함으로써 기수에 이르지만, 범인도피행위가 계속되는 동안에는 범죄행위도 계속되고 행위가 끝날 때 비로소 범죄행위가 종료된다(대판 2012.8.30, 2012도6027 ∴ 즉시범 ×, 계속범 ○). 16. 순경 1차, 20. 변호사시험, 21. 9급 철도경찰 · 7급 검찰, 23. 해경승진, 25. 9급 검찰 · 마약수사 · 철도경찰

8. 도주죄는 즉시범(계속범 ×)으로서 범인이 간수자의 실력적 지배를 이탈한 상태에 이르렀을 때에 기수가 되어 도주행위가 종료하고, 도주죄의 범인이 도주행위를 하여 기수에 이른 이후에 범인의 도피를 도와주는 행위는 범인도피죄에 해당할 수 있을 뿐 도주원조죄에는 해당하지 아니한다(대판 1991.10.11, 91도1656). 19. 순경 2차, 20. 법원행시 · 변호사시험 · 경찰간부 · 경찰승진

9. 군형법 제79조에 규정된 무단이탈죄는 즉시범(계속범 ×)으로서 허가 없이 근무장소 또는 지정장소를 일시 이탈함과 동시에 완성되고 그 후의 사정인 이탈 기간의 장단 등은 무단이탈죄의 성립에 아무런 영향이 없다(대판 1983.11.8, 83도2450). 20. 9급 검찰 · 마약수사 · 철도경찰

10. 구 국가공무원법 제84조, 제65조 제1항에서 규정하는 공무원이 정당 그 밖의 정치단체에 가입한 죄는 공무원이 정당 등에 가입함으로써 즉시 성립하고 그와 동시에 완성되는 즉시범이므로 그 범죄성립과 동시에 공소시효가 진행한다(대판 2014.5.16, 2013도929). 23. 경찰승진

11. 아동 · 청소년의 성보호에 관한 법률 제11조 제5항에서 정한 소지란 아동 · 청소년성착취물을 자기가 지배할 수 있는 상태에 두고 지배관계를 지속시키는 행위를 말하므로, 청소년성보호법 위반(성착취물소지)죄는 아동 · 청소년성착취물임을 알면서 소지를 개시한 때부터 지배관계가 종료한 때까지 하나의 죄로 평가되는 이른바 계속범이다. 원칙적으로 계속범에 대해서는 실행행위가 종료되는 시점의 법률이 적용된다(대판 2023.3.16, 2022도15319). 25. 9급 검찰 · 마약수사 · 철도경찰

12. 국외여행허가의무 위반으로 인한 병역법 위반죄는 국외여행의 허가를 받은 병역의무자가 기간만료 15일 전까지 기간연장허가를 받지 않고 정당한 사유 없이 허가된 기간 내에 귀국하지 않은 때에 성립함과 동시에 완성되는 이른바 즉시범으로서, 그 이후에 귀국하지 않은 상태가 계속되고 있더라도 위 규정이 정한 범행을 계속하고 있다고 볼 수 없다. 따라서 위 범죄의 공소시효는 범행 종료일인 국외여행허가기간 만료일부터 진행한다(대판 2022.12.1, 2019도5925).

4. 일반범, 신분범, 자수범 : 정범이 될 수 있는 행위자의 범위에 따른 분류

① 일반범 : 누구나 행위자(정범)가 될 수 있는 범죄를 말한다.

　예 구성요건에 단순히 '…한 자'라고 규정되어 있는 모든 범죄

② 신분범 : 행위자의 일정한 신분이 구성요건요소로 되어 있는 범죄를 말한다.

구 분	진정신분범	부진정신분범
의 의	일정한 신분 있는 자에 의해서만 성립하는 범죄를 말한다. 여기에서는 신분이 없으면 범죄가 성립하지 않는다(범죄구성적 신분).	일정한 신분이 형의 가중 또는 감경사유로 되는 범죄를 말한다. 여기에서는 신분이 없으면 보통의 범죄가 성립한다(형벌가감적 신분). 18. 경찰승진
범죄의 예	• 수뢰죄(공무원 또는 중재인) • 위증죄(법률에 의하여 선서한 증인) • 횡령죄(타인의 재물을 보관하는 자) • 배임죄(타인의 사무를 처리하는 자) • 유기죄(보호할 법률상 · 계약상 의무 있는 자) • 기타 : 직무유기죄, 허위진단서작성죄, 업무상 비밀누설죄, 도주죄 등	• 존속에 대한 범죄(존속살해, 존속상해, 존속폭행, 존속유기) • 업무상 범죄(업무상 횡령죄, 업무상 배임죄, 업무상 과실치사죄) • 상습도박죄
주의할 점	• 업무상 비밀누설죄 ⇨ 부진정신분범 ×, 진정신분범 ○, 비밀침해죄 ⇨ 신분범 × • 허위공문서작성죄 ⇨ 신분범 ○, 공문서위조죄 ⇨ 신분범 × 20. 경찰승진 • 도박죄 ⇨ 신분범 ×, 상습도박죄 ⇨ 부진정신분범 ○	

③자수범 : 행위자 자신이 직접 실행하여야만 범할 수 있는 범죄로, 타인을 이용하는 간접정범이나 공동정범의 형태로는 범할 수 없는 범죄를 말한다. 그러나 교사범, 종범의 성립은 가능하다.

> ▶ 강제추행죄는 사람의 성적 자유 내지 성적 자기결정의 자유를 보호하기 위한 죄로서 정범 자신이 직접 범죄를 실행하여야 성립하는 **자수범이라고 볼 수 없으므로**, 처벌되지 아니하는 타인을 도구로 삼아 피해자를 강제로 추행하는 **간접정범의 형태**로도 범할 수 있다. 여기서 강제추행에 관한 간접정범의 의사를 실현하는 도구로서의 타인에는 피해자도 포함될 수 있으므로, **피해자를 도구로 삼아** 피해자의 신체를 이용하여 추행행위를 한 경우에도 **강제추행죄의 간접정범에** 해당할 수 있다(대판 2018.2.8, 2016도17733 ⓔ 피해자들을 협박하여 겁을 먹은 피해자들로 하여금 스스로 가슴 사진, 성기 사진, 가슴을 만지거나 자위하는 동영상 등을 촬영하게 하고 촬영된 사진과 동영상을 전송받은 경우 ⇨ 강제추행죄의 간접정범). 20. 경찰간부, 21. 순경 1차, 23. 법원행시, 24. 경위공채·경력채용·해경순경, 25. 경찰승진

5. **목적범** : 주관적 구성요건요소로서 고의 이외에 일정한 목적을 필요로 하는 범죄를 말한다. 주의할 점은 목적범에 있어서 현실적인 목적 달성 여부는 범죄의 성립에 아무런 영향이 없다.

17. 경찰간부, 21. 해경승진, 24. 법원행시

구 분	진정목적범	부진정목적범
의 의	목적의 존재가 범죄의 성립요건이 되는 범죄를 진정목적범이라 한다. 목적이 없으면 범죄가 성립하지 않는다.	목적이 없어도 범죄는 성립하나, 목적이 있으면 형이 가중·감경되는 범죄를 부진정목적범이라 한다.
범죄의 예	• 내란죄(국토참절 또는 국헌문란의 목적) • 통화·유가증권위조죄(행사의 목적) • 무고죄(타인의 형사처분 또는 징계처분을 받게 할 목적) • 준강도죄(절도가 재물탈환에 항거하거나 체포를 면탈하거나 죄적을 인멸할 목적) • 음행매개·영리약취유인죄(영리의 목적) • 예비·음모죄('…의 죄를 범할 목적') • 기타 : 범죄단체조직죄, 강제집행면탈죄, 도박장소 등 개설죄, 허위공문서작성죄, 문서위조죄, 다중불해산죄 등	• 내란목적 살인죄 • 모해위증죄 • 모해증거인멸죄 • 아편판매목적 소지죄 • 출판물 등에 의한 명예훼손죄 ▶ 주의 : 위증죄, 증거인멸죄, 명예훼손죄, 허위진단서작성죄, 부동산강제집행효용침해죄, 선거방해죄, 소요죄, 도박죄, 공무집행방해죄, 공정증서원본부실기재죄, 위조통화취득후지정행사죄 ⇨ 목적범 ×

01 다음 중 형법상 친고죄인 것을 모두 고른 것은? 18. 경력채용, 22. 해경간부, 23. 해경승진

㉠ 사자명예훼손죄	㉡ 외국원수에 대한 폭행죄
㉢ 출판물 등에 의한 명예훼손죄	㉣ 존속협박죄
㉤ 업무상 비밀누설죄	㉥ 과실치상죄
㉦ 비밀침해죄	㉧ 업무방해죄
㉨ 주거침입죄	㉩ 외국사절모욕죄

① ㉠, ㉥, ㉦
③ ㉠, ㉤, ㉦
② ㉡, ㉣, ㉤
④ ㉠, ㉢, ㉤

해설 • 반의사불벌죄 : ㉡ 제110조 ㉢ 제312조 제2항 ㉣ 제283조 제3항 ㉥ 제266조 제2항 ㉩ 제110조
　　• 친고죄 ○ : ㉠ 제312조 제1항 ㉤ 제318조 ㉦ 제318조
　　• 친고죄 ×, 반의사불벌죄 × : ㉧㉨

02 다음 중 현행법상 반의사불벌죄로 규정되어 있는 것은 모두 몇 개인가? 19. 경찰간부, 20. 해경 3차

㉠ 업무방해죄	㉡ 비밀침해죄
㉢ 업무상 과실치상죄	㉣ 특수폭행죄
㉤ 외국국기 · 국장모독죄	㉥ 출판물 등에 의한 명예훼손죄
㉦ 협박죄	㉧ 명예훼손죄
㉨ 상습협박죄	㉩ 특수협박죄

① 1개　　　　② 2개　　　　③ 3개　　　　④ 4개

해설 • 반의사불벌죄 ○ : ㉤ 제110조 ㉥ 제312조 제2항 ㉦ 제283조 제3항 ㉧ 제312조 제1항
　　• 반의사불벌죄 × : ㉠㉡㉢㉣㉨㉩

03 형법상 친고죄와 반의사불벌죄에 관한 다음 설명 중 가장 옳은 것은?(다툼이 있는 경우 판례에 의함) 19. 법원직

① 형법상 강간죄는 친고죄가 아니지만, 강제추행죄는 친고죄이다.
② 존속폭행죄는 단순폭행죄와 달리 반의사불벌죄가 아니다.
③ 사자명예훼손죄는 모욕죄와 달리 반의사불벌죄이다.
④ 동거하지 않는 형제지간에 절도죄를 범한 때에는 고소가 있어야 공소를 제기할 수 있다.

해설 ① × : 강간죄, 강제추행죄 ⇨ 친고죄 ×
② × : 폭행죄, 존속폭행죄 ⇨ 반의사불벌죄 ○(제260조 제3항)
③ × : 사자명예훼손죄, 모욕죄 ⇨ 친고죄 ○(제312조 제1항)
④ ○ : 제344조(제328조 제2항)

04 친고죄에 대한 설명으로 옳지 않은 것은?(다툼이 있는 경우 판례에 의함) **20. 9급 철도경찰·해경승진**

① 형법 제317조의 업무상 비밀누설죄는 친고죄이다.

② 친고죄의 고소는 절차법적 개념인 소추조건에 해당한다.

③ 양벌규정이 적용되는 친고죄의 공소제기에는 직접행위자 외에 양벌규정으로 처벌받는 자에 대한 별도의 고소를 요한다.

④ 피고인의 딸과 피해자의 아들이 혼인하여 피고인과 피해자가 사돈지간이라면 민법상 친족의 개념에 포함되므로, 공소제기에 피해자의 고소를 요하지 않는다.

> **해설** ①② 옳다.
> ③ × : ~ 별도의 고소를 요한다고 할 수는 없다(대판 1996.3.12, 94도2423).
> ④ × : 사돈지간 ⇨ 친족 × ⇨ 친족상도례 적용 × ⇨ 친고죄 ×(대판 2011.4.28, 2011도2170)

05 다음 중 친고죄와 반의사불벌죄에 대한 설명으로 가장 옳은 것은?(다툼이 있는 경우 판례에 의함) **21. 해경승진**

① 형법상 업무상 비밀누설죄는 비밀침해죄와 달리 친고죄가 아니다.

② 동거하지 않는 형제지간에 절도죄를 범한 때에는 고소가 있어야 공소를 제기할 수 있다.

③ 피고인의 딸과 피해자의 아들이 혼인하여 피고인과 피해자가 사돈지간이라면 민법상 친족의 개념에 포함되므로, 공소제기에 피해자의 고소를 요하지 않는다.

④ 존속폭행죄는 단순폭행죄와 달리 반의사불벌죄가 아니다.

> **해설** ① × : 업무상 비밀누설죄 · 비밀침해죄 ⇨ 친고죄 ○(제318조)
> ② ○ : 제328조 제2항
> ③ × : 사돈지간 ⇨ 친족 × ⇨ 친족상도례 적용 × ⇨ 친고죄 ×(대판 2011.4.28, 2011도2170)
> ④ × : 폭행죄 · 존속폭행죄 ⇨ 반의사불벌죄 ○(제260조 제3항)

06 다음 중 고의 외에 별도로 목적을 요구하는 목적범에 해당하는 범죄를 모두 고른 것은?(다툼이 있는 경우 판례에 의함) **24. 법원행시**

㉠ 모해위증죄	㉡ 위계에 의한 업무방해죄
㉢ 무고죄	㉣ 허위사실 적시에 의한 명예훼손죄
㉤ 유가증권위조죄	

① ㉠, ㉡, ㉢   ② ㉠, ㉢, ㉣   ③ ㉡, ㉢, ㉤

④ ㉠, ㉢, ㉤   ⑤ ㉡, ㉣, ㉤

> **해설** • 목적범 ○ : ㉠ 제152조 제2항("모해할 목적") ㉢ 제156조("형사처분 또는 징계처분을 받게 할 목적") ㉤ 제214조("행사할 목적")
> • 목적범 × : ㉡㉣

07 범죄의 종류에 대한 설명 중 가장 적절한 것은?(다툼이 있는 경우 판례에 의함)　　20. 경찰승진

① 협박죄는 사람의 의사결정의 자유를 침해하는 침해범으로서 해악의 고지가 상대방에게 도달하여 상대방이 그 의미를 인식하고 나아가 현실적으로 공포심을 일으켰을 때에 비로소 기수가 된다.

② 배임죄의 '손해를 가한 때'란 그 문언상 '손해를 현실적으로 발생하게 한 때'만을 의미하고 실해발생의 위험은 이에 해당하지 않으므로 침해범으로 보아야 한다.

③ 일반교통방해죄는 추상적 위험범으로서 교통이 불가능하거나 또는 현저히 곤란한 상태가 발생하면 바로 기수가 되고 교통방해의 결과가 현실적으로 발생하여야 하는 것은 아니다.

④ 일정한 신분을 가진 자만이 행위주체가 되는 신분범으로 허위공문서작성죄, 공문서위조죄 등이 있다.

해설 ① × : ~ 위험범(침해범 ×)으로서 해악의 고지가 상대방에게 도달하여 상대방이 그 의미를 인식한 이상, 상대방이 현실적으로 공포심을 일으켰는지 여부와 관계없이 기수가 된다(대판 2007.9.28, 2007도606 전원합의체).
② × : ~ 때'만을 의미하는 것이 아니라 실해발생의 위험이 있는 경우도 이에 해당하므로 위험범(침해범 ×)으로 보아야 한다(대판 2000.4.11, 99도334).
③ ○ : 대판 2018.5.11, 2017도9146
④ × : 허위공문서작성죄 ⇨ 진정신분범 ○, 공문서위조죄 ⇨ 진정신분범 ×

08 범죄유형에 대한 설명으로 옳지 않은 것은?(다툼이 있는 경우 판례에 의함)

20. 9급 검찰 · 마약수사 · 철도경찰

① 내란죄는 다수인이 한 지방의 평온을 해할 정도의 폭동을 하였을 때 이미 그 구성요건이 완전히 충족된다고 할 것이어서 상태범으로 봄이 상당하다.

② 폭력행위 등 처벌에 관한 법률 제4조 소정의 '단체 등의 조직'죄는 같은 법에 규정된 범죄를 목적으로 한 단체 또는 집단을 구성함으로써 즉시 성립하고 그와 동시에 완성되는 즉시범이지 계속범이 아니다.

③ 직무유기죄는 직무를 수행하지 아니하는 위법한 부작위상태가 계속되는 한 가벌적 위법상태가 계속 존재한다고 할 것이므로 즉시범이라고 할 수 없다.

④ 군형법 제79조에 규정된 무단이탈죄는 허가 없이 근무장소 또는 지정장소를 일시 이탈한 기간 동안 행위가 지속된다는 점에서 계속범에 해당한다.

해설 ① 대판 1997.4.17, 96도3376 전원합의체
② 대판 1997.10.10, 97도1829
③ 대판 1997.8.29, 97도675
④ × : 군형법 제79조에 규정된 무단이탈죄는 즉시범(계속범 ×)으로서 허가 없이 근무장소 또는 지정장소를 일시 이탈함과 동시에 완성되고 그 후의 사정인 이탈 기간의 장단 등은 무단이탈죄의 성립에 아무런 영향이 없다(대판 1983.11.8, 83도2450).

[해설] ① 대판 2022.9.29, 2021도14514
② 옳다(중손괴죄 : 생명·신체에 대한 위험발생).
③ × : ~ (1줄) 하는 자수범이라고 볼 수 없으므로, 처벌되지 아니하는 타인을 도구로 삼아 피해자를 강제로 추행하는 간접정범의 형태로 범할 수 있다(대판 2018.2.8, 2016도17733).
④ 대판 2018.3.29, 2017도21537

17 계속범에 대한 설명으로 옳지 않은 것은?(다툼이 있는 경우 판례에 의함)

25. 9급 검찰·마약수사·철도경찰

① 아동·청소년의 성보호에 관한 법률 제11조 제5항에서 정한 성착취물소지죄는 아동·청소년성착취물임을 알면서 소지를 개시한 때부터 지배관계가 종료한 때까지 하나의 죄로 평가되는 이른바 계속범이다.

② 범인도피죄는 범인을 도피하게 함으로써 기수에 이르지만, 범인도피행위가 계속되는 동안에는 범죄행위도 계속되고 행위가 끝날 때 비로소 범죄행위가 종료된다.

③ 일반교통방해죄에서 교통방해행위는 계속범의 성질을 가지는 것이어서 교통방해를 유발한 집회에서 다른 참가자들에 의해 이미 교통의 흐름이 차단된 상태였다고 하더라도 교통방해를 유발한 다른 참가자들과 암묵적·순차적으로 공모하여 교통방해의 위법상태를 지속시켰다고 평가할 수 있다면 일반교통방해죄가 성립한다.

④ 직무유기죄는 그 직무를 수행하여야 하는 작위의무를 수행하지 아니함으로써 구성요건에 해당하는 사실이 있다면 곧바로 범죄가 완성되고 이후 가벌적 위법상태가 계속된다고 볼 수 없어 계속범이 아닌 즉시범이라 할 것이다.

[해설] ① 대판 2023.3.16, 2022도15319
② 대판 2012.8.30, 2012도6027(∴ 즉시범 ×, 계속범 ○)
③ 대판 2018.5.11, 2017도9146
④ × : 직무유기죄는 작위의무를 수행하지 아니하는 위법한 부직위상태가 계속되는 한 가벌적 위법상태는 계속 존재하고 있다고 할 것이므로 즉시범이라고 할 수 없다(대판 1997.8.29, 97도675 ∴ 계속범 ○).

제3절 · 법인의 범죄능력과 양벌규정

01 법인의 범죄능력과 양벌규정에 대한 설명 중 가장 적절한 것은?(다툼이 있는 경우 판례에 의함)

20. 경찰승진

① 합병으로 인하여 소멸한 법인이 그 종업원 등의 위법행위에 대해 양벌규정에 따라 부담하던 형사책임은 합병으로 인하여 존속하는 법인에 승계된다.

② 양벌규정에 의해서 법인 또는 영업주를 처벌하는 경우 그 처벌은 직접 법률을 위반한 행위자에 대한 처벌에 종속하므로 행위자에 대한 처벌은 법인 또는 개인에 대한 처벌의 전제조건이 된다.

③ 회사 대표자의 위반행위에 대하여 징역형의 형량을 작량감경하고 병과하는 벌금형에 대하여 선고유예를 하였다면 양벌규정에 따라 그 회사를 처단함에 있어서도 같은 조치를 취하여야 한다.

④ 지입차주가 세무관서에 독립된 사업자등록을 하고 지입된 차량을 직접 운행·관리하면서 그 명의로 운송계약을 체결하였다고 하더라도, 지입차주는 객관적으로나 외형상으로나 그 차량의 소유자인 지입회사와의 위탁계약에 의하여 그 위임을 받아 운행·관리를 대행하는 지위에 있는 자로서 구 도로법 제100조 제1항에서 정한 대리인·사용인 그 밖의 종업원에 해당한다.

> **해설** ① × : 법인에 승계 ×(대판 2007.8.23, 2005도4471)
> ② × : 양벌규정에 의해서 법인 또는 개인을 처벌하는 경우 그 처벌은 직접 법률을 위반한 행위자에 대한 처벌에 종속하는 것이 아니라 독립하여 행위자에 대한 선임감독상의 과실로 인하여 처벌되는 것이므로, 행위자에 대한 처벌이 법인 또는 개인에 대한 처벌의 전제조건이 될 필요는 없다(대판 2006.2.24, 2005도7673).
> ③ × : 양벌규정에 의해 자연인과 법인이 함께 처벌받을 경우 자연인에 대해서는 작량감경을 하고 법인에 대해서는 작량감경을 하지 않아도 무방하다(대판 1995.12.12, 95도1893).
> ④ ○ : 대판 2009.9.24, 2009도5302

02 법인의 형사책임에 대한 설명으로 옳지 않은 것은?(다툼이 있는 경우 판례에 의함) 20. 7급 검찰

① 법인이 설립되기 이전에 자연인이 한 행위에 대하여는 특별한 근거규정이 없는 한 양벌규정을 적용하여 법인을 처벌할 수 없다.

② 양벌규정에 의한 영업주의 처벌은 금지위반행위자인 종업원의 처벌에 종속하는 것이 아니므로, 종업원의 범죄성립이나 처벌이 영업주 처벌의 전제조건이 될 필요는 없다.

③ 친고죄에 대하여 양벌규정이 적용되는 경우, 행위자의 범죄에 대한 고소가 있으면 족하고 나아가 양벌규정에 의하여 처벌받는 법인에 대하여 별도의 고소를 요하는 것은 아니다.

④ 법인 직원의 위반행위로 인해 법인이 처벌받는 경우, 그 위반행위를 한 직원이 자수하였
다면 법인의 이사 기타 대표자가 자수하지 않았다 하더라도 해당 법인에게 자수감경에
관한 형법 제52조 제1항의 규정을 적용할 수 있다.

해설 ① 대판 2018.8.1, 2015도10388 ② 대판 2006.2.24, 2005도7673 ③ 대판 1996.3.12, 94도2423
④ × : ~ 적용할 수 없다(대판 1995.7.25, 95도391).

03 법인의 처벌 등에 관한 설명 중 옳지 않은 것은 모두 몇 개인가?(다툼이 있는 경우 판례에 의함)
21. 법원행시

> ㉠ 법인을 처벌하는 양벌규정이 있는 경우에 예외적으로 법인에게도 범죄능력을 인정할 수 있다.
> ㉡ 지방자치단체 소속 공무원이 기관위임사무를 수행하는 중 위반행위를 한 경우, 지방자치단체
> 도 양벌규정에 따른 처벌대상이 된다.
> ㉢ 1인회사의 경우도 자본시장과 금융투자업에 관한 법률에 따른 양벌규정에 기한 책임을 부담
> 한다.
> ㉣ 회사가 해산 및 청산등기 전에 재산형에 해당하는 사건으로 기소되었으나, 그 후 청산종결의
> 등기가 경료되었다면, 위 회사는 형사소송법상 당사자 능력을 상실하게 된다.
> ㉤ 조세범처벌법에 따른 고발의 구비 여부는 양벌규정에 의하여 처벌받는 자연인인 행위자와 법
> 인에 대하여 개별적으로 논하여야 한다.

① 없 음   ② 1개   ③ 2개
④ 3개   ⑤ 4개

해설 ㉠ × : 대판 1984.10.10, 82도2595 전원합의체(∵ 법인의 범죄능력을 부정한다.)
㉡ × : ~ 처벌대상이 되지 않는다(대판 2005.11.10, 2004도2657).
㉢ ○ : 대판 2018.4.12, 2013도6962(∵ 회사와 주주는 별개의 인격체임)
㉣ × : 회사가 해산 및 청산등기 전에 재산형에 해당하는 사건으로 소추당한 후 청산종결의 등기가 경료되었
다고 하여도 그 피고사건이 종결되기까지는 회사의 청산사무는 종료되지 아니하고 형사소송법상 당사자
능력도 존속한다고 할 것이다(대판 1982.3.23, 81도1450).
㉤ ○ : 대판 2004.9.24, 2004도4066

04 법인의 형사책임 또는 양벌규정에 관한 설명 중 옳지 않은 것은?(다툼이 있는 경우 판례에 의함)
21. 변호사시험

① 양벌규정의 '법인의 대표자'는 그 명칭 여하를 불문하고 당해 법인을 실질적으로 경영하
면서 사실상 대표하고 있는 자를 포함한다.
② '법인의 대표자나 법인 또는 개인의 대리인·사용인 기타의 종업원이 그 법인 또는 개인
의 업무에 관하여 제○○조의 규정에 의한 위반행위를 한 때에는 행위자를 벌하는 외에
그 법인 또는 개인에 대하여도 해당 조문의 벌금형을 과한다'는 내용의 양벌규정은 법치
국가의 원리 및 죄형법정주의로부터 도출되는 책임주의원칙에 반한다.

③ 정보통신망 이용촉진 및 정보보호 등에 관한 법률 제75조 및 영화 및 비디오물의 진흥에 관한 법률 제97조는 양벌규정을 두고 있는데, 대표자의 고의에 의한 위반행위에 대하여는 법인 자신의 고의에 의한 책임을, 대표자의 과실에 의한 위반행위에 대하여는 법인 자신의 과실에 의한 책임을 져야 한다. 이처럼 양벌규정 중 법인의 대표자 관련 부분은 대표자의 책임을 요건으로 하여 법인을 처벌하는 것이지 그 대표자의 처벌까지 전제조건이 되는 것은 아니다.

④ 법률의 벌칙규정의 적용대상자가 일정한 '업무주'로 한정되어 있는 경우, 업무주가 아니면서 그 업무를 실제로 집행하는 자가 그 벌칙규정의 위반행위를 하였다면, 그 집행하는 자는 그 벌칙규정을 적용대상으로 하고 있는 '양벌규정'에 의해 처벌될 수 있다.

⑤ 회사 대표자의 위반행위에 대하여 징역형의 형량을 작량감경하고 병과하는 벌금형에 대하여 선고유예를 한 이상 양벌규정에 따라 그 회사를 처단함에 있어서도 같은 조치를 취하여야 한다.

해설 ① 대판 2013.7.11, 2011도15056

② 헌재결 2009.7.30, 2008헌가16

③ 대판 2022.11.17, 2021도701

④ 대판 1999.7.15, 95도2870 전원합의체

⑤ ×: ~ (2줄) 같은 조치를 취하여야 하는 것은 아니다(대판 1995.12.12, 95도1893).

---

05 법인의 처벌에 대한 설명으로 가장 적절한 것은?(다툼이 있는 경우 판례에 의함) 22. 경찰승진

① 지방자치단체 소속 공무원이 압축트럭 청소차를 운전하여 고속도로를 운행하던 중 제한축중을 초과 적재운행함으로써 도로관리청의 차량운행 제한을 위반한 경우, 해당 지방자치단체는 구 도로법 제86조의 양벌규정에 따른 처벌대상이 아니다.

② 특별한 근거규정이 없는 한 법인설립 이전의 자연인의 행위를 이유로 양벌규정을 적용하여 법인을 처벌할 수는 없다.

③ 양벌규정에 법인격 없는 사단이나 재단이 명시되어 있지 않더라도 그 양벌규정을 근거로 법인격 없는 사단이나 재단을 처벌할 수 있다.

④ 합병으로 인하여 소멸한 법인이 그 종업원 등의 위법행위에 대해 양벌규정에 따라 부담하던 형사책임은 합병으로 인하여 존속하는 법인에 승계된다.

해설 ① ×: ~ 처벌대상이 된다(2005.11.10, 2004도2657 ∵ 지방자치단체가 그 고유의 자치사무를 처리하는 경우 지방자치단체는 국가기관의 일부가 아니라 국가기관과는 별도의 독립한 공법인으로서 양벌규정에 의한 처벌대상이 되는 법인에 해당된다).

② ○: 대판 2018.8.1, 2015도10388(∵ 법인설립 이전의 행위에 대해 법인에게 선임감독상의 과실 ×)

③ ×: ~ 처벌할 수 없다(대판 1997.1.24, 96도524).

④ ×: ~ 승계되지 않는다(대판 2007.8.23, 2005도4471).

06 법인의 형사책임에 관한 설명 중 가장 적절하지 않은 것은?(다툼이 있는 경우 판례에 의함)

22. 순경 2차

① 법인격 없는 사단과 같은 단체는 법인과 마찬가지로 사법상의 권리의무의 주체가 될 수 있음은 별론으로 하더라도 법률에 명문의 규정이 없는 한 그 범죄능력은 없다.

② 양벌규정에 의해 법인이 처벌되는 경우, 공모한 수인의 사용인 가운데 A, B법인의 사용인은 직접 실행행위에 가담하지 않고 C법인의 사용인만 실행행위를 분담한 경우에도 A, B법인은 C법인과 공동정범이 될 수 있다.

③ 양벌규정에 따라 사용자인 법인 또는 개인을 처벌하기 위해서는 형벌의 자기책임 원칙에 비추어 위반행위가 발생한 그 업무와 관련하여 사용자인 법인 또는 개인이 상당한 주의 또는 감독의무를 게을리한 과실이 있어야 한다.

④ 판례는 양벌규정의 적용대상자를 업무주가 아니면서 당해 업무를 실제 집행하는 자에게까지 확장하고 있어, 법인격 없는 공공기관도 개인정보 보호법상 양벌규정에 의해 처벌될 수 있고, 해당 업무를 실제로 담당하는 소속 공무원도 양벌규정에 의해 처벌받을 수 있다.

> **해설** ① 대판 1997.1.24, 96도524
> ② 대판 2000.11.10, 2000도3483 참조
> ③ 대판 2021.9.30, 2019도3595
> ④ × : 개인정보 보호법은 제2조 제5호, 제6호에서 공공기관 중 법인격이 없는 '중앙행정기관 및 그 소속기관' 등을 개인정보처리자 중 하나로 규정하고 있으면서도, 양벌규정에 의하여 처벌되는 개인정보처리자로는 같은 법 제74조 제2항에서 '법인 또는 개인'만을 규정하고 있을 뿐이고, 법인격 없는 공공기관에 대하여도 위 양벌규정을 적용할 것인지 여부에 대하여는 명문의 규정을 두고 있지 않으므로, 죄형법정주의의 원칙상 '법인격 없는 공공기관'을 위 양벌규정에 의하여 처벌할 수 없고, 그 경우 행위자 역시 위 양벌규정으로 처벌할 수 없다(대판 2021.10.28, 2020도1942).

07 법인의 처벌에 대한 설명 중 가장 적절한 것은?(다툼이 있는 경우 판례에 의함)   23. 경찰승진

① 합병으로 인하여 소멸한 법인이 종업원 등의 위법행위에 대하여 양벌규정에 따라 부담하던 형사책임은 합병으로 존속하는 법인에 승계되지 않는다.

② 법인격 없는 사단과 같은 단체는 법인과 마찬가지로 사법상의 권리의무의 주체가 될 수 있으므로 법률에 명문의 규정 유무를 불문하고 그 범죄능력은 당연히 인정된다.

③ 양벌규정은 법인의 대표자 등 행위자가 법규위반행위를 저지른 경우, 일정 요건하에 행위자가 아닌 법인이 직접 법규 위반행위를 저지른 것으로 평가하여 행위자와 같이 처벌하도록 규정한 것으로 이때의 법인의 처벌은 행위자의 처벌에 종속되는 것이다.

④ 지방자치단체의 장이 국가사무의 일부를 위임받아 사무를 처리하는 기관위임사무뿐만 아니라, 지방자치단체 고유의 자치사무를 처리하는 경우에도 지방자치단체는 국가기관과는 별도의 독립한 공법인이므로 양벌규정에 따라 처벌대상이 되는 법인에 해당한다.

Answer   6.④   7.①

[해설] ① ○ : 대판 2007.8.23, 2005도4471
② × : ~ 권리의무의 주체가 될 수 있을 뿐 법률에 명문의 규정이 없는 한 그 범죄능력이 없다(대판 1997. 1.24, 96도524).
③ × : ~ 종속되는 것이 아니라 법인 또는 개인의 직접책임 내지 자기책임에 기초하는 것이다(대판 2020. 6.11, 2016도9367).
④ × : 기관위임사무의 경우에는 지방자치단체를 국가기관의 일부로 볼 수 있는 것이지만(∴ 지방자치단체는 양벌규정에 의한 처벌대상 ×), 지방자치단체가 그 고유의 자치사무를 처리하는 경우 지방자치단체는 국가기관의 일부가 아니라 국가기관과는 별도의 독립한 공법인으로서 양벌규정에 의한 처벌대상이 되는 법인에 해당된다(대판 2005.11.10, 2004도2657).

08 양벌규정에 대한 설명으로 옳지 않은 것은?(다툼이 있는 경우 판례에 의함)　　　23. 7급 검찰

① 양벌규정 중 법인 대표자의 법규위반행위에 대한 법인의 책임은 법인 자신의 법규위반행위로 평가될 수 있는 행위에 대한 법인의 직접 책임이지만, 대표자의 고의·과실에 의한 위반행위에 대하여는 법인도 고의·과실책임을 부담하므로 법인의 처벌은 그 대표자의 처벌을 요건으로 한다.

② 양벌규정에서 법인처벌의 요건으로 규정된 '법인의 업무에 관하여' 행한 것으로 보기 위해서는 객관적으로 법인의 업무를 위하여 하는 것으로 인정할 수 있는 행위가 있어야 하고, 주관적으로는 피용자 등이 법인의 업무를 위하여 한다는 의사를 가지고 행위하여야 한다.

③ 구 건축법(1991. 5. 31. 법률 제4381호로 개정되어 1992. 6. 1. 시행되기 전의 것) 제54조 내지 제56조의 벌칙규정과 같이 법률의 벌칙규정에서 그 적용대상자를 일정한 업무주로 한정한 경우에 업무주가 아니면서 그 업무를 실제로 집행하는 자가 그 벌칙규정의 위반행위를 하였다면, 실제로 업무를 집행하는 자는 그 벌칙규정을 적용대상으로 하고 있는 양벌규정에 의해 처벌된다.

④ 지방자치단체가 그 고유의 자치사무를 처리하는 경우, 지방자치단체는 국가기관의 일부가 아니라 국가기관과는 별도의 독립한 공법인으로서 양벌규정에 의한 처벌대상이 되는 법인에 해당한다.

[해설] ① × : 법인 대표자의 법규위반행위에 대한 법인의 책임은 법인 자신의 법규위반행위로 평가될 수 있는 행위에 대한 법인의 직접책임이므로 대표자의 고의에 의한 위반행위에 대하여는 법인 자신의 고의에 의한 책임을, 대표자의 과실에 의한 위반행위에 대하여는 법인 자신의 과실에 의한 책임을 져야 한다. 이처럼 양벌규정 중 법인의 대표자 관련 부분은 대표자의 책임을 요건으로 하여 법인을 처벌하는 것이지 그 대표자의 처벌까지 전제조건이 되는 것은 아니다(대판 2022.11.17, 2021도701).
② 대판 2006.6.15, 2004도1639
③ 대판 1999.7.15, 95도2870 전원합의체
④ 대판 2005.11.10, 2004도2657

Answer　8.①

09 행위의 주체에 관한 설명으로 가장 적절한 것은?(다툼이 있는 경우 판례에 의함) 24. 경찰승진

① 주식회사의 주식이 사실상 1인의 주주에 귀속하는 1인회사의 경우에는 회사와 주주를 동일한 인격체라고 볼 수 있으므로 1인회사는 양벌규정에 따른 책임을 부담하지 않는다.

② 양벌규정에 의하여 법인이 처벌받는 경우라도 법인의 사용인들이 범죄행위를 공모한 후 일방법인의 사용인이 그 실행행위에 직접 가담하지 아니하고 다른 공모자인 타법인의 사용인만이 분담실행한 경우라면 그 법인은 공동정범의 죄책을 면한다.

③ 양벌규정 중 법인의 대표자 관련 부분은 대표자의 책임을 요건으로 하여 법인을 처벌하는 것이지 그 대표자의 처벌까지 전제조건이 되는 것은 아니므로 법인의 대표이사가 선행사건 확정판결로 면소판결을 선고받았더라도 해당법인을 양벌규정으로 처벌할 수 있다.

④ 회사 대표자의 위반행위에 대하여 징역형의 형량을 정상참작 감경하고 병과하는 벌금형에 대하여 선고유예를 한 이상 양벌규정에 따라 그 회사를 처단함에 있어서도 같은 조치를 취하여야 한다.

[해설] ① × : ~ (2줄) 볼 수 없으므로 1인회사는 양벌규정에 따른 책임을 부담한다(대판 2018.4.12, 2013도6962).
② × : ~ (3줄) 분담실행한 경우에도 그 법인은 공동정범의 죄책을 면할 수 없다(대판 1983.3.22, 81도2545).
③ ○ : 대판 2022.11.17, 2021도701
④ × : ~ 같은 조치를 취하여야 하는 것은 아니다(대판 1995.12.12, 95도1893).

10 양벌규정에 대한 설명으로 옳은 것만을 모두 고르면?(다툼이 있는 경우 판례에 의함)
24. 7급 검찰

> ㉠ 형벌의 자기책임원칙에 비추어 보면 위반행위가 발생한 그 업무와 관련하여 법인이 상당한 주의 또는 관리감독 의무를 게을리한 때에 한하여 양벌조항이 적용된다.
> ㉡ 양벌규정에 의한 영업주의 처벌은 금지위반행위자인 종업원의 처벌에 종속하는 것이 아니라 독립하여 그 자신의 종업원에 대한 선임감독상의 과실로 인하여 처벌되는 것이므로 종업원의 범죄성립이나 처벌이 영업주 처벌의 전제조건이 될 필요는 없다.
> ㉢ 양벌규정에 의한 법인의 처벌은 형벌의 일종으로, 합병으로 인하여 소멸한 법인이 그 종업원 등의 위법행위에 대해 양벌규정에 따라 부담하던 형사책임은 합병으로 인하여 존속하는 법인에 승계된다.
> ㉣ 지입차주가 고용한 운전자가 과적운행으로 구 도로법을 위반한 경우, 지입차량의 소유자이자 대외적인 경영 주체는 지입회사라 하더라도 지입차주가 지입차량의 운전자를 직접 고용하여 지휘·감독을 한 이상 지입차주가 구 도로법상 사용자로서의 형사책임을 부담한다.

① ㉠, ㉡   ② ㉠, ㉢   ③ ㉠, ㉡, ㉣   ④ ㉡, ㉢, ㉣

[해설] ㉠ ○ : 대판 2021.9.30, 2019도3595
㉡ ○ : 대판 2006.2.24, 2005도7673

ⓒ × : ~ 법인에 승계되지 않는다(대판 2007.8.23, 2005도4471).
ⓔ × : 지입차주가 고용한 운전자가 과적운행으로 구 도로법을 위반한 경우, 지입차주는 구 도로법 제100조 제1항에서 정한 '대리인·사용인 기타의 종업원'의 지위에 있을 뿐이고 지입차량의 소유자이자 대외적인 경영 주체는 지입회사이므로, 지입회사가 구 도로법상 사용자로서의 형사책임을 부담한다(대판 2009.9.24, 2009도5302).

11 법인의 범죄능력과 양벌규정에 관한 설명으로 가장 적절한 것은?(다툼이 있는 경우 판례에 의함)

25. 순경 1차

① 형법 제8조 본문은 "본법 총칙은 타법령에 정한 죄에 적용한다"고 규정하고 있으므로, 형법에 법인에 대한 별도의 처벌규정이 없는 한, 개별 법령의 양벌규정을 근거로 법인을 처벌할 수는 없다.

② 지방자치단체 소속 공무원이 지방자치단체 고유의 자치사무를 수행하던 중 범죄를 저지르고 해당 범죄에 대하여 그 행위자를 벌하는 외에 법인을 처벌하는 양벌규정이 있는 경우, 지방자치단체는 양벌규정의 적용대상이 되는 법인에 해당한다.

③ 회사합병이 있는 경우 피합병회사의 권리·의무는 사법상의 관계나 공법상의 관계를 불문하고 모두 합병으로 인하여 존속하는 회사에 승계되는 것이 원칙이므로, 합병으로 인하여 소멸한 법인이 그 종업원 등의 위법행위에 대해 양벌규정에 따라 부담하던 형사책임은 합병으로 인하여 존속하는 법인에 승계된다.

④ 배임죄에 있어서 타인의 사무를 처리할 의무의 주체가 법인이 되는 경우, 법인은 배임죄의 주체가 될 수 있다.

해설 ① × : 형법에는 법인에 대한 별도의 처벌규정이 없으나, 개별 법령(각종의 행정형법)의 양벌규정을 근거로 법인을 처벌할 수 있다.
② ○ : 대판 2005.11.10, 2004도2657
③ × : ~ (2줄) 승계되는 것이 원칙이지만, 합병으로 인하여 소멸한 법인이 그 종업원 등의 위법행위에 대해 양벌규정에 따라 부담하던 형사책임은 그 성질상 이전을 허용하지 않는 것으로서 합병으로 인하여 존속하는 법인에 승계되지 않는다(대판 2007.8.23, 2005도4471).
④ × : 배임죄에 있어서 타인의 사무를 처리할 의무의 주체가 법인이 되는 경우라도 법인은 다만 사법상의 의무주체가 될 뿐 법인은 범죄능력이 없는 것이며, 법인이 처리할 의무를 지는 타인의 사무에 관하여 법인이 배임죄의 주체가 될 수 없고 자연인인 대표기관이 배임죄의 주체(타인의 사무를 처리하는 자)가 된다(대판 1994.2.8, 93도1483).

Answer 11.②

제1절　구성요건요소

THEMA 11

소극적 구성요건표지이론에 관한 설명으로 옳지 않은 것은?

① 이 이론은 구성요건을 불법판단에 본질적인 모든 표지들을 포함하는 개념으로 보아 이를 총체적 불법구성요건이라 한다.

② 이에 따르면 구성요건과 위법성조각사유는 불법구성요건을 확정하는 동일한 기능을 가지나 전자는 불법을 적극적으로, 후자는 소극적으로 확정하는 차이만 있을 뿐이다.

③ 이 이론에 의하면 위법성조각사유는 소극적 구성요건요소이므로 위법성이 조각되는 모든 행위는 처음부터 구성요건해당성이 배제된다.

④ 이에 따르면 불법과 책임의 2단계 범죄체계론을 취하게 되어 위법성 영역의 고유한 기능을 간과한다는 비판을 받게 된다.

⑤ 이 이론에 의하면 오상방위의 경우 행위상황에 대한 인식은 있으므로 고의는 인정되나, 다만 착오의 회피가능성 여하에 따라 책임 인정여부만이 문제된다고 본다.

> **도움말**　**소극적 구성요건표지(요소)이론** 13. 9급 검찰 · 마약수사 · 철도경찰, 16. 경찰간부, 19. 순경 1차

1. 위법성조각사유를 소극적 구성요건요소로 보아 위법성조각사유가 존재하면 위법성이 조각되는 것이 아니라 애초부터 구성요건에도 해당하지 않는다고 하는 견해이다. 따라서 구성요건에 해당하는 행위는 언제나 위법하다고 본다. ⇨ ③

2. 이 견해는 구성요건해당성과 위법성을 총체적 불법구성요건(불법을 근거지우는 적극적 구성요건요소＋불법을 배제하는 소극적 구성요건요소)으로 보아 2단계 범죄체계(총체적 불법구성요건＋책임)를 따르며, 구성요건은 위법성의 존재근거가 된다. ⇨ ①②

3. 이 이론은 위법성조각사유의 전제사실에 관한 착오(례 오상방위)는 사실의 착오(구성요건적 착오)로서 과실범으로 처벌된다는 이론적 장점이 있다. ⇨ ⑤

4. 그러나 이 이론은 위법성조각사유의 독자적 기능을 무시하여 처음부터 구성요건에 해당하지 않는 행위(례 파리를 죽이는 행위)와 구성요건에 해당하나 위법성조각사유가 존재하여 구성요건해당성이 조각되는 행위(례 정당방위로 사람을 살해) 사이의 가치차이를 무시했다는 비판을 받는다. ⇨ ④

> **해설**

⑤ 소극적 구성요건표지이론에 의하면, 위법성조각사유의 부존재의 인식도 고의의 내용이 되므로 오상방위의 경우와 같은 위법성조각사유의 전제사실에 관한 착오는 구성요건적 착오로서 고의가 조각되고 과실범의 성립문제만 남게 된다.　　　　　　　　　　　　　　**》 ⑤**

01 구성요건에 관한 설명 중 옳지 않은 것은?
07. 사시, 09. 경찰승진

① 불법구성요건은 형법적으로 중요한 불법행위가 무엇인지 선별해주고, 이렇게 선별된 불법행위를 해서는 안 된다는 행위방향을 일반인에게 설정해 주며, 잠정적으로 위법하다는 평가를 하는 기능을 한다.

② 소극적 구성요건요소이론에 의하면 위법성조각사유의 객관적 전제사실에 관한 착오(허용상황에 관한 착오)는 구성요건적 착오로서 고의를 조각한다.

③ 소극적 구성요건요소이론에 의할 경우 적법과 불법의 한계는 구성요건단계에서 완결되므로, 구성요건해당성은 단지 위법성을 징표하는 것에 그치지 않고 불법에 대한 종국적 판단이 구성요건단계에서 내려지는 결과를 가져온다.

④ 소극적 구성요건요소이론에 의할 경우 위법성조각사유가 존재하는 경우, 행위의 구성요건해당성이 부정되므로, 처음부터 구성요건에 해당하지 않는 행위와 구성요건에 해당하지만 허용되는 행위 사이의 차이가 명확히 드러난다.

[해설] ④ 소극적 구성요건표지이론은 처음부터 구성요건에 해당하지 않는 행위와 구성요건에 해당하지만 위법성이 조각되는 행위의 가치 차이를 무시하였다는 비판을 받고 있다.

02 구성요건과 관련된 다음 설명 중 가장 옳은 것은?(다툼이 있는 경우 판례에 의함)
16. 경찰간부

① 중체포감금죄의 구성요건은 사람을 체포 또는 감금하여 생명 또는 신체에 대한 위험을 발생시킨 경우에 인정된다.

② 규범적 구성요건요소에 관한 착오는 구성요건적 착오(사실의 착오)로서만 해석되어야 하기 때문에 그에 대해서는 금지착오(법률의 착오)가 된다고 볼 여지가 없다.

③ 아들이 몰래 아버지 지갑에서 10만원을 훔쳐 가면 절도죄의 객관적 구성요건이 부정되어 그 아들은 처벌되지 않는다.

④ 소극적 구성요건표지이론에 의하면 구성요건과 위법성조각사유는 불법구성요건을 확정하는 동일한 기능을 가지지만, 전자는 불법을 적극적으로, 후자는 소극적으로 확정하는 차이가 있다.

[해설] ① × : 중체포감금죄(제277조) ⇨ 생명·신체에 대한 위험발생 ×(위험범 ×), 가혹행위
② × : 기술적 구성요건요소에 관한 착오 ⇨ 구성요건적 착오, 규범적 구성요건요소에 관한 착오 ⇨ 구성요건적 착오 또는 금지(법률)의 착오
③ × : 절도죄의 객관적 구성요건[타인(아버지)의 재물]이 부정되는 것이 아니라 처벌조건이 결여되어(인적 처벌조각사유 : 친족상도례) 처벌되지 않는다.
④ ○ : 타당하다.

Answer   1.④   2.④

03 주관적 불법요소에 대한 설명으로 옳지 않은 것은?(다툼이 있는 경우 판례에 의함)

17. 9급 검찰·마약수사·철도경찰

① 고의는 일반적 주관적 불법요소로서 인적 행위불법의 핵심적 요소에 해당한다.

② 목적범에서 '목적'은 범죄성립을 위하여 고의 외에 요구되는 초과 주관적 위법요소이다.

③ 사문서위조죄는 행위자가 '행사할 목적'으로 사문서를 위조할 것을 규정하고 있으므로 여기서의 목적은 일반적 주관적 불법요소에 해당한다.

④ 불법영득의사는 과실범에서는 있을 수 없고 고의범에서만 있을 수 있는 특수한 주관적 불법요소(초과 주관적 구성요건 요소)에 해당한다.

해설 • **일반적 주관적 불법요소**(구성요건요소) : 고의, 과실
- **초과**(특수한) **주관적 불법요소**(구성요건요소) : 목적범의 '목적', 불법영득의사
  ∴ ③ 일반적 주관적 불법요소 ×, 초과 주관적 불법요소 ○

04 목적범에 대한 설명으로 옳지 않은 것은?(다툼이 있는 경우 판례에 의함)　　**24. 9급 철도경찰**

① 목적범에서의 고의와 목적은 그 어느 것이나 행위자의 내부적·심리적 요소에 해당한다.

② 전자금융거래법 제6조 제3항 제3호의 '범죄에 이용할 목적'은 초과주관적 위법요소로서 목적의 대상이 되는 범죄의 구체적인 내용까지 인식하여야 하는 것은 아니다.

③ 목적범이 성립하기 위해서는 당해 목적에 대하여 적극적 의욕이나 확정적 인식이 필요하며 단지 미필적 인식이 있는 것만으로는 족하지 않다.

④ 목적범에서의 고의도 구성요건의 객관적 요소에 해당하는 사실을 인식대상으로 한다.

해설 ① 옳다.
② 대판 2023.1.12, 2012도10861
③ × : ~ 확정적 인식까지는 필요 없고 미필적 인식으로 족하다(대판 1992.3.31, 90도2033 전원합의체).
④ 옳다.

제2절) 부작위범

> **관련조문**
>
> **제18조【부작위범】** 위험의 발생을 방지할 의무가 있거나 자기의 행위로 인하여 위험발생의 원인을 야기한 자가 그 위험발생을 방지하지 아니한 때에는 그 발생된 결과에 의하여 처벌한다. 19. 순경 2차, 21. 해경승진, 22. 법원행시, 24. 9급 검찰·마약수사·철도경찰

THEMA **12**

1. 형법상의 작위와 부작위

⚖ 관련판례

1. 어떠한 범죄가 적극적 작위 또는 소극적 부작위에 의하여도 실현될 수 있는 경우에, 행위자가 자신의 신체적 활동이나 물리적·화학적 작용을 통하여 적극적으로 타인의 법익 상황을 악화시킴으로써 결국 그 타인의 법익을 침해하기에 이르렀다면 이는 작위에 의한 범죄로 봄이 원칙이다〔대판 2004. 6.24, 2002도995 예 전담의사(전문의 : 甲)와 주치의(레지던트 : 丁)가 치료를 중단할 경우 사망하게 된다는 사실을 알고서도 회복가능성이 있는 환자(丙)를 이러한 사정을 잘 알고 있는 그의 처(乙)의 요구에 따라 퇴원을 지시하고, 퇴원 후에 丁의 지시를 받은 인턴이 호흡보조장치를 제거하자 丙이 사망한 경우 ⇨ 乙 : 부작위에 의한 살인죄, 甲과 丁 : 살인죄의 공동정범 ×(기능적 행위지배 ×), 살인죄의 작위(부작위 ×)에 의한 방조범〕 17. 법원직, 18. 9급 검찰·마약수사, 21. 변호사시험·순경 1차, 22. 해경간부, 23. 9급 철도경찰, 24. 경찰간부·해경승진·7급 검찰, 25. 9급 철도경찰

2. 경찰관이 검사로부터 범인을 검거하라는 지시를 받고서도 적절한 조치를 취하지 아니하고 오히려 범인에게 전화로 도피하라고 권유하여 그를 도피케 하였다면 작위범인 범인도피죄만이 성립하고 부작위범인 직무유기죄는 따로 성립하지 아니한다(대판 1996.5.10, 96도51). 18. 경찰승진, 21. 7급 검찰, 23. 해경 3차, 24. 해경간부

   ▶ **유사판례** : 경찰공무원이 지명수배 중인 범인을 발견하고도 직무상 의무에 따른 적절한 조치를 취하지 아니하고 오히려 범인을 도피하게 하는 행위를 하였다면, 그 직무위배의 위법상태는 범인도피행위 속에 포함되어 있다고 보아야 할 것이므로, 이와 같은 경우에는 작위범인 범인도피죄만이 성립하고 부작위범인 직무유기죄는 따로 성립하지 아니한다(대판 2017.3.15, 2015도1456). 18. 경찰승진, 21. 순경 2차, 25. 9급 검찰·마약수사

3. 공무원이 어떠한 위법사실을 발견하고도 직무상 의무에 따른 적절한 조치를 취하지 아니하고 위법사실을 적극적으로 은폐할 목적으로 허위공문서를 작성·행사한 경우에는 작위범인 허위공문서작성죄와 허위작성공문서행사죄만이 성립하고 부작위범인 직무유기죄는 따로 성립하지 아니한다(대판 1993.12.24, 92도3334). 13. 순경 1차, 16. 법원직·경찰승진, 24. 해경순경

4. 경찰서 형사과장인 甲이 압수물을 범죄 혐의의 입증에 사용하도록 하는 등의 적절한 조치를 취하지 아니하고 피압수자에게 돌려준 경우, 甲에게는 작위범인 증거인멸죄만이 성립하고 부작위범인 직무유기죄는 따로 성립하지 아니한다(대판 2006.10.19, 2005도3909 전원합의체) 14. 법원행시·경찰승진, 18. 변호사시험, 23. 9급 철도경찰, 24. 경찰간부

5. 하나의 행위가 부작위범인 직무유기죄와 작위범인 허위공문서작성 · 행사죄의 구성요건을 동시에 충족하는 경우, 공소제기권자는 재량에 의하여 작위범인 허위공문서작성 · 행사죄로 공소를 제기하지 않고 부작위범인 직무유기죄로만 공소를 제기할 수 있다(대판 2008.2.14, 2005도4202). 21. 해경간부, 22. 변호사시험, 23. 경찰간부, 24. 경찰승진

6. '소극적인 근로제공 중단', 즉 '단순 파업'이라고 하더라도 파업은 그 자체로 부작위가 아니라 작위적 행위로 보아야 한다(대판 2011.3.17, 2007도482 전원합의체). 19. 순경 1차, 23. 해경승진

2. 부작위범의 종류

① 진정부작위범과 부진정부작위범의 구별에 관한 학설 중 실질설(형식설 ×)은 거동범에 대하여는 부진정부작위범이 성립할 여지가 없다고 보는 반면에, 형식설(실질설 ×)은 결과범은 물론 거동범에 대하여도 부진정부작위범이 성립할 수 있다고 본다. 14. 순경 2차, 17. 경찰승진, 20. 해경 1차

② 진정부작위범(부작위에 의한 부작위범) : 형법규정의 형식상 부작위로 범할 것을 내용으로 하는 범죄를 말한다. 즉, 구성요건에 작위의무가 명시되어 있다. 형법 각칙의 아래와 같은 5가지 범죄가 이에 해당한다. 12. 경찰승진 · 경찰간부 **예** 다중불해산죄(제116조 "… 해산명령을 받고 해산하지 아니한 자 …"), 퇴거불응죄(제319조 제2항 "… 퇴거요구를 받고 응하지 아니한 자 …"), 집합명령위반죄(제145조 제2항), 전시군수계약불이행죄(제103조 제1항), 전시공수계약불이행죄(제117조 제1항) 20. 해경 3차, 22. 9급 검찰 · 마약수사 · 순경 1차, 25. 해경경사

⚖ 관련판례

1. 일정한 기간 내에 잘못된 상태를 바로잡으라는 행정청의 지시를 이행하지 않았다는 것을 구성요건으로 하는 범죄는 이른바 진정부작위범으로서 그 의무이행기간의 경과에 의하여 범행이 기수에 이른다(대판 1994.4.26, 93도1731). 22. 순경 1차, 23. 변호사시험 · 경찰승진

2. 신고의무 위반으로 인한 공중위생관리법 위반죄는 구성요건이 부작위에 의하여서만 실현될 수 있는 진정부작위범에 해당한다(대판 2008.3.27, 2008도89). 16. 9급 철도경찰, 20. 경찰간부

3. 甲이 휴대폰 녹음기능을 작동시킨 상태로 A에게 전화를 걸어 약 8분간의 전화통화를 마친 후 바로 전화를 끊지 않고 A가 먼저 전화 끊기를 기다리던 중 B의 목소리가 들려오자, A가 실수로 통화종료 버튼을 누르지 아니한 상태를 이용하여 A와 B가 나누는 대화를 몰래 청취 녹음하였다면 甲의 행위는 작위(부작위 ×)에 의한 통신비밀보호법위반죄에 해당한다(대판 2016.5.12, 2013도15616 ∵ 소극적 부작위에 의해 실현된 작위범임). 24. 순경 2차

③ 부진정부작위범(부작위에 의한 작위범) : 형법 제18조에서 말하는 부작위는 법적 기대라는 규범적 가치판단 요소에 의하여 사회적 중요성을 가지는 사람의 행태가 되어 법적 의미에서 작위와 함께 행위의 기본 형태를 이루게 된다(대판 2015.11.12, 2015도6809 전원합의체). 21. 7급 검찰, 22. 경찰간부 · 9급 검찰 · 마약수사 · 철도경찰

3. 부작위범의 처벌

① 진정부작위범 : 형법 각칙에 각 죄별로 법정형이 규정되어 있다.

② 부진정부작위범 : 형법에 직접 규정되어 있지 않고 작위범과 동일한 법정형으로 처벌된다.

　　☑ 주의 : 우리 형법은 부진정부작위범에 임의적 감경 규정을 두고 있지 않다. 18. 9급 검찰 · 철도경찰, 20 · 23. 경찰승진

③ 부작위범의 미수 : 진정부작위범은 일정한 부작위가 있으면 바로 기수가 되는 형식범으로 미수는 불가능하나, 형법상 진정부작위범 중 퇴거불응죄(제322조)와 집합명령위반죄(제149조)는 미수처벌규정이 있다(없다 ×). 15. 사시, 19. 경찰승진 · 순경 2차, 20. 해경승진, 23. 경찰간부

THEMA 13 '부작위범의 성립요건' 총정리

1. 진정·부진정부작위에 공통된 구성요건

① 특정한 행위를 하지 아니하는 부작위가 형법적으로 부작위로서의 의미를 가지기 위해서는, 보호법익의 주체에게 해당 구성요건적 결과발생의 위험이 있는 상황에서 행위자가 구성요건 실현을 회피하기 위하여 요구되는 행위를 현실적·물리적으로 행할 수 있었음에도 하지 아니하였다고 평가될 수 있어야 한다(대판 2015.11.12, 2015도6809 전원합의체 ∴ 작위의무가 법적으로 인정되는 부진정부작위범이라 하더라도 작위의무를 이행하는 것이 사실상 불가능한 상황이었다면, 부작위범이 성립할 수 없다). 17. 법원직, 19. 9급 철도경찰, 23. 경찰간부, 24. 경위공채·경력채용

② 업무상 배임죄는 타인과의 신뢰관계에서 일정한 임무에 따라 사무를 처리할 법적 의무가 있는 자가 그 상황에서 당연히 할 것이 법적으로 요구되는 행위를 하지 않는 부작위에 의해서도 성립할 수 있다. 그러한 부작위를 실행의 착수로 볼 수 있기 위해서는 작위의무가 이행되지 않으면 사무처리의 임무를 부여한 사람이 재산권을 행사할 수 없으리라고 객관적으로 예견되는 등으로 구성요건적 결과발생의 위험이 구체화한 상황에서 부작위가 이루어져야 한다. 그리고 행위자는 부작위 당시 자신에게 주어진 임무를 위반한다는 점과 그 부작위로 인해 손해가 발생할 위험이 있다는 점을 인식하였어야 한다(대판 2021.5.27, 2020도15529). 22. 경찰승진·법원행시, 24. 변호사시험·경찰간부, 25. 순경 1차

2. 부진정부작위범의 구성요건

① 부작위의 동가치성[형법에 명문규정 ×, 형사처벌을 축소(확장 ×)하는 기능] 19. 순경 2차, 22. 순경 1차, 23. 해경승진

⚖️ **관련판례**

1. 부진정부작위범의 경우에는 보호법익의 주체가 법익에 대한 침해 위협에 대처할 보호능력이 없고(있는지 여부가 아니라 ×), 부작위행위자에게 침해 위협으로부터 법익을 보호해 주어야 할 법적 작위의무가 있을 뿐 아니라, 부작위행위자가 그러한 보호적 지위에서 법익침해를 일으키는 사태를 지배하고 있어 작위의무의 이행으로 결과발생을 쉽게 방지할 수 있어야 부작위로 인한 법익침해가 작위에 의한 법익침해와 동등한 형법적 가치가 있는 것으로서 범죄의 실행행위로 평가될 수 있다(대판 2015.11.12, 2015도6809 전원합의체). 21. 해경간부, 23. 해경승진, 24. 법원행시·7급 검찰·경위공채·경력채용, 25. 변호사시험·순경 1차

2. 업무방해죄와 같이 작위를 내용으로 하는 범죄를 부작위에 의하여 범하는 부진정부작위범이 성립하기 위해서는 부작위를 실행행위로서의 작위와 동일시할 수 있어야 한다(대판 2017.12.22, 2017도13211 예 피고인이 甲이 공사대금을 주지 않는다는 이유로 위 토지에 쌓아 둔 건축자재를 치우지 않고 공사현장을 막는 방법으로 위력으로써 甲의 창고 신축 공사 업무를 방해한 경우 ⇨ 위력에 의한 업무방해죄 × ∵ 甲의 추가 공사 업무를 방해하는 업무방해죄의 실행행위로서 甲의 업무에 대하여 하는 적극적인 방해행위와 동등한 형법적 가치를 가진다고 볼 수 없다). 21. 순경 2차, 22. 해경간부, 23. 변호사시험, 24. 법원행시, 25. 9급 검찰·마약수사·철도경찰

3. 보증인지위와 작위의무 : 결과발생을 방지해야 할 법적인 의무를 작위의무 또는 보증인의무라고 하며 그러한 의무 있는 자의 지위를 보증인지위라고 한다(진정신분범 ○). 20. 해경 1차

① 보증인지위와 작위의무(보증인의무)의 관계 : 양자를 위법성요소로 이해하는 견해(위법성요소설, 이 견해에 의하면 구성요건의 징표기능을 부정하게 되어 범죄론체계의 일관성이 없고, 부진정부작위범의 구성요건해당성의 범위가 부당하게 확대될 우려가 있다. 10. 순경, 17. 경찰승진, 20. 해경 1차)와

구성요건요소로 보는 견해(**구성요건요소설**)가 있으나 보증인지위는 구성요건요소로, 작위의무는 위법성의 요소로 보는 견해(**이분설**)가 통설이다.

- ☑ 이분설 : 보증인지위에 대한 착오 ⇨ **구성요건적 착오**, 보증인의무에 대한 착오 ⇨ **금지(위법성·법률)착오** ⇨ **정당한 이유** ○(제16조) ⇨ **고의범의 책임조각** ⇨ **무죄** 16. 7급·9급 검찰·철도경찰, 20. 해경 1차, 21. 해경간부, 23. 해경승진, 24. 경위공채, 25. 변호사시험

② 작위의무의 발생근거

🏛 **관련판례**

1. 여기서 작위의무는 **법적인 의무**이어야 하므로 단순한 도덕상 또는 종교상의 의무는 포함되지 않으나 법적인 의무인 한 성문법·불문법, 공법·사법을 불문하므로 법령, 법률행위, 선행행위로 인한 경우는 물론이고 기타 **신의칙이나 사회상규 혹은 조리상 작위의무가 기대되는 경우에도 법적인 작위의무는 있다**(대판 1996.9.6, 95도2551). 19. 순경 2차, 20. 경찰간부, 21. 법원직, 22. 해경간부, 23. 경찰승진·7급 검찰, 24. 변호사시험·9급 검찰·마약수사·철도경찰·경위공채, 25. 순경 1차

   cf) 유기죄의 주체 ⇨ **법률상** 또는 **계약상** 보호의무 있는 자에 한한다(대판 1977.1.11, 76도3419). ∴ 부작위에 의한 작위의무의 발생근거는 유기죄의 보호의무의 발생근거보다 그 범위가 더 넓다. 14. 순경 2차, 20. 해경 1차, 21. 7급 검찰, 22. 순경 1차

2. 교통사고의 결과가 피해자의 구호 및 교통질서의 회복을 위한 조치가 필요한 상황인 이상 도로교통법 제54조 제1항·제2항이 규정한 **교통사고 발생시의 구호조치의무 및 신고의무**는 교통사고를 발생시킨 당해 차량의 운전자에게 그 사고 발생에 있어서 **고의·과실 혹은 유책·위법의 유무에 관계없이 부과된 의무**이다(대판 2002.5.24, 2000도1731). 15. 순경 2차, 16. 법원행시, 19. 변호사시험, 21. 9급 검찰·마약수사·철도경찰, 23. 7급 검찰, 24. 경찰승진

③ 작위의무

🏛 **관련판례**

● **법령에 의한 작위의무**

입찰업무 담당 공무원이 **입찰보증금이 횡령**되는 사실을 알고도 이를 묵인하여 새로운 횡령범행이 계속된 경우 ⇨ **부작위**에 의한 업무상 횡령죄의 **종범**(정범 ×)(대판 1996.9.6, 95도2551) 13. 법원직·법원행시, 22. 경력채용

● **선행행위에 의한 작위의무**

1. 모텔 방에 투숙하여 담배를 피운 후 재떨이에 담배를 끄면서 담뱃불이 완전히 꺼졌는지 여부를 확인하지 않은 채 불이 붙기 쉬운 휴지를 재떨이에 버리고 잠에 들어 담뱃불이 휴지와 침대시트에 옮겨 붙어 화재가 발생한 경우, 중대한 과실 있는 **선행행위로 인하여 화재를 소화할 법률상 의무가 인정되나,** 19. 법원행시 모텔 주인이나 다른 투숙객들에게 알리지 않아 다른 사람들을 사망케 한 경우 **화재를 용이하게 소화할 수 있었다고 보기 어려우므로, 부작위에 의한 현주건조물방화치사상죄가 성립하는 것은 아니다**(대판 2010.1.14, 2009도12109). 17. 변호사시험, 19. 7급 검찰, 21. 해경간부, 22. 경력채용, 23. 해경승진

2. 조카(10세)를 살해할 의사로 익사의 위험이 있는 **저수지**로 데려가 조카가 저수지에 **빠지자** 이를 방치하여 조카가 사망한 경우 ⇨ 부작위에 의한 살인죄(대판 1992.2.11, 91도2951) 13. 법원행시, 15. 경찰승진

3. 미성년자를 감금한 후 단지 그 **상태를 유지**하였을 뿐인데도 피감금자가 사망한 경우에는 감금치사죄에 해당하나, 그 감금상태가 계속된 어느 시점에서 **살해의 범의가 생겨** 위험발생을 방지함이 없이 그대로 방치하여 사망하게 한 경우 ⇨ 부작위에 의한 살인죄(대판 1982.11.23, 82도2024) 11. 사시, 14. 변호사시험

4. 민법상 부부간의 부양의무에 근거한 법률상 보호의무인 작위의무는 법률상 부부는 아니지만 사실혼 관계에 있는 경우에도 인정될 여지가 있다(대판 2008.2.14, 2007도3952). 19. 변호사시험, 20. 경찰간부

● **계약상 · 조리상의 작위의무**

1. 법무사가 아닌 사람이 법무사로 소개되거나 호칭되는 데에도 자신이 법무사가 아니라는 사실을 밝히지 않은 채 법무사 행세를 계속하면서 근저당권설정계약서를 작성한 경우, 부작위에 의한 법무사법 제3조 제2항 위반죄를 인정할 수 있다(대판 2008.2.28, 2007도9354). 13. 변호사시험 · 법원직, 14. 사시

2. 할부금융회사에 대한 할부금채무만 남아 있을 뿐 그 외에 저당권이 설정되어 있거나 가압류 집행이 되어 있는 등의 사정이 없는 중고자동차를 매도하면서 할부금 채무의 존재를 매수인에게 고지하지 아니한 경우 그와 같은 부작위는 사기죄의 기망행위에 해당하지 않는다(대판 1998.4.14, 98도231). 15. 사시, 16. 9급 철도경찰, 18. 변호사시험

3. 백화점의 상품관리를 담당하는 직원이 가짜 상표가 새겨진 상품을 판매하는 점주의 행위를 계속 방치한 경우 ⇨ 부작위에 의한 상표법 위반 방조죄(대판 1997.3.14, 96도1639) 07. 사시

4. 압류된 골프장시설을 보관하는 회사의 대표이사가 위 압류시설의 사용 및 봉인의 훼손을 방지할 수 있는 적절한 조치 없이 골프장을 개장하게 하여 봉인이 훼손되게 한 경우, 부작위에 의한 공무상 표시무효죄에 해당한다(대판 2005.7.22, 2005도3034). 19. 7급 검찰, 20. 해경 3차, 22. 순경 2차

● **선의칙상의 고지의무** ──부작위──▶ 사기죄 ○

> 부작위에 의한 기망은 법률상 고지의무 있는 자가 일정한 사실에 관하여 상대방이 착오에 빠져 있음을 알면서도 이를 고지하지 아니하는 것을 말하는 것으로서, 일반 거래의 경험칙상 상대방이 그 사실을 알았다면 당해 법률행위를 하지 않았을 것이 명백한 경우에는 신의칙에 비추어 그 사실을 고지할 법률상 의무가 인정된다(대판 2004.5.27, 2003도4531). 19. 경찰승진 · 9급 철도경찰, 21. 7급 · 9급 검찰 · 마약수사 · 철도경찰, 23. 변호사시험 · 해경 3차, 24. 해경간부 · 해경승진

1. 매도인이 토지에 관해 도시계획이 입안되어 있어 협의매수나 수용될 것이라는 사정을 알면서 매수인에게 고지하지 않은 경우 ⇨ 부작위에 의한 사기죄(대판 1993.7.13, 93도14) 16. 순경 1차 · 9급 검찰 · 마약수사, 18. 변호사시험

2. 부동산 매수인이 매도인에게 매매잔금을 지급함에 있어 착오에 빠져 지급액을 초과하여 교부하는 경우 매도인이 교부받기 전이나 교부받던 중에 그 사실을 알면서 그대로 수령한 경우에는 사기죄, 잔금을 교부받은 후에야 비로소 그 사실을 알게 되었을 경우에는 점유이탈물횡령죄(대판 2004.5.27, 2003도4531) 15. 사시, 16. 순경 1차, 19. 법원행시, 24. 경위공채 · 경력채용

3. 의사가 특정 시술로 아들을 낳을 수 있을 것이라는 착오에 빠진 피해자에게 그 시술의 효과 · 원리에 관해 사실대로 고지하지 않고 가장하여 일련의 시술 · 처방을 행한 경우 ⇨ 부작위에 의한 사기죄(대판 2000.1.28, 99도2884) 18. 경력채용, 20. 경찰승진, 21. 순경 2차

4. 임대인이 임대차계약을 체결하면서 임차인에게 임대목적물이 경매진행 중인 사실을 알리지 아니한 경우, 임차인이 등기부를 확인 또는 열람하는 것이 가능하더라도 사기죄가 성립한다(대판 1998.12.8, 98도3263). 14. 사시, 21. 변호사시험 · 순경 2차, 23. 해경승진

5. 주식매도인이 거래대상 목적물이 증자 전의 주식이 아니라 증자 후의 주식이라는 점을 고지하지 않았다면 부작위에 의한 사기죄가 성립한다(대판 2006.10.27, 2004도6503). 18. 경찰간부

6. 매매목적물의 소유권 귀속에 관하여 소송이 계속 중인 사실을 고지하지 아니하고 그 부동산을 매도하여 대금을 수령한 경우 ⇨ 부작위에 의한 사기죄(대판 1986.9.9, 86도956) 13. 경찰승진

7. 특정 질병을 앓고 있는 사람이 보험회사가 정한 약관에 그 질병에 대한 고지의무를 규정하고 있음을 알면서도 이를 고지하지 아니한 채 그 사실을 모르는 보험회사와 그 질병을 담보하는 보험계약을 체결한 다음 바로 그 질병의 발병을 사유로 하여 보험금을 청구하여 수령한 경우 ⇨ 사기죄(대판 2007.4.12, 2007도967) 10. 법원행시 · 9급 검찰, 18. 변호사시험

8. 출판사 경영자가 출고현황표를 조작하는 방법으로 실제 출판부수를 속여 작가에게 인세의 일부만을 지급한 사안에서, 작가가 나머지 인세에 대한 청구권의 존재 자체를 알지 못하는 착오에 빠져 이를 행사하지 아니한 것이 사기죄에 있어 부작위에 의한 처분행위에 해당한다(대판 2007.7.12, 2005도9221). 15. 경찰승진, 16. 순경 1차, 17. 경찰간부

9. 부동산 이중매매에서 매도인이 제1매수인으로부터 중도금까지 받은 상태에서 제2매수인으로부터 계약금과 중도금을 받을 때까지 제2매수인에게 이런 사정을 고지하지 않은 것만으로는 부작위에 의한 기망을 인정할 수 없다(대판 1991.12.24, 91도2698 ∵ 제2의 매매계약의 효력이나 제2매수인의 권리실현에 장애가 되지 않으므로 제2매수인을 기망한 것이 아님). 15. 사시, 17. 법원행시

10. 상법상 고지의무 위반은 보험사고가 이미 발생하였음에도 이를 묵비한 채 보험계약을 체결하거나 보험사고 발생의 개연성이 농후함을 인식하면서도 보험계약을 체결하는 경우 또는 보험사고를 임의로 조작하려는 의도를 가지고 보험계약을 체결하는 경우와 같이 '보험사고의 우연성'이라는 보험의 본질을 해할 정도에 이르러야 비로소 보험금 편취를 위한 고의의 기망행위에 해당한다(대판 2017.4.16, 2017도1405). 20. 법원행시, 23. 해경승진 · 9급 철도경찰, 24. 순경 2차

11. 국가연구개발사업의 연구책임자 甲이 처음부터 소속 학생연구원들에게 학생연구비를 개별 지급할 의사 없이 공동관리 계좌를 관리하면서 사실상 그 처분권을 가질 의도하에 이를 숨기고 산학협력단에 연구비를 신청하여 지급받은 경우, 甲의 행위는 산학협력단에 대한 관계에 있어서 기망에 의한 편취행위에 해당한다(대판 2021.9.9, 2021도8468). 22. 순경 2차, 25. 경찰승진

12. 중고자동차 매매시 매도인이 할부금융회사 · 보증보험에 대한 할부금 채무의 존재를 매수인에게 고지하지 않고 매도한 경우 ⇨ 사기죄 ×(대판 1998.4.14, 98도231 ∵ 할부금 채무가 매수인에게 당연히 승계 × ⇨ 부작위에 의한 기망 ×) 16. 순경 1차, 19. 경찰승진, 21. 수사경과, 22. 해경 2차, 24. 변호사시험

4. 인과관계 : 부진정부작위범의 경우 작위의무를 이행하였다면 결과가 발생하지 않았을 것이라는 관계가 인정될 경우 작위를 하지 않은 부작위와 발생된 결과 사이에 인과관계가 인정된다(대판 2015.11.12, 2015도6809 전원합의체). 18. 7급 검찰, 21. 9급 검찰 · 마약수사 · 철도경찰, 23. 경찰간부, 24. 경위공채 · 경력채용, 25. 변호사시험

5. 주관적 구성요건(고의) : 부진정부작위범의 고의는 반드시 구성요건적 결과발생에 대한 목적이나 계획적인 범행 의도가 있어야 하는 것은 아니고 법익침해의 결과발생을 방지할 법적 작위의무를 가지고 있는 자가 그 의무를 이행함으로써 그 결과발생을 쉽게 방지할 수 있었음을 예견하고도 결과의 발생을 용인하고 이를 방관한 채 그 의무를 이행하지 아니한다는 인식을 하면 족하며, 이러한 작위의무자의 예견 또는 인식 등은 확정적인 것은 물론 불확정적인 것이더라도 미필적 고의로 인정될 수 있다(대판 2015.11.12, 2015도6809 전원합의체). 16. 사시, 18. 순경 1차, 19. 법원행시 · 7급 검찰, 21. 9급 검찰 · 마약수사 · 철도경찰, 24. 변호사시험

6. 과실에 의한 부작위범(망각범) : 진정부작위범은 형식범으로 과실범처벌규정이 없으나 부진정부작위범은 고의에 의해서는 물론 과실에 의해서도 성립될 수 있다. 16. 7급 검찰 · 철도경찰, 22. 순경 1차, 25. 변호사시험

01 부작위범에 관한 설명 중 옳은 것(○)과 옳지 않은 것(×)을 올바르게 조합한 것은?(다툼이 있는 경우 판례에 의함)   21. 변호사시험, 23. 해경승진

> ㉠ 부진정부작위범에서의 보증인지위와 보증의무를 구별하는 입장에 의하면, 보증의무가 존재하지 아니하는 것으로 착오한 경우는 법률의 착오로 취급된다.
> ㉡ 임대인이 임대차계약을 체결하면서 임차인에게 임대목적물이 경매진행 중인 사실을 알리지 않은 경우 임차인이 등기부를 확인 또는 열람하는 것이 가능하였다면 임대인에게 사기죄가 성립하지 않는다.
> ㉢ 진정부작위범과 부진정부작위범 모두 작위의무가 법적으로 인정되더라도 작위의무를 이행하는 것이 사실상 불가능한 상황이었다면, 부작위범이 성립할 수 없다.
> ㉣ 부진정부작위범의 요건으로 행위태양의 동가치성을 요구하는 것은 부진정부작위범의 형사처벌을 확장하는 기능을 한다.
> ㉤ 의사가 수술 후 치료를 계속하지 않으면 환자가 사망할 수 있음을 알면서도 보호자의 강력한 요청으로 치료를 중단하고 퇴원을 허용하여 보호자의 방치로 환자가 사망한 경우, 그 의사에게는 부작위에 의한 살인방조죄가 성립한다.

① ㉠(○), ㉡(×), ㉢(○), ㉣(×), ㉤(×)
② ㉠(×), ㉡(○), ㉢(×), ㉣(○), ㉤(×)
③ ㉠(○), ㉡(○), ㉢(×), ㉣(×), ㉤(×)
④ ㉠(×), ㉡(○), ㉢(×), ㉣(×), ㉤(○)
⑤ ㉠(○), ㉡(×), ㉢(○), ㉣(○), ㉤(○)

해설 ㉠ ○ : 이원설에 의하면 보증의무에 대한 착오는 법률의 착오로 정당한 이유가 있는지 여부에 따라 책임이 조각되거나 고의범으로 처벌된다.
㉡ × : ~ (2줄) 열람하는 것이 가능하더라도 사기죄가 성립한다(대판 1998.12.8, 98도3263).
㉢ ○ : 옳다.
㉣ × : ~ 형사처벌을 축소(확장 ×)하는 기능을 한다.
㉤ × : ~ (2줄) 의사에게는 작위(부작위 ×)에 의한 살인방조죄가 성립한다(대판 2004.6.24, 2002도995).

02 부작위범에 대한 설명으로 가장 적절한 것은?(다툼이 있는 경우 판례에 의함)   21. 순경 2차
① 임대인 甲은 자신의 여관건물에 대하여 임차인 A와 임대차계약을 체결하면서 A에게 당시 그 건물에 관하여 법원의 경매개시결정에 따른 경매절차가 진행 중인 사실을 알리지 아니한 경우, A가 등기부를 확인 또는 열람하는 것이 가능하였다면 기망행위가 있었다고 볼 수 없어 甲은 사기죄로 처벌되지 아니한다.
② 甲이 특정 시술을 받으면 아들을 낳을 수 있을 것이라는 착오에 빠져 있는 A에게 그 시술의 효과와 원리에 관하여 사실대로 고지하지 아니하고 아들을 낳을 수 있는 시술인 것처럼 가장하여 일련의 시술 등을 행하고 의료수가 및 약값의 명목으로 금원을 교부받은 경우, 甲은 사기죄로 처벌된다.

③ 甲이 A와 토지 지상에 창고를 신축하는 데 필요한 형틀공사계약을 체결한 후 그 공사를 완료하였는데 A가 공사대금을 주지 않자 이를 받기 위해 토지에 쌓아 둔 건축자재를 치우지 않은 경우, 甲은 업무방해죄로 처벌된다.

④ 경찰공무원 甲이 지명수배 중인 범인 A를 발견하고도 직무상 의무에 따른 적절한 조치를 취하지 아니하고 오히려 A를 도피하게 하는 행위를 한 경우, 甲은 범인도피죄와 직무유기죄로 처벌된다.

해설 ① × : ~ (3줄) 열람하는 것이 가능하더라도 사기죄가 성립한다(대판 1998.12.8, 98도3263).
② ○ : 대판 2000.1.28, 99도2884
③ × : 부작위에 의한 업무방해죄 ×(대판 2017.12.22, 2017도13211 ∵ 건축자재를 치우지 않은 甲의 행위는 A의 추가 공사 업무를 방해하는 업무방해죄의 실행행위로서, A의 업무에 대하여 하는 적극적인 방해행위와 동등한 형법적 가치를 가진다고 볼 수 없다.)
④ × : 작위범인 범인도피죄 ○, 부작위범인 직무유기죄 ×(대판 2017.3.15, 2015도1456)

03 부작위범에 대한 설명으로 옳지 않은 것은?(다툼이 있는 경우 판례에 의함)　　21. 7급 검찰

① 형법 제18조에서 말하는 부작위는 법적 기대라는 규범적 가치판단 요소에 의하여 사회적 중요성을 가지는 사람의 행태가 되어 법적 의미에서 작위와 함께 행위의 기본형태를 이루게 된다.

② 형법 제18조 부작위범의 성립을 위한 작위의무의 발생근거와 형법 제271조 유기죄의 성립을 위한 보호의무의 발생근거는 그 범위가 동일하다.

③ 수사관이 검사로부터 범인을 검거하라는 지시를 받고서도 그 직무상의 의무에 따른 적절한 조치를 취하지 아니하고 오히려 범인에게 전화로 도피하라고 권유하여 범인을 도피케 한 경우, 작위범인 범인도피죄만이 성립하고 부작위범인 직무유기죄는 따로 성립하지 아니한다.

④ 부작위에 의한 기망은 법률상 고지의무 있는 자가 일정한 사실에 관하여 상대방이 착오에 빠져 있음을 알면서도 이를 고지하지 아니하는 것으로서, 거래의 경험칙상 상대방이 그 사실을 알았더라면 당해 법률행위를 하지 않았을 것이 명백한 경우에는 신의칙에 비추어 그 사실을 고지할 법률상 의무가 인정된다.

해설 ① 대판 2015.11.12, 2015도6809 전원합의체
② × : 부작위범의 작위의무의 발생근거(작위의무는 법령, 법률행위, 선행행위로 인한 경우는 물론, 기타 신의성실의 원칙이나 사회상규 또는 조리상 작위의무가 기대되는 경우에도 인정된다 ; 대판 1996.9.6, 95도2551)는 유기죄의 보호의무의 발생근거〔유기죄의 보호의무는 법률상·계약상 보호의무에 한하지 사회상규(사무관리·관습·조리)상의 보호의무는 인정할 수 없다 ; 대판 1977.1.11, 76도3419〕보다 그 범위가 더 넓다.
③ 대판 1996.5.10, 96도51
④ 대판 2004.5.27, 2003도4531

Answer 3. ②

04 (가)와 (나)에 관한 설명으로 가장 적절하지 않은 것은?(다툼이 있는 경우 판례에 의함)

22. 순경 1차

> (가) 일정한 기간 내에 잘못된 상태를 바로잡으라는 행정청의 지시를 이행하지 않았다는 것을 구성요건으로 하는 범죄
> (나) 형법 제250조 제1항의 살인죄와 같이 그 규정형식으로 보아 작위를 내용으로 하는 범죄를 부작위에 의하여 범하는 범죄

① (가)와 (나)의 구별에 있어 형식설에 의할 경우, 형법 제103조 제1항의 전시군수계약불이행죄와 형법 제116조의 다중불해산죄는 (가)의 경우에 해당한다.

② 유기죄에서의 보호의무를 법률상, 계약상 보호의무로 국한하는 입장에 따르면 (나)에서의 보호의무는 유기죄의 보호의무보다 넓게 된다.

③ (나)는 고의에 의해서는 물론 과실범 처벌규정이 있는 한 과실에 의해서도 성립 가능하다.

④ (나)의 요건으로 행위정형의 동가치성을 요구하는 것은 형사처벌을 확장하는 기능을 한다.

해설 (가)는 진정부작위범(대판 1994.4.26, 93도1731), (나)는 부진정부작위범임.
① ○ : 형식설에 의할 경우 형법규정의 형식상 부작위로 범할 것을 내용으로 하는 진정부작위범은 5가지이다〔다중불해산죄(제116조), 퇴거불응죄(제319조 제2항), 집합명령위반죄(제145조 제2항), 전시군수계약불이행죄(제103조 제1항), 전시공수계약불이행죄(제117조 제1항)〕.
② ○ : 부진정부작위범에서 작위의무는 사회상규 또는 조리상 작위의무가 기대되는 경우에도 인정되므로(대판 1996.9.6, 95도2551) ②는 옳다. ③ ○ : 옳다(망각범).
④ × : ~ 형사처벌을 축소(확장 ×)하는 기능을 한다.

05 부작위범에 관한 설명 중 옳지 않은 것은 모두 몇 개인가?(다툼이 있는 경우 판례에 의함)

22. 순경 2차

> ㉠ 압류된 골프장 시설을 보관하는 회사의 대표이사 甲이 그 압류시설의 사용 및 봉인의 훼손을 방지할 수 있는 적절한 조치 없이 골프장 개장 및 압류시설 작동을 의도적으로 묵인 또는 방치하여 봉인이 훼손되게 한 경우, 甲에게는 부작위에 의한 공무상 표시무효죄가 성립한다.
> ㉡ 국가연구개발사업의 연구책임자 甲이 처음부터 소속 학생연구원들에게 학생연구비를 개별 지급할 의사 없이 공동관리 계좌를 관리하면서 사실상 그 처분권을 가질 의도 하에 이를 숨기고 산학협력단에 연구비를 신청하여 지급받은 경우, 甲의 행위는 산학협력단에 대한 관계에 있어서 기망에 의한 편취행위에 해당한다.
> ㉢ 위치추적 전자장치의 피부착자 甲이 그 장치의 구성 부분인 휴대용 추적장치를 분실한 후 3일이 경과하도록 보호관찰소에 분실신고를 하지 않고 돌아다닌 경우, 분실을 넘어서서 상당한 기간 동안 휴대용 추적장치가 없는 상태를 방치한 부작위는 전자장치 부착 등에 관한 법률 제38조에 따른 전자장치의 효용을 해한 행위에 해당하지 아니한다.
> ㉣ 甲은 법무사가 아님에도 자신이 법무사로 소개되거나 호칭되는 상황에서 자신이 법무사가 아니라는 사실을 밝히지 않은 채 법무사 행세를 계속하면서 근저당권설정계약서를 작성해 준 경우, 甲에게는 부작위에 의한 법무사법 위반(법무사가 아닌 자에 대한 금지)죄가 성립한다.

Answer   4.④   5.②

ⓜ 대출자금으로 빌딩을 경락받았으나 분양이 저조하여 자금조달에 실패한 甲과 乙은 수분양자들과 사이에 대출금으로 충당되는 중도금을 제외한 계약금과 잔금의 지급을 유예하고 1년의 위탁기간 후 재매입하기로 하는 등의 비정상적인 이면 약정을 체결하고 점포를 분양하였음에도, 금융기관에 대해서는 그러한 이면 약정의 내용을 감춘 채 분양 중도금의 집단적 대출을 교섭하여 중도금 대출 명목으로 금원을 지급받은 경우, 甲과 乙의 행위는 사기죄의 요건으로서의 부작위에 의한 기망에 해당하지 아니한다.

① 1개   ② 2개   ③ 3개   ④ 4개

해설 ㉠ ○ : 대판 2005.7.22, 2005도3034
㉡ ○ : 대판 2021.9.9, 2021도8468
㉢ × : ~ 행위에 해당한다(대판 2012.8.17, 2012도5862 ∵ 부작위라고 하더라도 고의적으로 그 효용이 정상적으로 발휘될 수 없도록 한 경우임).
㉣ ○ : 대판 2008.2.28, 2007도9354
㉤ × : ~ (5줄) 교섭하여 중도금 대출 명목으로 금원을 지급받은 경우, 대출 금융기관에 대하여 비정상적인 이면 약정의 내용을 알릴 신의칙상 의무가 있다고 보아 이를 알리지 않은 것은 사기죄의 요건으로서의 부작위에 의한 기망에 해당한다(대판 2006.2.23, 2005도8645).

06 부작위범에 대한 설명으로 옳지 않은 것은?(다툼이 있는 경우 판례에 의함)   23. 경찰간부

① 작위의무가 법적으로 인정되는 부진정부작위범이라 하더라도 작위의무를 이행하는 것이 사실상 불가능한 상황이었다면, 부작위범이 성립할 수 없다.

② 하나의 행위가 부작위범인 직무유기죄와 작위범인 허위공문서작성죄 및 허위작성공문서행사죄의 구성요건을 동시에 충족하는 경우, 공소제기권자는 작위범인 허위공문서작성죄 및 허위작성공문서행사죄로 공소를 제기하지 아니하고 부작위범인 직무유기죄로만 공소를 제기할 수 있다.

③ 진정부작위범은 미수 성립이 불가능하여 형법에서는 미수범 처벌규정이 존재하지 않는 반면, 부진정부작위범은 미수 성립이 가능하다.

④ 부작위에 의한 살인에 있어서 작위의무를 이행하였다면 사망의 결과가 발생하지 않았을 것이라는 관계가 인정될 경우, 부작위와 사망의 결과 사이에 인과관계가 인정된다.

해설 ① 대판 2015.11.12, 2015도6809 전원합의체
② 대판 2008.2.14, 2005도4202
③ × : 진정부작위범은 일정한 부작위가 있으면 바로 기수가 되는 형식범으로 미수는 불가능하나, 형법상 진정부작위범 중 퇴거불응죄(제322조)와 집합명령위반죄(제149조)는 미수처벌규정이 있다.
④ 대판 2015.11.12, 2015도6809 전원합의체

07 다음 중 부작위범에 대한 설명으로 가장 옳지 않은 것은?(다툼이 있는 경우 판례에 의함)

23. 해경승진

① 파업은 그 자체로 부작위가 아니라 작위적 행위이다.

② 부작위에 의한 현주건조물방화치사상죄가 성립하기 위하여는 피고인에게 법률상의 소화 의무가 인정되는 외에 소화의 가능성 및 용이성이 있었음에도 그 소화의무에 위배하여 이미 발생한 화력을 방치함으로써 소훼의 결과를 발생시켜야 한다.

③ 부진정부작위범을 작위범과 동일하게 평가하기 위해서는 보증인적 지위 외에 부작위와 작위의 동가치성(상응성)을 요하며, 이는 형법이 명문으로 규정하고 있다.

④ 상법상 고지의무 위반은 보험사고가 이미 발생하였음에도 이를 묵비한 채 보험계약을 체결하거나 보험사고 발생의 개연성이 농후함을 인식하면서도 보험계약을 체결하는 경우 또는 보험사고를 임의로 조작하려는 의도를 가지고 보험계약을 체결하는 경우와 같이 '보험사고의 우연성'이라는 보험의 본질을 해할 정도에 이르러야 비로소 보험금 편취를 위한 고의의 기망행위에 해당한다.

> **해설** ① 대판 2011.3.17, 2007도482 전원합의체 ② 대판 2010.1.14, 2009도12109
> ③ × : ~ 명문으로 규정하고 있지 않다.
> ④ 대판 2017.4.16, 2017도1405

08 다음 사례에 대한 설명으로 옳지 않은 것은?(다툼이 있는 경우 판례에 의함)　　24. 경위공채

> 선장인 甲은 배가 기울어져 있고 승객 등이 안내방송 등을 믿고 대피하지 않은 채 선내에서 그대로 대기하고 있는 상태에서 배가 더 기울면 밖으로 빠져나오지 못하고 익사할 수 있다는 사실을 알았음에도 승객 등에 대한 구조 조치를 취하지 아니한 채 퇴선하였고, 그 결과 선내에 남아 있던 승객 수백 명이 익사하였다.

① 甲의 부작위가 작위적 방법에 의한 구성요건의 실현과 동등한 형법적 가치가 있는 것으로 평가될 수 없다 하더라도 보증인지위가 인정되면 부작위에 의한 살인죄가 성립할 수 있다.

② 작위의무는 법령, 법률행위, 선행행위로 인한 경우는 물론 신의성실의 원칙이나 사회상규 혹은 조리상 작위의무가 기대되는 경우에도 인정된다.

③ 위 사안에서 甲이 선장이라 하더라도 침몰과 같은 위급상황에서는 승객을 구할 작위의무가 없다고 착오한 경우, 이분설(이원설)에 의하면 금지착오가 된다.

④ 甲에게 살인죄가 성립하기 위해서는 구성요건의 실현을 회피하기 위하여 요구되는 행위를 현실적·물리적으로 행할 수 있었음에도 하지 아니하였다고 평가될 수 있어야 한다.

> **해설** 사례는 '세월호 사건'임(대판 2015.11.12, 2015도6809 전원합의체).
> ① × : ~ (2줄) 평가될 수 없다면 보증인지위가 인정되더라도 부작위의 동가치성(행위정형의 동가치성)이 인정되지 않아 부작위에 의한 살인죄가 성립할 수 없다.
> ② 대판 2015.11.12, 2015도6809 전원합의체 ③ 옳다. ④ 대판 2015.11.12, 2015도6809 전원합의체

Answer　7. ③　8. ①

09 **부작위범에 대한 설명으로 옳은 것은?**(다툼이 있는 경우 판례에 의함) 24. 7급 검찰

① 부진정부작위범의 성립은 보호법익의 주체에게 법익침해 위협에 대처할 보호능력이 있는지 여부가 아니라, 부작위행위자가 그러한 보호적 지위에서 법익침해를 일으키는 사태를 지배하고 있어 작위의무의 이행으로 결과발생을 쉽게 방지할 수 있는지 여부에 따라 판단하여야 한다.

② 부진정부작위범의 고의는 법익침해의 결과발생을 방지할 법적 작위의무를 가지고 있는 자가 그 의무를 이행함으로써 그 결과발생을 쉽게 방지할 수 있었음을 예견하고도 결과발생을 용인하고 이를 방관한 채 그 의무를 이행하지 아니한다는 인식을 하는 것만으로는 부족하다.

③ 보호자의 간청에 따라 담당 전문의와 주치의가 치료중단 및 퇴원을 허용하는 조치를 취함으로써 환자를 사망에 이르게 한 경우, 그 행위에 대한 비난의 중점은 치료중단이라는 부분에 있으므로 담당 전문의와 주치의에게는 부작위에 의한 살인방조죄가 성립한다.

④ 공무원이 농지불법전용의 위법사실을 발견하고도 직무상 의무에 따른 적절한 조치를 취하지 아니하고, 오히려 신청받은 농지일시전용을 허가하여 주기 위하여 그것이 타당하다는 취지의 현장출장복명서 및 심사의견서를 작성하여 결재권자에게 제출한 경우, 작위범인 허위공문서작성, 동행사죄와 부작위범인 직무유기죄는 실체적 경합범의 관계에 있다.

> **해설** ① × : ~ (1줄) 대처할 보호능력이 없고, 부작위행위자가 그러한 보호적 지위에서 법익침해를 일으키는 사태를 지배하고 있어 작위의무의 이행으로 결과발생을 쉽게 방지할 수 있는지 여부에 따라 판단하여야 한다(대판 2015.11.12, 2015도6809 전원합의체).
> ② × : ~ (3줄) 아니한다는 인식을 하면 족하다(대판 2015.11.12, 2015도6809 전원합의체).
> ③ × : ~ (3줄) 주치의에게는 작위(부작위 ×)에 의한 살인방조죄가 성립한다(대판 2004.6.24, 2002도995).
> ④ ○ : 대판 1993.12.24, 92도3334

10 **부작위범에 관한 설명으로 가장 적절하지 않은 것은?**(다툼이 있는 경우 판례에 의함) 24. 순경 2차

① 보험계약 체결 당시 이미 발생한 교통사고 등으로 생긴 '요추, 경추, 사지' 부분의 질환과 관련 하여 입·통원치료를 받고 있었을 뿐 아니라 그러한 기왕증으로 인해 유사한 상해나 질병으로 보통의 경우보다 입원치료를 더 받게 될 개연성이 농후하다는 사정을 인식하고 있었음에도 자신의 과거 병력과 치료이력을 모두 묵비한 채 보험계약을 체결하였다면 부작위에 의한 기망에 해당한다.

② 경찰공무원이 지명수배 중인 범인을 발견하고도 직무상 의무에 따른 적절한 조치를 취하지 아니하고 오히려 범인을 도피하게 하는 행위를 하였다면, 그 직무위배의 위법상태는 범인도피행위 속에 포함되어 있다고 보아야 할 것이므로, 이와 같은 경우에는 작위범인 범인도피죄만이 성립하고 부작위범인 직무유기죄는 따로 성립하지 아니한다.

Answer 9. ④ 10. ③

③ 甲이 휴대폰 녹음기능을 작동시킨 상태로 A의 휴대폰에 전화를 걸어 약 8분간의 전화통화를 마친 후 바로 전화를 끊지 않고 A가 먼저 전화 끊기를 기다리던 중 B의 목소리가 들려오자 A가 실수로 통화종료 버튼을 누르지 아니한 상태를 이용하여 A와 B가 나누는 대화를 몰래 청취 녹음하였다면 甲의 행위는 부작위에 의한 통신비밀보호법위반죄에 해당한다.

④ 공사업자 甲이 A의 토지 위에 자신의 공사를 위해 쌓아 두었던 건축자재를 공사 완료 후 단순히 치우지 않은 것에 불과하다면, 이러한 행위가 A의 추가공사 업무에 대한 적극적인 방해행위와 동등한 형법적 가치를 가진다고 볼 수 없다.

[해설] ① 대판 2017.4.16, 2017도1405 ② 대판 2017.3.15, 2015도1456
③ × : ~ (4줄) 행위는 작위(부작위 ×)에 의한 통신비밀보호법위반죄에 해당한다(대판 2016.5.12, 2013도15616 ∵ 통화연결상태에 있는 휴대폰을 이용하여 이 사건 대화를 청취 · 녹음하는 행위는 소극적 부작위에 의해 실현된 작위범임). ④ 대판 2017.12.22, 2017도13211

11 A(5세)의 아버지 甲은 해수욕장에서 자신으로부터 10m 정도 떨어진 곳에서 A가 익사 위기에 처했음을 인식하고도 A가 익사하여도 상관없다고 생각하면서 아무런 조치를 취하지 아니하였고, 결국 A는 사망하였다. 이 사례에 관한 설명 중 옳지 않은 것은?(다툼이 있는 경우 판례에 의함)
25. 변호사시험

① 甲이 작위의무를 이행하였다면 그 결과가 발생하지 않았을 것이라는 관계가 인정될 경우에 한하여 그 작위를 하지 않은 부작위와 사망의 결과 사이에 인과관계가 인정된다.

② 만약 甲이 누군가 익사 위기에 처해 있다고 생각했을 뿐 그 대상이 A임을 인식하지 못하였던 경우, 보증인적 지위는 구성요건요소이지만 보증의무는 위법성요소라고 보는 견해에 따르면, 甲의 부작위는 구성요건에 해당하고 위법하지만 그러한 착오에 정당한 이유가 있는 때에 한하여 법률의 착오로서 책임이 조각된다.

③ 甲에게 부작위에 의한 살인죄의 실행의 착수가 인정되기 위해서는 A의 사망 위험이 구체화한 상황에서 부작위가 이루어지고, 부작위 당시 자신이 구조의무 위반행위를 하고 있으며 그로 인하여 A의 사망 위험이 생긴다는 점을 인식해야 한다.

④ 만약 乙이 해수욕장의 안전요원이고, 甲과 乙이 각자 주의의무를 불이행하여 A가 익사 위기에 처했음을 알지 못하고 그로 인하여 A를 구하지 못하였다면, 甲은 부작위에 의한 과실치사죄, 乙은 부작위에 의한 업무상과실치사죄가 각각 성립할 수 있다.

⑤ 甲의 부작위를 살인죄의 실행행위로 평가하려면 甲이 A가 처한 사태를 지배하고 있어 구조의무 이행으로 사망의 결과를 쉽게 방지할 수 있어야 한다.

[해설] ①⑤ 대판 2015.11.12, 2015도6809 전원합의체
② × : ~ (3줄) 견해(이분설 : 다수설)에 따르면, 甲은 A의 아버지로서의 지위를 가지고 있음에도 불구하고 그러한 지위에 있지 않다고 착오한 경우로 이는 보증인지위에 대한 착오(구성요건적 착오)로서 고의가 조각된다. ③ 대판 2021.5.27, 2020도15529
④ 옳다(∵ 과실범의 처벌규정이 있을 때 과실에 의한 부작위범이 성립할 수 있다. ▶ 진정부작위범 ⇨ 과실범 처벌규정 ×).

THEMA 14 '부작위범과 공범' 총정리

1. 부작위범에 대한 공범

① 부작위범에 대한 **교사, 방조**는 가능하다. 이때 공범에게는 **보증인의 지위가 없어도** 공범이 성립한다. 19. 변호사시험, 20. 해경 1차·3차, 23·24. 경찰승진

② 부작위범 사이의 **공동정범**은 다수의 부작위범에게 **공통된 의무**가 부여되어 있고 그 의무를 **공통으로 이행할 수 있을 때**에만 성립한다(대판 2008.3.27, 2008도89). 19. 7급 검찰, 20. 경찰간부, 21. 해경승진, 24. 변호사시험·법원행시, 25. 9급 검찰·마약수사·철도경찰·경찰승진·순경 1차

2. 부작위에 의한 공범

: 부작위에 의한 **교사**는 불가능하나(∵ 교사는 적극적으로 범죄결의 없는 자에게 범죄결의를 일으켜야 하기 때문) 방조범이 **보증인지위를 가지는 한** 부작위에 의한 **방조**는 가능하다. 19. 순경 1차, 21. 해경승진, 22. 해경 2차, 23. 경찰승진, 24. 경찰간부·해경간부

3. 부작위범을 도구로 이용한 간접정범도 가능하다(**예** 보증인을 기망·강제하여 의무이행을 불가능하게 한 경우). 13. 사시, 19. 변호사시험, 22. 해경 2차

⚖ 관련판례

1. 공중위생관리법상 공중위생영업의 신고의무가 '공중위생영업을 하고자 하는 자'에게 부여되어 있을 경우 영업자의 직원이나 보조자를 미신고로 인한 공중위생관리법위반죄의 공동정범으로 처벌할 수 없다(대판 2008.3.27, 2008도89). 19. 법원행시, 21. 해경간부, 22. 경력채용

▶ 유사판례

① 정신질환자의 입원 등에 필요한 보호의무자 **확인서류 등 수수 의무 위반으로 인한 구 정신보건법 위반죄**는 구성요건이 부작위에 의해서만 실현될 수 있는 **진정부작위범**에 해당한다. 보호의무자 확인서류 등의 수수 의무는 '**정신의료기관 등의 장**'에게만 부여되어 있고, 정신의료기관 등의 장이 아니라 그곳에 근무하고 있을 뿐인 정신건강의학과 **전문의**는 보호의무자 확인서류 등의 수수 의무를 부담하지 않으므로 **공동정범으로 처벌할 수 없다**(대판 2021.5.7, 2018도12973).

② 주권상장법인의 주식 등 대량보유·변동·변경 **보고의무 위반으로 인한 자본시장법 위반죄**는 구성요건이 부작위에 의해서만 실현될 수 있는 **진정부작위범에 해당한다**. 진정부작위범인 주식 등 대량보유·변동·변경 보고의무 위반으로 인한 자본시장법 위반죄의 **공동정범**은 그 의무가 수인에게 공통으로 부여되어 있는데도 수인이 공모하여 전원이 그 의무를 이행하지 않았을 때 성립할 수 있다(대판 2022.1.13, 2021도11110).

2.
- 형법상 **방조행위**는 정범의 실행을 용이하게 하는 직접·간접의 모든 행위를 가리키는 것으로서 **작위**에 의한 경우뿐만 아니라 **부작위**에 의하여도 성립되는 것이다(대판 2006.4.28, 2003도4128). 18. 9급 검찰·철도경찰, 22. 경찰승진·법원행시, 23. 7급 검찰, 24. 경력채용, 25. 순경 1차
- 타인의 범죄행위를 인식하면서도 그것을 방지해야 할 직무상의 의무가 있는 자가 방지조치를 취하지 아니하여 타인의 실행행위를 용이하게 하는 경우에는 부작위에 의한 방조범(종범)이 성립된다(대판 1996.9.6, 95도2551). 13. 9급 검찰·철도경찰, 21. 순경 1차, 23. 변호사시험, 24. 법원행시

① 은행지점장이 정범인 **부하직원들**의 범행을 인식하면서도 그들의 은행에 대한 **배임행위를 방치한** 경우 ⇨ 부작위에 의한 업무상 배임죄의 **방조범**(공동정범 ×)(대판 1984.11.27, 84도1906) 16. 경찰승진, 21. 9급 검찰·마약수사·철도경찰

② 인터넷 포털 사이트 내 **오락채널 총괄팀장**과 위 오락채널 내 만화사업의 운영 직원들이 **콘텐츠제공업체들**의 음란만화 게재를 알면서도 **방치**한 경우 ⇨ 부작위에 의한 구 전기통신기본법 제48조의 2 위반죄의 **방조범** ○, 공동정범 ×(대판 2006.4.28, 2003도4128) 16. 9급 검찰 · 마약수사, 25. 경찰승진

③ **입찰업무 담당 공무원**이 입찰보증금이 횡령되는 사실을 알고도 이를 **묵인하여** 새로운 횡령범행이 계속된 경우 ⇨ 부작위에 의한 업무상 횡령죄의 종범(정범 ×)(대판 1996.9.6, 95도2551) 13. 법원직

3. 항해 중이던 선박의 1등 항해사 乙, 2등 항해사 丙이 배가 좌현으로 기울어져 멈춘 후 침몰하고 있는 상황에서 피해자인 승객 등이 안내방송 등을 믿고 대피하지 않은 채 선내에 대기하고 있음에도 아무런 구조조치를 취하지 않고 퇴선함으로써, 배에 남아 있던 피해자들을 익사하게 한 경우 : **세월호사건**(대판 2015.11.12, 2015도6809 전원합의체) ⇨ 甲(선장)에게는 부작위에 의한 살인 및 살인미수죄 ○, 乙과 丙에게는 부작위를 작위에 의한 살인의 실행행위와 동일하게 평가하기 어렵고, 부작위에 의한 살인의 고의를 인정하기 어려우므로(∵ 甲의 부작위에 의한 살인행위에 공모 가담 ×) 살인 및 살인미수죄의 공동정범 ×, 특정범죄 가중처벌 등에 관한 법률 제5조의 12 위반죄 ○) 21. 해경승진, 22. 경찰간부 · 경력채용, 23. 해경 3차, 24. 해경간부

02

종합문제 부작위범

01 부작위범에 대한 설명 중 가장 옳지 않은 것은?(다툼이 있는 경우 판례에 의함) 20. 경찰간부

① 부작위범 사이의 공동정범은 다수의 부작위범에게 공통된 의무가 부여되어 있고 그 의무를 공통으로 이행할 수 있을 때에만 성립한다.

② 부작위범이 성립하기 위한 요건인 작위의무는 법령, 법률행위, 선행행위로 인한 경우는 물론 기타 신의성실의 원칙이나 사회상규 혹은 조리상 작위의무가 기대되는 경우에도 인정된다.

③ 신고의무 위반으로 인한 공중위생관리법위반죄는 구성요건이 부작위에 의해서만 실현될 수 있는 진정부작위범에 해당한다.

④ 민법상 부부간의 부양의무에 근거한 법률상 보호의무인 작위의무는 법률상 부부의 경우에 한정되므로 사실혼 관계에서는 인정될 여지가 없다.

해설 ① 대판 2008.3.27, 2008도89 ② 대판 1996.9.6, 95도2551 ③ 대판 2008.3.27, 2008도89
④ × : ~ 작위의무는 법률상 부부는 아니지만 사실혼 관계에 있는 경우에도 인정될 여지가 있다(대판 2008.
2.14, 2007도3952).

02 다음 중 부작위범에 대한 설명으로 옳은 것은 모두 몇 개인가?(다툼이 있는 경우 판례에 의함)
20. 해경 1차

> ㉠ 부작위범에 대한 교사 · 방조는 가능하지만, 부작위에 의한 교사 · 방조는 불가능하다.
> ㉡ 진정부작위범과 부진정부작위범의 구별에 관한 학설 중 실질설은 거동범에 대하여는 부진정부작위범이 성립할 여지가 없다고 보는 반면에, 형식설은 결과범은 물론 거동범에 대하여도 부진정부작위범이 성립할 수 있다고 본다.
> ㉢ 타인의 범죄행위를 인식하면서도 그것을 방지해야 할 직무상의 의무가 있는 자가 방지조치를 취하지 아니하여 타인의 실행행위를 용이하게 하는 경우에는 부작위에 의한 공동정범이 성립된다.
> ㉣ 자기의 아들이 바다에 빠져 허우적거리고 있음을 알고도 망나니 같은 아들에 대해서는 구조의무가 없다고 생각하고 구조하지 않은 경우를 환각범이라 한다.
> ㉤ 보증인의무를 구성요건요소로 이해하는 견해에 의하면 부진정부작위범의 구성요건해당성은 위법성을 징표하지 못하며, 구성요건해당성의 범위가 부당하게 확대될 우려가 있다.
> ㉥ 부진정부작위범은 부진정신분범에 해당한다.

① 1개　　　　② 2개　　　　③ 3개　　　　④ 4개

해설 ㉠ × : 부작위범에 대한 교사 · 방조 ○, 부작위에 의한 교사 ×, 부작위에 의한 방조 ○
㉡ ○ : 옳다. ㉢ × : ~ 경우에는 부작위에 의한 방조범(공동정범 ×)이 성립된다(대판 1996.9.6, 95도2551).
㉣ × : 다수설인 이분설에 따르면 ㉣의 경우는 보증인의무에 대한 착오로 금지(위법성 · 법률)의 착오에 해당한다.

ⓜ × : 부진정부작위범의 구성요건해당성의 범위가 부당하게 확대될 우려가 있는 견해는 보증인적 지위와 작위의무(보증의무)를 모두 부진정부작위범의 위법성의 요소로 파악하는 견해이므로 틀린 지문이다.
ⓑ × : 부진정부작위범은 작위의무 있는 자만이 범할 수 있는 진정신분범에 해당한다.

03 부작위범에 관한 설명 중 옳은 것은 모두 몇 개인가?(다툼이 있는 경우 판례에 의함)

22. 경력채용

> ㉠ 법원의 입찰업무 담당공무원 甲은 사무원 乙에 의해 입찰보증금이 횡령되고 있는 사실을 알고도 이를 방지할 조치를 취하지 아니하였고 그후로도 乙의 새로운 횡령범행이 계속 되었다. 이 경우에 甲은 부작위에 의한 업무상 횡령죄의 종범으로 처벌될 수 있다.
> ㉡ 공중위생관리법 제3조 제1항에 규정된 공중위생영업의 신고의무는 '공중위생영업을 하고자 하는 자'에게 부여되므로 피고인들이 영업자의 직원이나 보조자에 불과하다면 신고의무 위반으로 인한 공중위생관리법 위반죄의 공동정범이 될 수 없다.
> ㉢ 모텔방에 투숙 중 담배를 피운 甲은 담뱃불이 완전히 꺼졌는지 여부를 확인하지 않은 채 불이 붙기 쉬운 휴지를 재떨이에 버리고 잠을 잔 과실로 모텔에 화재가 발생하였고, 화재를 소화할 의무가 있음에도 모텔주인이나 다른 투숙객들에게 화재사실을 알리지 않고 모텔에서 빠져나와 다른 투숙객들이 사망하거나 상해를 입었다면, 비록 甲이 화재를 소화하는 것이 어려웠다 하더라도 부작위에 의한 현주건조물 방화치사상죄가 성립한다.
> ㉣ 항해 중이던 선박의 선장 甲, 1등 항해사 乙, 2등 항해사 丙은 배가 기울어져 멈춘 후 침몰하고 있는 상황에서 피해자인 승객 등이 안내방송 등을 믿고 대피하지 않은 채 선내에 대기하고 있음에도 아무런 구조조치를 취하지 않고 퇴선하였고 이로 인해 배에 남아있던 승객들이 익사하였다면, 甲·乙·丙의 부작위는 작위에 의한 살인의 실행행위와 동일하게 평가할 수 있다.

① 1개   ② 2개   ③ 3개   ④ 4개

해설 ㉠ ○ : 대판 1996.9.6, 95도2551 ㉡ ○ : 대판 2008.3.27, 2008도89
㉢ × : 부작위에 의한 현주건조물방화치상죄 ×(대판 2010.1.14, 2009도12109)
㉣ × : 乙과 丙의 부작위는 작위에 의한 살인의 실행행위와 동일하게 평가할 수 없다(대판 2015.11.12, 2015도6809 전원합의체).

04 부작위범에 관한 설명 중 옳지 않은 것은?(다툼이 있는 경우 판례에 의함)   23. 변호사시험

① 일정 기간 내에 잘못된 상태를 바로잡으라는 행정청의 지시를 이행하지 않았다는 것을 구성요건으로 하는 범죄는 진정부작위범으로서 그 의무이행기간의 경과에 의하여 범행이 기수에 이른 것이다.
② 형법상 방조는 작위에 의하여 정범의 실행행위를 용이하게 하는 경우는 물론, 직무상의 의무가 있는 자가 정범의 범죄행위를 인식하면서도 그것을 방지하여야 할 제반조치를 취하지 아니하는 부작위로 인하여 정범의 실행행위를 용이하게 하는 경우에도 성립한다.
③ 사기죄에서 부작위에 의한 기망은 법률상 고지의무 있는 자가 일정한 사실에 관하여 상대방이 착오에 빠져 있음을 알면서도 이를 고지하지 않는 것을 말한다.

Answer   3. ②   4. ⑤

④ 부진정부작위범의 작위의무는 법령, 법률행위, 선행행위로 인한 경우는 물론, 사회상규 혹은 조리상 작위의무가 기대되는 경우에도 인정된다.

⑤ 甲이 A와 토지 지상에 창고를 신축하는 데 필요한 형틀공사 계약을 체결한 후 그 공사를 완료하였는데, A가 공사대금을 주지 않는다는 이유로 위 토지에 쌓아 둔 건축자재를 단순히 치우지 않은 경우, 甲의 이러한 행위는 적극적으로 A의 추가 공사 업무를 방해한 행위와 동등한 형법적 가치를 가지는 것으로 평가할 수 있으므로 甲에게는 부작위에 의한 업무방해죄가 성립한다.

해설 ① 대판 1999.4.26, 93도1731 ② 대판 1996.9.6, 95도2551
③ 대판 2004.5.27, 2003도4531 ④ 대판 1996.9.6, 95도2551
⑤ × : ~ (4줄) 평가할 수 없으므로 甲에게는 부작위에 의한 업무방해죄가 성립하지 않는다(대판 2017.12.22, 2017도13211).

05 부작위범에 대한 설명으로 옳은 것은?(다툼이 있는 경우 판례에 의함)   23. 7급 검찰

① 부작위범의 작위의무는 공법상의 의무로 제한되므로 단순한 도덕상 또는 종교상의 의무는 포함되지 않으나 작위의무가 공법적인 의무인 한 성문법이건 불문법이건 상관이 없고 법령, 법률행위, 선행행위로 인한 경우는 물론이고 기타 신의성실의 원칙이나 사회상규 혹은 조리상 작위의무가 기대되는 경우에도 법적인 작위의무는 있다.

② 형법상 방조행위는 정범의 실행을 용이하게 하는 직접, 간접의 모든 행위를 가리키는 것으로서 작위에 의한 경우 외에 부작위에 의해서는 성립하지 않는다.

③ 일정한 기간 내에 잘못된 상태를 바로잡으라는 행정청의 지시를 이행하지 않았다는 것을 구성요건으로 하는 범죄는 이른바 진정부작위범으로서 그 의무이행 기간의 경과에 의하여 범행이 기수에 이른다.

④ 도로교통법 제54조 제1항, 제2항이 규정한 교통사고발생시의 구호조치의무 및 신고의무는 교통사고를 발생시킨 당해 차량의 운전자에게 그 사고발생에 있어서 고의·과실 혹은 유책·위법한 경우에 한하여 부과된 의무라고 해석함이 상당하므로, 교통사고에 고의·과실 없는 자가 해당 의무를 이행하지 않은 부작위에 대해서는 도로교통법위반죄가 성립하지 않는다.

해설 ① × : 부작위범의 작위의무는 법적인 의무(공법상의 의무로 제한 ×)이어야 하므로 단순한 도덕상 또는 종교상의 의무는 포함되지 않으나 작위의무가 법적인(공법적인 ×) 의무인 한 성문법·불문법, 공법·사법을 불문하므로 법령, 법률행위, 선행행위로 인한 경우는 물론이고 기타 신의성실의 원칙이나 사회상규 혹은 조리상 작위의무가 기대되는 경우에도 법적인 작위의무는 있다(대판 1996.9.6, 95도2551).
② × : ~ 작위에 의한 경우뿐만 아니라 부작위에 의하여도 성립된다(대판 2006.4.28, 2003도4128).
③ ○ : 대판 1994.4.26, 93도1731
④ × : ~ (3줄) 유책·위법의 유무에 관계없이 부과된 의무이므로, 교통사고에 고의·과실 없는 자가 해당 의무를 이행하지 않은 부작위에 대해서도 도로교통법위반죄가 성립할 수 있다(대판 2002.5.24, 2000도1731).

06 부작위범에 관한 설명 중 가장 옳지 않은 것은?(다툼이 있는 경우 판례에 의함)   24. 법원행시

① 업무방해죄와 같이 작위를 내용으로 하는 범죄를 부작위에 의하여 범하는 부진정부작위범이 성립하기 위해서는 부작위를 실행행위로서의 작위와 동일시할 수 있어야 한다.

② 업무상 배임죄는 타인과의 신뢰관계에서 일정한 임무에 따라 사무를 처리할 법적 의무가 있는 자가 그 상황에서 당연히 할 것이 법적으로 요구되는 행위를 하지 않는 부작위에 의해서도 성립할 수 있다.

③ 부작위범 사이의 공동정범은 다수의 부작위범에게 공통된 의무가 부여되어 있고 그 의무를 공통으로 이행할 수 있을 때에만 성립한다.

④ 직무유기죄는 그 구성요건이 부작위에 의해서만 실현될 수 있는 진정부작위범에 해당한다.

⑤ 형법상 방조는 작위에 의하여 정범의 실행을 용이하게 하는 경우는 물론, 직무상의 의무가 있는 자가 정범의 범죄행위를 인식하면서도 그것을 방지하여야 할 제반 조치를 취하지 아니하는 부작위로 인하여 정범의 실행행위를 용이하게 하는 경우에도 성립된다.

[해설] ① 대판 2017.12.22, 2017도13211
② 대판 2021.5.27, 2020도15529
③ 대판 2008.3.27, 2008도89
④ × : 직무유기죄는 이른바 부진정부작위범(진정부작위범 ×)으로서 직무유기는 구체적으로 그 직무를 수행하여야 할 작위의무가 있는데도 불구하고 이러한 직무를 버린다는 인식하에 그 작위의무를 수행하지 아니하면 성립하는 것이다(대판 1983.3.22, 82도3065).
⑤ 대판 1996.9.6, 95도2551

07 부작위범에 관한 설명 중 옳지 않은 것을 모두 고른 것은?(다툼이 있는 경우 판례에 의함)
24. 변호사시험

> ㉠ 작위의무는 법적인 의무이어야 하므로 법령, 법률행위, 선행행위로 인한 경우에는 법적인 작위의무가 인정되나, 기타 신의성실의 원칙이나 사회상규 혹은 조리상 작위의무가 기대되는 경우에는 법적인 작위의무를 인정할 수 없다.
> ㉡ 부진정부작위범의 고의는 반드시 구성요건적 결과발생에 대한 목적이나 계획적인 범행 의도가 있어야 한다.
> ㉢ 업무상 배임죄는 부작위에 의해서도 성립할 수 있는바, 그러한 부작위를 실행의 착수로 볼 수 있기 위해서는 작위의무가 이행되지 않으면 사무처리의 임무를 부여한 사람이 재산권을 행사할 수 없으리라고 객관적으로 예견되는 등으로 구성요건적 결과발생의 위험이 구체화한 상황에서 부작위가 이루어져야 한다.
> ㉣ 중고자동차 매매에 있어서 매도인의 할부금융회사 또는 보증보험에 대한 할부금 채무가 매수인에게 당연히 승계되므로 그 할부금 채무의 존재를 매수인에게 고지하지 아니한 경우 부작위에 의한 기망에 해당한다.
> ㉤ 부작위범 사이의 공동정범은 다수의 부작위범에게 공통된 의무가 부여되어 있고 그 의무를 공통으로 이행할 수 있을 때에만 성립한다.

Answer   6.④   7.②

① ㉠, ㉡, ㉢   ② ㉠, ㉡, ㉣   ③ ㉡, ㉢, ㉣
④ ㉠, ㉡, ㉣, ㉤   ⑤ ㉠, ㉢, ㉣, ㉤

해설 ㉠ × : ~ 선행행위로 인한 경우는 물론이고, 기타 신의성실의 원칙이나 사회상규 혹은 조리상 작위의무가 기대되는 경우에는 법적인 작위의무를 인정할 수 있다(대판 1996.9.6, 95도2551).
㉡ × : ~ 의도가 있어야 하는 것은 아니다(대판 2015.11.12, 2015도6809 전원합의체).
㉢ ○ : 대판 2021.5.27, 2020도15529
㉣ × : ~ 매수인에게 당연히 승계되는 것은 아니므로 그 할부금 채무의 존재를 매수인에게 고지하지 아니한 경우 부작위에 의한 기망에 해당하지 않는다(대판 1998.4.14, 98도231).
㉤ ○ : 대판 2008.3.27, 2008도89

08 부작위범에 관한 설명으로 가장 적절한 것은?(다툼이 있는 경우 판례에 의함)　　24. 경찰승진

① 하나의 행위가 작위범과 부작위범의 구성요건을 동시에 충족할 수는 없다.
② 부작위범에 대한 방조범은 부작위에 의한 방조뿐만 아니라 작위에 의한 방조의 경우에도 결과발생을 방지할 의무 내지 보증의무가 있는 경우에만 성립한다.
③ 부진정부작위범의 경우와는 달리 진정부작위범의 공동정범은 그 의무가 수인에게 공통으로 부여되어 있지 않더라도 수인이 공모한 경우에 성립할 수 있다.
④ 도로교통법 제54조 제1항, 제2항이 규정한 교통사고 발생시의 구호조치의무 및 신고의무는 교통사고의 결과가 피해자의 구호 및 교통질서의 회복을 위한 조치가 필요한 상황인 이상, 교통사고를 발생시킨 당해 차량의 운전자에게 그 사고 발생에 있어서 고의·과실 혹은 유책·위법의 유무에 관계없이 부과된 의무이므로 위법하지 않은 선행행위로부터도 작위의무가 발생할 수 있다.

해설 ① × : ~ 동시에 충족할 수 있다(대판 2008.2.14, 2005도4202).
② × : 부작위범에 대한 방조범은 부작위에 의한 방조와 달리 작위에 의한 방조의 경우에는 결과발생을 방지할 의무 내지 보증이무가 없어도 성립한다.
③ × : 부작위범 사이의 공동정범은 다수의 부작위범에게 공통된 의무가 부여되어 있고 그 의무를 공통으로 이행할 수 있을 때에만 성립한다(대판 2008.3.27, 2008도89).
④ ○ : 대판 2002.5.24, 2000도1731

09 부작위범에 관한 설명으로 가장 적절하지 않은 것은?(다툼이 있는 경우 판례에 의함)
25. 경찰승진

① 부작위범 사이의 공동정범은 다수의 부작위범에게 공통된 의무가 부여되어 있고 그 의무를 공통으로 이행할 수 있는 경우에 성립한다.
② 인터넷 포털 사이트 내 오락채널 총괄팀장 甲과 동 오락채널 내 만화사업의 운영 직원 乙에게 만화콘텐츠를 관리·감독할 권한과 능력이 있었고, 음란만화가 지속적으로 게재되는 사실을 알고 있었다면 甲과 乙은 콘텐츠제공업체들이 게재하는 음란만화의 삭제를 요구할 조리상의 의무가 있다.

Answer　8.④　9.④

③ 연구책임자가 처음부터 소속 학생연구원들에게 연구비를 개별적으로 지급할 의사 없이 공동관리계좌를 관리하면서 사실상 그 처분권을 가질 의도하에 이를 숨기고 산학협력단에 연구비를 신청하여 지급받았다면 이는 산학협력단에 대한 관계에 있어 기망에 의한 편취행위에 해당한다.

④ 아파트 전매인이 전매할 때 아파트 분양회사의 대표이사가 그 분양업무와 관련된 형사사건으로 유죄판결을 받은 사실이 있다면 그 내용이 매수인의 위 아파트 소유권취득에 영향을 미치는 사법상 효력에 관계있는 것이 아니더라도 매수인에게 고지할 의무가 있다.

[해설] ① 대판 2008.3.27, 2008도89
② 대판 2006.4.28, 2003도4128
③ 대판 2021.9.9, 2021도8468
④ × : ~ (2줄) 받은 바 있다고 하여도, 그 내용이 매수인의 위 아파트 소유권취득에 영향을 미치는 사법상 효력에 관계있는 것이 아니라면 매수인에게 고지할 의무가 없다(대판 1983.9.13, 83도823).

10 **부작위범에 관한 설명으로 가장 적절한 것은?**(다툼이 있는 경우 판례에 의함)　　25. 순경 1차
① 부작위에 의한 방조는 있을 수 있지만, 부작위범 사이의 공동정범은 있을 수 없다.
② 부진정 부작위범의 경우 작위의무는 법령, 법률행위, 선행행위로부터 도출되며, 신의성실의 원칙이나 사회상규 혹은 조리로부터 작위의무가 도출될 수는 없다.
③ 타인과의 신뢰관계에서 일정한 임무에 따라 사무를 처리할 법적 의무가 있는 자가 그 상황에서 당연히 할 것이 법적으로 요구되는 행위를 하지 않은 경우, 업무상 배임의 실행의 착수를 인정하기 위해서는 그러한 부작위 자체가 존재하는 것으로 족하고 구성요건적 결과발생의 위험이 구체화한 상황에서의 부작위가 있을 것까지는 요하지 않는다.
④ 형법이 금지하고 있는 법익침해의 결과발생을 방지할 법적인 작위의무를 지고 있는 자가 그 의무를 이행함으로써 결과발생을 쉽게 방지할 수 있었음에도 불구하고 그 결과의 발생을 용인하고 이를 방관한 채 그 의무를 이행하지 않은 경우, 그 부작위가 작위에 의한 법익침해와 동등한 형법적 가치가 있는 것이어서 그 범죄의 실행행위로 평가될 만한 것이라면, 작위에 의한 실행행위와 동일하게 부작위범으로 처벌할 수 있다.

[해설] ① × : 부작위에 의한 방조(대판 2006.4.28, 2003도4128)나 부작위범 사이의 공동정범(대판 2008.3.27, 2008도89)은 있을 수 있다.
② × : ~ (1줄) 선행행위로 인한 경우는 물론이고 기타 신의성실의 원칙이나 사회상규 혹은 조리로부터 작위의무가 도출될 수 있다(대판 1996.9.6, 95도2551).
③ × : 업무상 배임죄는 부작위에 의해서도 성립할 수 있는바, 그러한 부작위를 실행의 착수로 볼 수 있기 위해서는 작위의무가 이행되지 않으면 사무처리의 임무를 부여한 사람이 재산권을 행사할 수 없으리라고 객관적으로 예견되는 등으로 구성요건적 결과발생의 위험이 구체화한 상황에서 부작위가 이루어져야 한다(대판 2021.5.27, 2020도15529).
④ ○ : 대판 2010.1.14, 2009도12109

제3절 인과관계와 객관적 귀속이론

관련조문

제17조【인과관계】 어떤 행위라도 죄의 요소되는 위험발생에 연결되지 아니한 때에는 그 결과로 인하여 벌하지 아니한다. 12. 경찰간부, 15. 순경 1차, 17. 경찰승진·순경 2차, 20·21. 해경승진

01 다음 판례 중 인과관계를 인정하지 않은 경우는?　　　　　　　18. 경찰간부, 23. 해경승진

① 甲은 선단 책임선의 선장으로서 종선의 선장에게 조업상의 지시만 할 수 있을 뿐 선박의 안전관리는 각 선박의 선장이 책임지도록 되어있었던 경우, 甲이 풍랑 중에 종선에 조업 지시를 한 것과 종선의 풍랑으로 인한 매몰사고와의 사이

② 연탄가스 중독환자가 퇴원시 자신의 병명을 물었으나 의사가 아무런 요양방법을 지도하여 주지 아니하여 병명을 알지 못해 퇴원 즉시 재차 연탄가스에 중독된 경우, 의사의 업무상 과실과 재차 연탄가스에 중독된 것과의 사이

③ 임차인이 자신의 비용으로 설치·사용하던 가스설비의 휴즈콕크를 아무런 조치 없이 제거하고 이사를 간 후 가스공급을 개별적으로 차단할 수 있는 주밸브가 열려져 가스가 유입되어 폭발사고가 발생한 경우, 임차인의 과실과 가스폭발사고 사이

④ 4일 가량 물조차 제대로 마시지 못하고 잠도 자지 아니하여 거의 탈진 상태에 이른 피해자의 손과 발을 17시간 이상 묶어 두고 좁은 차량 속에서 움직이지 못하게 감금한 행위와 묶인 부위의 혈액 순환에 장애가 발생하여 혈전이 형성되고 그 혈전이 폐동맥을 막아 사망에 이르게 된 결과 사이

해설　• **인과관계** × : ① 대판 1989.9.12, 89도1084
　　　• **인과관계** ○ : ② 대판 1991.2.12, 90도2547 ③ 대판 2001.6.1, 99도5086 ④ 대판 2002.10.11, 2002도4315

02 상당인과관계 또는 예견가능성에 관한 설명 중 가장 옳은 것은?(다툼이 있는 경우 판례에 의함)　　　　　　　19. 법원행시

① 甲이 乙에게 반항을 억압할 정도의 폭행, 협박을 가한 후 乙이 재물 취거 사실을 알지 못하는 사이에 甲이 그 틈을 이용하여 우발적으로 乙의 재물을 취거한 경우 위 폭행, 협박에 의한 반항억압의 상태가 전체적·실질적으로 단일한 재물 탈취 범의의 실현행위로 평가할 수 있는 경우가 아니라면 강도죄는 성립하지 않는다.

② 甲이 乙을 폭행하자 乙이 도망하였고, 甲이 乙을 쫓아와 乙에게 상해를 입히자 乙이 이를 피하여 도로를 건너 도망가려다 차에 치여 사망한 경우라면 甲의 상해행위와 乙의 사망 사이에는 상당인과관계가 인정되지 않는다.

Answer　　1. ①　2. ①

③ 甲이 乙을 2회에 걸쳐 두 손으로 힘껏 밀어 땅바닥에 넘어뜨려 乙이 그 충격으로 인한 쇼크성 심장마비로 사망한 경우, 乙에게 그 당시 심관성동맥경화 및 심근섬유화 증세 등의 심장질환의 지병이 있었고 음주로 만취된 상태였으며 그것이 乙의 사망에 영향을 주었다면 甲의 폭행과 乙의 사망 사이에 상당인과관계는 인정되지 않는다.

④ 甲이 고속도로 1차로에서 안전거리를 확보하지 않은 채 고속버스를 따라가다가 고속버스를 추월하기 위하여 2차로로 진로를 변경하여 제한속도를 20km 초과한 시속 120km의 과속으로 진행하던 중 우측 도로변에 서 있던 乙이 甲이 운전하는 차량 30~40m 전방에서 고속도로를 무단횡단하려 2차로로 갑자기 뛰어들었고, 甲의 차량이 이를 피하는 조치를 하기에는 이미 늦어 乙을 충격하여 乙이 사망한 경우, 甲의 잘못과 乙의 사망 사이에 상당인과관계가 인정된다.

⑤ 甲이 동료인 乙과 말다툼 도중 물건을 든 손으로 삿대질을 하며 폭행을 하였고 乙이 이를 피하기 위하여 두어 걸음 뒷걸음치다가 장애물에 걸려 넘어지며 머리를 바닥에 부딪쳐 두개골절로 사망하였다면 甲은 폭행치사의 죄책을 진다.

해설 ① ○ : 대판 2009.1.30, 2008도10308(∵ 폭행·협박과 재물 탈취 사이에 인과관계 ×)
② × : 상당인과관계 ○(대판 1996.5.10, 96도529)
③ × : 상당인과관계 ○(대판 1986.9.9, 85도2433)
④ × : 상당인과관계 ×(대판 2000.9.5, 2000도2671)
⑤ × : 폭행치사죄 ×(대판 1990.9.25, 90도1596 ∵ 예견가능성 ×)

03 다음 사례 중 인과관계가 인정되는 경우를 모두 고른 것은?(다툼이 있는 경우 판례에 의함)

20. 경찰승진

> ㉠ 甲이 좌회전 금지구역에서 좌회전하는데 50여 미터 후방에서 따라오던 후행차량이 중앙선을 넘어 甲운전차량의 좌측으로 돌진하여 사고가 발생한 경우 甲의 좌회전 금지구역에서 좌회전한 행위와 사고발생 사이
>
> ㉡ 甲의 살인행위와 피해자 A의 사망과의 사이에 다른 사실이 개재되어 그 사실이 치사의 직접적인 원인이 되었다고 하더라도 그와 같은 사실이 통상 예견할 수 있는 것에 지나지 않는 경우 甲의 살인행위와 A의 사망 사이
>
> ㉢ 甲이 계속 교제하기를 원하는 자신의 제의를 피해자 A가 거절한다는 이유로 A의 얼굴 등을 구타하는 등 폭행을 가하여 전치 10일간의 흉부피하출혈상 등을 가하였고, A가 계속되는 甲의 폭행을 피하려고 다시 도로를 건너 도주하다가 차량에 치여 사망한 경우 甲의 상해행위와 A의 사망 사이
>
> ㉣ 甲이 A의 뺨을 1회 때리고 오른손으로 목을 쳐 A로 하여금 뒤로 넘어지면서 머리를 땅바닥에 부딪치게 하여 두부 손상 등 상해를 가한 후, A가 병원에서 입원치료를 받다가 합병증인 폐렴으로 인한 패혈증 등으로 사망한 경우 甲의 상해행위와 A의 사망 사이

① ㉠, ㉢　　　　② ㉡, ㉣　　　　③ ㉠, ㉡, ㉢　　　　④ ㉡, ㉢, ㉣

[해설] • **인과관계** ○ : ㉡ 대판 1994.3.22, 93도3612 ㉢ 대판 1996.5.10, 96도529 ㉣ 대판 2012.3.15, 2011도17648
• **인과관계** × : ㉠ 대판 1996.5.28, 95도1200

04 인과관계에 대한 설명이다. 아래 ㉠부터 ㉣까지의 설명 중 옳고 그름의 표시(○, ×)가 바르게 된 것은?(다툼이 있는 경우 판례에 의함) 21. 경찰승진

> ㉠ 행위가 결과를 발생하게 한 유일하거나 직접적인 원인이 된 경우만이 아니라, 그 행위와 결과 사이에 피해자나 제3자의 과실 등 다른 사실이 개재된 때에도 그와 같은 사실이 통상 예견될 수 있는 것이라면 상당인과관계를 인정할 수 있다.
> ㉡ 피고인이 자동차를 운전하다 횡단보도를 걷던 보행자 甲을 들이받아 그 충격으로 횡단보도 밖에서 甲과 동행하던 피해자 乙이 밀려 넘어져 상해를 입은 경우, 피고인의 운전과 乙의 상해 사이에는 인과관계가 부정된다.
> ㉢ 아동·청소년의 성보호에 관한 법률 제7조 제5항의 미성년자에 대한 위계간음죄에 있어 위계와 간음행위 사이의 인과관계를 판단함에 있어서는 일반적·평균적 판단능력을 갖춘 성인 또는 충분한 보호와 교육을 받은 또래의 시각에서 인과관계를 판단하여야 하며, 구체적인 범행 상황에 놓인 피해자의 입장과 관점을 고려할 것은 아니다.
> ㉣ 강간을 당한 피해자가 집에 돌아가 음독자살하기에 이르른 원인이 강간을 당함으로 인하여 생긴 수치심과 장래에 대한 절망감 등에 있었다면 그 자살행위가 바로 강간행위로 인하여 생긴 당연의 결과라고 볼 수 있으므로 강간행위와 피해자의 자살행위 사이에 인과관계를 인정할 수 있다.

① ㉠(○), ㉡(○), ㉢(×), ㉣(○)
② ㉠(○), ㉡(×), ㉢(○), ㉣(×)
③ ㉠(○), ㉡(×), ㉢(×), ㉣(×)
④ ㉠(×), ㉡(○), ㉢(○), ㉣(○)

[해설] ㉠ ○ : 대판 2014.7.24, 2014도6206
㉡ × : ~ 인과관계가 인정된다(대판 2011.4.28, 2009도12672).
㉢ × : 위계에 의한 간음죄가 보호대상으로 삼는 아동·청소년, 미성년자, 심신미약자, 피보호자·피감독자, 장애인 등의 성적 자기결정 능력은 그 나이, 성장과정, 환경, 지능 내지 정신기능 장애의 정도 등에 따라 개인별로 차이가 있으므로 간음행위와 인과관계가 있는 위계에 해당하는지 여부를 판단할 때에는 구체적인 범행 상황에 놓인 피해자의 입장과 관점이 충분히 고려되어야 하고, 일반적·평균적 판단능력을 갖춘 성인 또는 충분한 보호와 교육을 받은 또래의 시각에서 인과관계를 쉽사리 부정하여서는 안 된다(대판 2020.8.27, 2015도9436 전원합의체).
㉣ × : ~ (3줄) 당연의 결과라고 볼 수는 없으므로, 강간행위와 피해자의 자살행위 사이에 인과관계를 인정할 수는 없다(대판 1982.11.23, 82도1446).

05 인과관계에 대한 설명으로 옳은 것은 모두 몇 개인가?(다툼이 있는 경우 판례에 의함)

18. 7급 검찰, 21. 9급 검찰 · 마약수사 · 철도경찰

> ㉠ 부작위범에 있어서 작위의무를 이행하였다면 결과가 발생하지 않았을 것이라는 관계가 인정될 경우 부작위와 그 결과 사이에 인과관계가 있다.
>
> ㉡ 사기죄는 타인을 기망하여 착오에 빠뜨리고 처분행위를 유발하여 재물을 교부받거나 재산상 이익을 얻음으로써 성립하는 것으로, 기망행위와 상대방의 착오 및 재물의 교부 또는 재산상 이익의 공여 사이에 순차적인 인과관계가 있어야 한다.
>
> ㉢ 의사가 설명의무를 위반한 채 의료행위를 하였다가 환자에게 상해의 결과가 발생한 경우, 의사에게 업무상 과실로 인한 형사책임을 지우기 위해서는 의사의 설명의무 위반과 환자의 상해 사이에 상당인과관계가 존재하여야 한다.
>
> ㉣ 선행 교통사고와 후행 교통사고 중 어느 쪽이 원인이 되어 피해자가 사망에 이르게 되었는지 밝혀지지 않은 경우, 후행 교통사고를 일으킨 사람의 과실과 피해자의 사망 사이에 인과관계가 인정되기 위해서는 후행 교통사고를 일으킨 사람이 주의의무를 게을리하지 않았다면 피해자가 사망에 이르지 않았을 것이라는 사실이 입증되어야 한다.
>
> ㉤ 결과적 가중범인 교통방해에 의한 치사상죄가 성립하려면 교통방해행위와 사상의 결과 사이에 상당인과관계가 있어야 하고 행위시에 결과의 발생을 예견할 수 있어야 한다.

① 2개   ② 3개   ③ 4개   ④ 5개

해설 ㉠ ○ : 대판 2015.11.12, 2015도6809 전원합의체
㉡ ○ : 대판 2017.9.26, 2017도8449
㉢ ○ : 대판 2015.6.24, 2014도11315
㉣ ○ : 대판 2007.10.26, 2005도8822
㉤ ○ : 대판 2014.7.24, 2014도6206

06 인과관계에 대한 설명으로 옳지 않은 것은?(다툼이 있는 경우 판례에 의함)

21. 7급 검찰, 24. 해경간부

① 운전자 甲이 과실로 열차 건널목을 그대로 건너는 바람에 그 자동차가 열차 좌측 모서리와 충돌하여 20여 미터쯤 열차 진행방향으로 끌려가면서 튕겨 나갔고 A는 타고 가던 자전거에서 내려 자동차 왼쪽에서 열차가 지나가기를 기다리고 있다가 충돌사고로 놀라 넘어져 상처를 입었다면 비록 자동차와 A가 직접 충돌하지는 아니하였더라도 甲의 과실과 A의 상해 사이에는 인과관계가 인정된다.

② 甲이 승용차로 A를 가로막아 승차하게 한 후 A의 하차 요구를 무시한 채 당초 목적지가 아닌 다른 장소를 향해 시속 약 60km 내지 70km의 속도로 진행하자, A가 이를 벗어날 목적으로 차량을 빠져나오려다가 길바닥에 떨어져 사망한 경우, 甲의 행위와 A의 사망 사이에는 인과관계가 인정된다.

Answer   5.④   6.④

③ 한의사 甲이 A에게 문진하여 과거 봉침을 맞고도 별다른 이상반응이 없었다는 답변을 듣고 부작용에 대한 충분한 사전 설명 없이 환부인 목 부위에 봉침시술을 하였는데, A가 시술 직후 쇼크반응을 나타내는 등 상해를 입은 경우, 설명의무를 다하였더라도 피해자가 반드시 시술을 거부하였을 것이라고 볼 수 없다면 甲의 설명의무 위반과 A의 상해 사이에는 인과관계가 부정된다.

④ 산부인과 의사 甲이 환자 A를 다른 병원으로 전원하는 과정에서 전원을 지체하고, 전원받는 병원 의료진에게 A가 고혈압 환자이고 제왕절개수술 후 대량출혈이 있었던 사정을 설명하지 않아 A가 사망한 경우, 전원받은 병원에서 의료진의 조치가 미흡하여 전원 후 약 1시간 20분이 지나 수혈이 시작된 사정이 있었다면, 甲의 과실과 A의 사망 사이에는 인과관계가 단절된다.

해설 ① 대판 1989.9.12, 89도866
② 대판 2000.2.11, 99도5286
③ 대판 2011.4.14, 2010도10104
④ × : ~ (4줄) 사정이 있었더라도 甲의 과실과 A의 사망 사이에는 인과관계가 인정된다(대판 2010.4.29, 2009도7070).

07 **인과관계에 대한 설명이다. 옳은 것만으로 묶인 것은?**(다툼이 있는 경우 판례에 의함)

22. 경찰간부

㉠ 부작위에 의한 살인의 경우, 작위의무를 이행하였다면 결과가 발생하지 않았을 것이라는 관계가 인정될 경우에는 부작위와 사망의 결과 사이에 인과관계가 인정된다.

㉡ 甲이 乙에게 반항을 억압하기에 충분한 정도의 폭행 또는 협박을 가하여 乙이 재물 취거의 사실을 알지 못하는 사이에 그 틈을 이용하여 甲이 우발적으로 乙의 재물을 취거한 경우, 위 폭행 또는 협박에 의한 반항억압의 상태가 전체적·실질적으로 단일한 재물 탈취의 범의의 실현행위로 평가할 수 있는 경우가 아니면 강도죄는 성립되지 않는다.

㉢ 甲이 차를 세워두고 열쇠를 끼워놓은 채 내린 이후 조수석에 있던 어린이 乙이 시동 열쇠를 돌리고 악셀레이터 페달을 밟아 차량을 진행하여 사고가 난 경우, 甲의 과실은 사고발생에 간접적인 원인이기 때문에 사고의 결과와 인과관계가 있다고 볼 수 없다.

㉣ 살인의 실행행위가 피해자의 사망이라는 결과를 발생하게 한 유일한 원인 혹은 직접적인 원인이어야 하므로, 살인의 실행행위와 피해자 사망과의 사이에 통상 예견할 수 있는 다른 사실이 개재되어 그 사실이 치사의 직접적인 원인이 된 경우에는 살인의 실행행위와 피해자의 사망과의 사이에 인과관계는 부정된다.

㉤ 의사 甲의 수술 후 복막염에 대한 진단과 처치 지연 등의 과실로 乙이 제때 필요한 조치를 받지 못하였다면 乙의 사망과 甲의 과실 사이에는 일반적으로 인과관계가 인정되나, 乙이 甲의 지시를 일부 따르지 않거나 퇴원한 적이 있는 경우에는 인과관계가 단절된다.

① ㉠, ㉡   ② ㉠, ㉢   ③ ㉡, ㉤   ④ ㉢, ㉣

Answer　7.①

[해설] ㉠ ○ : 대판 2015.11.12, 2015도6809 전원합의체
㉡ ○ : 대판 2009.1.30, 2008도10308(∵ 인과관계 ×)
㉢ × : ~ (3줄) 인과관계가 있다고 볼 수 있다(대판 1986.7.8, 86도1048).
㉣ × : ~ (1줄) 직접적인 원인이어야만 되는 것은 아니므로, 살인의 실행행위와 피해자 사망과의 사이에 통상 예견할 수 있는 다른 사실이 개재되어 그 사실이 치사의 직접적인 원인이 된 경우에는 살인의 실행행위와 피해자의 사망과의 사이에 인과관계가 인정된다(대판 1994.3.22, 93도3612).
㉤ × : ~ 인과관계가 단절된다고 볼 수 없다(대판 2018.5.11, 2018도2844 ∴ 인과관계 ○).

08 다음은 인과관계에 대한 설명이다. 아래 ㉠부터 ㉣까지의 설명 중 옳고 그름의 표시(○, ×)가 바르게 된 것은?(다툼이 있는 경우 판례에 의함) 22. 경찰승진

> ㉠ 임차인이 자신의 비용으로 설치사용하던 가스설비의 휴즈 콕크를 아무런 조치 없이 제거함으로써 가스가 유입되어 폭발사고가 발생한 경우, 임차인의 과실과 가스폭발사고 사이에는 인과관계가 인정된다.
>
> ㉡ 수술 후 의사 甲의 복막염에 대한 진단과 처치 지연 등의 과실로 A가 제때 필요한 조치를 받지 못하였다면, 비록 A가 甲의 지시를 일부 따르지 않거나 퇴원한 사실이 있더라도 甲의 과실과 A의 사망 사이에는 인과관계가 단절된다고 볼 수 없다.
>
> ㉢ 초지조성공사를 함에 있어서 현장에서 작업전반을 전적으로 지휘·감독하는 하수급인의 과실로 인하여 발생한 산림실화에 대하여, 해당 공사를 도급받은 수급인 甲이 산불작업을 하도급을 준 이후에 계속하여 그 작업을 감독하지 않은 잘못은 위 실화와 상당인과관계가 있는 과실이라고는 할 수 없다.
>
> ㉣ 甲이 운전하는 차가 이미 정차하였음에도 뒤쫓아오던 차의 충돌로 인하여 앞차를 충격하여 사고가 발생한 경우, 甲에게 안전거리를 준수하지 않은 위법이 있었더라도 사고 피해 결과에 대하여 인과관계가 있다고 단정할 수 없다.

① ㉠(○), ㉡(○), ㉢(○), ㉣(○)　　② ㉠(×), ㉡(○), ㉢(×), ㉣(○)
③ ㉠(○), ㉡(○), ㉢(×), ㉣(○)　　④ ㉠(○), ㉡(×), ㉢(×), ㉣(×)

[해설] ㉠ ○ : 대판 2001.6.1, 99도5086
㉡ ○ : 대판 2018.5.11, 2018도2844
㉢ ○ : 대판 1987.4.28, 87도297
㉣ ○ : 대판 1983.8.23, 82도3222

09 인과관계에 대한 설명으로 옳지 않은 것은?(다툼이 있는 경우 판례에 의함) 22. 9급 검찰·마약수사
① 교사 甲이 제자 A의 잘못을 징계코자 좌측 뺨을 때려 A가 뒤로 넘어지면서 사망에 이른 경우, A는 두께 0.5밀리미터밖에 안 되는 비정상적인 얇은 두개골을 갖고 있었고, 또 뇌수종을 가진 심신허약자로서 좌측 뺨을 때리자 급격한 뇌압상승으로 넘어지게 된 것이라면, 甲의 행위와 A의 사망 간에는 인과관계가 없다.

② 甲이 A를 2회에 걸쳐 두 손으로 힘껏 밀어 땅바닥에 넘어뜨리는 폭행을 가함으로써 그 충격으로 인한 쇼크성 심장마비로 사망케 하였다면, 비록 A에게 그 당시 심관상동맥경화 및 심근섬유화 증세 등의 심장질환 지병이 있었고 음주로 만취된 상태였으며 그것이 A가 사망함에 있어 영향을 주었다고 해서, 甲의 폭행과 A의 사망 간에 상당인과관계가 없다고 할 수 없다.

③ 강간을 당한 A가 집에 돌아가 음독자살하기에 이른 원인이 강간을 당함으로 인하여 생긴 수치심과 장래에 대한 절망감 등에 있었다면, 강간행위와 A의 자살행위 사이에 인과관계를 인정할 수 있다.

④ 甲과 乙이 공동하여 A를 폭행하고 그 무렵 당구장 3층에 있는 화장실에 숨어 있던 A를 다시 폭행하려고 甲은 화장실을 지키고 乙은 당구치는 기구로 문을 내려쳐 부수자, 이에 위협을 느낀 A가 화장실 창문 밖으로 숨으려다 실족하여 떨어짐으로써 사망하였다. 이 경우, 甲과 乙의 폭행행위와 A의 사망 사이에는 인과관계가 있다.

[해설] ① 대판 1978.11.28, 78도1961 ② 대판 1986.9.9, 85도2433
③ × : ~ 수 없다(대판 1982.11.23, 82도1446). ④ 대판 1990.10.16, 90도1786

10 다음 중 상당인과관계가 인정되기 가장 어려운 경우는?(다툼이 있는 경우 판례에 의함)

22. 법원직

① 피고인이 고속도로 2차로를 따라 자동차를 운전하다가 1차로를 진행하던 甲의 차량 앞에 급하게 끼어든 후 곧바로 정차하여, 甲의 차량 및 이를 뒤따르던 차량 두 대는 연이어 급제동하여 정차하였으나, 그 뒤를 따라오던 乙의 차량이 앞의 차량들을 연쇄적으로 추돌케하여 乙을 사망에 이르게 하고 나머지 차량운전자 등 피해자들에게 상해를 입힌 경우, 피고인의 정차행위와 사상의 결과발생 사이

② 한의사인 피고인이 피해자에게 문진하여 과거 봉침을 맞고도 별다른 이상반응이 없었다는 답변을 듣고 알레르기반응 검사를 생략한 채 환부인 목 부위에 봉침시술을 하였는데, 피해자가 위 시술 직후 아나필락시쇼크반응을 나타내는 등 상해를 입은 경우, 알레르기 반응검사를 하지 않은 과실과 피해자의 상해 사이

③ 4일 가량 물조차 제대로 마시지 못하고 잠도 자지 아니하여 거의 탈진상태에 이른 피해자의 손과 발을 17시간 이상 묶어두고 좁은 차량 속에서 움직이지 못하게 감금한 행위와 묶인 부위의 혈액순환에 장애가 발생하여 혈전이 형성되고 그 혈전이 폐동맥을 막아 사망에 이르게 된 결과 사이

④ 폭행 또는 협박으로 타인의 재물을 강취하려는 행위와 이에 극도의 흥분을 느끼고 공포심에 사로잡혀 이를 피하려다 상해에 이르게 된 사실 사이

[해설] • **상당인과관계** ○ : ① 대판 2014.7.24, 2014도6206 ③ 대판 2002.10.11, 2002도4315 ④ 대판 1996.7.12, 96도1142
  • **상당인과관계** × : ② 대판 2011.4.14, 2010도10104

Answer 10. ②

11 인과관계에 대한 설명으로 옳은 것은?(다툼이 있는 경우 판례에 의함)　　22. 7급 검찰

① 甲이 자동차를 운행하던 중 과실로 A를 충격하여 반대차로에 넘어지게 했는데 그 직후 A가 반대차로를 운행하던 다른 자동차에 깔려 사망한 경우, 甲의 과실행위와 A의 사망 사이에는 인과관계가 인정되지 않는다.

② 甲이 예리한 칼로 A를 찔러 부상케 한 후 1개월이 지난 후에 A가 그 찔린 상처로 인한 과다 출혈과 상처의 감염 등으로 말미암은 패혈증으로 사망한 경우, 甲이 A를 찌른 행위와 A의 사망 사이에는 인과관계가 인정되지 않는다.

③ 甲의 폭행으로 장 파열을 일으켜 병원으로 옮겨진 A가 장 파열로 인한 복막염이 유력한 원인이 되었지만 의사의 수술 지연이 함께 원인이 되어 사망한 경우, 甲의 폭행과 A의 사망 사이에는 인과관계가 인정되지 않는다.

④ 평소 고혈압 증세가 있는 A가 甲의 폭행으로 땅바닥에 넘어질 때의 자극 때문에 뇌출혈을 일으켜서 사망한 경우, 甲의 폭행과 A의 사망 사이에는 인과관계가 인정된다.

[해설] ① × : ~ 인과관계가 인정된다(대판 1988.11.8, 88도928).
② × : ~ 인과관계가 인정된다(대판 1982.12.28, 82도2525).
③ × : ~ 인과관계가 인정된다(대판 1984.6.26, 84도831).
④ ○ : 대판 1979.10.10, 79도2040

12 인과관계에 대한 설명 중 옳은 것만을 모두 고른 것은?(다툼이 있는 경우 판례에 의함)

23. 경찰간부

> ㉠ 과실범의 독립행위가 경합하여 결과발생의 원인된 행위가 판명되지 아니한 때에는 각 행위자를 미수범으로 처벌한다.
> ㉡ '그러한 행위가 없었더라면 그러한 결과도 발생하지 않았을 것'이라는 자연과학적 인과관계를 판단의 척도로 삼는 조건설은 각 조건들을 결과에 대한 동등한 원인으로 간주하여 인과관계의 범위가 지나치게 확장된다는 비판을 받는다.
> ㉢ 어느 행위로부터 어느 결과가 발생하는 것이 경험칙상 상당하다고 판단될 때 인과관계가 인정되는 상당인과관계설은 인과관계를 일상적인 생활경험으로 제한하여 형사처벌의 확장을 방지하는 장점이 있으나 '상당성'의 판단이 모호하여 법적 안정성을 해칠 우려가 있다는 비판을 받는다.
> ㉣ 甲에 의한 선행 교통사고와 乙에 의한 후행 교통사고로 A가 사망하였으나 사망의 원인된 행위가 밝혀지지 않은 경우, 乙의 과실과 A의 사망 간에 인과관계가 인정되기 위해서는 乙이 주의의무를 게을리하지 않았다면 A가 사망하지 않았을 것이라는 사실이 증명되어야 하고, 그 증명책임은 乙에게 있다.

①　㉠　　　　　②　㉡, ㉢　　　　　③　㉠, ㉡, ㉢　　　　　④　㉡, ㉢, ㉣

[해설] ㉠ × : 과실범은 항상 결과발생을 요하는 결과범(실질범)이므로 과실범의 미수는 이론상 인정할 여지가 없으며 현행법상 과실범에 대한 미수처벌규정도 없기 때문에 제19조(독립행위의 경합)를 적용할 수 없다. ㉡ ○ : 옳다. ㉢ ○ : 옳다. ㉣ × : ~ (4줄) 증명책임은 검사(乙 ×)에게 있다(대판 2007.10.26, 2005도8822).

Answer　11. ④　12. ②

13 인과관계에 관한 설명 중 옳지 않은 것은?(다툼이 있는 경우 판례에 의함) 　23. 변호사시험

① 의사가 시술의 위험성에 관하여 설명을 하였더라면 환자가 시술을 거부하였을 것이라는 점이 합리적 의심의 여지가 없이 증명되지 못한 경우에는 의사의 설명의무 위반과 환자의 상해 또는 사망 사이에 상당인과관계를 인정할 수 없다.

② 고의의 결과범에서 실행행위와 결과발생 간에 인과관계가 없는 경우 행위자를 기수범으로 처벌할 수 없다.

③ 아동·청소년의 성보호에 관한 법률 제7조 제5항 위반의 위계에 의한 간음죄에서 행위자가 간음의 목적으로 피해자에게 오인, 착각, 부지를 일으키고 피해자의 그러한 심적 상태를 이용하여 간음의 목적을 달성하였다면 위계와 간음행위 사이의 인과관계를 인정할 수 있다.

④ 피해자 법인의 대표가 기망행위자와 동일인이거나 기망행위자와 공모하는 등 기망행위임을 알고 있었던 경우에는 기망행위로 인한 착오가 있다고 볼 수 없고, 재물 교부 등의 처분행위가 있었더라도 기망행위와 인과관계가 있다고 보기 어렵다.

⑤ 살인의 실행행위와 피해자의 사망 사이에 다른 사실이 개재되어 그 사실이 사망의 직접적인 원인이 되었다면, 그 사실이 통상 예견할 수 있는 것이라 하더라도 살인의 실행행위와 피해자의 사망 사이에 인과관계가 없는 것으로 보아야 한다.

해설 ① 대판 2018.5.15, 2016도13089 ② 옳다.
③ 대판 2020.8.27, 2015도9436 전원합의체 ④ 대판 2017.9.26, 2017도8449
⑤ × : ~ 인과관계가 있는 것으로 보아야 한다(대판 1994.3.22, 93도3612).

14 인과관계에 관한 다음 설명 중 옳지 않은 것은 모두 몇 개인가?(다툼이 있는 경우 판례에 의함)
　23. 법원행시

㉠ 의사가 설명의무를 위반한 채 의료행위를 하였다가 환자에게 상해 또는 사망의 결과가 발생한 경우 의사에게 업무상 과실로 인한 형사책임을 지우기 위해서는 의사의 설명의무 위반과 환자의 상해 또는 사망 사이에 상당인과관계가 존재하여야 한다.

㉡ 안면 및 흉부에 대한 구타는 생리적 작용에 중대한 영향을 줄 뿐 아니라 신경에 강대한 자극을 줌으로써 정신의 흥분과 이에 따르는 혈압의 항진을 초래하여 뇌일혈을 야기케 할 수 있고 이는 누구든지 예견할 수 있으므로 구타와 뇌일혈 사이에 인과관계가 있다.

㉢ 강간 피해자가 집에 돌아가 음독자살한 경우 강간행위와 자살 사이에 인과관계를 인정할 수 있다.

㉣ 어로작업 중인 항행유지선이라고 할지라도 피항선이 피항하지 않음으로써 충돌의 위험이 닥친 경우에 스스로 방향을 바꾸거나 감속 또는 정선함으로써 사고를 미연에 방지할 수 있다면 그 같은 조치를 취할 주의의무가 있으나, 만일 항행유지선 조선자가 견시의무를 다하여 미리 피항선의 근접을 발견하였더라도 충돌의 위험이 닥친 단계에서 스스로 방향변경 등의 방법으로 위험을 피할 도리가 없는 이상 항행유지선 조선자의 견시의무를 소홀히 한 과실은 사고발생과 상당인과관계가 있다고 볼 수 없다.

> ㉺ 피고인이 주먹으로 피해자의 복부를 1회 강타하여 장파열로 인한 복막염으로 사망케 하였다면, 비록 의사의 수술지연 등 과실이 피해자의 사망의 공동원인이 되었다 하더라도 피고인의 행위가 사망의 결과에 대한 유력한 원인이 된 이상 그 폭력행위와 치사의 결과간에는 인과관계가 있다 할 것이어서 피고인은 피해자의 사망의 결과에 대해 폭행치사의 죄책을 면할 수 없다.

① 없 음　　　　② 1개　　　　③ 2개
④ 3개　　　　⑤ 4개

해설 ㉠ ○ : 대판 2015.6.24, 2014도11315
㉡ ○ : 대판 1955.6.7, 4288형상88
㉢ × : ~ 인정할 수 없다(대판 1982.11.23, 82도1446).
㉣ ○ : 대판 1984.1.17, 83도2746
㉤ ○ : 대판 1984.6.26, 84도831

15 인과관계에 관한 설명으로 옳고 그름의 표시(○, ×)가 바르게 된 것은?(다툼이 있는 경우 판례에 의함)

24. 경찰승진

> ㉠ 동시의 독립행위가 경합한 경우에 그 결과발생의 원인된 행위가 판명되지 아니한 때에는 이시(異時)의 독립행위가 경합한 경우와 달리 각 행위를 기수범으로 처벌한다.
> ㉡ 고의의 결과범에서 실행행위와 결과발생 간에 인과관계가 없는 경우 행위자를 기수범으로 처벌할 수 없다.
> ㉢ 결과발생을 위해 경험칙상 상당한 조건만이 원인이 되고 이 경우 인과관계가 인정된다는 견해에 대해서는 결과발생에 관계된 모든 조건을 등가적으로 평가함으로써 인과관계를 인정하는 범위가 너무 넓어 결과책임을 제한하려는 형법의 목적을 실현하는 데 문제가 있다는 비판이 제기된다.
> ㉣ 甲이 주먹으로 A의 복부를 1회 강타하여 장파열로 인한 복막염으로 A를 사망케 하였다면, 비록 의사의 과실에 의한 수술지연이 공동원인이 되었더라도 甲의 행위가 사망의 결과에 대한 유력한 원인이 된 이상 甲의 행위와 A의 사망 사이에는 인과관계가 인정된다.

① ㉠(×), ㉡(○), ㉢(○), ㉣(○)
② ㉠(×), ㉡(○), ㉢(×), ㉣(○)
③ ㉠(○), ㉡(×), ㉢(○), ㉣(×)
④ ㉠(×), ㉡(×), ㉢(×), ㉣(○)

해설 ㉠ × : 동시 또는 이시의 독립행위가 경합한 경우에 그 결과발생의 원인된 행위가 판명되지 아니한 때에는 각 행위를 미수범으로 처벌한다(제19조).
㉡ ○ : 옳다.
㉢ × : 결과발생을 위해 경험칙상 상당한 조건만이 원인이 되고 이 경우 인과관계가 인정된다는 견해는 상당인과관계설이고, 결과발생에 관계된 모든 조건을 등가적으로 평가함으로써 인과관계를 인정하는 견해인 조건설에 대해서는 인과관계를 인정하는 범위가 너무 넓어 결과책임을 제한하려는 형법의 목적을 실현하는 데 문제가 있다는 비판이 제기된다.
㉣ ○ : 대판 1984.6.26, 84도831

Answer 15. ②

16 인과관계에 관한 설명으로 가장 적절하지 않은 것은?(다툼이 있는 경우 판례에 의함) 24. 경찰간부

① 甲은 주식회사를 운영하면서 발주처로부터 공사완성의 대가로 공사대금을 지급받았으나, 법인 인수 과정에서 법인 등록요건 중 인력요건을 외형상 갖추기 위해 관련 자격증 소지자들로부터 자격증을 대여받은 사실을 발주처에 숨기는 행위를 하였다면, 그 기망행위와 공사대금 지급 사이에 상당인과관계가 인정된다.

② 자동차의 운전자가 통상 예견되는 상황에 대비하여 결과를 회피할 수 있는 정도의 주의의무를 다하지 못한 것이 교통사고 발생의 직접적인 원인이 되었다면, 비록 자동차가 보행자를 직접 충격한 것이 아니고 보행자가 자동차의 급정거에 놀라 도로에 넘어져 상해를 입은 경우라고 할지라도, 업무상 주의의무 위반과 교통사고 발생 사이에 상당인과관계를 인정할 수 있다.

③ 살인의 실행행위가 피해자의 사망이라는 결과를 발생하게 한 유일한 원인이거나 직접적인 원인이어야만 되는 것은 아니므로, 살인의 실행행위와 피해자의 사망과의 사이에 다른 사실이 개재되어 그 사실이 치사의 직접적인 원인이 되었다고 하더라도 그와 같은 사실이 통상 예견할 수 있는 것에 지나지 않는다면 살인의 실행행위와 피해자의 사망과의 사이에 인과관계가 인정된다.

④ 의사가 설명의무를 위반한 채 의료행위를 하였다가 환자에게 사망의 결과가 발생한 경우, 의사에게 업무상 과실로 인한 형사책임을 지우기 위해서는 의사의 설명의무 위반과 환자의 사망 사이에 상당인과관계가 존재하여야 한다.

해설 ① × : ~ (1줄) 공사대금을 지급받은 것이므로, 설령 피고인이 법인 인수 과정에서 법인 등록요건 중 인력요건을 외형상 갖추기 위해 관련 자격증 소지자들로부터 자격증을 대여받은 사실을 발주처에 숨기는 행위를 하였다고 하더라도 그 행위와 공사대금 지급 사이에 상당인과관계를 인정하기 어렵다(대판 2022.7.14, 2017도20911).
② 대판 2011.4.28, 2009도12672
③ 대반 1994.3.22, 93도3612
④ 대판 2015.6.24, 2014도11315

17 인과관계와 객관적 귀속에 관한 설명으로 옳지 않은 것은?(다툼이 있는 경우 판례에 의함)
24. 경위공채

① 합법칙적 조건설은 인과관계와는 다른 별도의 기준인 객관적 귀속이론에 의해 사실적 인과관계의 확정과 법적·규범적 확정을 구별하여 인과관계와 객관적 귀속을 판단한다.

② 상당인과관계설에 의하면 사실적 측면과 규범적 측면을 모두 고려하여 '상당성'을 판단하며 상당성은 행위와 결과 사이의 개연성 관계를 의미한다.

③ 과실범에 있어서 행위자에게 주의의무위반이 존재하면 주의의무를 다하였다면 같은 결과가 발생하지 않았을 것이라는 점을 입증하지 않았다 하더라도 주의의무위반과 발생한 결과 사이에 객관적 귀속이 인정된다.

Answer　16.①　17.③

④ 자동차가 보행자를 직접 충격한 것이 아니고 보행자가 자동차의 급정거에 놀라 도로에 넘어져 상해를 입은 경우라고 할지라도 주의의무위반이 교통사고 발생의 직접적인 원인이 되었다면 업무상 주의의무위반과 교통사고 발생 사이에 상당인과관계를 인정할 수 있다.

해설 ①② 옳다.

③ × : 과실범에 있어서 인과관계를 인정하기 위해서는, 주의의무위반이 없었더라면 그러한 결과가 발생하지 않았을 것임이 입증(증명)되어야 한다(대판 2023.1.12, 2022도11163).

④ 대판 2022.6.16, 2022도1401

---

18 인과관계에 대한 설명으로 옳지 않은 것은?(다툼이 있는 경우 판례에 의함)

24. 9급 검찰 · 마약수사 · 철도경찰

① 방조범이 성립하려면 방조행위가 정범의 범죄실현과 밀접한 관련이 있고 정범으로 하여금 구체적 위험을 실현시키거나 범죄결과를 발생시킬 가능성을 높이는 등으로 현실적 기여를 하였다고 평가할 수 있는 인과관계가 필요하다.

② 실화죄에 있어서 공동의 과실이 경합되어 화재가 발생하여 적어도 각 과실이 화재의 발생에 대하여 하나의 조건이 된 경우라도, 원인된 행위가 밝혀지지 않았다면 그 원인을 제공한 사람들은 실화죄의 미수로 불가벌에 해당한다.

③ 정범의 실행행위 중에 이를 용이하게 하는 경우뿐만 아니라 정범의 실행착수 전에 장래의 실행행위를 예상하고 이를 용이하게 하는 경우에도 방조행위로서 정범의 실행행위에 대한 인과관계를 인정할 수 있다.

④ 교사자가 전화로 범행을 만류하는 취지의 말을 한 것만으로는 교사자의 교사행위와 정범의 실행행위 사이에 인과관계가 단절되었다거나 교사자가 공범관계에서 이탈한 것으로 볼 수 없다.

해설 ① 대판 2021.9.16, 2015도12632

② × : ~ (2줄) 하나의 조건이 된 이상은 원인된 행위가 밝혀지지 않았더라도 그 원인을 제공한 사람들은 각자 실화죄의 책임을 면할 수 없다(대판 2023.3.9, 2022도16120).

③ 대판 2021.9.9, 2017도19025 전원합의체

④ 대판 2012.11.15, 2012도7407

---

19 인과관계에 관한 설명으로 가장 적절하지 않은 것은?(다툼이 있는 경우 판례에 의함)

24. 순경 2차

① "ㅏ"자형 삼거리에서 제한 속도를 위반하여 과속운전을 한 직진 차량 운전자가 대향차선에서 신호를 위반하여 좌회전을 하는 차량과 교차로 통과시 서로 충돌하여 사고가 발생하였다면, 다른 특별한 사정이 없는 한 제한 속도를 위반하여 과속운전한 운전자의 잘못과 교통사고의 발생 사이에 상당인과관계가 있다고 볼 수 없다.

Answer　18. ②　19. ③

② 한국철도공사의 야간 업무에 사용되는 조명탑을 노동조합원 甲이 위법하게 점거하여 위력에 의한 업무방해죄가 성립하였고, 다른 노동조합원 乙 등이 그 조명탑 아래에서 지지발언을 하며 음식물을 제공하는 행위를 하였지만, 乙 등의 행위가 표현의 자유 일반적 행동의 자유나 단결권의 보호 영역을 벗어났다고 볼 수 없다면 乙 등의 조력행위와 甲의 업무방해죄의 실현 사이에 인과관계를 인정하기 어려우므로 乙 등에게 업무방해방조죄가 성립하지 않는다.

③ 의료과오사건에서 수술을 마친 후 의사가 복막염에 대한 진단과 처치를 지연하는 등의 과실로 환자가 제때 필요한 조치를 받지 못해 사망하였다고 할지라도 환자가 의사의 입원 지시 및 금식 지시를 무시하고 귀가한 사정이 있다면 의사의 과실과 환자 사망 사이의 인과관계는 단절된다.

④ 거동범에 해당하는 진정부작위범과는 달리 부진정부작위범은 결과범에 해당하므로, 사회적으로 기대되는 작위의무를 다하였으면 결과가 발생하지 않았을 것이라는 관계가 인정될 때 그 부작위와 결과 사이에 인과관계가 인정된다.

해설 ① 대판 1993.1.15, 92도2579

② 대판 2023.6.29, 2017도9835

③ × : 수술 후 복막염에 대한 진단과 처치 지연 등 담당의사 甲의 과실이 있어 A가 제때 필요한 조치를 받지 못한 경우, A가 甲의 지시를 일부 따르지 않거나 퇴원한 사실은 A의 사망과 甲의 과실 사이의 인과관계가 단절된다고 볼 수 없다(대판 2018.5.11, 2018도2844 ∴ 인과관계 ○).

④ 옳다.

20 인과관계에 관한 설명 중 옳지 않은 것은?(다툼이 있는 경우 판례에 의함)　　　25. 변호사시험

① 방조범에 있어서 방조행위와 정범의 범죄 실현 사이에 인과관계가 인정되려면 방조행위가 정범의 범죄 실현과 밀접한 관련이 있고 정범으로 하여금 구체적 위험을 실현시키거나 범죄결과를 발생시킬 기회를 높이는 등으로 정범의 범죄 실현에 현실적인 기여를 하였다고 평가할 수 있어야 한다.

② 자동차의 운전자가 통상 예견되는 상황에 대비하여 결과를 회피할 수 있는 정도의 주의의무를 다하지 못한 것이 교통사고 발생의 직접적인 원인이 되었다면, 비록 자동차가 보행자를 직접 충격한 것이 아니고 보행자가 자동차의 급정거에 놀라 도로에 넘어져 상해를 입은 경우라 할지라도, 업무상 주의의무 위반과 교통사고 발생 사이에 상당인과관계를 인정할 수 있다.

③ 피고인이 피해자의 뺨을 1회 때리고 오른손으로 목을 쳐 피해자로 하여금 넘어지면서 머리를 땅바닥에 부딪치게 하여 상해를 가하고, 이로 인하여 두부 손상을 입은 피해자로 하여금 병원에서 입원치료를 받다가 합병증으로 사망에 이르게 한 경우, 피고인의 범행과 피해자의 사망 사이에 인과관계가 인정된다.

④ 강간죄에서 폭행·협박과 간음 사이에는 인과관계가 있어야 하고, 폭행·협박은 반드시 간음행위보다 선행되어야 한다.

⑤ 폭행 또는 협박으로 타인의 재물을 강취하려는 행위와 이에 극도의 흥분을 느끼고 공포심에 사로잡혀 이를 피하려다 입은 상해 사이에는 상당인과관계가 인정된다.

해설 ① 대판 2021.9.16, 2015도12632
② 대판 2022.6.16, 2022도1401
③ 대판 2012.3.15, 2011도17648
④ × : ~ 인과관계가 있어야 하나, 폭행·협박이 반드시 간음행위보다 선행되어야 하는 것은 아니다(대판 2017.10.12, 2016도16948).
⑤ 대판 1996.7.12, 96도1142

21 **인과관계에 대한 설명으로 옳지 않은 것은?**(다툼이 있는 경우 판례에 의함)

25. 9급 검찰·마약수사·철도경찰

① 자동차의 운전자가 통상 예견되는 상황에 대비하여 결과를 회피할 수 있는 정도의 주의의무를 다하지 못한 것이 교통사고 발생의 직접적인 원인이 되었다면, 비록 자동차가 보행자를 직접 충격한 것이 아니고 보행자가 자동차의 급정거에 놀라 도로에 넘어져 상해를 입은 경우라고 할지라도 업무상 주의의무 위반과 교통사고 발생 사이에 상당인과관계를 인정할 수 있다.

② 피고인이 좌회전 금지구역에서 좌회전을 하는 도중 50여 미터 후방에서 따라오던 후행 차량이 중앙선을 넘어 피고인 차량 좌측으로 돌진하여 사고가 발생하였다면, 좌회전 금지구역에서 좌회전한 행위와 사고 발생 사이에는 상당인과관계를 인정할 수 있다.

③ 교통방해치사상죄에 있어서는 교통방해 행위가 피해자의 사상이라는 결과를 발생하게 한 유일하거나 직접적인 원인이 된 경우만이 아니라, 그 행위와 결과 사이에 피해자나 제3자의 과실 등 다른 사실이 개재된 때에도 그와 같은 사실이 통상 예견될 수 있는 것이라면 상당인과관계를 인정할 수 있다.

④ 甲이 A를 호텔 객실에 감금 후 강간하려 하자 A가 완강히 반항하던 중, 甲이 대실시간을 연장하고자 전화하는 사이에 창문으로 탈출하려다가 추락하여 사망하였다면, 甲의 강간미수행위와 A의 사망 간의 상당인과관계를 인정할 수 있다.

해설 ① 대판 2022.6.16, 2022도1401
② × : ~ 인정할 수 없다(대판 1996.5.28, 95도1200).
③ 대판 2014.7.24, 2014도6206
④ 대판 1995.5.12, 95도425

Answer 21.②

22 인과관계에 관한 설명으로 가장 적절하지 않은 것은?(다툼이 있는 경우 판례에 의함)

25. 경찰승진

① 임차인이 자신의 비용으로 설치·사용하던 가스설비의 휴즈콕크를 아무런 조치 없이 제거하고 이사를 간 후 가스공급을 개별적으로 차단할 수 있는 주밸브가 열려져 가스가 유입되어 폭발사고가 발생한 경우 임차인의 과실과 가스폭발사고 사이에는 상당인과관계가 인정된다.

② 차를 도로에 주차한 점이나 차의 미등 및 차폭등을 켜 놓지 않은 것이 가령 도로교통법 위반의 잘못이 있더라도 그로 인해 오토바이 운전자가 위 차를 뒤늦게 발견하여 사고가 일어났다고 인정되지 않는다면, 위 사고와 위 차의 주차 사이에 상당인과관계가 있다고 할 수 없다.

③ 조정에 따른 이행의무를 부담하는 피고가 조정성립 이후 청구원인에 관한 주된 조정채무를 제때 이행하지 않았다는 사정만으로 원고에게 신의칙상 주의의무를 다하지 아니하였다거나 조정성립과 상당인과관계에 있는 손해가 발생하였다고 쉽사리 단정해서는 아니 된다.

④ 운전자 甲이 차를 세워 시동을 끄고 1단 기어가 들어가 있는 상태에서 시동열쇠를 끼워 놓은 채 11세인 A를 조수석에 남겨 두고 차에서 내렸는데 A가 시동열쇠를 돌리며 악셀러레이터 페달을 밟아 차량이 진행하여 사고가 발생한 경우 甲의 행위와 차량사고 간에는 상당인과관계가 있다고 할 수 없다.

> **해설** ① 대판 2001.6.1, 99도5086
> ② 대판 1996.12.20, 96도2030
> ③ 대판 2024.1.25, 2020도10330
> ④ × : ~ 상당인과관계가 있다(대판 1986.7.8, 86도1048).

23 다음 중 인과관계에 대한 설명으로 가장 옳지 않은 것은?(다툼이 있으면 판례에 의함)

25. 해경경사

① 폭행 또는 협박으로 타인의 재물을 강취하려는 행위와 이에 극도의 흥분을 느끼고 공포심에 사로잡혀 이를 피하려다 상해에 이르게 된 사실과는 상당인과관계가 인정된다.

② 운전자가 상당한 거리에서 보행자의 무단횡단을 미리 예상할 수 없는 야간에 고속도로를 무단횡단하는 보행자를 충격하여 사망에 이르게 한 운전자의 과실과 사고 사이에는 상당인과관계가 인정되지 않는다.

③ 회사를 운영하면서 발주처로부터 공사완성의 대가로 공사대금을 지급받았으나, 법인 인수 과정에서 법인 등록 요건 중 인력요건을 외형상 갖추기 위해 관련 자격증 소지자들로부터 자격증을 대여받은 사실을 발주처에 숨기는 행위를 하였다면, 그 기망행위와 공사대금 지급 사이에 상당인과관계가 인정되지 않는다.

④ 사기죄가 성립하기 위해서는 기망행위와 상대방의 착오 및 재물의 교부 사이에 순차적인 인과관계가 있어야 하지만 착오에 빠진 원인 중에 피기망자 측의 과실이 있는 경우에는 사기죄가 성립하지 않는다.

[해설] ① 대판 1996.7.12, 96도1142
② 대판 2000.9.5, 2000도2671
③ 대판 2022.7.14, 2017도20911
④ ✕ : ~ (2줄) 인과관계가 있어야 하나, 착오에 빠진 원인 중에 피기망자 측의 과실이 있는 경우에도 사기죄가 성립한다(대판 2009.6.23, 2008도1697).

24 **사례에 대한 학설 및 판례의 설명으로 틀린 것만을 모두 고르면?**(시체은닉의 점은 논하지 않음)
22. 경찰승진, 23. 7급 검찰

> 甲은 A를 살해하기로 마음먹고 돌로 A의 머리를 내리쳤다. 甲은 A가 정신을 잃고 축 늘어지자 그가 죽은 것으로 오인하고 증거를 없앨 생각으로 A를 개울가로 끌고 가 웅덩이에 매장하였다. 그런데 A의 사망원인은 매장으로 인한 질식사로 밝혀졌다.

> ㉠ 개괄적 고의 이론에 따르면, 甲이 A를 돌로 내려친 행위에 대한 살인의 고의가 매장행위에도 미치기 때문에 甲에게는 하나의 고의기수범이 성립한다.
> ㉡ 인과과정의 착오 이론에 따르면, 사례의 경우 인과과정의 불일치를 본질적으로 보는 한 甲에게는 발생결과에 대한 고의기수범이 성립한다.
> ㉢ 미수범과 과실범의 경합설에 따르면, 甲의 범행계획이 미실현된 것으로 평가되면 살인미수죄와 과실치사죄의 경합범이 성립하지만, 사례의 경우 甲의 범행계획이 실현되었으므로 甲에게는 살인의 고의기수범이 성립한다.
> ㉣ 판례에 따르면, A의 살해라는 처음에 예견된 사실이 결국은 실현된 것으로서 甲에게는 살인의 고의기수범이 성립한다.
> ㉤ 위와 유사한 사례에서 판례는 상해의 고의로 구타하여 피해자가 정신을 잃고 빈사상태에 빠지자(제1행위) 사망한 것으로 오인하고 자신의 행위를 은폐하기 위하여 피해자를 베란다 아래로 떨어뜨려 사망하게 한 경우(제2행위), 그 행위들을 포괄하여 단일의 살인죄에 해당한다고 본다.

① ㉠, ㉣, ㉤　　　② ㉡, ㉢, ㉤　　　③ ㉠, ㉡, ㉣　　　④ ㉠, ㉢, ㉣

[해설] ㉠ ○ : 옳다.
㉡ ✕ : ~, 사례의 경우 인과과정의 불일치(행위자가 생각한 진행과정과 실제로 진행된 과정의 불일치)가 비본질적(본질적 ✕)인 것으로 보는 한 甲에게는 발생결과에 대한 고의기수범이 성립한다(다수설).
㉢ ✕ : 사례의 경우 미수범과 과실범의 경합설에 따르면, 제1행위에 대해서 미수를 인정하고 제2의 행위에 대해서는 과실이 인정되어 살인미수죄와 과실치사죄의 (실체적) 경합범을 인정한다.
▶ **참고** : 지문 ㉢은 계획실현설에 따른 것이다.
㉣ ○ : 대판 1988.6.28, 88도650
㉤ ✕ : ~ 포괄하여 단일의 상해치사죄(살인죄 ✕)에 해당한다(대판 1994.11.4, 94도2361).

Answer　24. ②

제4절 **고의(구성요건적 고의)**

제13조【고의】 죄의 성립요소인 사실을 인식하지 못한 행위는 벌하지 아니한다. 다만, 법률에 특별한 규정이 있는 경우에는 예외로 한다. 21. 해경승진

THEMA15 '고의(범의, 구성요건적 고의)' **총정리**

1. 고의의 의의 : 고의란 구성요건에 해당하는 객관적 사실(범죄사실, 구성요건적 사실)을 인식하고 그 내용을 실현하려는 의사를 말한다. 즉, 자기의 행위가 불법구성요건을 실현함을 인식·인용하는 행위자의 심적 태도를 말한다.

고의＝인식(지적 요소)＋의사(의지적 요소)

구 분	지적 요소	의지적 요소
의 의	행위자가 객관적 구성요건요소가 되는 사실을 인식하는 것을 말한다.	구성요건적 불법을 실현하려는 의사를 말한다. 22. 경찰간부
형법 규정	제13조 '죄의 성립요소인 사실의 인식'이 바로 지적 요소를 말하는 것이다.	형법에 명시하지 않아 입법론적으로 비판받고 있으나 해석상 당연히 전제되는 것으로 본다.
결여의 효과	구성요건적 착오의 문제가 발생한다.	인식 있는 과실의 문제가 발생한다.

☑ 주의 : 고의는 구성요건의 인식·인용이 아니라 범죄사실의 인식·인용이다.

2. 고의의 본질 : 고의의 본질 내지 성립범위에 관한 학설은 다음과 같다. 24. 순경 1차

학 설	내 용	비 판
인식설	구성요건에 해당하는 객관적 사실에 대한 인식만 있으면 고의를 인정한다(지적 요소 강조).	인식 있는 과실이 고의에 포함되어 고의의 범위가 부당하게 확대된다.
의사설	고의는 범죄사실에 대한 인식만으로는 부족하고, 그 실현을 희망·의욕하는 의사이다(의지적 요소 강조).	결과발생을 의욕하지 않은 미필적 고의를 고의의 범위에서 제외하게 되어 고의의 범위가 부당하게 축소된다. 09. 경찰승진
용인설	고의의 본질에 관한 용인설(인용설)에 따르면 구성요건적 결과를 용인하는 의사만으로도 고의가 인정되어 미필적 고의는 고의에 포함되나, 인식 있는 과실은 고의에 포함되지 않는다(다수설·판례). 22. 순경 2차·9급 검찰·마약수사·철도경찰	

3. 범죄체계론상 고의의 지위 : 고의는 범죄체계론상(구성요건 ⇨ 위법성 ⇨ 책임) 어디에 속하는가에 대해 학설은 다음과 같다.

학 설	내 용
책임요소설	• 인과적 행위론(고전적 범죄체계, 신고전적 범죄체계)에서 주장하는 견해이다. • 고의는 행위의 주관적 측면이므로 책임의 요소(책임형식)라고 한다. • 이 설에서는 고의＝구성요건의 객관적 사실에 대한 인식＋위법성의 인식으로 본다.
구성요건설	• 목적적 행위론(목적적 범죄체계)에서 주장하는 견해이다. • 고의는 책임요소가 아닌 모든 범죄의 주관적 구성요건요소라고 한다. 24. 순경 1차 • 이 설에서는 고의＝구성요건의 객관적 사실에 대한 인식, 위법성의 인식＝책임요소로 본다.
고의의 2중기능설 (구성요건요소임과 동시에 책임요소) ⇨ 다수설	• 사회적 행위론(신고전적 · 목적적 범죄체계)에서 주장하는 견해이다. • 고의는 구성요건요소인 동시에 책임요소라고 한다. • 이 설에서는 고의〔행위방향설정으로서의 고의(불법고의, 구성요건적 고의) ⇨ 구성요건요소, 심정적 반가치로서의 고의(책임고의) ⇨ 책임요소〕, 위법성의 인식 ⇨ 책임요소로 본다.

4. 고의의 인식대상 : 고의가 성립하기 위해서는 행위자가 모든 객관적 구성요건에 해당하는 사실(범죄사실, 구성요건적 사실)의 전부를 인식해야 한다. 즉, 고의의 인식대상이 되는 것은 모든 객관적 구성요건요소이다. 17. 경찰간부, 18. 9급 검찰 · 마약수사, 21. 해경간부, 23. 변호사시험 · 경찰승진, 24. 순경 1차

고의의 성립에 필요한 인식 · 인용의 대상인 것	고의의 성립에 필요한 인식 · 인용의 대상이 아닌 것
다음은 객관적 구성요건요소에 해당되는 것들로 고의가 성립하기 위하여 행위자가 인식해야 하는 것들이다. ㉠ 행위의 주체(신분범의 신분, 수뢰죄의 공무원), 행위의 객체(살인죄의 사람, 절도죄의 타인의 재물), 행위의 방법(사기죄의 기망, 공갈죄의 공갈), 행위의 상황(야간주거침입절도죄에 있어서 야간에, 소요죄에서 다중의 집합) ㉡ 결과범에 있어서의 결과(살인죄의 사망, 상해죄의 상해)와 인과관계 ㉢ 구체적 위험범에 있어서 위험의 발생 ㉣ 가중적 · 감경적 구성요건요소(존속살해죄의 존속, 승낙살인죄에서 승낙)	다음은 객관적 구성요건요소에 해당되지 않아 고의의 성립에 필요한 인식대상이 아니다. 즉, 행위자가 인식하지 않아도 고의의 성립에 지장이 없다. ㉠ • 주관적 구성요건요소(고의, 목적범의 목적) · 책임의 요소(책임능력, 기대가능성) • 처벌조건(가벌성) ┌ 객관적 처벌조건 └ 인적 처벌조각사유(친족상도례의 친족) • 소추조건(친고죄의 고소, 반의사불벌죄의 피해자 의사) ㉡ 결과적 가중범의 중한 결과〔∵ 결과에 대한 인식은 필요 없고 예견가능성만 있으면 됨(제15조 제2항)〕 ㉢ 추상적 위험범에 있어서 위험 ㉣ 상습도박죄의 상습성(∵ 상습성은 행위자가 갖추고 있으면 충분하고 인식할 필요는 없음) ㉤ 형벌법규 자체

☑ 고의범이 성립하려면 행위자는 객관적 구성요건요소인 행위주체 · 객체 · 행위 · 결과 등에 관한 인식을 갖고 있어야 한다고 규정하고 있으므로, 구성요건 중에 특별한 행위양태를 필요로 하는 경우에는 이러한 사정의 존재까지도 행위자가 인식하여야 한다〔대판 2019.3.28, 2018도16002 전원합의체(특별한 행위양태 ᴄᴀ 준강간죄에서의 '심신상실 또는 항거불능의 상태를 이용')〕. 22. 경찰간부, 23. 변호사시험

01 다음 구성요건적 고의에 관한 설명으로 틀린 것은 몇 개인가?

09. 경찰승진

> ㉠ 목적적 행위론에 의하면 고의는 주관적 구성요건요소가 된다.
> ㉡ 고의의 이중적 지위를 인정하는 견해에 의하면 책임고의에는 객관적 행위상황의 인식 및 위법성의 인식이 포함된다.
> ㉢ 구성요건적 고의의 인식대상은 객관적 구성요건이며, 진정신분범에서의 신분은 고의의 인식대상이다.
> ㉣ 가중적 구성요건에 있어서 형벌가중사유로 되는 사실도 구성요건적 고의의 인식대상이 된다.
> ㉤ 결과범에 있어서 고의는 그 인과관계의 진행과정까지 구체적으로 자세히 인식하여야 한다.

① 없 음 　　　　② 1개 　　　　③ 2개 　　　　④ 3개

[해설] ㉡ × : 고의의 이중적 지위를 인정하는 합일태적 범죄체계론에 의하며 위법성의 인식은 구성요건요소가 아니라 독자적인 책임요소로서 구성요건적 고의의 인식대상이 아니다.
㉤ × : 실질범(결과범)에 있어서 인과관계도 객관적 구성요건요소이므로 인과관계의 인식이 필요하지만 인식 정도는 인과과정을 상세하게 알 필요는 없고 대체적으로 중요부분(본질적 부분)만 인식하면 된다.

02 다음 중 고의의 인식대상을 모두 고른 것은?

20. 경찰승진

> ㉠ 수뢰죄에 있어서 공무원이라는 신분
> ㉡ 사전수뢰죄에 있어서 공무원 또는 중재인이 된 사실
> ㉢ 친족상도례가 적용되는 범죄에 있어서 친족관계
> ㉣ 특수폭행죄에 있어서 위험한 물건을 휴대한다는 사실
> ㉤ 친고죄에 있어서 피해자의 고소

① ㉠, ㉣ 　　　　② ㉡, ㉢ 　　　　③ ㉠, ㉣, ㉤ 　　　　④ ㉡, ㉢, ㉤

[해설] • **고의의 인식대상** ○ : ㉠ 주체 ㉣ 행위방법이나 수단(흉기휴대)
　　　　• **고의의 인식대상** × : ㉡ 객관적 처벌조건 ㉢ 인적 처벌조각사유 ㉤ 소추조건

03 고의의 인식대상으로 가장 적절하지 않은 것은?

25. 경찰승진

① 촉탁·승낙살인죄에 있어서 촉탁 또는 승낙이 있다는 사실
② 사전수뢰죄에 있어서 공무원 또는 중재인이 된 사실
③ 특수폭행죄에 있어서 위험한 물건을 휴대한다는 사실
④ 절도죄에 있어서 재물의 타인성

[해설] • **고의의 인식대상** ○ : ① 감경적 구성요건(형의 감경적 요소) ③ 행위방법이나 수단 ④ 절도죄의 객체(타인의 점유하에 있는 타인소유물)
　　　　• **고의의 인식대상** × : ② 객관적 처벌조건

04 다음 보기 중 옳은 것은 모두 몇 개인가?(다툼이 있는 경우 판례에 의함) 25. 해경경위

> ㉠ 사문서위조죄는 행위자가 '행사할 목적'으로 사문서를 위조할 것을 규정하고 있으므로 여기서의 목적은 일반적 주관적 불법요소에 해당한다.
> ㉡ 형법 제152조 제2항의 모해위증죄에 있어서 '모해할 목적'은 허위의 진술을 함으로써 피고인에게 불리하게 될 것이라는 인식과 아울러 그 결과의 발생을 희망하여야 한다.
> ㉢ 목적범에서 '목적'은 범죄성립을 위하여 고의 외에 요구되는 초과주관적 위법요소이다.
> ㉣ 고의는 일반적 주관적 불법요소로서 인적 행위불법의 핵심적 요소에 해당한다.
> ㉤ 불법영득의사는 과실범에는 있을 수 없고 고의범에서만 있을 수 있는 특수한 주관적 불법요소(초과주관적 구성요건요소)에 해당한다.
> ㉥ 명예훼손죄의 주관적 요소인 고의가 인정되기 위해서는 전파가능성에 대한 인식이 있을 것을 요구하나, 그 위험을 용인하는 내심의 의사까지 있어야 하는 것은 아니다.

① 3개　　　　　② 4개　　　　　③ 5개　　　　　④ 6개

해설 ㉠ × : ~ (2줄) 목적은 초과(특수한)주관적 불법(위법)요소에 해당한다.
㉡ × : 모해위증죄에서 모해할 목적은 허위의 진술을 함으로써 피고인에게 불리하게 될 것이라는 인식이 있으면 충분하고 그 결과의 발생을 희망할 필요까지는 없다(대판 2007.12.27, 2006도3575).
㉢㉣㉤ : 옳다.
㉥ × : ~ 전파가능성에 대한 인식과 그 위험을 용인하는 내심의 의사가 있어야 한다(대판 2004.4.9, 2004도340).

THEMA 16 '고의' 관련판례 총정리

1. 고의는 행위시(실행의 착수부터 실행행위 종료시까지)에 있어야 하므로(고의와 행위의 동시존재의 원칙) 사전고의와 사후고의는 형법상의 고의가 아니다. 17. 변호사시험, 22. 9급 철도경찰

2. 행정상의 단속을 주안으로 하는 법규라 하더라도 '명문규정이 있거나 해석상 과실범도 벌할 뜻이 명확한 경우'를 제외하고는 형법의 원칙에 따라 '고의'가 있어야 벌할 수 있다(대판 2010.2.11, 2009도9807). 17. 9급 검찰, 22. 해경간부 · 순경 1차, 23. 해경승진, 24. 법원행시 · 경력채용

3. 형법상 고의란 자기가 의도한 바 행위에 의하여 범죄사실이 발생할 것을 인식하면서 그 행위를 감행하거나 하려고 하면 족하고, 그 결과발생을 희망함을 요하지 아니한다(대판 1987.10.13, 87도1240). 22. 경찰간부

4. 고의(범의)는 반드시 어떤 목적이나 의도를 지녀야 인정되는 것은 아니고 자기 행위로 인하여 구성요건적 결과가 발생할 가능성 또는 위험이 있음을 인식하거나 예견하면 족한 것이고, 그 인식 또는 예견은 확정적인 것(확정적 고의)은 물론 불확정적인 것(미필적 고의)으로도 족하다(대판 2000.8.18, 2000도2231). 16. 사시 · 순경 1차, 18. 변호사시험, 21. 해경 2차, 22. 경찰간부 · 9급 철도경찰, 25. 해경경사

1. 미필적 고의는 범죄사실의 발생가능성을 불확실한 것으로 표상하면서 이를 용인하고 있는 경우를 말하고, 미필적 고의가 있었다고 하려면 범죄사실의 발생가능성에 대한 인식이 있음은 물론 나아가 범죄사실이 발생할 위험을 용인하는 내심의 의사가 있어야 한다(대판 1987.2.10, 86도2338). 16. 사시 · 순경 1차, 18. 경찰간부 · 변호사시험, 22. 해경간부, 23. 법원행시, 24. 경찰승진 · 경력채용 · 7급 검찰

2. 고의는 내심적 사실이므로 피고인이 이를 부정하는 경우 범의 자체를 객관적으로 증명할 수는 없으므로, 사물의 성질상 고의와 상당한 관련성이 있는 간접사실 또는 정황사실을 증명하는 방법으로 증명할 수밖에 없다(대판 2017.1.12, 2016도15470). 21. 7급 검찰, 22. 순경 2차, 24. 경찰승진

   유사판례 : 피고인이 살인의 범의를 부인할 경우, 범행 당시 살인의 범의가 있었는지 여부는 피고인이 범행에 이르게 된 경위, 범행의 동기, 준비된 흉기의 유무 · 종류 · 용법, 공격의 부위와 반복성, 사망의 결과발생가능성 정도 등 범행 전후의 객관적인 사정을 종합하여 판단할 수밖에 없다(대판 2006.4.14, 2006도734). 14. 순경 1차, 16. 순경 2차, 19. 7급 검찰

3. 미필적 고의는 범죄사실의 발생가능성에 대한 인식이 있고 범죄사실이 발생할 위험을 용인하는 내심의 의사가 있어야 하는데, 범죄사실이 발생할 가능성을 용인하고 있었는지는 행위자의 진술에 의존하지 않고 외부에 나타난 행위의 형태와 행위의 상황 등 구체적인 사정을 기초로 일반인이라면 범죄사실이 발생할 가능성을 어떻게 평가할 것인지를 고려하면서 행위자(일반인 ×)의 입장에서 그 심리상태를 추인하여야 한다(대판 2017.1.12, 2016도15470). 17. 법원행시, 21. 경찰간부 · 해경간부, 23. 경찰승진 · 9급 검찰 · 마약수사 · 철도경찰, 24. 해경경위

4. 협박죄에 있어서의 고의는 일반적으로 보아 사람으로 하여금 공포심을 일으킬 수 있는 정도의 해악을 고지하는 것에 대한 인식 내지 인용을 말하며, 고지한 해악을 실제로 실현할 의도나 욕구는 필요로 하지 않는다(대판 1991.5.10, 90도2102). 13. 순경 1차

5. 업무방해죄의 고의는 반드시 업무방해의 목적이나 계획적인 업무방해의 의도가 있어야만 하는 것은 아니고 자기의 행위로 인하여 타인의 업무가 방해될 가능성 또는 위험에 대한 인식이나 예견으로 충분하다(대판 2012.5.24, 2009도4141). 16. 사시, 17. 순경 2차, 20. 해경승진, 23. 변호사시험

6. 살인죄의 범의는 자기의 행위로 인하여 피해자가 사망할 수도 있다는 사실을 인식 · 예견하는 것으로 족하고 피해자의 사망을 희망하거나 목적으로 할 필요는 없고, 또 확정적인 고의가 아닌 미필적 고의로도 족한 것이다(대판 1994.12.22, 94도2511). 16. 사시, 17. 9급 검찰 · 마약수사, 19. 7급 검찰

7. 범죄의 고의는 확정적 고의뿐만 아니라 결과발생에 대한 인식이 있고 그를 용인하는 의사인 이른바 미필적 고의도 포함하므로 허위사실 적시에 의한 명예훼손죄 역시 미필적 고의에 의하여도 성립하고, 위와 같은 법리는 형법 제308조의 사자명예훼손죄의 판단에서도 마찬가지로 적용된다(대판 2014.3.13, 2013도12430). 17. 7급 검찰 · 마약수사, 21. 해경 2차

8. 장물취득죄에 있어서 장물의 인식은 확정적 인식임을 요하지 않으며 장물일지도 모른다는 의심을 가지는 정도의 미필적 인식으로서도 충분하고, 또한 장물인 정을 알고 있었느냐의 여부는 장물 소지자의 신분, 재물의 성질, 거래의 대가 기타 상황을 참작하여 이를 인정할 수밖에 없다(대판 1995.1.20, 94도1968). 14. 사시 · 7급 검찰 · 철도경찰, 21. 해경 2차, 25. 해경경사

9. 방조범은 정범의 실행을 방조한다는 이른바 방조의 고의와 정범의 행위가 구성요건에 해당하는 행위인 점에 대한 정범의 고의가 있어야 하나, 방조범에 있어서 정범의 고의는 정범에 의하여 실현되는 범죄의 구체적 내용을 인식할 것을 요하는 것은 아니고 미필적 인식 또는 예견으로 족하다(대판 2005.4.29, 2003도6056). 19. 7급 검찰, 21. 경찰간부 · 순경 2차, 22. 해경간부, 23. 경찰승진 · 변호사시험 · 법원행시, 24. 순경 1차 · 9급 검찰 · 마약수사 · 철도경찰 방조범은 2중의 고의를 필요로 하므로 정범이 정하는 범죄의 일시, 장소, 객체 등을 구체적으로 인식할 필요가 없으며, 나아가 정범이 누구인지 확정적으로 인식할 필요도 없다(대판 2007.12.14, 2005도872). 22. 순경 1차 · 7급 검찰, 23. 해경승진

10. 목적범의 목적(내란죄의 국헌문란의 목적)은 범죄 성립을 위하여 고의 외에 요구되는 초과주관적 위법요소로서 엄격한 증명사항에 속하나, 확정적 인식임을 요하지 아니하며, 다만 미필적 인식이 있으면 족하다(대판 2015.1.22, 2014도10978 전원합의체). 18. 법원행시, 22. 9급 검찰 · 마약수사 · 변호사시험 · 순경 2차, 23. 경찰간부 · 경찰승진, 24. 해경수사 · 7급 검찰

⚖ **유사판례**

① 고의 외에 초과주관적 위법요소로서 "향정신성의약품을 제조할 목적"과 같은 목적에 대하여도 고의와 마찬가지로 적극적 의욕이나 확정적 인식임을 요하지 아니하고 미필적 인식이 있으면 족하다(대판 1997.12.12, 97도2368). 23. 법원행시

② 회사의 노동조합 홍보이사가 노조 사무실에서 '새벽 6호'라는 책자를 집에 가져와 보관하고 있다가 국가보안법 제7조 제5항의 이적표현물소지죄로 체포된 경우, 그 홍보이사에게 목적범인 이적표현물소지죄가 성립하기 위해서는 이적행위를 하려는 목적의 적극적 의욕이나 확정적 인식까지는 필요 없고 미필적 인식으로 족하다(대판 1992.3.31, 90도2033 전원합의체). 22. 순경 2차

11. 공무집행방해죄에 있어서의 범의는 상대방이 직무를 집행하는 공무원이라는 사실, 그리고 이에 대하여 폭행 또는 협박을 한다는 사실을 인식하는 것을 그 내용으로 하고, 그 직무집행을 방해할 의사를 필요로 하지 아니한다(대판 1995.1.24, 94도1949). 15. 사시 · 순경 2차, 22. 순경 1차 · 해경간부, 23. 해경승진

⚖ **비교판례** : 위계에 의한 공무집행방해죄가 성립되려면 자기의 위계행위로 인하여 공무집행을 방해하려는 의사가 있을 경우에 한한다(대판 1970.1.27, 69도2260). 17. 경찰승진, 19. 경찰간부, 22. 수사경과, 24. 경력채용

12. 상해죄의 성립에는 상해의 원인인 폭행에 대한 인식만으로 족하고 상해를 가할 의사의 존재는 필요 없다(대판 2000.7.4, 99도4341). 16. 경찰승진, 17. 7급 검찰 · 마약수사, 20. 해경승진

13. 공연음란죄는 행위의 음란성에 대한 의미의 인식이 있으면 족하고, 주관적으로 성욕의 흥분 또는 만족 등의 성적인 목적이 있어야 성립하는 것은 아니다(대판 2004.3.12, 2003도6514). 13. 경찰승진, 17. 9급 검찰 · 마약수사

14. 부진정부작위범의 고의는 법익침해의 결과발생을 방지할 법적 작위의무를 가지고 있는 사람이 의무를 이행함으로써 결과발생을 쉽게 방지할 수 있었음을 예견하고도 결과발생을 용인하고 이를 방관

한 채 의무를 이행하지 아니한다는 인식을 하면 족하다(대판 2015.11.12, 2015도6809 전원합의체).
16. 사시, 17. 9급 검찰 · 철도경찰, 19. 변호사시험 · 법원행시 · 7급 검찰, 22. 경찰승진, 24. 경찰간부, 25. 변호사시험

15. 공무원이 여러 차례의 출장반복의 번거로움을 회피하고 민원사무를 신속히 처리한다는 방침에 따라 사전에 출장조사한 다음 출장조사 내용이 변동없다는 확신하에 출장복명서를 작성하고, 다만 그 출장일자를 작성일자로 기재한 것이라면 허위공문서작성의 범의가 있었다고 볼 수 없다(대판 2001.1.5, 99도4101). 14. 법원행시, 16. 순경 1차, 17. 순경 2차, 19. 경찰간부, 20. 해경승진, 23. 변호사시험

16. 주거침입죄의 범의는 반드시 신체의 전부가 타인의 주거 안으로 들어간다는 인식이 있어야만 하는 것이 아니라 신체의 일부라도 타인의 주거 안으로 들어간다는 인식이 있으면 족하다(대판 1995.9.15, 94도2561). 14. 경찰승진, 16. 순경 1차, 22. 해경간부

17. 강도가 베개로 피해자의 머리부분을 약 3분간 누르던 중 피해자가 저항을 멈추고 사지가 늘어졌음에도 계속하여 누른 경우 살해의 고의가 인정된다(대판 2002.2.8, 2001도6425). 14. 7급 검찰, 16. 경찰승진 · 순경 1차, 22. 경력채용

18. 재물의 타인성을 오신하여 그 재물의 취득이 자기에게 허용된 동일한 물건으로 오인하고 가져온 경우에는 범죄사실에 대한 인식이 있다고 할 수 없으므로 범의가 조각되어 절도죄가 성립하지 아니한다(대판 1983.9.13, 83도1762). 18. 법원행시, 23. 변호사시험 · 해경승진, 24. 7급 검찰 · 해경경위

19. 살인예비죄가 성립하기 위해서는 살인죄를 범할 목적 외에도 살인의 준비에 관한 고의가 있어야 한다(대판 2009.10.29, 2009도7150). 17. 7급 검찰 · 마약수사, 22. 순경 2차, 24. 경찰간부

20. 채권자(대주)가 채무자(차주)의 신용상태를 인식하고 있어 장래의 변제지체 또는 변제불능에 대한 위험을 예상하고 있거나 예상할 수 있었다면, 채무자가 구체적인 변제의사 · 변제능력 · 거래조건 등 거래 여부를 결정할 수 있는 중요한 사항을 허위로 말하였다는 등의 사정이 없는 한, 채무자가 그 후 제대로 변제하지 못하였다는 사실만 가지고 사기죄의 고의가 있었다고 단정할 수 없다(대판 2016.4.28, 2012도14516). 17. 법원직 · 7급 검찰 · 마약수사, 21. 순경 2차, 22. 9급 철도경찰

21. 무고죄는 신고자가 진실하다는 확신 없는 사실을 신고함으로써 성립하고 그 신고사실이 허위라는 것을 확신함을 필요로 하지 않는다고 할 것이고, 또 고소를 한 목적이 상대방을 처벌받도록 하는 데 있지 않고 시비를 가려 달라는 데에 있다고 하여 무고죄의 범의가 없다고 할 수는 없다(대판 1995.12.12, 94도3271). 14. 7급 검찰 · 철도경찰, 23. 법원행시, 23 · 25. 변호사시험

22. 예리한 식도로 타인의 하복부를 찔러 직경 5센티미터, 깊이 15센티미터 이상의 자상을 입힌 결과 그 타인이 내장파열 및 다량의 출혈뿐만 아니라 자창의 감염으로 인해 사망에 이른 경우에는 행위자에게 고의에 의한 살인의 죄책을 물을 수 있다(대판 1982.12.28, 82도2525). 18. 변호사시험

23. 새로 목사로 부임한 자가 전임목사에 관한 교회 내의 불미스러운 소문의 진위를 확인하기 위하여 이를 교회집사들에게 물어본 경우 명예훼손의 고의 없는 단순한 확인에 지나지 아니하여 사실의 적시라고 할 수 없다 할 것이므로 이 점에서 피고인에게 명예훼손의 고의 또는 미필적 고의가 있을 수 없다(대판 1985.5.28, 85도588). 17. 9급 검찰 · 철도경찰 · 순경 2차, 22. 경찰승진 · 해경간부

24. 관할 경찰당국이 운전면허취소통지에 갈음하여 적법한 공고를 거쳤다고 하더라도 공고만으로 운전면허가 취소된 사실을 알게 되었다고 볼 수 없다 할 것이므로 피고인에게 무면허운전이라는 점에 대한 고의가 있었다고 할 수 없다(대판 1993.3.23, 92도3045). 14. 법원행시

25. 운전면허증 앞면에 적성검사기간이 기재되어 있고 뒷면 하단에 경고 문구가 있다는 점만으로 피고인이 정기적성검사 미필로 면허가 취소된 사실을 미필적으로나마 인식하였다고 추단하기 어렵다(대판 2004.12.10, 2004도6480). 14. 사시 · 법원행시, 17. 9급 철도경찰, 21. 해경간부

⚖️ **비교판례**

① 면허증에 그 유효기간과 적성검사를 받지 아니하면 면허가 취소된다는 사실이 기재되어 있고, 이미 적성검사 미필로 면허가 취소된 전력이 있는데도 면허증에 기재된 유효기간이 5년 이상 지나도록 적성검사를 받지 아니한 채 자동차를 운전하였다면 비록 적성검사 미필로 인한 운전면허 취소사실이 통지되지 아니하고 공고되었다 하더라도 면허취소사실을 알고 있었다고 보아야 하므로 무면허운전죄가 성립한다(대판 2002.10.22, 2002도4203). 12. 경찰승진, 18. 경력채용

② 피고인이 적성검사기간 도래 여부에 관한 확인을 게을리하여 기간이 도래하였음을 알지 못하였더라도 적성검사기간 내에 적성검사를 받지 않는 데 대한 미필적 고의는 있었다고 봄이 타당하다(대판 2014.4.10, 2012도8374). 15. 순경 2차, 24. 경찰승진

26. 대상자가 성인이라는 말만 믿고 타인의 건강진단결과서만을 확인한 채 청소년을 청소년유해업소에 고용한 업주에게는 적어도 청소년 고용에 관한 미필적 고의가 있음이 인정된다(대판 2002.6.28, 2002도2425). 15. 순경 2차, 16. 경찰승진, 17. 법원행시 · 9급 검찰 · 마약수사 · 철도경찰, 21. 해경 1차

⚖️ **유사판례** : ① 이성혼숙하려는 자의 외모나 차림 등을 보아 청소년이라고 의심할 만한 사정이 있을 때 그들이 신분증을 가지고 있지 않다는 말을 듣고는 구두로 연령을 확인하여 이성혼숙을 하게 하였다면, 이 경우는 적어도 청소년 이성혼숙에 관한 미필적 고의가 있다(대판 2001.8.21, 2001도3295). 14. 경찰승진, 18. 경력채용 ② 청소년유해업소에 종업원을 고용하면서 주민등록증 제출을 요구하여 확인하였는데 주민등록상 사진과 실물이 다소 달라 보인다고 여겼다고 하더라도, 청소년보호법위반죄의 미필적 고의가 인정된다(대판 2004.4.28, 2004도255). 18. 법원행시 ③ 피고인이 청소년으로 의심되는 피해자에게 단지 나이만 묻고 신분증 등으로 정확히 연령을 확인하지 않은 채 청소년인 피해자를 성매매 알선을 위한 종업원으로 고용하여 성매매 알선행위를 업으로 하였다면, 청소년 성매매 알선영업행위의 미필적 고의가 인정된다(대판 2014.7.10, 2014도5173). 18. 경찰승진, 20. 9급 검찰 · 마약수사 · 철도경찰

⚖️ **비교판례** : 피고인이 만 12세의 피해자를 강간할 당시 피해자가 자신을 중학교 1학년이라 14세라고 하였고, 피해자는 키와 체중이 동급생보다 큰 편이었으며, 이들이 모텔에 들어갈 때 특별한 제지도 받지 아니하였다면, 강간 범행 당시 피해자가 13세 미만인 사실을 미필적으로라도 인식하였다고 볼 수 없다(대판 2012.8.30, 2012도7377). 20. 9급 검찰 · 마약수사 · 철도경찰, 22. 경력채용

27. 건장한 체격의 군인이 왜소한 체격인 피해자의 목을 15초 내지 20초 동안 세게 졸라 설골이 부러질 정도로 폭력을 행사하였다면, 피해자가 실신하자 피해자에게 인공호흡을 실시하였다 하여도 살인의 미필적 고의가 인정된다(대판 1995.9.15, 94도2561). 18. 변호사시험, 20. 해경 3차

28. 피해자의 양 손목과 발목을 노끈으로 묶고, 입에는 반창고를 두 겹으로 붙인 다음, 얼굴에는 모포를 씌워 포박, 감금한 후 수차례 그 방을 출입하던 중 어느 시점에서 이미 피해자가 탈진상태에 있어 피로회복제를 먹여 보려 해도 입에서 흘러버릴 뿐 마시지 못하기에 얼굴에 모포를 다시 덮어씌워 놓고 그대로 위 아파트에서 나와 버린 경우 살인죄에 대한 미필적 고의가 있다(대판 1982.11.23, 82도2024). 11. 7급 검찰

29. 의무경찰의 지시에 따르지 않고 항의하던 택시운전자가 신경질적으로 갑자기 좌회전하여 택시 우측 앞 범퍼 부분으로 의무경찰의 무릎을 들이받은 경우 공무집행방해의 미필적 고의가 있다(대판 1995.1.24, 94도1949). 16. 경찰승진, 20. 해경승진, 22. 경력채용, 23. 9급 검찰 · 마약수사 · 철도경찰

30. 채무자가 차용원리금을 변제공탁한 것을 채권자가 아무런 이의 없이 이를 수령하고서도 담보물에 대한 경매 절차에 대하여 손을 쓰지 아니하는 바람에 타인에게 경락되게 하고 그 부동산의 경락잔금까지 받아간 경우 배임죄의 미필적 고의가 인정된다(대판 1988.12.13, 88도184). 14. 경찰승진

31. 국가보안법 제7조 제5항에 규정된 이적표현물에 관한 죄는 목적범이고, **이적표현물임을 인식하면서** 취득·소지 또는 제작·반포한 사실만으로 그 행위자에게 위 표현물의 내용과 같은 **이적행위를 할 목적이 있는 것으로** 추정해서는 아니 된다(대판 2010.7.23, 2010도1189 전원합의체). 17. 법원행시

32. 성을 사는 행위를 알선하는 행위를 업으로 하는 자가 성매매알선을 위한 **종업원을 고용하면서 연령확인의무의 이행을 다하지 아니한 채 아동·청소년을 고용하였다면**, 특별한 사정이 없는 한 적어도 아동·청소년의 성을 사는 행위의 알선에 관한 **미필적 고의는 인정된다**(대판 2014.7.10, 2014도5173). 18. 경찰승진

    유사판례 : 아동·청소년의 성을 사는 행위를 알선하는 행위를 업으로 하여 청소년성보호법 제15조 제1항 제2호의 위반죄가 성립하기 위해서는 **알선행위를 업으로 하는 사람이** 아동·청소년을 알선의 대상으로 삼아 그 성을 사는 행위를 알선한다는 것을 **인식하여야 하지만**, 이에 더하여 알선행위로 아동·청소년의 **성을 사는 행위를 한 사람이 행위의 상대방이 아동·청소년임을 인식하여야 한다고 볼 수는 없다**(대판 2016.2.18, 2015도15664). 18. 변호사시험, 22. 경력채용

33. 만 6세된 여아의 목을 손목으로 3분 내지 4분간 누르게 되면 질식사할 위험이 있음은 일반적으로 예상할 수 있는 것이므로 **살해의 고의가 있었다고 보아야 한다**(대판 1985.3.12, 85도198).

34. 전파가능성을 이유로 명예훼손죄의 공연성을 인정하는 경우에 **주관적 요소**(객관적 요소 ×)로서 전파가능성에 대한 **인식과 그 위험을 용인하는 내심의 의사가 있어야 한다**(대판 2004.4.9, 2004도340). 22. 법원직, 23. 순경 2차, 24. 경찰승진·9급 검찰·마약수사·철도경찰, 25. 해경경위

35. 피고인들이 **보이스피싱 사기 범죄단체의 구성원으로** 활동하면서 사기범죄의 피해자들로부터 자신 또는 공범들의 계좌와 전혀 **무관한 제3자 명의의 계좌로 돈을 송금받는 방법으로** 범죄수익 등의 취득에 관한 사실을 가장한 경우 범죄수익 **은닉행위에 대한 고의도 있다**(대판 2017.10.26, 2017도8600).

36. 형법은 폭행 또는 협박의 방법이 아닌 심신상실 또는 항거불능의 상태를 이용하여 간음한 행위를 강간죄에 준하여 처벌하고 있으므로, **준강간의 고의는** 피해자가 심신상실 또는 항거불능의 **상태에 있다는 것과** 그러한 상태를 **이용하여 간음한다는** 구성요건적 결과발생의 가능성을 **인식하고** 그러한 위험을 **용인하는** 내심의 의사를 말한다(대판 2019.3.28, 2018도16002 전원합의체). 22. 경찰간부, 23. 변호사시험, 24. 9급 검찰·마약수사·철도경찰

37. **임금 등 지급의무의 존부와 범위에 관하여 다툴 만한 근거가 있다면** 사용자가 그 임금 등을 지급하지 않은 데에 상당한 이유가 있다고 보아야 하므로, 사용자에게 구 **근로기준법** 제109조 제1항, 제36조, 제43조 제2항 **위반의 고의가 있었다고 보기 어렵다**(대판 2023.4.27, 2020도16431). 24. 경찰간부

38. 피고인이 피해자의 머리나 가슴 등 **치명적인 부위가 아닌** 허벅지와 종아리 부위 등을 **20여 회 힘껏** 찔러 피해자가 과다실혈로 사망하였다면, 살인의 **미필적 고의가 있다**(대판 2002.10.25, 2002도4089). 20. 9급 검찰·마약수사·철도경찰

39. 미성년자의제강제추행죄의 성립에 필요한 주관적 구성요건요소는 **고의만으로 충분하고**, 성욕을 자극·흥분·만족시키려는 **주관적 동기나 목적까지 있어야 하는 것은 아니다**(대판 2006.1.13, 2005도6791). 15. 법원직, 19. 순경 1차·경찰승진, 21. 경찰간부·7급 검찰

40. 허위사실 적시에 의한 명예훼손죄 및 사자명예훼손죄는 미필적 고의에 의해서도 성립하므로 **허위사실에 대한 인식은 확정적일 필요가 없다**(대판 2014.3.13, 2013도12430). 15. 법원행시, 16. 순경 1차, 17. 7급 검찰·마약수사, 18. 순경 2차, 21. 해경 2차, 25. 해경경사

41. 피고인이 **이미 도산이 불가피한 상황으로** 대금지급이 불가능하게 될 가능성을 **충분히 인식하면서도** 이러한 사정을 숨기고 피해자로부터 생산자재용 물품을 납품받았다면, 편취의 **미필적 고의가** 인정된다(대판 1983.5.10, 83도340). 20. 9급 검찰·마약수사·철도경찰

42. 이미 **과다한 부채의 누적** 등으로 신용카드 사용으로 인한 대출금채무를 **변제할 의사나 능력이 없는 상황**에 처하였음에도 불구하고 신용카드를 사용하였다면 편취의 고의를 인정할 수 있다(대판 2005. 8.19, 2004도6859). 14. 법원행시

43. 전당포영업자가 보석들을 전당잡으면서 인도받을 당시 장물인 정을 몰랐다가 그 후 장물일지도 모른다고 의심하면서 소유권포기각서를 받은 경우 장물취득죄에 해당하지 않는다(대판 2006.10.13, 2004도6084 ∵ **장물취득시에 고의** × ⇨ 장물취득죄 ×, 보석을 대여금채권의 담보로 저당잡은 경우 ⇨ **점유할 권한** ○ ⇨ 장물보관죄 ×). 12. 경찰승진, 19. 순경 2차

44. 피고인이 인신구속에 관한 직무를 집행하는 **사법경찰관**으로서 체포 당시 상황을 고려하여 경험칙에 비추어 현저하게 합리성을 잃지 않은 채 판단하면 체포 요건이 충족되지 아니함을 충분히 알 수 있었는데도, 자신의 재량 범위를 벗어난다는 사실을 인식하고 그와 같은 결과를 **용인**한 채 사람을 **체포하여 권리행사를 방해**한 경우 직권남용체포죄와 직권남용권리행사방해죄의 고의는 인정된다(대판 2017.3.9, 2013도16162 ∵ **미필적 고의** ○ ∴ 직권남용체포죄와 직권남용권리행사방해죄 ○). 17. 순경 2차

45. **금성호의 선장 甲은 피조개양식장**에 피해를 주지 않기 위해 양식장까지의 거리가 약 30미터가 되도록 선박의 닻줄을 7샤클(175미터)에서 5샤클(125미터)로 감아놓았는데, **태풍**을 만나게 되면서 선박의 안전을 위하여 선박의 **닻줄을 7샤클로 늘여** 놓았다가 피조개양식장을 침범하여 물적 피해를 야기한 경우 **손괴의 범의**가 있다고 볼 수 있다(대판 1987.1.20, 85도221). 19. 경찰간부

46. 어부인 피고인들이 어로저지선을 넘어 어업을 하였다고 하더라도 북괴경비정이 출현하는 경우 납치되어 가더라도 **좋다고 생각하면서** 어로저지선을 넘어서 어로작업을 **한 것이 아니라면** 북괴집단의 구성원들과 회합이 있을 것이라는 **미필적 고의**가 있었다고 단정할 수 없다(대판 1975.1.28, 73도2207). 12. 경찰승진, 21. 해경간부, 24. 해경승진

47. 운전면허가 취소된 상태에서 운전자가 면허가 **취소되었다는 사실을 인식하지 못하고** 자동차를 운전한 경우 도로교통법상 무면허운전죄에 해당하지 않는다(대판 2004.12.10, 2004도6480). 17. 9급 철도경찰

48. 공직선거법상 **허위사실공표죄**에서는 공표된 사실이 허위라는 것이 구성요건의 내용을 이루는 것이기 때문에, 행위자의 고의의 내용으로서 그 사항이 허위라는 것의 인식이 필요하나 **어떠한 소문을 듣고 그 진실성에 강한 의문을 품고서도 공표한 경우**에는 적어도 **미필적 고의**가 인정될 수 있다(대결 2002.4.10, 2001모193). 14. 사시

49. **상표권의 통상사용권자가** 인터넷쇼핑몰에서의 판매를 일부 제한하는 계약조건을 위반하여 **피고인에게 상표가 부착된 제품을 공급**하고 피고인이 인터넷으로 이를 판매하였는데, **피고인이** 상표권자의 **동의를 받지 않고** 인터넷쇼핑몰에서 상품을 **판매한 경우** ⇨ 상표권 침해죄 ×(대판 2020.1.30, 2018도14446 ∵ 통상사용권자가 피고인에게 상품을 양도함으로써 해당 상품에 대한 상표권은 소진되어 상표권자가 상표권을 행사할 수 없고, 또한 피고인에게 상표권침해의 고의도 인정되지 않는다.)

50. 심야시간에 20대 후반의 남자가 인터넷 채팅을 통하여 만난 가출 청소년들과 함께 찜질방에 입장하면서 위 청소년들의 오빠로 행세하자 그를 위 청소년들의 보호자로 오인하여 청소년들을 입장시킨 경우, 종업원에게는 그에 관한 미필적 인식이 있다고 볼 수 없다(대판 2009.3.26, 2008도12065). 21 · 24. 해경승진

51. "사고장소에서 무엇인가 딱딱한 물체를 충돌한 느낌을 받았다."는 피고인의 제1심 법정에서의 신빙성이 있는 진술에 비추어 볼 때, 피고인에게는 미필적으로나마 사고의 발생사실을 알고 도주할 의사가 있었다고 할 수 있다(대판 2000.3.28, 99도5023). 21 · 24. 해경승진

52. 허위사실을 유포하는 방법에 의하여 타인의 업무를 방해함으로써 성립하는 업무방해죄에 있어, 허위사실을 유포한다고 함은 실제의 객관적 사실과 서로 다른 사항을 내용으로 하는 사실을 불특정 다수인에게 전파시키는 것을 말하고, 특히 이러한 경우 그 행위자에게 행위 당시 자신이 유포한 사실이 허위라는 점을 적극적으로 인식하였을 것을 요한다(대판 1994.1.28, 93도1278). 24. 경찰승진

53. 경영상의 판단과 관련하여 기업의 경영자에게 자기 또는 제3자가 재산상 이익을 취득한다는 인식과 본인에게 손해를 가한다는 인식(미필적 인식을 포함)하의 의도적 행위임이 인정되는 경우에 한하여 배임죄의 고의가 인정하는 엄격한 해석기준은 유지되어야 할 것이고, 그러한 인식이 없는데 단순히 본인에게 손해가 발생하였다는 결과만으로 책임을 묻거나 주의의무를 소홀히 한 과실이 있다는 이유로 책임을 물을 수는 없다(대판 2010.1.14, 2007도10415). 24. 9급 검찰 · 마약수사 · 철도경찰

54. 성폭력처벌법 제11조 위반죄(공중 밀집 장소에서의 추행죄)가 성립하기 위해서는 주관적 구성요건으로서 추행을 한다는 인식을 전제로 적어도 미필적으로나마 이를 용인하는 내심의 의사가 있어야 하므로, 피고인이 추행의 고의를 부인하는 경우에는 고의와 상당한 관련성이 있는 간접사실을 증명하는 방법에 따를 수밖에 없다(대판 2024.1.4, 2023도13081).

55. 대구지하철 사고현장에서 청소작업이 한참 중에 실종자 유족들로부터 이의제기가 있었음에도 대구지하철공사 사장이 즉각 청소작업중단을 지시하지 아니하였고 수사기관과 협의 · 확인하지 아니한 경우 ⇨ 증거인멸죄의 미필적 고의 ✕ (대판 2004.5.14, 2004도74) 23. 9급 검찰 · 마약수사 · 철도경찰

56. 성적 수치심 또는 혐오감의 유발 여부는 일반적이고 평균적인 사람들을 기준으로 하여 판단함이 타당하고, 특히 성적 수치심의 경우 피해자와 같은 성별과 연령대의 일반적이고 평균적인 사람들을 기준으로 하여 그 유발 여부를 판단하여야 한다(대판 2017.6.8, 2016도21389). 22. 9급 철도경찰

57. 살인죄에 있어서 고의는 반드시 살해의 목적이나 계획적인 살해의 의도가 있어야만 인정되는 것은 아니고, 자기의 폭행 등 행위로 인하여 타인의 사망이라는 결과를 발생시킬 만한 가능성 또는 위험이 있음을 인식하거나 예견하였다면 족한 것이다(대판 2006.4.14, 2006도734). 22. 9급 철도경찰

58. 도로교통법 위반(무면허운전)죄는 도로교통법 제43조를 위반하여 운전면허를 받지 아니하고 자동차를 운전하는 경우에 성립하는 범죄로, 유효한 운전면허가 없음을 알면서도 자동차를 운전하는 경우에만 성립하는 고의범이다. 교통사고처리 특례법 제3조 제2항 단서 제7호에서 말하는 '도로교통법 제43조를 위반'힌 행위는 도로교통법 위반(무면허운진)죄와 마찬가지로 유효한 운전면허가 없음을 알면서도 자동차를 운전하는 경우만을 의미한다고 보아야 한다(대판 2023.6.29, 2021도17733). 24. 순경 2차

59. 고의로 법령을 잘못 적용하여 공문서를 작성하였다고 하더라도 그 법령적용의 전제가 된 사실관계에 대한 내용에 거짓이 없다면 허위공문서작성죄가 성립될 수 없다(대판 2021.9.16, 2019도18394). 19. 경찰승진, 21. 9급 검찰 · 마약수사, 23. 법원행시, 25. 변호사시험

01 괄호 안에 기재된 범죄에 대한 미필적 고의가 인정되지 않는 것은?(다툼이 있는 경우 판례에 의함)

20. 9급 검찰 · 마약수사 · 철도경찰

① 피고인이 만 12세의 피해자를 강간할 당시 피해자가 자신을 중학교 1학년이라 14세라고 하였고, 피해자는 키와 체중이 동급생보다 큰 편이었으며, 이들이 모텔에 들어갈 때 특별한 제지도 받지 아니하였다. (성폭력범죄의 처벌 등에 관한 특례법위반 — 13세 미만 미성년자 강간 등)

② 피고인이 피해자의 머리나 가슴 등 치명적인 부위가 아닌 허벅지와 종아리 부위 등을 20여 회 힘껏 찔러 피해자가 과다실혈로 사망하였다. (살인)

③ 피고인이 청소년으로 의심되는 피해자에게 단지 나이만 묻고 신분증 등으로 정확히 연령을 확인하지 않은 채 청소년인 피해자를 성매매 알선을 위한 종업원으로 고용하여 성매매 알선행위를 업으로 하였다. (아동 · 청소년의 성보호에 관한 법률위반 — 알선영업행위 등)

④ 피고인이 이미 도산이 불가피한 상황으로 대금지급이 불가능하게 될 가능성을 충분히 인식하면서도 이러한 사정을 숨기고 피해자로부터 생산자재용 물품을 납품받았다. (사기)

> **해설** • 미필적 고의 ○ : ② 대판 2002.10.25, 2002도4089 ③ 대판 2014.7.10, 2014도5173 ④ 대판 1983. 5.10, 83도340
> • 미필적 고의 × : ① 강간 범행 당시 피해자가 13세 미만인 사실을 미필적으로라도 인식하였다고 볼 수 없다(대판 2012.8.30, 2012도7377).

02 고의와 목적에 대한 설명으로 옳은 것은?(다툼이 있는 경우 판례에 의함)　　　21. 경찰간부

① 방조범의 경우에 정범의 고의는 정범에 의하여 실현되는 범죄의 구체적 내용을 인식할 것을 요하는 것은 아니고 미필적 인식 또는 예견으로 족하다.

② 공직선거법 제93조 제1항의 '선거에 영향을 미치게 하기 위하여'는 목적범 규정으로서, 그 목적에 대하여는 미필적 인식으로는 부족하고 적극적 의욕이나 확정적 인식을 필요로 한다.

③ 형법 제305조의 미성년자의제강제추행죄의 성립에 필요한 주관적 구성요건요소는 고의만으로는 부족하며, 성욕을 자극 · 흥분 · 만족시키려는 주관적 동기 혹은 목적이 존재해야 한다.

④ 미필적 고의를 판단함에 있어 범죄사실이 발생할 가능성을 용인하고 있었는지의 여부는 외부에 나타난 행위의 형태와 행위의 상황 등 구체적인 사정을 기초로 삼아 일반인이라면 범죄사실의 발생가능성을 어떻게 평가할 것인지를 고려하여 일반인의 입장에서 그 심리상태를 추인하여야 한다.

> **해설** ① ○ : 대판 2005.4.29, 2003도6056
> ② × : ~ (2줄) 미필적 인식으로 족하고 적극적 의욕이나 확정적 인식을 필요로 필요로 하지 않는다(대판 2006.5.25, 2005도4642).

Answer　1.①　2.①

③ × : ~ 고의만으로 충분하고, 성욕을 자극·흥분·만족시키려는 주관적 동기 혹은 목적까지 있어야 하는 것은 아니다(대판 2006.1.13, 2005도6791).
④ × : ~ (3줄) 행위자(일반인 ×)의 입장에서 그 심리상태를 추인하여야 한다(대판 2017.1.12, 2016도15470).

03 고의에 대한 설명으로 가장 옳지 않은 것은?(다툼이 있는 경우 판례에 의함)　　21. 해경승진

① 죄의 성립요소인 사실을 인식하지 못한 행위는 벌하지 아니한다. 단, 법률에 특별한 규정이 있는 경우에는 예외로 한다.

② 심야시간에 20대 후반의 남자가 인터넷 채팅을 통하여 만난 가출 청소년들과 함께 찜질방에 입장하면서 위 청소년들의 오빠로 행세하자 그를 위 청소년들의 보호자로 오인하여 청소년들을 입장시킨 경우, 종업원에게는 그에 관한 미필적 인식이 있다고 볼 수 없다.

③ "사고장소에서 무엇인가 딱딱한 물체를 충돌한 느낌을 받았다."는 피고인의 제1심 법정에서의 신빙성이 있는 진술에 비추어 볼 때, 피고인에게는 미필적으로나마 사고의 발생 사실을 알고 도주할 의사가 있었다고 할 수 있다.

④ 어부인 피고인들이 어로저지선을 넘어 어업을 하면서 납치되어 가도 좋다고 생각하고 어로저지선을 넘어 어로작업을 한 것이 아니더라도, 북괴집단의 구성원들과 회합이 있을 것이라는 미필적 고의가 인정된다.

[해설] ① 제13조 ② 대판 2009.3.26, 2008도12065
③ 대판 2000.3.28, 99도5023
④ × : ~ (2줄) 한 것이 아니라면, 북괴집단의 구성원들과 회합이 있을 것이라는 미필적 고의가 있었다고 단정할 수 없다(대판 1975.1.28, 73도2207).

04 주관적 구성요건요소에 대한 설명으로 옳지 않은 것은?(다툼이 있는 경우 판례에 의함)
21. 7급 검찰

① 강제추행죄의 성립에 필요한 주관적 구성요건요소는 고의만으로 충분하고, 그 외에 성욕을 자극·흥분·만족시키려는 주관적 동기나 목적까지 있어야 하는 것은 아니다.

② 피고인이 범죄구성요건의 주관적 요소인 고의를 부인하는 경우, 사물의 성질상 범의와 관련성이 있는 간접사실 또는 정황사실을 증명하는 방법으로 범의 자체를 객관적으로 증명할 수 있다. 이때 무엇이 관련성이 있는 간접사실 또는 정황사실에 해당하는지는 정상적인 경험칙에 바탕을 두고 치밀한 관찰력이나 분석력으로 사실의 연결상태를 합리적으로 판단하는 방법에 의하여 판단하여야 한다.

③ 법령에 의하여 도급인에게 수급인의 업무에 관하여 구체적인 관리·감독의무가 부여되어 있거나 도급인이 공사의 시공이나 개별 작업에 관하여 구체적으로 지시·감독하였다는 등의 특별한 사정이 없는 한, 도급인에게는 수급인의 업무와 관련하여 사고방지에 필요한 안전조치를 할 주의의무가 없다.

Answer　3.④　4.②

④ 업무상 횡령죄에 있어서 불법영득의 의사라 함은 자기 또는 제3자의 이익을 꾀할 목적으로 업무상의 임무에 위배하여 보관하는 타인의 재물을 자기의 소유인 경우와 같은 처분을 하는 의사를 말한다.

[해설] ① 대판 2013.9.26, 2013도5856
② × : ~ 부인하는 경우, 범의 자체를 객관적으로 증명할 수는 없으므로 사물의 성질상 범의와 관련성이 있는 간접사실 또는 정황사실을 증명하는 방법으로 이를 증명할 수밖에 없다. 이때 무엇이 관련성이 있는 간접사실 또는 정황사실에 해당하는지는 정상적인 경험칙에 바탕을 두고 치밀한 관찰력이나 분석력으로 사실의 연결상태를 합리적으로 판단하는 방법에 의하여 판단하여야 한다(대판 2017.1.12, 2016도15470).
③ 대판 2009.5.28, 2008도7030 ④ 대판 2012.1.27, 2011도14247

05 다음 중 고의와 관련된 설명 중 가장 적절하지 않은 것은?(다툼이 있는 경우 판례에 의함)

22. 경찰간부

① 형법상 고의란 자기가 의도한 바 행위에 의하여 범죄사실이 발생할 것을 인식하면서 그 행위를 감행하거나 하려고 할 뿐만 아니라 그 결과발생을 희망함을 의미한다.
② 고의는 법적 구성요건의 객관적 요소에 대한 인식과 구성요건 실현의 의사이다. 전자를 고의의 지적 요소, 후자를 고의의 의적 요소로 부른다.
③ 자기의 행위로 인하여 결과를 발생시킬 만한 가능성 또는 위험이 있음을 인식하거나 예견하면 족한 것이고 그 인식이나 예견은 확정적인 것은 물론 불확정적인 것이라도 이른바 미필적 고의로 인정된다.
④ 고의범이 성립하려면 행위자는 객관적 구성요건요소인 행위주체·객체·행위·결과 등에 관한 인식을 갖고 있어야 한다고 규정하고 있으므로, 구성요건 중에 특별한 행위양태를 필요로 하는 경우에는 이러한 사정의 존재까지도 행위자가 인식하여야 한다.

[해설] ① × : ~ (2줄) 하려고 하면 족하고, 그 결과발생을 희망함을 요하지 아니한다(대판 1987.10.13, 87도1240). ② 옳다. ③ 대판 2000.8.18, 2000도2231
④ 대판 2019.3.28, 2018도16002 전원합의체(특별한 행위양태 준강간죄에서의 '심신상실 또는 항거불능의 상태를 이용')

06 고의에 대한 설명으로 가장 적절하지 않은 것은?(다툼이 있는 경우 판례에 의함) 22. 경찰승진
① 행위자가 범죄사실이 발생할 가능성을 용인하고 있었는지의 여부는 행위자의 진술에 의존하지 아니하고 외부에 나타난 행위의 형태와 행위의 상황 등 구체적인 사정을 기초로 하여 일반인이라면 당해 범죄사실이 발생할 가능성을 어떻게 평가할 것인가를 고려하면서 일반인의 입장에서 그 심리상태를 추인하여야 한다.
② 절도죄에 있어서 재물의 타인성을 오신하여 그 재물이 자기에게 취득할 것이 허용된 동일한 물건으로 오인하고 가져온 경우에는 범죄사실에 대한 인식이 있다고 할 수 없으므로 고의가 인정되지 않는다.

Answer   5.①   6.①

③ 불미스러운 소문의 진위를 확인하고자 질문을 하는 과정에서 타인의 명예를 훼손하는 발언을 한 경우에는 그 동기에 비추어 명예훼손의 고의를 인정하기 어렵다.

④ 부진정부작위범의 고의는 반드시 구성요건적 결과발생에 대한 목적이나 계획적인 범행의도가 있어야 하는 것은 아니고 법익 침해의 결과발생을 방지할 법적 작위의무를 가지고 있는 사람이 의무를 이행함으로써 결과발생을 쉽게 방지할 수 있었음을 예견하고도 결과발생을 용인하고 이를 방관한 채 의무를 이행하지 아니한다는 인식을 하면 족하다.

해설 ① × : ~ (4줄) 행위자(일반인 ×)의 입장에서 그 심리상태를 추인하여야 한다(대판 2017.1.12, 2016도15470).
② 대판 1983.9.13, 83도1762
③ 대판 1985.5.28, 85도588
④ 대판 2015.11.12, 2015도6809 전원합의체

07 고의에 관한 설명으로 옳지 않은 것을 모두 고른 것은?(다툼이 있는 경우 판례에 의함)

22. 순경 1차, 23. 해경승진

> ㉠ 행정상의 단속을 주안으로 하는 법규라 하더라도 명문규정이 있거나 해석상 과실범도 벌할 뜻이 명확한 경우를 제외하고는 형법의 원칙에 따라 고의가 있어야 벌할 수 있다.
> ㉡ 형법 제167조 제1항의 일반물건방화죄에서 '공공의 위험 발생'은 고의의 인식대상이 아니다.
> ㉢ 형법 제136조 제1항의 공무집행방해죄에 있어서의 범의는 상대방이 직무를 집행하는 공무원이라는 사실과 이에 대하여 폭행 또는 협박을 한다는 인식, 그리고 그 직무집행을 방해할 의사를 내용으로 한다.
> ㉣ 방조범은 2중의 고의를 필요로 하므로 정범이 정하는 범죄의 일시, 장소, 객체 등을 구체적으로 인식하여야 하며, 나아가 정범이 누구인지 확정적으로 인식해야 한다.
> ㉤ 친족상도례가 적용되기 위하여는 친족관계가 객관적으로 존재하여야 하나, 행위자가 이를 인식할 필요는 없다.

① ㉠, ㉡, ㉢   ② ㉠, ㉣, ㉤

③ ㉡, ㉢, ㉣   ④ ㉢, ㉣, ㉤

해설 ㉠ ○ : 대판 2010.2.11, 2009도9807
㉡ × : ~ 인식대상이다(∵ 일반물건방화죄는 구체적 위험범임).
㉢ × : 공무집행방해죄에 있어서의 범의는 상대방이 직무를 집행하는 공무원이라는 사실, 그리고 이에 대하여 폭행 또는 협박을 한다는 사실을 인식하는 것을 그 내용으로 하며, 그 직무집행을 방해할 의사를 필요로 하지 아니한다(대판 1995.1.24, 94도1949).
㉣ × : ~ 구체적으로 인식할 필요가 없으며, 나아가 ~ 인식할 필요도 없다(대판 2007.12.14, 2005도872).
㉤ ○ : 인적 처벌조각사유(친족상도례의 친족) ⇨ 고의의 인식대상 ×

08 고의에 대한 설명으로 옳지 않은 것은?(다툼이 있는 경우 판례에 의함)　　22. 9급 **철도경찰**

① 범행의 미수에 그치고자 하는 내심의 상태를 가지고 행위를 한 경우, 고의가 인정될 수 있다.

② 성적 수치심 또는 혐오감의 유발 여부는 일반적이고 평균적인 사람들을 기준으로 하여 판단함이 타당하고, 특히 성적 수치심의 경우 피해자와 같은 성별과 연령대의 일반적이고 평균적인 사람들을 기준으로 하여 그 유발 여부를 판단하여야 한다.

③ 고의는 행위 당시에 존재해야 하므로 사후고의는 형법의 고의에 속하지 않는다.

④ 살인죄에 있어서 고의는 반드시 살해의 목적이나 계획적인 살해의 의도가 있어야만 인정되는 것은 아니고, 자기의 폭행 등 행위로 인하여 타인의 사망이라는 결과를 발생시킬 만한 가능성 또는 위험이 있음을 인식하거나 예견하였다면 족한 것이다.

[**해설**] ① × : ~ 고의가 인정될 수 없다(∵ 미수범의 성립요건 중 주관적 구성요건 고의는 기수의 고의이므로, ①의 경우는 미수의 고의에 불과하기 때문).
② 대판 2017.6.8, 2016도21389
③ 옳다. ④ 대판 2006.4.14, 2006도734

09 범죄의 주관적 요소에 관한 설명 중 가장 적절하지 않은 것은?(다툼이 있는 경우 판례에 의함)　　22. **순경 2차**

① 고의의 본질에 관한 용인설(인용설)에 따르면 구성요건적 결과를 용인하는 의사만으로도 고의가 인정되어 미필적 고의는 고의에 포함되나, 인식 있는 과실은 고의에 포함되지 않는다.

② 회사의 노동조합 홍보이사가 노조 사무실에서 '새벽 6호'라는 책자를 집에 가져와 보관하고 있다가 국가보안법 제7조 제5항의 이적표현물소지죄로 체포된 경우, 그 홍보이사에게 목적범인 이적표현물소지죄가 성립하기 위해서는 이적행위를 하려는 목적의 확정적 인식이 있어야 한다.

③ 살인예비죄가 성립하기 위해서는 살인죄를 범할 목적 외에도 살인준비에 관한 고의가 있어야 한다.

④ 피고인이 범죄구성요건의 주관적 요소인 고의를 부인하는 경우, 그 범의 자체를 객관적으로 증명할 수 없으므로 사물의 성질상 범의와 상당한 관련성 있는 간접사실 또는 정황사실을 증명하는 방법으로 이를 입증할 수밖에 없다.

[**해설**] ① 옳다(∵ 용인설 : 범죄사실의 인식 외에 결과발생을 용인하는 내심의 의사가 있으면 고의가 성립됨 ⇨ 미필적 고의(용인하는 내심의 의사 ○) ⇨ 고의 ○, 인식 있는 과실(용인하는 내심의 의사 ×) ⇨ 고의 ×).
② × : ~ (3줄) 목적의 적극적 의욕이나 확정적 인식까지는 필요 없고 미필적 인식으로 족하다(대판 1992.3.31, 90도2033 전원합의체).
③ 대판 2009.10.29, 2009도7150
④ 대판 2017.1.12, 2016도15470

10 미필적 고의에 대한 설명으로 옳은 것만을 모두 고르면?(다툼이 있는 경우 판례에 의함)

23. 9급 검찰 · 마약수사 · 철도경찰

> ㉠ "결과가 발생할지도 몰라. 하지만 그래도 할 수 없지."라고 생각했으면 미필적 고의가 인정되지만, "결과가 발생할지도 몰라. 그러나 괜찮을 거야."라고 생각한 경우는 인식 없는 과실에 해당한다.
> ㉡ 경찰관이 차량 약 30cm 전방에 서서 교통차단의 이유를 설명하고 있는데 운전자가 신경질적으로 갑자기 좌회전하여 우측 앞 범퍼 부분으로 해당 경찰관의 무릎을 들이받은 경우, 이는 경찰관을 충격한다는 결과의 발생을 용인하는 내심의 의사가 있었다고 봄이 경험칙상 당연하다.
> ㉢ 대구지하철 화재 사고 현장을 수습하기 위한 청소 작업이 한참 진행되고 있는 시간 중에 실종자 유족들로부터 이의제기가 있었음에도 즉각 청소작업을 중단하도록 지시하지 않고 수사기관과 협의하거나 확인하지 않은 경우, 그러한 청소작업으로 인한 증거인멸의 결과가 발생할 가능성을 용인하는 내심의 의사가 있었다고 단정하기는 어렵다.
> ㉣ 행위자가 범죄사실이 발생할 가능성을 용인하고 있었는지는 행위자의 진술에 의존하지 않고 외부에 나타난 행위의 형태와 행위의 상황 등 구체적인 사정을 기초로 일반인이라면 범죄사실이 발생할 가능성을 어떻게 평가할 것인지를 고려하면서 객관적 제3자의 입장에서 그 심리상태를 추인하여야 한다.

① ㉠, ㉡   ② ㉠, ㉣   ③ ㉡, ㉢   ④ ㉡, ㉢, ㉣

해설 ㉠ × : ~ (2줄) 경우는 인식 있는(없는 ×) 과실에 해당한다(용인설 : 다수설 · 판례).
㉡ ○ : 대판 1995.1.24, 94도1949(∴ 공무집행방해죄 ○)
㉢ ○ : 대판 2004.5.14, 2004도74(∴ 증거인멸죄 ×)
㉣ × : ~ (3줄) 고려하면서 행위자(객관적 제3자 ×)의 입장에서 그 심리상태를 추인하여야 한다(대판 2017.1.12, 2016도15470).

11 다음 설명 중 옳지 않은 것은 모두 몇 개인가?(다툼이 있는 경우 판례에 의함)   23. 법원행시

> ㉠ 무고죄의 범의는 반드시 확정적 고의일 필요가 없고 미필적 고의로도 충분하므로, 신고자가 허위라고 확신한 사실을 신고한 경우뿐만 아니라 진실하다는 확신 없는 사실을 신고하는 경우에도 그 범의를 인정할 수 있다.
> ㉡ 고의의 일종인 미필적 고의는 중대한 과실과는 달리 범죄사실의 발생가능성에 대한 인식이 있고 나아가 범죄사실이 발생할 위험을 용인하는 내심의 의사가 있어야 한다.
> ㉢ 고의 외에 초과주관적 위법요소로서 "향정신성의약품을 제조할 목적"과 같은 목적에 대하여도 고의와 마찬가지로 적극적 의욕이나 확정적 인식임을 요하지 아니하고 미필적 인식이 있으면 족하다.
> ㉣ 방조행위는 정범이 범행을 한다는 정을 알면서 그 실행행위를 용이하게 하는 직접 · 간접의 행위를 말하므로, 방조범에서 요구되는 정범의 범행에 대한 고의는 방조행위에 대한 고의와 달리 미필적 인식이나 예견만으로는 부족하다.

① 없 음   ② 1개   ③ 2개   ④ 3개   ⑤ 4개

Answer 10. ③ 11. ②

[해설] ㉠ ○ : 대판 2022.6.30, 2022도3413
㉡ ○ : 대판 2017.1.12, 2016도15470
㉢ ○ : 대판 1997.12.12, 97도2368
㉣ × : 방조범의 경우에 정범의 고의는 정범에 의하여 실현되는 범죄의 구체적 내용을 인식할 것을 요하는 것은 아니고 미필적 인식 또는 예견으로 족하다(대판 2005.4.29, 2003도6056).

12 고의에 관한 설명 중 옳지 않은 것은?(다툼이 있는 경우 판례에 의함)　　　23. 변호사시험

① 절도죄에 있어서 재물의 타인성은 고의의 인식대상이다.

② 무고죄의 고의는 신고자가 허위라고 확신한 사실을 신고한 경우뿐만 아니라 진실하다는 확신 없는 사실을 신고하는 경우에도 인정할 수 있다.

③ 업무방해죄에서 업무방해의 고의는 반드시 업무방해의 목적이나 계획적인 업무방해의 의도가 있어야 인정되는 것은 아니고, 자기의 행위로 인하여 타인의 업무가 방해될 것이라는 결과를 발생시킬 만한 가능성 또는 위험이 있음을 인식하거나 예견하면 충분하다.

④ 방조범은 정범의 실행을 방조한다는 이른바 방조의 고의와 정범의 행위가 구성요건에 해당하는 행위인 점에 대한 정범의 고의가 있어야 하고, 방조범에서 요구되는 정범의 고의는 정범에 의하여 실현되는 범죄의 미필적 인식이 아니라 구체적 내용을 인식할 것을 요한다.

⑤ 준강간죄에서 준강간의 고의는 피해자가 심신상실 또는 항거불능의 상태에 있다는 것과 그러한 상태를 이용하여 간음한다는 구성요건적 결과발생의 가능성을 인식하고 그러한 위험을 용인하는 내심의 의사가 있으면 인정될 수 있다.

[해설] ① 대판 1983.9.13, 83도1762 ② 대판 1995.12.12, 94도2171 ③ 대판 2012.5.24, 2009도4141
④ × : ~ 미필적 인식으로 족하고 범죄의 구체적 내용을 인식할 것을 요하는 것은 아니다(대판 2005.4.29, 2003도6056).
⑤ 대판 2019.3.28, 2018도16002 전원합의체

13 주관적 구성요건에 대한 설명 중 가장 적절한 것은?(다툼이 있는 경우 판례에 의함)　23. 경찰승진

① 친족상도례가 적용되는 범죄에 있어서 '친족관계'와 특수폭행죄에 있어서 '위험한 물건을 휴대한다는 사실'은 고의의 인식대상이다.

② 내란선동죄에서 국헌문란의 목적은 고의 외에 요구되는 초과 주관적 위법요소로서 엄격한 증명사항에 속하므로 미필적 인식만으로는 부족하고, 적극적 의욕이나 확정적 인식이어야 한다.

③ 방조범은 정범의 실행을 방조한다는 이른바 방조의 고의와 정범의 행위가 구성요건에 해당하는 행위인 점에 대한 정범의 고의가 있어야 하며, 정범의 고의는 범죄의 미필적 인식 또는 예견만으로는 부족하고 정범에 의하여 실현되는 범죄의 구체적 내용을 인식하여야 한다.

Answer　12. ④　13. ④

④ 미필적 고의에서 행위자가 범죄사실이 발생할 가능성을 용인하고 있었는지의 여부는 행위자의 진술에 의존하지 아니하고 외부에 나타난 행위의 형태와 행위의 상황 등 구체적인 사정을 기초로 하여 일반인이라면 당해 범죄사실이 발생할 가능성을 어떻게 평가할 것인가를 고려하면서 행위자의 입장에서 그 심리상태를 추인하여야 한다.

해설 ① × : '친족관계' ⇨ 고의의 인식대상 ×, '위험한 물건을 휴대한다는 사실' ⇨ 고의의 인식대상 ○
② × : ~ 증명사항에 속하나, 확정적 인식임을 요하지 아니하며 미필적 인식이 있으면 족하다(대판 2015.1. 22, 2014도10978 전원합의체).
③ × : ~ (3줄) 예견만으로 족하고, 정범에 의하여 실현되는 범죄의 구체적 내용을 인식할 것을 요하는 것은 아니다(대판 2005.4.29, 2003도6056).
④ ○ : 대판 2017.1.12, 2016도15470

14 고의에 관한 설명으로 옳은 것은 모두 몇 개인가?(다툼이 있는 경우 판례에 의함) 24. 경찰간부

> ㉠ 부진정부작위범의 고의는 반드시 구성요건적 결과발생에 대한 목적이나 계획적인 범행 의도가 있어야 하는 것은 아니고 법익침해의 결과발생을 방지할 법적 작위의무를 가지고 있는 사람이 의무를 이행함으로써 결과발생을 쉽게 방지할 수 있었음을 예견하고도 결과발생을 용인하고 이를 방관한 채 의무를 이행하지 아니한다는 인식을 하면 족하다.
> ㉡ 임금 등 지급의무의 존부와 범위에 관하여 다툴 만한 근거가 있다면 사용자가 그 임금 등을 지급하지 않은 데에 상당한 이유가 있다고 보아야 하므로, 사용자에게 근로기준법 제109조 제1항, 제36조 위반의 고의가 있었다고 보기 어렵다.
> ㉢ 살인예비죄가 성립하기 위하여는 살인죄를 범할 목적 외에도 살인의 준비에 관한 고의가 있어야 한다.
> ㉣ 고의는 객관적 구성요건요소에 관한 인식과 구성요건실현을 위한 의사를 의미하고, 형법 제13조에 의하면 고의가 인정되지 않은 경우 원칙적으로 처벌되지 않는다.

① 1개　　　　② 2개　　　　③ 3개　　　　④ 4개

해설 ㉠ ○ : 대판 2015.11.12, 2015도6809 전원합의체
㉡ ○ : 대판 2023.4.27, 2020도16431
㉢ ○ : 대판 2009.10.29, 2009도7150
㉣ ○ : 옳다.

15 고의에 관한 설명으로 가장 적절하지 않은 것은?(다툼이 있는 경우 판례에 의함) 24. 경찰승진

① 고의는 내심적 사실이므로 피고인이 이를 부정하는 경우에는 사물의 성질상 고의와 상당한 관련성이 있는 간접사실을 증명하는 방법에 의하여 입증할 수밖에 없다.
② 운전면허 소지인인 甲이 정기적성검사기간 내에 적성검사를 받지 아니한 경우, 甲이 적성검사기간 도래 여부에 관한 확인을 게을리하여 기간이 도래하였음을 알지 못하였더라도 적성검사기간 내에 적성검사를 받지 않은 것에 대한 미필적 고의는 있었다고 봄이 타당하다.

③ 허위사실을 유포하는 방법에 의하여 타인의 업무를 방해함으로써 성립하는 업무방해죄에 있어, 허위사실을 유포한다고 함은 실제의 객관적 사실과 서로 다른 사항을 내용으로 하는 사실을 불특정 다수인에게 전파시키는 것을 말하고, 특히 이러한 경우 그 행위자에게 행위 당시 자신이 유포한 사실이 허위라는 점을 적극적으로 인식하였을 것을 요한다.

④ 미필적 고의는 결과발생에 대한 확실한 예견은 없으나 그 가능성에 대한 인식이 있으면 족하고 결과발생을 용인하는 내심의 의사가 있음을 요하지는 않는다는 점에서 확정적 고의와 구별된다.

해설 ① 대판 2017.1.12, 2016도15470 ② 대판 2014.4.10, 2012도8374 ③ 대판 1994.1.28, 93도1278
④ × : ~ 그 가능성에 대한 인식이 있음은 물론 나아가 결과발생을 용인하는 내심의 의사가 있음을 요한다(대판 1987.2.10, 86도2338)는 점에서 인식있는 과실과 구별된다.

16 고의에 관한 설명으로 가장 적절한 것은?(다툼이 있는 경우 판례에 의함) 24. 순경 1차

① 목적적 범죄체계론에 따르면 고의는 책임의 요소이다.

② 고의가 성립하기 위해서는 행위자가 모든 객관적 구성요건에 해당하는 사실을 인식해야 하기에 상습도박죄에 있어서 상습성은 고의의 인식 대상이다.

③ 고의의 본질에 관한 학설 중 행위자가 결과발생의 가능성을 인식하기만 하면 고의가 성립한다고 보는 견해에 따르면 인식 있는 과실도 고의로 인정될 수 있다.

④ 방조범은 정범의 실행을 방조한다는 방조의 고의와 정범의 행위가 구성요건에 해당하는 행위인 점에 대한 정범의 고의가 있어야 하고, 방조범에 있어서 정범의 고의는 정범에 의하여 실현되는 범죄의 구체적 내용까지 인식할 것을 요한다.

해설 ① × : 목적적 범죄체계론에 따르면 고의는 책임요소가 아닌 주관적 구성요건요소이다.
② × : ~ 인식해야 하나 상습도박죄에 있어서 상습성은 고의의 인식 대상이 아니다(∵ 상습성은 행위자가 갖추고 있으면 충분하고 인식할 필요는 없음).
③ ○ : 옳다(고의의 본질에 관한 인식설).
④ × : ~ (3줄) 인식할 것을 요하는 것은 아니고 미필적 인식 또는 예견으로 족하다(대판 2005.4.29, 2003도6056).

17 고의에 관한 설명으로 가장 적절하지 않은 것은?(다툼이 있는 경우 판례에 의함) 24. 경력채용

① 고의의 일종인 미필적 고의는 중대한 과실과는 달리 범죄사실의 발생 가능성에 대한 인식이 있고 나아가 범죄사실이 발생할 위험을 용인하는 내심의 의사가 있어야 한다.

② 방조범은 정범의 실행을 방조한다는 이른바 방조의 고의와 정범의 행위가 구성요건에 해당하는 행위인 점에 대한 정범의 고의가 있어야 한다.

③ 위계에 의한 공무집행방해죄가 성립되려면 자기의 위계행위로 인하여 공무집행을 방해하려는 의사까지 요구되는 것은 아니다.

④ 행정상의 단속을 주안으로 하는 법규라 하더라도 '명문규정이 있거나 해석상 과실범도 벌할 뜻이 명확한 경우'를 제외하고는 형법의 원칙에 따라 '고의'가 있어야 벌할 수 있다.

해설 ① 대판 1987.2.10, 86도2338
② 대판 2005.4.29, 2003도6056
③ × : ~ 방해하려는 의사가 있을 경우에 한한다(대판 1970.1.27, 69도2260).
④ 대판 2010.2.11, 2009도9807

18 고의에 대한 설명으로 옳지 않은 것은?(다툼이 있는 경우 판례에 의함)
24. 9급 검찰·마약수사·철도경찰

① 명예훼손죄가 성립하기 위해서는 범죄구성요건의 주관적 요소로서 공연성에 대한 미필적 고의가 필요하므로 전파가능성에 대한 인식이 있음은 물론 나아가 그 위험을 용인하는 내심의 의사가 있어야 한다.
② 준강간의 고의는 피해자가 심신상실 또는 항거불능의 상태에 있다는 것과 그러한 상태를 이용하여 간음한다는 구성요건적 결과발생의 가능성을 인식하고 그러한 위험을 용인하는 내심의 의사를 말한다.
③ 업무상 배임죄의 일반적인 고의의 법리와는 달리 경영상 판단의 경우에는 단순히 본인에게 손해가 발생하였다는 결과만으로도 업무상 배임죄의 성립을 인정할 수 있다.
④ 방조범이 성립하기 위해서는 정범의 실행을 방조한다는 방조의 고의와 정범의 행위가 구성요건에 해당한다는 점에 대한 정범의 고의가 있어야 한다.

해설 ① 대판 2018.6.15, 2018도4200
② 대판 2019.3.28, 2018도16002 전원합의체
③ × : 경영상의 판단과 관련하여 기업의 경영자에게 자기 또는 제3자가 재산상 이익을 취득한다는 인식과 본인에게 손해를 가한다는 인식(미필적 인식을 포함)하의 의도적 행위임이 인정되는 경우에 한하여 배임죄의 고의가 인정하는 엄격한 해석기준은 유지되어야 할 것이고, 그리한 인식이 없는데 단순히 본인에게 손해가 발생하였다는 결과만으로 책임을 묻거나 주의의무를 소홀히 한 과실이 있다는 이유로 책임을 물을 수는 없다(대판 2010.1.14, 2007도10415).
④ 대판 2005.4.29, 2003도6056

19 목적범에 대한 설명으로 옳지 않은 것은?(다툼이 있는 경우 판례에 의함) *24. 9급 철도경찰*
① 목적범에서의 고의와 목적은 그 어느 것이나 행위자의 내부적·심리적 요소에 해당한다.
② 전자금융거래법 제6조 제3항 제3호의 '범죄에 이용할 목적'은 초과주관적 위법요소로서 목적의 대상이 되는 범죄의 구체적인 내용까지 인식하여야 하는 것은 아니다.
③ 목적범이 성립하기 위해서는 당해 목적에 대하여 적극적 의욕이나 확정적 인식이 필요하며 단지 미필적 인식이 있는 것만으로는 족하지 않다.
④ 목적범에서의 고의도 구성요건의 객관적 요소에 해당하는 사실을 인식대상으로 한다.

Answer **18.③ 19.③**

해설 ① 옳다.
② 대판 2023.1.12, 2012도10861
③ × : ~ 확정적 인식까지는 필요 없고 미필적 인식으로 족하다(대판 1992.3.31, 90도2033 전원합의체).
④ 옳다.

20 고의와 과실에 대한 설명 중 옳은 것(○)과 옳지 않은 것(×)을 올바르게 조합한 것은?(다툼이 있는 경우 판례에 의함)

25. 변호사시험

> ㉠ 고의로 법령을 잘못 적용하여 공문서를 작성하였다고 하더라도 그 법령적용의 전제가 된 사실관계에 대한 내용에 거짓이 없다면 허위공문서작성죄가 성립될 수 없다.
>
> ㉡ 살해의 의도로 피해자를 구타하였으나 이로 인하여 직접 사망한 것이 아니라 그 후 죄적을 인멸할 목적으로 행한 매장행위에 의하여 피해자가 사망하게 된 경우, 살인미수죄와 과실치사죄의 경합범이 된다.
>
> ㉢ 작위의무자가 그 의무를 이행함으로써 결과발생을 쉽게 방지할 수 있었음을 예견하고도 결과발생을 용인하고 이를 방관한 채 그 의무를 이행하지 아니한다는 인식만으로는 부진정부작위범의 고의가 인정되지 않는다.
>
> ㉣ 무고죄의 범의는 신고자가 허위라고 확신한 사실을 신고한 경우에만 인정되고, 진실하다는 확신 없는 사실을 신고하는 경우에는 인정되지 않는다.
>
> ㉤ 피고인이 상해의 고의로 구타하여 상해를 입은 피해자가 정신을 잃고 빈사상태에 빠지자 사망한 것으로 오인하고, 자신의 행위를 은폐하고 피해자가 자살한 것처럼 가장하기 위하여 피해자를 베란다 밖으로 떨어뜨려 사망케 하였다면, 피고인의 행위는 포괄하여 단일의 상해치사죄에 해당한다.

① ㉠(○), ㉡(×), ㉢(○), ㉣(○), ㉤(×)
② ㉠(×), ㉡(○), ㉢(○), ㉣(×), ㉤(×)
③ ㉠(○), ㉡(×), ㉢(×), ㉣(×), ㉤(○)
④ ㉠(×), ㉡(×), ㉢(×), ㉣(○), ㉤(×)
⑤ ㉠(○), ㉡(○), ㉢(×), ㉣(×), ㉤(○)

해설 ㉠ ○ : 대판 2021.9.16, 2019도18394
㉡ × : ~ (2줄) 경우, 피해자가 피고인들의 살해의 의도로 행한 구타행위에 의하여 직접 사망한 것이 아니라 죄적을 인멸할 목적으로 행한 매장행위에 의하여 사망하게 되었다 하더라도 전과정을 개괄적으로 보면 피해자의 살해라는 처음에 예견된 사실이 결국 실현된 것으로서 피고인들은 살인죄의 죄책을 면할 수 없다(대판 1988.6.28, 88도650).
㉢ × : ~ (2줄) 인식만으로 부진정부작위범의 고의가 인정된다(대판 2015.11.12, 2015도6809 전원합의체).
㉣ × : 무고죄의 범의는 반드시 확정적 고의일 필요가 없고 미필적 고의로도 충분하므로, 신고자가 허위라고 확신한 사실을 신고한 경우뿐만 아니라 진실하다는 확신 없는 사실을 신고하는 경우에도 그 범의를 인정할 수 있다(대판 2022.6.30, 2022도3413).
㉤ ○ : 대판 1994.11.4, 94도2361

Answer 20. ③

제5절) 사실의 착오(구성요건적 착오)

관련조문

제15조 【사실의 착오】 ① 특별히 무거운 죄가 되는 사실을 인식하지 못한 행위는 무거운 죄로 벌하지 아니한다.

THEMA 17

1. 형법상의 착오 15. 순경 1차, 19. 9급 검찰·마약수사, 20. 경찰승진, 23. 해경승진, 25. 변호사시험

① 사실의 착오(구성요건적 착오, 구성요건의 소극적 착오) : 사실의 착오란 행위자가 주관적으로 인식하고 실현하려는 범죄사실(구성요건적 사실)과 실제로 발생한 범죄사실이 일치하지 않는 경우를 말한다. 즉, 행위자가 행위시에 고의의 인식대상이 되는, 실제로 발생한 구성요건적 사실(객관적 구성요건요소)을 인식하지 못한 경우이다〔⑩ 甲인 줄 알고 총을 쏘았으나 실은 甲이 아니라 乙이었던 경우 ⇨ 인식사실(甲)≠발생사실(乙 : 乙이라는 인식 ×)〕. 따라서 객관적 구성요건요소가 아닌 것(⑩ 범행동기, 책임능력, 형벌의 종류, 처벌조건, 소추조건 등)에 대한 착오는 사실의 착오가 아니다〔⑩ 甲이 절취한 물건이 자신의 아버지 소유인 줄 오신했다 하더라도 그 오신은 형면제 사유에 관한 것으로서 절도죄의 성립이나 처벌에 아무런 영향을 미치지 않는다(대판 1966.6.28, 66도104)〕. 19. 변호사시험·9급 검찰·마약수사, 23. 해경승진

② 불능미수(반전된 사실의 착오, 적극적 사실의 착오) : 행위자가 실제로 존재하지 않는 사실을 존재한다고 오인한 경우를 말한다〔⑩ 시체를 살아 있는 사람으로 오인하고 사살한 경우 ⇨ 처음부터 구성요건의 충족(살인죄의 사망)은 불가능 ⇨ 행위의 위험성 ○(불능미수 : 제27조), 위험성 ×(불능범 : 불가벌)〕.

③ 법률(위법성, 금지)의 착오(위법성의 소극적 착오) : 행위자가 범죄사실의 인식은 있으나 그 행위의 위법성을 인식하지 못한 경우, 즉 위법한 행위를 위법하지 않다고 오인한 경우를 말한다〔⑩ 개를 타살하면서 개는 재물손괴죄의 객체가 아니라고 오인한 경우 ⇨ 범죄사실의 인식(타인의 개를 타살한다는 인식)은 있으나 위법성 인식이 없음(개는 손괴죄의 객체가 아니므로 허용된 행위로서 죄가 되지 아니한다고 잘못 인식함) ⇨ 잘못 인식함에 정당한 이유가 있는 경우 ⇨ 불가벌(제16조)〕.

④ 환각범(반전된 금지의 착오, 위법성의 적극적 착오) : 행위자가 위법하지 않은 행위(처벌되지 않는 행위 ⇨ 처벌법규가 존재 ×)를 위법한 행위(처벌되는 행위)라고 오인(처벌법규가 존재한다고 오인)한 경우를 말한다〔⑩ 동성애(처벌규정 ×)를 하면서 죄가 된다고 오인(위법성 인식 ○)한 경우 ⇨ 불가벌〕.

2. 사실의 착오의 종류

① 구체적 사실의 착오 : 인식사실과 발생사실이 동가치(동일한 구성요건)에 해당하는 경우의 착오

객체의 착오 (목적의 착오)	행위객체의 동일성을 착오한 경우, 즉 객체의 성질에 관한 착오를 말한다. 예 甲인 줄 알고 총을 쏘았는데 실은 甲이 아니라 乙이었던 경우
방법의 착오 (타격의 착오)	행위의 방법이 잘못되어 의도한 객체가 아닌 다른 객체에 결과가 발생한 경우를 말한다. 예 甲을 향해 총을 쏘았는데 옆에 있던 乙이 맞은 경우

② 추상적 사실의 착오 : 인식사실과 발생사실이 서로 다른 구성요건에 해당하는 경우의 착오

객체의 착오	• 경한 사실을 인식하고 중한 사실을 발생시킨 경우 　예 개라고 생각하고 총을 쏘았는데 실은 사람을 명중시킨 경우 • 중한 사실을 인식하고 경한 사실을 발생시킨 경우 　예 사람이라고 생각하고 총을 쏘았는데 실은 개에게 명중한 경우
방법의 착오	• 경한 사실을 인식하고 중한 사실을 발생시킨 경우 　예 개를 향해 발포하였으나 옆에 있는 사람을 명중시킨 경우 • 중한 사실을 인식하고 경한 사실을 발생시킨 경우 　예 사람을 향해 발포하였으나 옆에 있던 개를 명중시킨 경우

③ 인과관계의 착오 : 인과관계의 착오란 인식한 사실과 발생한 사실은 일치하지만 행위자가 인식한 인과과정과 실제로 진행된 인과과정이 서로 다른 경우를 말한다.

⚖ **관련판례**

1. 피해자가 피고인들의 살해의 의도로 행한 구타행위에 의하여 직접 사망한 것이 아니라 죄적을 인멸할 목적으로 행한 매장행위에 의하여 사망하게 되었다 하더라도 전과정을 개괄적으로 보면 피해자의 살해라는 처음에 예견된 사실이 결국 실현된 것으로서 피고인들은 살인죄의 죄책을 면할 수 없다(대판 1988.6.28, 88도650). 18. 순경 3차, 21. 순경 1차 · 7급 검찰, 22. 경찰간부, 25. 변호사시험

2. 甲이 상해의 고의로 구타하여 A가 정신을 잃자 사망한 것으로 오인하고 자살한 것처럼 가장하기 위하여 A를 베란다 아래로 떨어뜨려 사망하게 한 경우, 포괄하여 단일의 상해치사죄(살인죄 ×)에 해당한다(대판 1994.11.4, 94도2361). 16. 순경 1차, 22. 경찰간부 · 7급 검찰, 23. 해경승진 · 9급 검찰 · 마약수사 · 철도경찰, 24. 해경간부, 25. 변호사시험

THEMA 18 사실의 착오와 고의의 성립 여부

1. 형법의 태도 : 형법 제15조 제1항은 "특별히 중한 죄가 되는 사실을 인식하지 못한 행위는 중한 죄로 벌하지 않는다."라고 규정하고 있다. 19. 순경 2차, 23. 해경승진

① 이는 추상적 사실의 착오 중 경한 범죄사실을 인식하고 중한 결과를 발생시킨 경우만을 규정한 것이다.

가중적 구성요건의 착오의 경우	제15조 제1항이 직접 적용된다(다수설·판례). 예 甲은 사람을 살해하였는데 범행 당시 피살자가 장모라는 사실을 전혀 알지 못하였던 경우, 이는 직계존속임을 인식치 못하고 살인을 한 경우로서 형법 제15조 소정의 특히 중한 죄가 되는 사실을 인식하지 못한 행위에 해당한다(대판 1960.10.31, 4293형상494 ∴ 보통살인죄 ○). 17. 경찰간부, 18. 순경 3차, 21. 9급 철도경찰, 23. 경찰승진·경력채용, 25. 순경 1차
감경적 구성요건의 착오의 경우	해석상 제15조 제1항을 적용한다(다수설). 예 피해자의 촉탁·승낙이 있는 줄로 오인하고 살해한 자의 죄책은? ⇨ 촉탁·승낙살인죄 19. 7급 검찰

② 그 밖의 사실의 착오의 해결은 학설·판례에 일임하고 있다.

2. 사실의 착오에 관한 학설과 사례의 총정리

구분	종류	구체적 부합설	법정적 부합설 (통설·판례)	추상적 부합설
구체적 사실의 착오	• 객체의 착오 : 甲을 乙로 인식하고 사살한 경우	발생사실에 (甲에	대한 고의·대한 살인죄)	기수
	• 방법의 착오 : 甲을 향해 발사하였으나, 옆에 있는 乙이 맞아 사망	인식사실에 대한 미수 (甲에 대한 살인미수) / 발생사실에 대한 과실 (乙에 대한 과실치사) ┐ 상상적 경합	(乙에	대한 살인죄)
추상적 사실의 착오	• 객체의 착오 : 개를 사람(甲)으로 오인하여 사살한 경우 • 방법의 착오 : 사람(甲)을 향해 발사하였으나, 옆에 있는 개를 죽인 경우	인식사실에 대한 미수 (甲에 대한 살인미수) 발생사실에 대한 과실 (개에 대한 과실손괴) ┐ 상상적 경합	(甲에 대한 살인미수죄)	1. 輕한 고의로 重한 결과발생 : 유리창 손괴하려고 사격, 빗나가 甲 사망 ⇨ (재물손괴기수 + 과실치사) 상상적 경합 2. 重한 고의로 輕한 결과발생 : A에게 사격, 빗나가 유리창 손괴 ⇨ (살인미수 + 손괴기수) 상상적 경합

3. 관련판례

① 싸움을 하던 중 말리면서 식칼을 **뺏**으려던 제3자에게 상해를 입힌 경우 ⇨ 과실치상죄 ×, **상해죄** ○〔대판 1987.10.26, 87도1745 ∵ 목적하지 않은 사람을 상해했더라도 상해고의는 인정됨 ⇨ 법정적 부합설 입장(구체적 착오의 방법의 착오)〕 18. 순경 2차, 22. 변호사시험, 23. 경찰간부·9급 검찰·마약수사·철도경찰

② 일병 甲이 하사 乙을 살해할 목적으로 발사한 총탄이 이를 제지하려고 뛰어들던 병장 丙에게 명중되어 丙이 사망한 경우 ⇨ 丙에 대한 **살인기수**(대판 1975.4.22, 75도727 ∵ 丙에 대한 살인의 고의가 있음 ⇨ 구체적 사실의 착오 중 방법의 착오) 18. 순경 2차, 21. 경찰승진

③ 형수를 향하여 살의를 갖고 소나무 몽둥이로 힘껏 내리쳤으나 형수의 등에 업힌 조카의 머리에 맞아 즉사한 경우 ⇨ 소위 타격의 착오가 있는 경우라 할지라도 행위자의 살인의 범의 성립에 방해가 되지 않는다(대판 1984.1.24, 83도2813 ∵ 조카에 대한 **살인기수죄**). 18. 순경 2차·3차, 22. 7급 검찰, 23. 9급 검찰·마약수사·철도경찰

④ 甲은 A를 살해할 의사로 농약을 숭늉그릇에 투입하여 A의 집 안에 놓아두었는데, 이러한 사정을 모르는 B가 이를 마시고 사망했다. 甲에게는 B에 대한 살인죄가 성립한다(대판 1968.8.23, 68도884). 18. 순경 2차, 20. 해경승진, 22. 7급 검찰

---

01 착오에 관한 설명 중 옳지 않은 것을 모두 고른 것은?(다툼이 있는 경우 판례에 의함)

19. 변호사시험, 23. 해경승진

> ㉠ 객관적으로는 존재하지도 않는 구성요건적 사실을 행위자가 적극적으로 존재한다고 생각한 '반전된 구성요건적 착오'는 형법상 불가벌이다.
>
> ㉡ 甲이 절취한 물건이 자신의 아버지 소유인 줄 오신했다 하더라도 그 오신은 형면제사유에 관한 것으로서 절도죄의 성립이나 처벌에 아무런 영향을 미치지 않는다.
>
> ㉢ 절도죄에 있어서 재물의 타인성을 오신하여 그 재물이 자기에게 취득할 것이 허용된 동일한 물건으로 오인하고 가져온 경우에는 범죄사실에 대한 인식이 있다고 할 수 없으므로 범의가 조각되어 절도죄가 성립하지 아니한다.
>
> ㉣ 甲이 상해의 고의로 A에게 상해를 가함으로써 A가 바닥에 쓰러진 채 정신을 잃고 빈사상태에 **빠**지자, A가 사망한 것으로 오인하고 자신의 행위를 은폐하고 A가 자살한 것처럼 가장하기 위하여 A를 절벽 아래로 떨어뜨려 A로 하여금 현장에서 사망에 이르게 하였다면, 甲의 상해행위는 A에 대한 살인에 흡수되어 단일의 살인죄만 성립한다.
>
> ㉤ 甲이 A를 살해하기 위해 A를 향하여 총을 쏘았으나 총알이 빗나가 A의 옆에 있던 B에게 맞아 B가 즉사한 경우, 구성요건적 착오에 관한 구체적 부합설에 의하면 甲에게는 B에 대한 살인죄의 죄책이 인정되지 않는다.

① ㉠, ㉢ 　　　　② ㉠, ㉣ 　　　　③ ㉡, ㉢, ㉣

④ ㉡, ㉣, ㉤ 　　　⑤ ㉢, ㉣, ㉤

[해설] ㉠ × : '반전된 구성요건적 착오'는 형법상 위험성이 있는 때에는 처벌한다(제27조 : 불능미수).
㉡ ○ : 대판 1966.6.28, 66도104 ㉢ ○ : 대판 1983.9.13, 83도1762
㉣ × : ~ (3줄) 이르게 하였다면, 甲의 행위는 포괄하여 단일의 상해치사죄에 해당한다(대판 1994.11.4, 94도2361).
㉤ ○ : 구체적 사실의 착오 중 방법의 착오 ⇨ 구체적 부합설 : A에 대한 살인미수죄와 B에 대한 과실치사죄의 상상적 경합

02 사실의 착오(구성요건적 착오)에 관한 설명으로 옳은 것을 모두 고른 것은?

19. 순경 2차, 23. 해경승진

> ㉠ 형법에는 사실의 착오에 관한 규정이 없어, 사실의 착오 문제를 해결하는 것은 오롯이 학설에 위임되어 있다.
> ㉡ 乙을 살해할 의사로 乙을 향해 총을 쐈으나 빗나가 옆에 있던 丙에게 명중하여 丙이 사망한 경우 구체적 부합설과 법정적 부합설의 결론이 다르다.
> ㉢ 판례의 입장에 따르면 ㉡의 사례에서 乙에 대한 살인죄의 미수와 丙에 대한 과실치사죄의 상상적 경합이 성립한다.
> ㉣ 추상적 부합설에 따르면 ㉡의 사례에서 살인죄의 고의기수가 성립한다.
> ㉤ 법정적 부합설은 사람을 살해할 의사로 사람을 살해했음에도 불구하고 살인미수라고 하는 것은 일반인의 법감정에 반한다는 비판을 받는다.

① ㉠, ㉡　　　　② ㉡, ㉣　　　　③ ㉠, ㉢　　　　④ ㉢, ㉤

[해설] ㉠ × : 형법 제15조 제1항은 "특별히 중한 죄가 되는 사실을 인식하지 못한 행위는 중한 죄로 벌하지 않는다."라고 규정하고 있다.
㉡의 사례 : 구체적 사실의 착오 중 방법(타격)의 착오 ⇨ 구체적 부합설 : 乙에 대한 살인미수죄와 丙에 대한 과실치사죄의 상상적 경합, 법정적 부합설(판례)과 추상적 부합설 : 丙에 대한 살인기수
∴ ㉡ ○ ㉢ × ㉣ ○ ㉤ ×(∵ ㉤은 구체적 부합설에 대한 비판임)

03 사실의 착오에 대한 사례 중 구체적 부합설과 법정적 부합설의 결론이 다른 것만을 모두 고르면?

20. 7급 검찰

> ㉠ 甲은 A를 B로 오인하여 살해 의사로 총을 쏘았고, A가 이를 맞고 사망하였다.
> ㉡ 甲은 A를 살해하려고 총을 쏘았으나, 총알이 빗나가 옆에 있던 B가 이를 맞고 사망하였다.
> ㉢ 甲은 A의 도자기를 깨뜨리기 위하여 총을 쏘았으나, 총알이 빗나가 B의 거울을 깨뜨렸다.
> ㉣ 甲은 A를 상해하려고 돌을 던졌는데, 돌이 빗나가 A의 개가 이를 맞고 다쳤다.

① ㉡　　　　② ㉠, ㉢　　　　③ ㉡, ㉢　　　　④ ㉡, ㉢, ㉣

[해설] ㉠ 구체적 사실의 착오 중 객체의 착오 ㉡㉢ 구체적 사실의 착오 중 방법의 착오
㉣ 추상적 사실의 착오 중 방법의 착오
구체적 부합설과 법정적 부합설의 결론이 다른 것은 구체적 사실의 착오 중 방법의 착오에 한하므로 ㉡과 ㉢이 여기에 해당된다.

Answer　2.②　3.③

04 다음 사례에 대한 설명으로 가장 적절하지 않은 것은?(형법 이외에 특별법의 적용은 고려하지 않음)

21. 경찰승진

> 甲은 A가 키우는 강아지가 시끄럽게 짖자, A의 강아지를 죽이기 위해 소지하던 엽총을 발사하였다. 하지만 총알이 빗나가 강아지가 아닌 A가 맞아 현장에서 사망하였다.

① 사례는 구성요건적 착오(사실의 착오)의 문제로 추상적 사실의 착오 중 방법의 착오에 해당한다.

② 사례에 있어 법정적 부합설과 추상적 부합설의 결론은 동일하다.

③ 구체적 부합설에 의하면 강아지에 대한 손괴미수죄와 A에 대한 과실치사죄의 상상적 경합이 성립한다.

④ 만약 甲이 A의 부인을 쏘려고 하였으나 빗나가 A가 맞고 사망했다면, 판례는 甲에게 A에 대한 살인죄의 성립을 긍정한다.

해설 ① 타당하다.

② × : 법정적 부합설 ➡ 강아지에 대한 손괴미수죄와 A에 대한 과실치사죄의 상상적 경합, 추상적 부합설 ➡ 강아지에 대한 손괴죄(기수범)와 A에 대한 과실치사죄의 상상적 경합

∴ 두 학설의 결론이 동일하지 않다.

③ 타당하다.

④ 구체적 사실의 착오 중 방법(타격)의 착오에서 판례는 법정적 부합설에 따르므로 옳다(대판 1975.4.22, 75도727).

05 구성요건적 착오에 대한 설명으로 가장 적절한 것은?

21. 순경 1차, 23. 해경 3차

① 甲이 친구 A를 살해하려고 독약을 놓아 두었으나 친구 B가 이를 마시게 되어 사망한 경우, 구체적 부합설과 법정적 부합설 모두 B에 대한 살인죄를 인정한다.

② 甲이 친구 A를 친구 B로 착각하여 살해한 경우, 구체적 부합설의 입장에서는 B에 대한 살인미수와 A에 대한 과실치사죄의 상상적 경합이 된다고 본다.

③ 甲이 친구 A를 살해하려고 하였으나 주위가 어두워 자신의 장모 B를 A로 오인하여 살해한 경우, 판례는 보통살인죄의 형으로 처단하여야 한다고 본다.

④ 甲이 살인의 고의로 친구 A의 머리를 내리쳐 A가 실신하자(제1행위), 그가 죽은 것으로 오인하여 웅덩이에 파묻었는데(제2행위) 실제로는 질식사한 것으로 밝혀진 경우, 판례는 제1행위에 의한 살인미수와 제2행위에 의한 과실치사죄의 실체적 경합을 인정한다.

해설 ① × : 구체적 사실의 착오 중 방법(타격)의 착오 ➡ 구체적 부합설(A에 대한 살인미수와 B에 대한 과실치사죄의 상상적 경합), 법정적 부합설(B에 대한 살인죄)

② × : 구체적 사실의 착오 중 객체의 착오 ➡ 구체적 부합설[발생사실(A사망)인 A에 대한 살인죄]

③ ○ : 대판 1960.10.31, 4293형상494

④ × : ~ (2줄) 경우, 살인죄의 죄책을 면할 수 없다(대판 1988.6.28, 88도650).

Answer 4.② 5.③

06 구성요건적 착오에 대한 설명 중 가장 적절하지 않은 것은?(다툼이 있는 경우 판례에 의함)

21. 경력채용

① 사망한 것으로 오인하고 생존자에 관한 진실을 적시하여 명예를 훼손하였더라도 처벌되지 아니한다.

② 구체적 사실의 착오에 있어 객체의 착오는 구체적 부합설, 법정적 부합설, 추상적 부합설 모두 동일한 결론을 도출한다.

③ 법정적 부합설은 법정적 사실의 인정 범위에 따라 구성요건부합설과 죄질부합설로 나누어지고, 후자가 전자보다 고의·기수책임의 인정범위가 넓다.

④ 추상적 부합설은 객관주의 범죄이론의 입장에서 행위자의 범죄적 의사가 어떤 범죄로든지 표현되어 범죄결과가 발생하면, 추상적 부합을 인정하고 있어 고의·기수책임을 가장 넓게 인정한다.

> **해설** ① ○ : 인식사실(사자로 오인하고 진실한 사실을 적시)은 범죄사실이 아니나(∵ 허위사실이 아닌 진실한 사실적시 사자명예훼손죄는 처벌 ×), 발생사실(생존자의 진실한 사실을 적시)은 범죄사실인 경우(∵ 생존자에 대한 진실한 사실적시 명예훼손죄는 처벌 ○)로 고의가 없으므로 과실의 문제가 되나 과실범 처벌규정이 없으므로 무죄이다. ② ○ : 옳다(발생사실에 대한 고의·기수).
> ③ ○ : 구성요건부합설(인식사실과 발생사실의 구성요건이 일치한 경우에 발생사실에 대한 고의·기수책임 인정)보다 죄질부합설(보호법익이 같고 행위태양이 같거나 유사한 경우에도 발생사실에 대한 고의·기수책임 인정)이 고의·기수책임의 인정범위가 넓다.
> ④ × : 추상적 부합설은 주관주의(객관주의 ×) 범죄이론의 ~ 인정한다(객관주의는 외부적 사실인 행위와 결과라는 객관적 요소를 중시하여 범죄를 파악하므로 구성요건적 착오에서 구체적 부합설이나 법정적 부합설을 취하고, 주관주의는 주관적 요소를 중시하여 범죄는 행위자의 반사회적 성격의 징표에 지나지 않는다는 것으로 보아 구성요건적 착오에서 추상적 부합설을 취한다).

07 甲은 乙에게 A를 살해하라고 교사하였다. 甲의 청부를 받아들인 乙은 A라고 생각되는 사람이 골목길에 들어서는 것을 보고 그가 집에 들어가려는 순간을 기다려 총을 쏘았다. 사망을 확인하기 위하여 다가가서 보니 죽은 사람은 A가 아니라 A와 꼭 닮은 동생 B였다. 이 사례에 관한 설명으로 옳은 것은?(다툼이 있는 경우 판례에 의함)

22. 순경 1차

① 乙의 착오를 객체의 착오로 보고 구체적 부합설을 따르는 견해에 의하면 乙에게는 살인미수죄와 과실치사죄의 상상적 경합이 인정된다.

② 만일 乙이 A가 오는 것을 보고 총을 쏘았으나 빗나가서 그 옆에 있던 C소유의 자전거에 맞고 자전거의 일부가 손괴된 경우, 乙의 행위는 발생사실인 과실재물손괴죄로 처벌된다.

③ 乙의 착오를 객체의 착오로 보고 이에 기반을 둔 甲의 착오도 객체의 착오로 보는 경우, 구체적 부합설을 따르는 견해에 의하면 甲에게는 살인미수죄와 과실치사죄의 상상적 경합이 인정된다.

④ 乙의 착오를 객체의 착오로 보고 이에 기반을 둔 甲의 착오를 방법의 착오로 보는 경우, 법정적 부합설을 따르는 견해에 의하면 甲은 살인죄의 교사범으로 처벌된다.

Answer 6.④ 7.④

해설 ① × : 구체적 사실의 착오 중 객체의 착오 ⇨ 구체적 부합설 : 발생사실(B)에 대한 고의 · 기수(B에 대한 살인기수죄)
② × : 추상적 사실의 착오 중 방법의 착오 ⇨ 법정적 부합설(판례) : A에 대한 살인미수죄와 자전거에 대한 과실손괴죄(처벌규정 ×)의 상상적 경합 ∴ A에 대한 살인미수죄로 처벌
③ × : ~ 甲에게는 B에 대한 살인죄의 교사범이 인정된다. 그러나 甲의 착오를 방법의 착오로 보는 경우, 구체적 부합설에 따르면 甲에게는 살인미수죄의 교사범과 과실치사죄의 상상적 경합이 인정된다.
④ ○ : 옳다〔∵ 발생사실(B의 사망)에 대한 살인죄의 교사범〕.

08 사실의 착오에 대한 설명 중 가장 적절한 것은?

23. 경찰승진

① 甲이 상해의 고의로 A를 향해 흉기를 휘둘렀으나 빗나가는 바람에 옆에 서 있는 B를 찔러 다치게 한 경우 법정적 부합설에 따르면 A에 대한 상해미수죄와 B에 대한 과실치상죄의 상상적 경합이 된다.
② 甲이 살해의 고의로 독약이 든 음료수를 A의 집으로 발송하였는데, 예상외로 A의 아들 B가 마시고 사망한 경우 구체적 부합설에 따르면 A에 대한 살인미수죄와 B에 대한 과실치사죄의 상상적 경합이 된다.
③ 甲이 살해의 고의로 A를 향해 총을 쏘았으나 빗나가는 바람에 A의 자동차 유리창을 깨뜨린 경우 법정적 부합설에 따르면 A에 대한 살인미수죄와 재물손괴죄의 상상적 경합이 된다.
④ 甲이 형 A를 살해하기 위하여 야간에 집 앞 골목에서 칼로 찔렀는데, 알고 보니 아버지 B를 A로 오인하고 살해한 경우 판례에 따르면 A에 대한 살인미수죄와 B에 대한 존속살해죄의 상상적 경합이 된다.

해설 ① × : 구체적 사실의 착오 중 방법의 착오 ⇨ 법정적 부합설 : B에 대한 상해죄
② ○ : 구체적 사실의 착오 중 방법의 착오 ⇨ 구체적 부합설 : A에 대한 살인미수죄와 B에 대한 과실치사죄의 상상적 경합
③ × : 추상적 사실의 착오 ⇨ 법정적 부합설 : A에 대한 살인미수죄와 과실손괴죄(처벌규정 ×)의 상상적 경합 ∴ A에 대한 살인미수죄
④ × : 판례에 따르면 제15조 제1항이 적용되어 보통살인죄가 성립한다(대판 1960.10.31, 4243형상494).

09 구성요건요소에 대한 착오사례가 아닌 것은?(다툼이 있는 경우 판례에 의함)

23. 9급 검찰 · 마약수사 · 철도경찰

① 甲이 성명불상자 3명과 싸우다가 힘이 달리자 옆 차에서 식칼을 가지고 나와 이들 3명을 상대로 휘두르다가 이를 말리던 A에게 상해를 입힌 경우
② 甲이 6층 호텔방에서 상해의 의사로 A를 구타하여 A가 정신을 잃고 쓰러지자 사망한 것으로 착각하고, A가 자살한 것으로 위장하기 위해 6층 아래로 떨어뜨려 사망케 한 경우
③ 甲이 저작권 침해물 링크사이트를 운영하던 중 그러한 링크행위가 범죄에 해당하지 않는다는 대법원 판결이 선고되자 자신의 행위는 죄가 되지 않는다고 생각하고 계속 운영한 경우

④ 甲이 살해의도로 피해자 A를 몽둥이로 내리쳤으나 A의 등에 업힌 피해자 B가 맞아 현장에서 두개골절 및 뇌좌상으로 사망한 경우

[해설] • **구성요건요소에 대한 착오사례** : ① 구체적 사실의 착오 중 방법의 착오(대판 1987.10.26, 87도1745 ; A에 대한 상해죄) ② 인과관계(과정)의 착오(대판 1994.11.4, 94도2361 ; 포괄하여 상해치사죄) ④ 구체적 사실의 착오 중 방법의 착오(대판 1984.1.24, 83도2813 ; B에 대한 살인죄)
• **법률의 착오(제16조)사례** : ③ 법률 위반 행위 중간에 일시적으로 판례에 따라 그 행위가 처벌대상이 되지 않는 것으로 해석되었던 적이 있었다고 하더라도 그것만으로 자신의 행위가 처벌되지 않는 것으로 믿은 데에 정당한 이유가 있다고 할 수 없다(대판 2021.11.25, 2021도10903).

10 구성요건적 착오에 관한 설명 중 옳고 그름의 표시(○, ×)가 바르게 된 것은?   23. 순경 1차

> ㉠ 甲이 자신의 아버지 A를 친구 B로 오인하고 B를 살해할 의사로 총을 발포하여 A가 사망한 경우 − 형법 제15조 제1항에 따라 보통살인죄가 성립한다.
> ㉡ 甲이 살해 의사를 가지고 친구 A에게 총을 발포하였으나 빗나가 옆에 있던 친구 B에게 명중하여 사망한 경우 − 법정적 부합설에 의하면 B에 대한 살인죄가 성립한다.
> ㉢ 사냥을 나온 甲이 어둠 속에서 움직이는 물체를 동료 A로 알고 A를 살해하기 위해 총을 발포하였으나 사실은 A의 사냥개였던 경우 − 구체적 부합설과 법정적 부합설 중 어느 학설에 의하더라도 결론은 같다.
> ㉣ 甲이 이웃 A를 상해할 의사로 A를 향해 돌을 던졌으나 빗나가서 옆에 있던 A의 개가 맞아 다친 경우 − 구체적 부합설과 법정적 부합설 모두 A에 대한 상해미수죄가 성립한다.

① ㉠(○), ㉡(○), ㉢(○), ㉣(○)
② ㉠(○), ㉡(×), ㉢(○), ㉣(×)
③ ㉠(×), ㉡(○), ㉢(×), ㉣(○)
④ ㉠(×), ㉡(×), ㉢(×), ㉣(×)

[해설] ㉠ ○ : 다수설·판례(대판 1960.10.31, 4293형상494)
㉡ ○ : 구체적 사실의 착오 중 방법의 착오 ⇨ 법정적 부합설 : 발생사실(B)에 대한 고의·기수(B에 대한 살인죄)
㉢ ○ : 추상적 사실의 착오 ⇨ 구체적 부합설과 법정적 부합설 : A에 대한 살인미수죄와 사냥개에 대한 과실손괴죄(처벌규정 ×)의 상상적 경합 ∴ A에 대한 살인미수
㉣ ○ : 추상적 사실의 착오 ⇨ 구체적 부합설과 법정적 부합설 : A에 대한 상해미수죄와 개에 대한 과실손괴죄(처벌규정 ×)의 상상적 경합 ∴ A에 대한 상해미수죄

11 착오에 대한 설명으로 옳지 않은 것은?(다툼이 있는 경우 판례에 의함)   23. 경찰간부
① 甲이 A를 살해하고자 골프채로 A의 머리를 내리쳐 A가 실신하자 사망한 것으로 오인하여 범행을 은폐하기 위해 A를 자동차에 싣고 근처 바닷가 절벽으로 가 던졌는데 실제로는 익사로 판명된 경우, 甲에게는 살인기수의 죄책이 인정된다.

② 甲이 상해의 고의로 A의 머리를 벽돌로 내리쳐 A가 바닥에 쓰러진 채 실신하자 A가 사망한 것으로 오인하여 범행을 은폐하고 A가 자살한 것처럼 위장하기 위하여 A를 절벽 아래로 떨어뜨려 사망에 이르게 하였다면, 甲의 상해행위는 A에 대한 살인에 흡수되어 단일의 살인죄만 인정된다.

③ 甲은 옆집 개가 평소 시끄럽게 짖어 그 개에게 손괴의 고의로 돌을 던졌으나 마침 개가 있는 쪽으로 뛰어나온 어린아이를 맞춰 전치 2주의 상해를 입힌 경우, 구체적 부합설에 의하면 손괴죄의 미수범과 과실치상죄의 상상적 경합이 성립한다.

④ 甲이 乙에게 A에 대한 상해를 교사하여 乙이 이를 승낙하고 실행을 하였으나 A가 그 상해로 인해 사망한 경우, 甲에게 A의 사망에 대한 예견가능성이 인정된다면 상해치사죄의 교사범이 성립한다.

해설 ① 대판 1988.6.28, 88도650
② × : ~ (3줄) 하였다면, 포괄하여 단일의 상해치사죄(살인죄 ×)에 해당한다(대판 1994.11.4, 94도2361).
③ 추상적 사실의 착오 ⇨ 구체적 부합설 : 인식사실에 대한 미수범(손괴죄의 미수범)과 발생사실에 대한 과실범(과실치상죄)의 상상적 경합 ∴ 옳다.
④ 대판 1993.10.8, 93도1873

12 착오에 관한 설명으로 가장 적절한 것은?(다툼이 있는 경우 판례에 의함)　　23. 순경 2차

① 형법 제15조 제1항에 따르면 특별히 무거운 죄가 되는 사실을 인식하지 못한 행위는 그 오인에 정당한 이유가 있는 때에 한하여 벌하지 아니한다.

② 甲은 자신의 아버지인 A의 지갑을 훔친다고 생각하고 지갑을 훔쳤으나, 사실 그 지갑은 아버지 친구인 B의 것이라면 甲의 행위는 과실 행위이므로 절도죄로 처벌되지 않는다.

③ 법률의 착오에 있어서 위법성의 인식에 필요한 노력의 정도는 구체적인 행위정황과 행위자 개인의 인식능력 그리고 행위자가 속한 사회집단에 따라 달리 평가되어야 한다.

④ 甲이 지나가던 행인 3명과 싸우다가 힘이 달리자 식칼을 가지고 이들 3명을 상대로 휘두르다가 이를 말리면서 식칼을 뺏으려던 A에게 상해를 입혔다면 甲에게 A에 대한 상해의 범의를 인정할 수 없어 과실치상죄가 성립할 수 있을 뿐이다.

해설 ① × : [사실의 착오] ~ 인식하지 못한 행위는 무거운 죄로 벌하지 아니한다(제15조 제1항).
▶ 비교 : [법률의 착오] 자기의 행위가 법령에 의하여 죄가 되지 아니하는 것으로 오인한 행위는 그 오인에 정당한 이유가 있는 때에 한하여 벌하지 아니한다(제16조).
② × : 甲이 절취한 물건이 자신의 아버지 소유인 줄 오신했다 하더라도 그 오신은 형면제사유에 관한 것으로서 절도죄의 성립이나 처벌에 아무런 영향을 미치지 않는다(대판 1966.6.28, 66도104).
③ ○ : 대판 2006.3.24, 2005도3717
④ × : A에 대한 상해의 범의(고의)가 인정되어 A에 대한 상해죄 ○(구체적 사실의 착오 중 방법의 착오 ⇨ 법정적 부합설 ; 대판 1987.10.26, 87도1745)

13 사실의 착오에 관한 설명으로 가장 적절한 것은?

24. 경찰승진

> ㉠ 甲은 창문에 비친 사람을 친구 A라 생각하고 살해하기 위해 총을 발사했는데, 실제로는 A의 집에 놀러 온 친구 B였고 그로 인해 B가 사망하였다.
> ㉡ 甲이 A가 기르던 애완견을 죽이려고 총을 발사했는데, 총알이 빗나가서 옆에 있던 A가 사망하였다.
> ㉢ 甲은 乙에게 A를 살해하라고 교사하였다. 이를 승낙한 乙은 甲으로부터 A에 대한 인상착의를 설명받고, A를 향해 총을 발사했다. 사망을 확인하기 위하여 다가가서 보니 죽은 사람은 A가 아니라 A의 쌍둥이 동생 B였다.

① ㉠에서 B의 사망에 대한 甲의 죄책과 관련하여 구체적 부합설에 의하면 살인미수죄이고, 법정적 부합설에 의하면 무죄이다.

② ㉡에서 A의 사망에 대한 甲의 죄책과 관련하여 구체적 부합설과 법정적 부합설에 의하면 결론이 다르다.

③ ㉢에서 B의 사망에 대한 甲의 죄책과 관련하여 乙의 착오를 객체의 착오로 보고 이에 기반을 둔 甲의 착오도 객체의 착오로 보는 경우, 구체적 부합설에 의하면 甲에게는 살인미수죄와 과실치사죄의 상상적 경합범이 인정된다.

④ ㉢에서 B의 사망에 대한 甲의 죄책과 관련하여 乙의 착오를 객체의 착오로 보고 이에 기반을 둔 甲의 착오를 방법의 착오로 보는 경우, 법정적 부합설에 의하면 甲에게는 살인죄의 교사범이 성립한다.

해설 ㉠은 구체적 사실의 착오 중 객체의 착오, ㉡은 추상적 사실의 착오 중 방법의 착오, ㉢은 피교사자(乙)의 객체의 착오에 관한 것임.

① × : ㉠에서 구체적 부합설과 법정적 부합설에 의하면 B에 대한 살인기수죄이다.

② × : ㉡에서 구체적 부합설과 법정적 부합설에 의하면 결론이 동일하다(애완견에 대한 손괴미수죄와 A에 대한 과실치사죄의 상상적 경합).

③ × : 구체적 부합실에 의하면 甲에게는 살인죄의 교사범이 인정된나.

④ ○ : 옳다.

14 다음 각각의 사례에 대해 甲과 乙이 취하고 있는 학설에 대한 설명으로 옳은 것은?

24. 경위공채

> 甲 : A가 B에게 불만을 품고 B를 살해하려고 몽둥이를 후려쳤으나, 몽둥이가 빗나가서 B가 안고 있던 B의 자녀 C가 맞고 그 자리에서 사망한 경우 A에게는 B에 대한 살인미수와 C에 대한 과실치사죄의 상상적 경합이 성립한다.
> 乙 : A가 B를 살해하기 위해 총을 발사하여 사람이 사망하였다면, 객체의 착오든 방법의 착오든 발생한 결과에 대한 살인죄가 성립한다.

① 판례는 甲과 동일한 입장에서 A에게 살인미수와 과실치사죄의 상상적 경합을 인정하고 있다.

Answer　13. ④　14. ③

② 乙은 구체적 부합설의 입장이며, 인식한 사실과 발생한 사실이 구체적으로 부합하면 발생한 사실에 대한 고의·기수가 인정된다.

③ D인 줄 알고 살해할 생각으로 총을 발사하였는데 다가가서 확인해보니 D가 아니라 사람 모양의 마네킹인 경우, 죄책에 대한 甲과 乙의 결론은 동일하다.

④ D인 줄 알고 살해할 생각으로 총을 발사하였는데 다가가서 확인해보니 D가 아니라 D와 닮은 E가 사망한 경우, 甲의 입장에서는 E에 대한 살인의 고의가 인정될 수 없고, 살인미수와 과실치사죄의 상상적 경합이 성립한다.

해설 • 甲 : 구체적 사실의 착오 중 방법의 착오에 대한 구체적 부합설의 입장
   • 乙 : 구체적 사실의 착오에 대한 법정적 부합설

① × : 판례는 법정적 부합설의 입장이며, 발생사실에 대한 고의·기수가 인정된다(대판 1984.1.24, 83도 2813 ∴ C에 대한 살인기수).

② × : 乙은 법정적 부합설의 입장이며, 발생한 사실에 대한 고의·기수가 인정된다.

③ ○ : 추상적 사실의 착오로 甲(구체적 부합설)과 乙(법정적 부합설)의 결론은 동일하다〔D에 대한 살인미수와 마네킹에 대한 과실손괴죄(처벌규정 ×)의 상상적 경합 ∴ 살인미수죄 성립〕.

④ × : 구체적 사실의 착오 중 객체의 착오로 甲(구체적 부합설)의 입장에서도 E에 대한 살인의 고의가 인정되어 살인죄가 성립한다.

15 사실의 착오에 관한 사례 중 구체적 부합설과 법정적 부합설의 결론이 다른 것을 모두 고른 것은?
25. 경찰승진

> ㉠ 甲이 A를 살해하고자 마음 먹고 몽둥이를 집어 들어 A를 향하여 가격하였으나 빗나가 A의 등에 업힌 B가 두개골절 및 뇌좌상으로 사망하였다.
> ㉡ 甲이 A를 살해하고자 A의 물잔에 독을 탔으나 A의 개가 이 물을 마시고 죽었다.
> ㉢ 甲이 절취의 의사로 A의 지갑을 훔쳤으나 알고 보니 B의 지갑이었다.
> ㉣ 甲이 A를 상해할 의사로 돌을 A에게 던졌으나 이를 말리던 A의 동생 B가 그 돌에 맞아 상해를 입었다.

① ㉠, ㉡   ② ㉠, ㉣   ③ ㉡, ㉢   ④ ㉢, ㉣

해설 구체적 부합설과 법정적 부합설의 결론이 다른 것은 구체적 사실의 착오 중 방법의 착오에 한하므로 ㉠과 ㉣이 여기에 해당된다.
㉡ 추상적 사실의 착오
㉢ 구체적 사실의 착오 중 객체의 착오

제6절 과 실

관련조문

제14조【과실】 정상적으로 기울여야 할 주의를 게을리하여 죄의 성립요소인 사실을 인식하지 못한 행위는 법률에 특별한 규정이 있는 경우에만 처벌한다. 23. 순경 2차

THEMA 19 '과실범' 총정리

1. 의의 : 과실범의 불법은 객관적 주의의무위반을 통한 행위반가치 및 구성요건적 결과발생을 통한 결과반가치에서 찾을 수 있다. 13. 사시, 20. 순경 2차

2. 과실의 종류

① 인식 없는 과실과 인식 있는 과실 : 형법상 양자는 동일하게 취급되나, 인식 있는 과실과 미필적 고의를 구별함으로써 고의와 과실의 한계를 명확하게 할 수 있다. 인식 없는 과실은 결과발생의 가능성에 대한 인식 자체도 없는 경우로 그 결과발생을 인식하지 못하였다는 데에 대한 부주의, 즉 규범적 실재로서의 과실 책임이 있다고 할 것이다(대판 1984.2.28, 83도3007). 24. 변호사시험·법원행시

② 업무상 과실과 중과실

㉠ 업무상 과실 : 일정한 업무(사람의 사회생활 면에서 하나의 지위로서 계속적으로 종사하는 사무)에 종사하는 자가 그 업무상 일반적으로 요구되는 주의의무를 태만히 한 경우를 말한다.

⚖ 관련판례

1. 건물의 소유자로서 건물을 비정기적으로 수리하거나 건물의 일부분을 임대하였다는 사정만으로는 업무상 과실치상죄에 있어서의 '업무'로 보기 어렵다(대판 2009.5.28, 2009도1040). 17. 변호사시험, 19. 법원행시, 20. 순경 1차·해경승진, 22. 경찰간부

🕮 4층 건물의 2층 내부 벽면에 설치된 분전반을 통해 3층과 4층으로 가설된 전선이 합선으로 단락되어 화재가 나 상해가 발생한 사안에서, 단지 4층 건물의 소유자로서 위 건물 2층을 임대하였다는 사정만으로는 업무상 과실치상죄에 있어서의 '업무'로 보기 어렵다(대판 2009.5.28, 2009도1040). 23. 순경 2차

2. 골재채취업무가 허가받은 적법한 업무가 아닐 경우에도 업무상 과실치사상죄에 있어서의 업무에 해당한다(대판 1985.6.11, 84도2527). 23. 법원행시

㉡ 중과실 : 주의의무를 현저히 태만히 한 경우로서, 행위자가 극히 근소한 주의를 함으로서 결과발생을 인식할 수 있음에도 불구하고 부주의로서 이를 인식하지 못한 경우를 말한다(대판 1980.10.14, 79도305).

㉢ 양자의 특징 : 업무상 과실과 중과실은 ⓐ 함께 규정되어 있으며, ⓑ 법정형이 동일하고, ⓒ 보통과실·경과실에 비해 형이 가중되고 있으므로 형법상 동일하게 취급되고 있다.

3. 과실범의 성립요건

① 부주의(객관적 주의의무 위반, 정상의 주의태만)

⚖ 관련판례

1. 의료과오사건에 있어서의 의사의 과실은 결과발생을 예견할 수 있었음에도 불구하고 그 **결과발생을 예견하지** 못하였고 그 결과발생을 회피할 수 있었음에도 불구하고 그 **결과발생을 회피하지** 못한 과실이 검토되어야 한다(대판 1984.6.12, 82도3199). 15. 경찰간부 · 9급 검찰 · 마약수사 · 철도경찰

2. 과실범에서 요구되는 주의의무는 반드시 개별 법령에 일일이 그 근거나 내용이 명시되어 있어야만 하는 것은 아니며, 결과발생 즈음의 구체적인 상황에서 이와 관련된 제반 사정들을 종합적으로 평가하여 그 결과발생을 방지하여야 할 주의의무를 인정할 수 있다(대판 1999.1.15, 98도2605). 14. 9급 철도경찰, 23. 순경 2차, 25. 9급 검찰 · 마약수사 · 철도경찰

3. 의료사고에 있어서 의료종사자의 과실의 유무를 판단함에는 **같은 업무와 직무에 종사하는 일반적 보통인의 주의 정도**를 표준으로 하여야 하며, 이에는 사고 당시의 일반적인 의학의 수준과 의료환경 및 조건, 의료행위의 특수성 등이 고려되어야 한다(대판 2007.9.20, 2006도294). 20. 법원행시 · 순경 1차, 21. 9급 검찰 · 마약수사 · 철도경찰, 22. 경찰간부 · 승진, 23. 순경 2차 이러한 법리는 **한의사나 치과의사의 경우에도 마찬가지이다**(대판 2014.7.24, 2013도16101). 17. 변호사시험, 22. 경찰간부

4. 의사에게는 환자의 상황, 당시의 의료수준, 자신의 지식 · 경험 등에 따라 적절하다고 판단되는 진료방법을 선택할 폭넓은 재량권이 있으므로, 의사가 특정 진료방법을 선택하여 진료를 하였다면 **해당 진료방법 선택과정에 합리성이 결여되어 있다고 볼 만한 사정이 없는 이상 진료의 결과만을 근거로 하여 그중 어느 진료방법만이 적절하고 다른 진료방법을 선택한 것은 과실에 해당한다고 말할 수 없다**(대판 2015.6.24, 2014도11315). 18. 변호사시험, 20. 9급 검찰 · 마약수사 · 철도경찰, 21. 해경 1차

5. **미용성형을 시술하는 의사로서는** 고도의 전문적 지식에 입각하여 시술 여부, 시술의 시기, 방법, 범위 등을 충분히 검토한 후 그 미용성형 시술의 의뢰자에게 생리적, 기능적 장해가 남지 않도록 신중을 기하여야 할 뿐 아니라, 회복이 어려운 후유증이 발생할 개연성이 높은 경우 그 **미용성형 시술을 거부 내지는 중단하여야 할 의무가** 있다(대판 2007.5.31, 2007도1977). 22. 경찰간부

② 결과발생 · 인과관계

⚖ 관련판례

1. 의사가 설명의무를 위반한 채 의료행위를 하여 피해자에게 상해가 발생하였다고 하더라도, 업무상 과실로 인한 형사책임을 지기 위해서는 피해자의 **상해와** 의사의 **설명의무(의료행위 ×) 위반** 내지 승낙취득 과정의 잘못 사이에 **상당인과관계가** 존재하여야 한다(대판 2015.6.24, 2014도11315). 18. 7급 검찰, 21. 9급 검찰 · 마약수사 · 철도경찰 · 순경 1차, 22. 경찰승진, 25. 해경경사

2. 의사 甲이 고령의 간경변증 환자 A에게 수술과정에서 출혈 등으로 신부전이 발생하여 생명이 위험할 수 있다는 점에 대하여 설명하지 아니하고 수술하던 도중 출혈 등으로 A가 사망한 경우, A가 당해 **수술의 위험성을 충분히 인식하고 있어 甲이 설명의무를 다하였더라도 A가 수술을 거부하지 않았을 것으로** 인정된다면 甲의 설명의무위반과 A의 사망 사이에 **인과관계가 부정된다**(대판 2015.6.24, 2014도11315). 17. 변호사시험, 20. 순경 2차

3. 행위자의 주의의무위반행위가 결과발생에 **유일하거나 직접적인 원인일 필요는 없으며**, 설령 피해자의 주의의무위반이 개입되어 있더라도 인과관계는 **단절되지 않는다**(대판 2014.7.24, 2014도6206). 15. 9급 검찰 · 마약수사 · 철도경찰

4. 농배양을 하지 않은 의사의 과실과 피해자의 사망 사이에 인과관계를 인정하려면, 농배양을 하였더라면 피고인이 투약해 온 항생제와 다른 어떤 항생제를 사용하게 되었을 것이라거나

어떤 다른 조치를 취할 수 있었을 것이고, 따라서 피해자가 사망하지 않았을 것이라는 점이 인정되어야 한다(대판 1996.11.8, 95도2710). 21. 순경 1차, 24. 경위공채

5. 의사에게 의료행위로 인한 업무상 과실치사상죄를 인정하기 위해서는, 의료행위 과정에서 공소 사실에 기재된 업무상 과실의 존재는 물론 그러한 업무상 과실로 인하여 환자에게 상해·사망 등 결과가 발생한 점에 대하여도 엄격한 증거에 따라 합리적 의심의 여지가 없을 정도로 증명이 이루어져야 한다(대판 2023.1.12, 2022도11163).

4. 과실범의 처벌 : 형법상의 범죄는 고의범을 원칙으로 하고(제13조) 과실범은 예외적으로 법률에 특별한 규정이 있는 경우에 한하여 처벌된다(제14조). 과실범은 법률에 특별한 규정이 있는 경우에 한하여 처벌되며 형벌법규의 성질상 과실범을 처벌하는 특별규정은 그 명문에 의하여 명백·명료하여야 한다(대판 1983.12.13, 83도2467). 08. 7급 검찰, 24. 법원행시·해경경위

① 과실일수죄는 업무상 과실과 중과실의 처벌규정이 없으며, 반대로 장물죄는 일반과실의 처벌규정이 없고 업무상 과실과 중과실만 처벌된다. 따라서 업무상 과실장물죄와 중과실장물죄는 가중적 구성요건이 아니다(부진정신분범 ×, 진정신분범 ○). 19. 변호사시험, 22. 경찰간부, 23. 순경 2차

② 과실범은 항상 결과발생을 요하는 결과범(실질범)이므로 과실범의 미수는 이론상 인정할 여지가 없으며 현행법상 과실범에 대한 미수처벌규정도 없다. 17. 경찰승진, 20. 해경승진, 21. 순경 1차

⚖ **관련판례**

1. 행정상의 단속을 주 내용으로 하는 법규라고 하더라도 명문규정이 있거나 해석상 과실범도 벌할 뜻이 명확한 경우를 제외하고는 형법의 원칙에 따라 고의가 있어야 벌할 수 있다(대판 2010.2.11, 2009도9807). 15. 순경 3차, 17. 변호사시험·경찰승진, 20. 경찰간부·해경승진, 24. 법원행시

2. 형법 제10조 제3항은 고의에 의한 원인에 있어서의 자유로운 행위만이 아니라 과실에 의한 원인에 있어서의 자유로운 행위까지도 포함하는 것이다(대판 1992.7.28, 92도999). 15. 경찰승진·순경 3차, 19. 변호사시험

5. 과실범의 공범

과실에 의한 교사·방조	교사범과 종범이 성립되기 위해서는 교사와 방조의 고의를 요하므로 과실에 의한 교사·방조는 있을 수 없다.
과실범에 대한 교사·방조	과실범에 대한 교사·방조는 간접정범이 된다(제34조).
과실범의 공동정범	과실범의 공동정범 인정 여부에 대해 학설의 대립이 있으나 판례는 행위공동설의 입장에서 인정하고 있다. 13. 법원직, 19. 변호사시험

⚖ **관련판례**

1. 공동정범은 고의범이나 과실범을 불문하고 의사의 연락이 있는 경우이면 그 성립을 인정할 수 있다(대판 1982.6.8, 82도781). 15. 경찰승진, 16. 경찰간부, 20. 해경승진, 24. 법원행시

2. 교량붕괴 사고와 관련하여, 건설업자 甲과 이를 감독하는 공무원 乙 및 완공된 교량의 관리를 담당하는 공무원 丙의 과실이 서로 합쳐져 교량이 붕괴된 사실이 인정된다면 과실범의 공동정범이 성립된다(대판 1997.11.28, 97도1740). 13. 법원직, 15·25. 경찰승진

3. 실화죄에 있어서 공동의 과실이 경합되어 화재가 발생한 경우 적어도 각 과실이 화재의 발생에 대하여 하나의 조건이 된 이상은 그 공동적 원인을 제공한 사람들은 각자 실화죄의 책임을 면할 수 없다(대판 2023.3.9, 2022도16120 **예** 피고인들이 분리수거장 방향으로 담배꽁초를 던져 버리고 현장을 떠난 후 화재가 발생한 경우, 피고인들 각자의 실화죄 책임을 인정한다). 24. 9급 검찰·마약수사·철도경찰·순경 1차

01 다음 설명 중 옳은 것은 모두 몇 개인가?(다툼이 있는 경우 판례에 의함)   15. 사시

> ㉠ 고의에 의한 부작위범은 성립할 수 있다.
> ㉡ 과실에 의한 부작위범은 성립할 수 없다.
> ㉢ 과실에 의한 공동정범은 성립할 수 없다.
> ㉣ 과실에 의한 위험범은 성립할 수 있다.
> ㉤ 결과반가치에서는 과실범을 고의범과 구별할 수 없으며, 양자는 행위반가치에 의해서만 구별
> 이 가능하다.
> ㉥ 과실에 의한 방조도 처벌된다.
> ㉦ 형법 제10조 제3항은 고의에 의한 원인에 있어서의 자유로운 행위만을 규정하며, 과실에 의한
> 원인에 있어서의 자유로운 행위까지 포함하는 것은 아니다.

① 1개   ② 2개   ③ 3개   ④ 4개

해설 ㉠ ○ ㉡ × : 고의에 의한 부작위범은 물론 과실에 의한 부작위범(망각범)도 성립할 수 있다.
㉢ × : 행위공동설(범죄공동설 ×)의 입장에서 과실범의 공동정범을 인정한다(대판 1979.8.21, 79도1249).
㉣ ○ : 과실에 의한 위험범(실화죄, 과실교통방해죄 등)도 성립할 수 있다.
㉤ ○ : 고의범(살인죄)과 과실범(과실치사죄)은 결과(사망)반가치에서는 차이가 없으나 행위(고의행위, 과
실행위)반가치에는 차이가 있다.
㉥ × : 교사범과 종범이 성립되기 위해서는 교사와 방조의 고의를 요하므로 과실에 의한 교사·방조는 있을
수 없다.
㉦ × : 형법 제10조 제3항은 고의에 의한 원인에 있어서의 자유로운 행위만이 아니라 과실에 의한 원인에
있어서의 자유로운 행위까지도 포함하는 것이다(대판 1992.7.28, 92도999).

02 다음 설명 중 옳은 것을 모두 고른 것은?(다툼이 있는 경우 판례에 의함)   19. 변호사시험

> ㉠ 업무상 과실장물죄에서 업무자의 신분은 부진정신분범 요소이다.
> ㉡ 형법 제10조 제3항은 고의에 의한 원인에 있어서의 자유로운 행위에만 적용되고 과실에 의한
> 원인에 있어서의 자유로운 행위까지는 포함하지 않는다.
> ㉢ 방조범은 정범의 실행을 방조한다는 방조의 고의와 정범의 행위가 구성요건에 해당한다는 점
> 에 대한 정범의 고의가 있어야 한다.
> ㉣ 과실에 의한 공동정범은 물론 과실에 의한 위험범의 성립도 가능하다.

① ㉠, ㉡   ② ㉠, ㉢   ③ ㉡, ㉢
④ ㉡, ㉣   ⑤ ㉢, ㉣

해설 ㉠ × : ~ 신분은 진정신분범(부진정신분범 ×) 요소이다.
㉡ × : 형법 제10조 제3항은 고의에 의한 원인에 있어서의 자유로운 행위만이 아니라 과실에 의한 원인에
있어서의 자유로운 행위까지도 포함하는 것이다(대판 1992.7.28, 92도999).
㉢ ○ : 대판 2005.4.29, 2003도6056
㉣ ○ : 과실에 의한 공동정범 ○(대판 1982.6.8, 82도781), 과실에 의한 위험범(실화죄, 과실교통방해죄 등)
도 성립할 수 있다.

THEMA 20 '신뢰의 원칙' 관련판례 총정리

신뢰의 원칙이란 교통규칙을 준수하는 운전자는 다른 참여자(운전자나 보행자)들도 교통규칙을 준수할 것을 신뢰해도 좋고, 다른 참여자들이 교통규칙을 위반하는 경우까지 예상하여 이에 대한 방어조치를 취할 의무는 없다는 원칙을 말한다. 오늘날 신뢰의 원칙은 의료행위와 같은 분업관계가 확립되어 있는 영역 등으로 그 범위가 확대되고 있다. 23. 경력채용

1. 도로교통

- **신뢰원칙을 적용한 경우**(운전자 과실 부정 ⇨ 주의의무 × ∴ 과실범 ×)

1. 차량 대 차량

① 교차로를 녹색등화에 따라 직진하는 차량의 운전자는 다른 차량이 신호를 위반하고 직진하는 차량의 앞을 가로 질러 좌회전할 경우까지를 예상하여 대비할 주의의무 ×(대판 1985.1.22, 84도1493). 16. 경찰간부, 18. 경찰승진

② 고속도로 양측에 휴게소가 있는 경우에 고속도로를 무단횡단하는 보행자가 있음을 예상하여 감속 등의 조치를 취할 주의의무가 없다(대판 2000.9.5, 2000도2671). 16. 사시, 17. 순경 1차, 21. 경찰승진, 22. 9급 철도경찰, 25. 해경승진

③ 중앙선이 표시되어 있지 아니한 비포장도로라고 하더라도 승용차가 넉넉히 서로 마주보고 진행할 수 있는 정도의 너비가 되는 도로라면 특별한 사정이 없는 한 마주 오는 차가 중앙이나 좌측 부분으로 진행하여 올 것까지 예상하여 적절한 조치를 취할 업무상 주의의무가 없다(대판 1992.7.28, 92도1137). 16. 사시·법원행시, 22. 해경간부

    ⚖ 유사판례 : 중앙선 표시가 있는 직선도로에서 특별한 사정이 없는 한 그 대향차선상의 차량이 중앙선을 넘어 반대차선에 진입하지 않으리라고 믿는 것이 우리의 경험칙에 합당하다(대판 1995.7.11, 95도382). 17. 9급 검찰·마약수사·철도경찰

④ 우선권 가진 운전자는 상대방 차가 대기할 것을 기대하면 족함(대판 1992.8.18, 92도934 : 교차로에 먼저 진입한 운전자로서는 특별한 사정이 없는 한 피해자가 자신의 진행속도보다 빠른 속도로 무모하게 교차로에 진입하여 자신이 운전하는 차량과 충격할지 모른다는 것까지 예상하고 대비하여 운전하여야 할 주의의무는 없다). 07. 7급 검찰, 17. 경찰간부

⑤ 무모하게 앞지르려는 차를 위해 서행해야 할 주의의무 ×(대판 1984.5.29, 84도483 : 오토바이가 버스를 앞지르기 위해 무모하게 트럭과 버스 사이에 끼어 들어 이 사이를 빠져 나가려 한 경우) 17. 경찰간부

⑥ 침범 당하는 차선의 차량운행자의 신뢰에 어긋난 운행을 하였다면 좌회전 또는 유턴을 하려고 하였다 하더라도 중앙선 침범의 죄책을 면할 수 없다(대판 2000.7.7, 2000도2116).

2. 주의 : 행위자의 규칙위반이 있더라도 직접적으로 사고와 관계없는 단속상의 위반이나 결과발생에 결정적인 원인이 아닌 경우에는 다시 신뢰의 원칙이 적용되어 행위자의 과실이 인정되지 않는다(대판 1970.2.24, 70도176 ; 대판 1996.5.28, 95도1200 ; 대판 1990.2.9, 89도1774). 02. 사시

① 피고인이 녹색등화에 따라 사거리 교차로를 통과할 무렵 제한속도를 초과하였더라도, 신호를 무시한 채 왼쪽도로에서 사거리 교차로로 가로 질러 진행한 피해자에 대한 업무상 과실치사의 책임이 없다(대판 1990.2.9, 89도1774). 10. 법원행시, 18. 경찰승진

② 피고인이 좌회전 금지구역에서 좌회전하는 중에 후행차량이 중앙선을 넘어 피고인 운전차량의 좌측으로 돌진하다가 사고가 발생한 경우(대판 1996.5.28, 95도1200).

③ 도로교통법규정을 위반하여 앞지르기를 하였더라도, 반대방향에서 과속으로 오던 택시가 정차하고 있는 차량을 피하기 위해 급좌회전하여 제동조치 등을 취하지 못하고 사고가 발생하였다면, 앞지르기에 의한 위반행위가 사고의 발생원인이 되었다고 볼 수 없다(대판 1987.9.22, 87누674). 18. 법원행시

3. 차량 대 보행자

① 차량의 운전자는 횡단보도의 신호가 적색인 상태에서 반대 차선상에 정지하여 있는 차량의 뒤로 보행자가 건너오는 사태를 예상하여야 할 주의의무가 없다(대판 1993.2.23, 92도2077) 16. 경찰승진, 17. 9급 검찰·마약수사·철도경찰, 21. 경찰간부

② 고속도로를 운행하는 자동차의 운전자로서는 일반적인 경우에 고속도로를 횡단하는 보행자가 있을 것까지 예견하여 보행자와의 충돌사고를 예방하기 위하여 급정차 등의 조취를 취할 수 있도록 대비하면서 운전할 주의의무가 없다(대판 2000.9.5, 2000도2671). 20. 법원행시 그러나 고속도로를 무단횡단하는 보행자를 충격하여 사고를 발생시킨 경우라도 운전자가 보행자의 무단횡단을 미리 예상할 수 있었고 필요한 조치를 취하였다면 보행자와의 충돌을 피할 수 있었던 경우, 자동차 운전자의 과실이 인정된다(대판 2000.9.5, 2000도2671). 21. 경찰간부, 23. 순경 2차

③ 자동차전용도로를 운행 중인 자동차운전자에게는 진행차량 사이를 뚫고 횡단하는 보행자가 있을 것을 예상하여 전방주시를 할 의무가 없다(대판 1990.1.23, 89도1395). 12. 법원직

④ 보행자의 횡단이 금지되어 있는 육교 밑 차도를 주행하는 운전자는 차도에 보행자가 뛰어들 것을 예상하여 감속 조치를 취할 업무상 주의의무가 없다(대판 1985.9.10, 84도1572). 16. 사시·9급 철도경찰, 20. 순경 2차, 22. 해경간부·9급 검찰·마약수사·철도경찰

⑤ 보행자 또는 자동차 외의 차마는 자동차 전용도로로 통행하거나 횡단할 수 없도록 되어 있으므로 무단횡단하는 보행자가 나타날 경우를 미리 예상하여 급정차할 수 있도록 운전해야 할 주의의무는 없다(대판 1989.3.28, 88도1484). 17. 경찰간부

● **신뢰원칙을 부정한 경우**(운전자 과실 인정 ⇨ 주의의무 ○ ∴ 과실범 ○)

1. 반대방향에서 오는 차량이 이미 중앙선을 침범하여 비정상적인 운행을 하고 있음을 목격한 경우(대판 1986.2.25, 85도2651) 16. 사시, 17. 경찰간부

2. 고속도로를 횡단하려는 피해자를 그 차의 제동거리 밖에서 발견한 경우(대판 1981.3.24, 80도3305) 14. 7급 검찰·철도경찰

3. 택시운전자가 제한속도가 시속 40km인 왕복 6차선 도로의 1차선을 따라 시속 약 50km로 진행하던 중, 무단횡단하던 보행자가 중앙선 부근에 서 있다가 마주 오던 차에 충격당하여 택시 앞으로 쓰러지는 것을 피하지 못하고 역과시킨 경우(대판 1995.12.26, 95도715)

4. 통행금지시간이 임박한 23시 45분경에 버스에서 내려 버스 사이로 뛰어나와 도로를 횡단하려고 하는 자를 충격한 경우(대판 1980.5.27, 80도842)

5. 과실범에 관한 이른바 신뢰의 원칙은 상대방이 이미 비정상적인 행태를 보이고 있는 경우에는 적용될 여지가 없는 것이고, 이는 행위자가 경계의무를 게을리하는 바람에 상대방의 비정상적인 행태를 미리 인식하지 못한 경우에도 마찬가지이다(대판 2009.4.23, 2008도11921). 21. 경찰승진

6. 빗물로 노면이 미끄러운 고속도로에서 진행전방의 차량이 빗길에 미끄러져 비정상적으로 움직이고 있다면 그 후방에서 진행하고 있던 차량의 운전자는 사대에 대비하여 속도를 줄이고 안전거리를 확보해야 할 주의의무가 있다(대판 1990.2.27, 89도777). 18. 법원행시

7. 버스운전자가 40m 전방 우측 도로변에 어린아이가 같은 방향으로 걸어가고 있음을 목격한 경우에 자동차운전수로서는 그 아이가 진행하는 버스 앞으로 느닷없이 뛰어나오는 수가 있음을 예견

하고 이로 인한 사고를 방지하기 위하여 속력을 줄이고 그 동태를 주시하는 등 만반의 사고에 대비할 주의의무가 있다(대판 1970.8.18, 70도1336). 08. 경찰승진

2. 의료행위

• **수평적 분업관계**(상호간에 아무런 지휘·감독관계가 없는 경우) ⇨ **신뢰원칙 적용** ○

1. 약사와 제약회사 사이 : 약사가 의약품을 판매하거나 조제함에 있어서 그 약의 표시를 신뢰하고 이를 사용한 경우 ⇨ 과실 ×(대판 1976.2.10, 74도2046 ∵ 의약품이 표시 포장상에 있어서 약사법 소정의 검인 합격품이고 또한 부패·변질·변색되지 아니하고 유효기간이 경과되지 아니함을 확인하고 조제판매한 경우에는 특별한 사정이 없는 한 관능시험 및 기기시험까지 할 주의의무 ×). 17. 9급 검찰·마약수사·철도경찰, 19. 법원행시, 22. 해경간부, 23. 경력채용

2. 의사와 의사 사이

① 내과의사가 신경과 전문의에 대한 협의진료 결과 피해자의 증세와 관련하여 신경과 영역에서 이상이 없다는 회신을 믿고 그것에 기초해서 환자를 치료한 경우 업무상 과실이 인정되지 않는다(대판 2003.1.10, 2001도3292). 20. 9급 검찰·마약수사·철도경찰, 23. 법원행시, 24. 경찰간부·7급 검찰

② 대학병원의 과장이라는 이유만으로 외래담당의사 및 담당 수련의들의 처치와 치료결과를 주시하고 적절한 수술방법을 지시하거나 담당의사 대신 직접 수술을 하고, 농배양을 지시·감독할 주의의무 ×(대판 1996.11.8, 95도2710) 16. 경찰간부

③ 의사가 환자에 대하여 주된 의사의 지위에서 진료하는 경우라도, 자신은 환자의 수술이나 시술에 전념하고 마취과 의사로 하여금 마취와 환자 감시 등을 담당토록 하는 경우처럼 서로 대등한 지위에서 각자의 의료영역을 나누어 환자 진료의 일부를 분담하였다면, 진료를 분담받은 다른 의사의 전적인 과실로 환자에게 발생한 결과에 대하여는 주된 의사의 책임을 인정할 수 없다(대판 2022.12.1, 2022도1499). 23. 순경 2차, 25. 9급 검찰·마약수사·철도경찰

• **수직적 분업관계**(지휘·감독관계가 있는 경우) ⇨ **신뢰원칙 적용** ×

1. 의사와 간호사 사이

① 의사가 만연히 간호사를 신뢰하여 간호사에게 당해 의료행위를 일임함으로써 간호사의 과오로 환자에게 위해가 발생한 경우(간호사가 혈액을 잘못 수혈하여 환자가 사망한 경우에 수혈을 맡긴 의사의 과실 인정 : 대판 1998.2.27, 97도2812) 16. 경찰승진, 17. 경찰간부, 19. 법원행시

② 산부인과 의사가 만연히 간호조무사로 하여금 마취주사를 피해자의 우측 팔에 놓게 하여 피해자가 상해를 입은 경우 ⇨ 의사 과실 ○(대판 1990.5.22, 90도579)

③ 전격성 간염의 경과를 보이는 입원환자를 직접 관찰하거나 진단하지 않고 간호사로 하여금 신경안정제를 투여하게 한 종합병원 야간 당직의사에게 업무상 과실이 인정된다(대판 2007.9.20, 2006도9435). 14. 7급 검찰·철도경찰

⚖ **비교판례**

1. 간호사가 의사의 처방에 의한 정맥주사를 의사의 입회 없이 간호실습생(간호학과 대학생)에게 실시하도록 하여 발생한 의료사고에 대해 의사의 과실을 부정하였다(대판 2003.8.19, 2001도3667). 16. 9급 철도경찰, 18. 법원행시, 22. 변호사시험, 24. 경찰간부

2. 피해자를 감시하도록 의사에게 업무를 인계받지 않은 간호사가 자기 환자의 회복처치에 전념하고 있었다면 회복실 내의 모든 환자에 대하여 적극적·계속적으로 주시, 점검을 할 의무가 있다고 할 수 없다(대판 1994.4.26, 92도3283). 18. 경찰승진, 21. 경력채용

3. 야간 당직간호사가 담당 환자의 심근경색 증상을 당직의사에게 제대로 보고하지 않음으로써 당직의사가 필요한 조치를 취하지 못한 채 환자가 사망한 경우, 병원의 야간당직 운영체계상 당직간호사에게 환자의 사망을 예견하거나 회피하지 못한 업무상 과실이 있고, 당직의사에게는 업무상 과실을 인정하기 어렵다(대판 2007.9.20, 2006도294). 16. 경찰간부, 18. 경찰승진, 23. 순경 2차

4. 의사들의 주의의무 위반과 처방체계상의 문제점으로 인하여, 수술 후 회복과정에 있는 환자에게 사용할 수 없는 약제가 잘못 처방되었고, 간호사 甲이 처방 약제의 기본적인 약효나 부작용 및 주사 투약에 따르는 주의사항 등을 미리 확인·숙지하였다면 과실로 처방된 것임을 알 수 있었음에도 그대로 주사하여 환자가 의식불명 상태에 이르게 되었다면, 甲의 행위는 업무상 과실치상죄에 해당한다(대판 2009.12.24, 2005도8980). 21. 경력채용·순경 1차

5. 간호사가 수술 직후의 환자에 대한 진료를 보조하면서 1시간 간격으로 4회 활력징후를 측정하라는 담당의사의 지시에 따르지 아니하였고 그 후 위 환자가 과다출혈로 사망한 경우 ➪ 업무상 과실치사죄(대판 2010.10.28, 2008도8606) 19. 수사경과, 22. 해경간부·순경 2차

2. 주치의사와 야간당직의사 사이 : 정신과질환인 조증으로 입원한 환자의 주치의사의 과실로 환자가 전해질이상·빈혈·저알부민증 등으로 인한 쇼크로 사망한 경우 그 치료 과정에서 야간당직의사의 과실이 일부 개입하였다고 하더라도 주치의사는 업무상 과실치사죄의 책임을 면할 수 없다(대판 1994.12.9, 93도2524). 15. 사시, 21. 경력채용

3. 전공의와 수련의 사이 : 환자의 주치의 겸 정형외과 전공의가 같은 과 수련의의 처방에 대한 감독의무를 소홀히 하여 환자가 수련의의 잘못된 처방으로 인하여 상해를 입게 된 경우 ➪ 전공의에 대한 업무상 과실치상죄 ○(대판 2007.2.22, 2005도9229) 16. 사시, 17. 9급 검찰·마약수사·철도경찰

그러나 의사가 환자에 대하여 다른 의사와 의료행위를 분담하는 경우에 다른 의사의 전공과목에 전적으로 속하는 사항에 대하여는 다른 의사가 하는 의료행위의 내용이 적절한 것인지의 여부를 확인하고 감독하여야 할 업무상 주의의무가 없다(대판 2007.2.22, 2005도9229). 20. 9급 검찰·마약수사, 22. 해경간부

4. 전문의와 전공의 사이

① 수련병원의 전문의와 전공의 등의 관계처럼 의료기관 내의 직책상 주된 의사의 지위에서 지휘·감독관계에 있는 다른 의사에게 특정 의료행위를 위임하는 수직적 분업의 경우에는, 그 다른 의사에게 전적으로 위임된 것이 아닌 이상 주된 의사는 자신이 주로 담당하는 환자에 대하여 다른 의사가 하는 의료행위의 내용이 적절한 것인지 여부를 확인하고 감독하여야 할 업무상 주의의무가 있고, 만약 의사가 이와 같은 업무상 주의의무를 소홀히 하여 환자에게 위해가 발생하였다면 주된 의사는 그에 대한 과실 책임을 면할 수 없다(대판 2022.12.1, 2022도1499). 23. 경력채용, 24. 7급 검찰, 25. 순경 1차

② 이때 여러 사정에 비추어 해당 의료행위가 위임을 통해 분담 가능한 내용의 것이고 실제로도 그에 관한 위임이 있었다면, 그 위임 당시 구체적인 상황하에서 위임의 합리성을 인정하기 어려운 사정이 존재하고 이를 인식하였거나 인식할 수 있었다고 볼 만한 다른 사정에 대한 증명이 없는 한, 위임한 의사는 위임받은 의사의 과실로 환자에게 발생한 결과에 대한 책임이 있다고 할 수 없다(대판 2022.12.1, 2022도1499). 23. 경력채용

③ 나아가, 의료행위에 앞서 환자에게 그로 인하여 발생할 수 있는 위험성 등을 구체적으로 설명하여야 하는 주체는 원칙적으로 주된 지위에서 진료하는 의사라 할 것이나 특별한 사정이 없는 한 다른 의사를 통한 설명으로도 충분하다(대판 2022.12.1, 2022도1499).

THEMA **21**

● 객관적 주의의무 인정 ⇨ 과실범 ○

1. 자동차 운전자의 경우

① 택시 운전자인 피고인이 그다지 속도를 줄이지 아니한 상태로 만연히 진행하던 중 심야에 밀집된 주택 사이의 좁은 골목길이자 직각으로 구부러져 가파른 비탈길의 내리막에 누워 있던 피해자의 몸통 부위를 자동차 바퀴로 역과하여 사망에 이르게 한 경우 ⇨ 업무상 과실치사죄(대판 2011.5.26, 2010도17506 ∵ 업무상 주의의무 위반 ○) 14. 사시, 17. 경찰승진, 20. 순경 1차

② 피고인의 주의의무 태만으로 인하여 고속도로상에 정지 중인 차량을 추돌한 사고가 발생된 이상 피해차량 후방에 사고발생표지가 설치되어 있지 아니하였고 피해자들이 다른 승객들처럼 대피하지 않고 피해차량 뒤 고속도로 노면에 들어와 있었다 하더라도 피고인의 범행성립에는 영향이 없다(대판 1990.12.26, 89도2589). 10. 법원행시, 12. 경찰간부

③ 앞차를 뒤따라 진행하는 차량의 운전사는 앞차에 의하여 전방의 시야가 가리는 관계상 앞차의 어떠한 돌발적인 운전 또는 사고에 의하여서라도 자기 차량에 연쇄적인 사고가 일어나지 않도록 앞차와의 충분한 안전거리를 유지하고 진로 전방 좌우를 잘 살펴 진로의 안전을 확인하면서 진행할 주의의무가 있다(대판 2001.12.11, 2001도5005). 12. 법원직

④ 골프 카트 운전자는 골프 카트 출발 전에 승객들에게 안전 손잡이를 잡도록 고지하고 승객이 안전 손잡이를 잡은 것을 확인하고 출발하여야 할 업무상 주의의무가 있다(대판 2010.7.22, 2010도1911). 16. 9급 철도경찰, 19. 경찰승진, 20. 해경승진, 22. 해경간부 · 순경 2차

⑤ 비가 내려 노면이 미끄러운 고속도로의 주행선을 진행하던 甲의 차선으로 추월선상의 A차량이 갑자기 들어오는 것을 피하다가 빗길에 미끄러져 중앙분리대를 넘어가 반대편 추월선상의 B차량과 충돌하여 B차량의 운전자가 사망한 경우 甲의 업무상 과실이 인정된다(대판 1991.1.15, 90도1918). 18. 경찰승진

⑥ 자동차전용도로에서 무단횡단하는 보행자까지 예상하여 주의하여야 할 의무는 없으나, 자동차전용도로상에 나온 보행자를 미리 발견하였을 때에는 속도를 줄여서 운전할 의무가 인정된다(대판 1989.2.28, 88도1689). 08. 경찰승진

⑦ 피고인이 운행하던 자동차로 도로를 횡단하던 피해자를 충격하여 피해자로 하여금 반대차선의 1차 선상에 넘어지게 하여 피해자가 반대차선을 운행하던 자동차에 역과되어 사망한 경우(대판 1988.11.8, 88도928) 09. 경찰승진

⑧ 버스운전사에게 전날밤에 주차해둔 버스를 그 다음날 아침에 출발하기에 앞서 차체 밑에 장애물이 있는지 여부를 확인하여야 할 주의의무가 있다(대판 1988.9.27, 88도833). 07. 9급 검찰, 24. 해경간부

⑨ 운전자가 음주운전 단속 중인 경찰관의 정지신호를 무시하고 상당한 속도로 계속 진행함으로써 정차시키기 위하여 차체를 치는 경찰관으로 하여금 상해를 입게 한 경우(대판 1994.10.14, 94도2165)

⑩ 야간에 고속도로에서 차량을 운전한 자는 주간과는 달리 노면상태 및 가시거리상태 등에 따라 제한최고속도 이하의 속도로 감속 · 서행할 주의의무가 있으므로 이를 위반하여 선행사고로 전방에 정차해 있던 승용차와 옆에 서 있던 피해자를 충돌하였다면 과실이 있다(대판 1999.1.15, 98도2605). 20. 순경 1차

⑪ 자동차 운전자인 피고인이, 교차로와 연접한 횡단보도에 차량보조등은 설치되지 않았으나 보행등이 녹색이고, 교차로의 차량신호등은 적색인데도, 횡단보도를 통과하여 교차로를 우회하다가 신호에 따라 진행하던 자전거를 들이받아 운전자에게 상해를 입힌 경우, 교통사고처리 특례법 제3조 제1항, 제2항 단서 제1호의 '신호위반'으로 인한 업무상 과실치상죄가 성립한다(대판 2011.7.28, 2009도8222).

2. 기 타

① 골프경기를 하던 중 골프공을 쳐서 아무도 예상하지 못한 자신의 등 뒤편으로 보내어 등 뒤에 있던 경기보조원(캐디)에게 상해를 입힌 경우에는 주의의무를 현저히 위반하여 사회적 상당성의 범위를 벗어난 행위로서 과실치상죄가 성립한다(대판 2008.10.23, 2008도6940). 14. 사시 · 9급 철도경찰, 19. 순경 1차, 23. 법원행시, 24. 경찰승진

② 원칙적으로 도급인에게는 수급인의 업무와 관련하여 사고방지에 필요한 안전조치를 취할 주의의무가 없으나, 법령에 의하여 도급인에게 수급인의 업무에 관하여 구체적인 관리 · 감독의무 등이 부여되어 있거나 도급인이 공사의 시공이나 개별 작업에 관하여 구체적으로 지시 · 감독하였다는 등의 특별한 사정이 있는 경우에는 도급인에게도 수급인의 업무와 관련하여 사고방지에 필요한 안전조치를 취할 주의의무가 있다(대판 2009.5.28, 2008도7030). 16. 법원행시, 18. 변호사시험, 19. 경찰승진, 20. 해경승진, 21. 해경 1차 · 7급 검찰, 22. 해경간부, 25. 9급 검찰 · 마약수사 · 철도경찰

③ 산후조리원에 입소한 신생아가 계속하여 잦은 설사 등의 이상증세를 보임에도 불구하고, 산후조리원의 신생아 집단관리를 맡은 책임자인 甲이 의사 등의 진찰을 받도록 하지 않아 신생아가 사망한 경우 ⇨ 업무상 과실치사죄 ○(대판 2007.11.16, 2005도1796) 13. 법원행시, 16. 7급 검찰 · 철도경찰

④ 공사현장감독인이 공사의 발주자에 의하여 현장감독에 임명된 것이 아니고, 건설업법상 요구되는 현장건설기술자의 자격도 없다는 등의 사유는 업무상 과실책임을 물음에 아무런 영향도 미칠 수 없다(대판 1983.6.14, 82도2713). 16. 9급 검찰 · 마약수사, 20. 경찰간부, 22. 경찰승진

⑤ 편도 2차선 도로 중앙선에 서서 도로횡단을 중단한 술취한 피해자의 팔을 갑자기 잡아끌고 무단횡단을 하는 도중에 지나가는 차량에 충격당하여 피해자가 사망한 경우 ⇨ 과실치사죄 ○(대판 2002.8.23, 2002도2800) 18. 변호사시험, 21. 해경 1차 · 순경 2차, 22. 경찰간부

⑥ 소유자가 건물을 임대한 경우, 그 건물의 전기배선이 벽 내부에 매립 · 설치되어 건물 구조의 일부를 이루고 있다면 그에 관한 관리책임은 통상적으로 건물을 직접 사용하는 임차인이 아닌 소유자에게 있어, 특별한 사정이 없는 한 소유자가 전기배선의 하자로 인한 화재를 예방할 주의의무를 부담한다. 그러나 그 전기배선을 임차인이 직접 하였으며 그 이상을 미리 알았거나 알 수 있었다는 등의 특별한 사정이 있는 때에는 임차인에게도 그 부분의 하자로 인한 화재를 예방할 주의의무가 인정될 수 있다(대판 2009.5.28, 2009도1040). 18. 변호사시험, 21. 해경 1차 · 순경 2차

⑦ 금은방을 운영하는 자는 전당물을 취득함에 있어 좀 더 세심한 주의를 기울였다면 그 물건이 장물임을 알 수 있는 특별한 사정이 있다면, 신원확인절차를 거치는 이외에 매수물품의 성질과 종류 및 매도자의 신원 등에 더 세심한 주의를 기울여 전당물인 귀금속이 장물인지의 여부를 확인할 주의의무를 부담한다(대판 2003.4.25, 2003도348). 18. 변호사시험, 21. 해경 1차, 24. 해경경위

⑧ 알코올중독자의 수용시설을 운영 또는 관리하던 피고인들이 피해자가 금단증상을 보이자 피해자를 독방에 가둔 다음 그대로 방치하였는데 피해자가 자살한 경우 ⇨ 업무상 과실치사죄 ○(대판 2005.3.24, 2004도8137)

⑨ 함께 술을 마신 후 만취된 피해자를 촛불이 켜져 있는 방안에 혼자 눕혀 놓고 촛불을 끄지 않고 나오는 바람에 화재가 발생하여 피해자가 사망한 경우 ⇨ 과실치사죄 ○(대판 1994.8.26, 94도1291 ∵ 화재가 발생할 가능성과 화재로 인하여 피해자가 사망할 가능성이 있음을 예견할 수 있으므로 촛불을 끄거나 적절하고 안전한 조치를 취하여야 할 주의의무가 있다.) 20. 순경 2차

⑩ 건축자재인 철판 수백 장의 운반을 의뢰한 생산자 甲이 절단면이 날카롭고 무거운 철판을 묶기에 매우 부적합한 폴리에스터 끈을 사용하여 철판 묶음 작업을 한 탓에 철판쏠림 현상이 발생하였고, 이로 인하여 철판을 차에서 내리는 과정에서 철판이 쏟아져 내려 화물차 운전자 A가 사망한 경우 (대판 2009.7.23, 2009도3219) 14. 사시, 22. 순경 2차

- **객관적 주의의무 부정** ⇨ **과실범** ×

1. 자동차 운전자의 경우

① **시내버스운전사**가 버스정류장에서 승객을 하차시킨 후 통상적으로 버스를 출발시키던 중에는 더 내릴 손님이 있는지 등을 일일이 확인할 **주의의무는 없다**(대판 1992.4.28, 92도56). **14. 7급 검찰**

　　🔸 **유사판례** : 버스정류장에서 버스를 타려고 뛰어가던 행인끼리 충돌하여 넘어지면서 순간적으로 막 출발하려는 버스의 앞바퀴와 뒷바퀴 사이로 머리가 들어가 사고가 발생한 경우(대판 1986. 8.19, 86도1123). **10. 법원행시** 버스기사가 정류장에서 출발하려는 순간 4세 어린이가 장난감을 주우려고 뒷바퀴 밑으로 들어가 사고가 발생한 경우(대판 1984.7.10, 84도687) **15. 수사경과**

② **자동차전용도로**를 운행 중인 자동차운전자에게는 진행차량 사이를 뚫고 **횡단하는 보행자**가 있을 것을 예상하여 전방주시를 할 의무가 없다(대판 1990.1.23, 89도1395). **12. 법원직**

③ 택시 운전수가 횡단보도가 아닌 차도를 무단횡단하는 피해자를 뒤늦게 발견하고 급정차 조치를 취하여 위 피해자와의 충돌을 사전에 예방하였지만 **피해자가 갑자기 급정차하는 위 택시를 보고 당황한 끝에 도로위에 넘어져 상해를 입은 경우**(대판 1987.5.26, 86도2707). **09. 경찰승진**

④ 교통이 빈번한 간선도로에서 횡단보도의 보행자 신호등이 적색으로 표시된 경우 운전자는 보행자가 동 적색신호를 무시하고 갑자기 뛰어나올 가능성에 대비하여 운전하여야 할 업무상 주의의무는 없다(대판 1985.11.12, 85도1893). **18. 법원행시, 19. 경찰승진**

2. 기 타

① 병원 인턴 甲이 응급실로 이송되어 온 익수환자를 담당의사의 지시에 따라 구급차에 태워 다른 병원으로 이송하던 중 산소통의 산소잔량을 체크하지 않아 산소공급이 중단된 결과 환자를 폐부종 등으로 사망에 이르게 한 경우 ⇨ 무죄 ○, **업무상 과실치사죄** ×(대판 2011.9.8, 2009도13959 ∵ 산소통의 산소잔량을 확인할 주의의무가 있다고 보기는 어렵고, 피고인이 산소부족 상태를 안 후 취한 조치에 어떠한 업무상 주의의무 위반이 있었다고 볼 수 없다.) **12. 경찰간부, 14. 사시, 16. 7급 검찰 · 철도경찰, 22. 순경 2차, 24. 경찰승진**

② 술을 마시고 찜질방에 들어온 甲이 **찜질방 직원 몰래 후문으로** 나가 술을 더 마신 다음 후문으로 다시 들어와 **발한실(發汗室)**에서 잠을 자다가 사망한 경우 찜질방 직원 및 영업주에게 몰래 후문으로 출입하는 모든 자를 통제 · 관리하여야 할 업무상 **주의의무가 있다고 보기 어렵다**(대판 2010.2.11, 2009도9807). **14. 사시 · 9급 철도경찰, 16. 경찰간부, 24. 경찰승진**

③ 건설회사가 건설공사 중 **타워크레인의 설치작업**을 전문업자에게 도급주어 타워크레인 설치작업을 하던 중 발생한 사고에 대하여 건설회사의 현장대리인에게 업무상 과실치사상의 죄책을 물을 수 없다(대판 2005.9.9, 2005도3108). **15. 순경 3차, 16. 경찰간부, 24. 변호사시험**

④ 지하철 공사구간 현장안전업무 담당자인 피고인이 공사현장에 인접한 기존의 횡단보도 표시선 안쪽으로 **돌출된 강철빔 주위에 라바콘 3개를 설치하고 신호수 1명을 배치**하였는데, 피해자가 위 횡단보도를 건너면서 **강철빔에 부딪혀 상해를 입은 경우**, 피고인이 안전조치를 취하여야 할 업무상 주의의무를 위반하였다고 보기 어렵다(대판 2014.4.10, 2012도11361 ∴ **업무상 과실치상죄** ×). **15. 경찰간부, 18. 경찰승진, 22. 순경 2차**

⑤ 호텔을 경영하는 회사에 **대표이사**가 따로 있고 담당업무에 대한 **실무자** 및 소방법상 방화관리자까지 **선정**되어 있다면, 회사의 업무에 전혀 관여하지 않는 소위 **회장**에게는 종업원의 부주의와 호텔구조상 결함으로 발생, 확대된 화재에 대한 **구체적 · 직접적 주의의무가 없다**(대판 1986.7.22, 85도108). **18. 법원행시**

⚖ **유사판례** : 시공회사의 상무이사인 현장소장이 현장에서의 공사감독을 전담하였고 사장은 그와 같은 감독을 하게 되어 있지 않았다면 사장으로서는 각개의 개별작업에 대하여 일일이 세부적인 안전대책을 강구하여야 하는 구체적이고 직접적인 주의의무가 있다고 하기 어렵다(대판 1989.11.24, 89도1618). 13. 순경 3차, 14. 경찰간부

⑥ 수술도중에 수술용 메스가 부러지자 담당의사가 부러진 메스조각을 찾아 제거하기 위한 최선의 노력을 다하였으나 찾지 못하여 부러진 메스조각을 그대로 둔 채 수술부위를 봉합한 경우(대판 1999.12.10, 99도3711) 08. 경찰승진, 16. 경찰간부

⑦ 제왕절개분만을 함에 있어서 산모에게 수혈을 할 필요가 있을 것이라고 예상할 수 있었다는 사정이 보이지 않는 한, 산후과다출혈에 대비하여 제왕절개수술을 시행하기 전에 미리 혈액을 준비할 업무상 주의의무가 있다고 보기 어렵다(대판 1997.4.8, 96도3082).

⚖ **비교판례** : 산모의 태반조기박리에 대한 대응조치로서 응급 제왕절개 수술을 하는 산부인과 의사에게는 미리 수혈용 혈액을 준비하여야 할 업무상 주의의무가 있다(대판 2000.1.14, 99도3621). 16. 7급 검찰, 22. 경찰간부

⑧ 교사가 징계의 목적으로 회초리로 학생들의 손바닥을 때리기 위해 회초리를 들어올리는 순간 이를 구경하기 위해 옆으로 고개를 돌려 일어나는 다른 학생의 눈을 찔러 그로 하여금 우안실명의 상해를 입게 한 경우(대판 1985.7.9, 84도822) 16. 경찰간부

⑨ 담임교사가 유리창을 청소할 때는 교실 안쪽에서 닦을 수 있는 유리창만을 닦도록 지시하였는데도 유독 피해자만이 수업시간이 끝나자마자 베란다로 넘어 갔다가 밑으로 떨어져 사망한 경우(대판 1989.3.28, 89도108) 10. 법원행시

⑩ 정신병동에 입원 중인 환자가 완전감금병동의 화장실 창문을 열고 탈출하려다가 떨어져 사망한 경우(위 병동의 당직간호사인 피고인의 과실 × : 대판 1992.4.28, 91도1346) 14. 7급 검찰 · 철도경찰

⑪ 30대 중반의 산모가 제왕절개 수술 후 폐색전증으로 사망한 경우(대판 2006.10.26, 2004도486). 12. 경찰간부

⑫ 혈청에 의한 간기능 검사를 시행하지 않고 마취제(할로타인)를 사용하여 수술한 결과 간부전으로 사망한 경우 인과관계를 인정하려면 수술 전에 간기능검사를 하였더라면 피해자가 사망하지 않았을 것임이 입증되어야 한다(대판 1990.12.11, 90도694). 10. 사시, 25. 순경 1차

⑬ 가정주부 甲은 임차한 한옥을 수리하여 한복집을 경영할 계획으로 주택수리공사 전문업자인 목수 乙에게 공사를 맡겼는바, 공사도중 외벽과 천장이 무너지면서 인부 丙을 덮쳐 약 8주간의 치료를 요하는 상해를 입게 한 경우(대판 2002.4.12, 2000도3295)

⑭ 법인 대표자의 법규위반행위에 대한 법인의 책임은 법인 자신의 법규위반행위로 평가될 수 있는 행위에 대한 법인의 직접책임으로서, 대표자의 고의에 의한 위반행위에 대하여는 법인 자신의 고의에 의한 책임을, 대표자의 과실에 의한 위반행위에 대하여는 법인 자신의 과실에 의한 책임을 부담한다(헌재결 2010.7.29, 2009헌가25). 21. 변호사시험, 22. 경찰승진

01 과실범에 관한 설명 중 가장 적절하지 않은 것은?(다툼이 있는 경우 판례에 의함) 20. 순경 1차

① 의료과오사건에서 의사의 과실을 인정하려면 결과발생을 예견할 수 있고 또 회피할 수 있었는데도 예견하거나 회피하지 못한 점을 인정할 수 있어야 하는데, 의사의 과실이 있는지는 같은 업무 또는 분야에 종사하는 평균적인 의사가 보통 갖추어야 할 통상의 주의의무를 기준으로 판단하여야 한다.

② 택시운전자인 피고인이 심야에 밀집된 주택 사이의 좁은 골목길이자 직각으로 구부러져 가파른 비탈길의 내리막에 누워 있던 피해자의 몸통 부위를 자동차 바퀴로 역과하여 사망에 이르게 하고 그 자리에서 도주한 경우, 위 사고 당시 시각과 사고 당시 도로상황 등에 비추어 자동차 운전업무에 종사하는 피고인으로서는 평소보다 더욱 속도를 줄이고 전방 좌우를 면밀히 주시하여 안전하게 운전함으로써 사고를 미연에 방지할 주의의무가 있다.

③ 야간에 고속도로에서 차량을 운전하는 자는 주간과는 달리 노면상태 및 가시거리상태 등에 따라 고속도로상의 제한 최고 속도 이하의 속도로 감속 서행할 주의의무가 있으므로, 야간에 선행사고로 인하여 전방에 정차해 있던 승용차와 그 옆에 서 있던 피해자를 충돌한 경우 운전자에게 제한속도 이하로 감속 운전하지 않은 과실이 있다.

④ 안전배려 내지 안전관리사무에 계속적으로 종사하지 않았더라도 건물의 소유자로서 건물을 비정기적으로 수리하거나 건물의 일부분을 임대한 자는 건물의 화재가 발생하는 것을 미리 막아야 할 업무상 주의의무를 부담한다.

[해설] ① 대판 2018.5.11, 2018도2844 ② 대판 2011.5.26, 2010도17506 ③ 대판 1999.1.15, 98도2605
④ × : 업무상 과실치상죄의 '업무' ×(대판 2009.5.28, 2009도1040)

02 의료행위에 있어서 과실 여부에 대한 설명으로 옳은 것은?(다툼이 있는 경우 판례에 의함)
20. 9급 검찰·마약수사·철도경찰

① 의사가 자신의 환자에 대하여 다른 의사를 지휘·감독하는 지위에 있다면, 그 의료영역이 다른 의사에게 전적으로 위임된 경우라도 다른 의사의 의료행위 내용이 적절한 것인지를 확인하고 감독하여야 할 업무상 주의의무가 있다.

② 내과의사가 신경과 전문의와의 협의진료 결과를 신뢰하여 뇌혈관계통 질환의 가능성을 배제하고 피해자의 증세 호전에 따라 퇴원조치한 경우, 피해자의 지주막하출혈을 발견하지 못한 데 대한 업무상 과실이 인정된다.

③ 의료인의 과실 유무를 판단함에는 같은 업무와 직무에 종사하는 일반적 보통인의 주의 정도를 표준으로 하여야 하며, 사고 당시의 일반적 의학수준과 의료환경 등이 고려되어야 한다.

④ 의사는 적절한 진료방법을 선택할 상당한 범위의 재량을 갖는 것이어서, 어떤 진료방법을 선택하였더라도 진료 결과를 놓고 어느 하나만이 정당하고 이와 다른 조치를 취한 것에 과실이 있다고 할 수 없다.

[해설] ① × : ~ 주의의무가 없다(대판 2007.2.22, 2005도9229). ② × : ~ 업무상 과실이 인정되지 않는다(대판 2003.1.10, 2001도3292). ③ ○ : 대판 2007.9.20, 2006도294 ④ × : 의사에게는 환자의 상황, 당시의 의료수준, 자신의 지식·경험 등에 따라 적절하다고 판단되는 진료방법을 선택할 폭넓은 재량권이 있으므로, 의사가 특정 진료방법을 선택하여 진료를 하였다면 해당 진료방법 선택과정에 합리성이 결여되어 있다고 볼 만한 사정이 없는 이상 진료의 결과만을 근거로 하여 그중 어느 진료방법만이 적절하고 다른 진료방법을 선택한 것은 과실에 해당한다고 말할 수 없다(대판 2015.6.24, 2014도11315).

03 과실범에 대한 설명으로 가장 적절하지 않은 것은?(다툼이 있는 경우 판례에 의함) 20. 순경 2차

① 함께 술을 마신 후 만취된 피해자를 촛불이 켜져 있는 방안에 혼자 눕혀 놓고 촛불을 끄지 않고 나오는 바람에 화재가 발생하여 피해자가 사망한 경우, 화재가 발생할 것은 예상할 수 없으므로 과실치사의 책임을 물을 수 없다.

② 육교 밑 차도를 주행하는 자동차 운전자가 전방 보도 위에 서 있는 피해자를 발견했다 하더라도 육교를 눈앞에 둔 피해자가 특히 차도로 뛰어들 거동이나 기색을 보이지 않는 한 일반적으로 차도로 뛰어들어 오리라고 예견하기 어렵다.

③ 고령의 간경변증 환자인 피해자에게 화상 치료를 위한 가피절제술과 피부이식수술을 실시하기 전에 출혈과 혈액량 감소로 신부전이 발생하여 생명이 위험할 수 있다는 점에 대해 피해자와 피해자의 보호자에게 설명을 하지 아니한 채 수술을 실시한 과실로 인하여 환자가 사망한 경우, 의사에게 업무상 과실로 인한 형사책임을 지우기 위해서는 의사의 설명의무 위반과 환자의 사망 사이에 상당인과관계가 존재하여야 한다.

④ 과실범의 불법은 객관적 주의의무위반을 통한 행위반가치 및 구성요건적 결과발생을 통한 결과반가치에서 찾을 수 있다.

[해설] ① × : 과실치사죄 ○(대판 1994.8.26, 94도1291 ∵ 화재가 발생할 가능성과 화재로 인하여 피해자가 사망할 가능성이 있음을 예견할 수 있으므로 촛불을 끄거나 적절하고 안전한 조치를 취하여야 할 주의의무가 있다.) ② 대판 1985.9.10, 84도1572 ③ 대판 2015.6.24, 2014도11315 ④ 타당하다.

04 과실범에 관한 설명 중 가장 옳지 않은 것은?(다툼이 있는 경우 판례에 의함) 20. 법원행시

① 과실범에 있어서의 비난가능성의 지적 요소란 결과발생의 가능성에 대한 인식으로서 인식 있는 과실에는 이와 같은 인식이 있고, 인식 없는 과실에는 이에 대한 인식 자체도 없는 경우이나, 전자에 있어서 책임이 발생함은 물론, 후자에 있어서도 그 결과발생을 인식하지 못하였다는 데에 대한 부주의, 즉 규범적 실재로서의 과실책임이 있다.

② 과실 유무는 같은 업무와 직무에 종사하는 일반적 보통인의 주의정도를 표준으로 판단하여야 한다.

Answer   3.①   4.④

③ 고속도로를 운행하는 자동차의 운전자로서는 일반적인 경우에 고속도로를 횡단하는 보행자가 있을 것까지 예견하여 보행자와의 충돌사고를 예방하기 위하여 급정차 등의 조취를 취할 수 있도록 대비하면서 운전할 주의의무가 없다.

④ 한의사인 피고인이 피해자에게 문진하여 과거 봉침을 맞고도 별다른 이상반응이 없었다는 답변을 듣고 알레르기 반응검사(skin test)를 생략한 채 환부인 목 부위에 봉침시술을 하였는데, 피해자가 위 시술 직후 아나필락시 쇼크반응을 나타내는 등 상해를 입은 경우, 피고인에게 피해자를 상대로 알레르기 반응검사를 실시할 주의의무 위반이 인정된다.

⑤ 병원 인턴인 피고인이 응급실로 이송되어 온 익수환자 甲을 담당의사 乙의 지시에 따라 구급차에 태워 다른 병원으로 이송하게 되었고, 피고인이 乙에게서 이송 도중 甲에 대한 앰부 배깅(ambu bagging)과 진정제 투여 업무만을 지시받았다면, 피고인에게 일반적으로 구급차 탑승 전 또는 이송 도중 구급차에 비치되어 있는 산소통의 산소잔량을 확인할 주의의무가 있다고 보기는 어렵다.

해설 ① 대판 1984.2.28, 83도3007 ② 대판 2007.9.20, 2006도294 ③ 대판 2000.9.5, 2000도2671
④ × : ~ (4줄) 반응검사를 실시할 의무가 있다고 보기 어렵고, 설령 있다고 하더라도 알레르기 반응검사를 하지 않은 과실과 피해자의 상해 사이에 상당인과관계를 인정하기 어렵다(대판 2011.4.14, 2010도10104).
⑤ 대판 2011.9.8, 2009도13959

05 과실에 대한 설명으로 가장 적절한 것은?(다툼이 있는 경우 판례에 의함)　　　21. 경찰승진

① 의료사고에서 의사에게 과실이 있다고 하기 위하여는 의사가 결과발생을 예견할 수 있고 또 회피할 수 있었는데도 이를 예견하지 못하거나 회피하지 못하였음이 인정되어야 하며, 과실의 유무를 판단할 때에는 구체적인 경우 당해 행위자가 기울일 수 있었던 주의정도를 표준으로 한다.

② 과실범에 관한 이른바 신뢰의 원칙은 상대방이 이미 비정상적인 행태를 보이고 있는 경우에는 적용될 여지가 없는 것이고, 이는 행위자가 경계의무를 게을리하는 바람에 상대방의 비정상적인 행태를 미리 인식하지 못한 경우에도 마찬가지이다.

③ 고속국도에서는 보행으로 통행, 횡단하거나 출입하는 것이 금지되어 있지만, 도로양측에 휴게소가 있는 경우에는 고속국도를 주행하는 차량의 운전자는 동 도로상에 보행자가 있음을 예상하여 감속 등 조치를 할 주의의무가 있다 할 것이다.

④ 피고인이 성냥불로 담배를 붙인 다음 그 성냥불이 꺼진 것을 확인하지 아니한 채 휴지가 들어 있는 플라스틱 휴지통에 던진 것으로는 형법 제171조 중실화죄에 있어 중대한 과실이 있는 경우에 해당한다고 할 수 없다.

해설 ① × : ~ (3줄) 유무를 판단함에는 같은 업무와 직무에 종사하는 일반적 보통인(당해 행위자 ×)의 주의정도를 표준으로 하여야 한다(대판 2007.9.20, 2006도294).
② ○ : 대판 2009.4.23, 2008도11921 ③ × : ~ 주의의무가 없다(대판 2000.9.5, 2000도2671).
④ × : ~ 경우에 해당한다(대판 1993.7.27, 93도135).

06 과실범에 대한 설명으로 가장 적절한 것은?(다툼이 있는 경우 판례에 의함)　21. 순경 1차

① 의사가 설명의무를 위반한 채 의료행위를 하였다가 환자에게 사망의 결과가 발생한 경우, 의사에게 업무상 과실로 인한 형사책임을 지우기 위해서는 의사의 설명의무 위반과 환자의 사망 사이에 상당인과관계가 존재할 필요는 없다.

② 농배양을 하지 않은 의사의 과실과 피해자의 사망 사이에 인과관계를 인정하려면, 농배양을 하였더라면 피고인이 투약해 온 항생제와 다른 어떤 항생제를 사용하게 되었을 것이라거나 어떤 다른 조치를 취할 수 있었을 것이고, 따라서 피해자가 사망하지 않았을 것이라는 점이 인정되어야 한다.

③ 과실이 있는 경우, 결과가 발생하지 않거나 과실과 결과 사이에 인과관계가 부정될 때에는 과실미수범으로 처벌된다.

④ 의사들의 주의의무 위반과 처방체계상의 문제점으로 인하여 수술 후 회복과정에 있는 환자에게 인공호흡 준비를 갖추지 않은 상태에서는 사용할 수 없는 약제가 잘못 처방되었고, 종합병원의 간호사로서 환자에 대한 투약 과정 및 그 이후의 경과 관찰 등의 직무수행을 위하여 처방 약제의 기본적인 약효나 부작용 및 주사 투약에 따르는 주의사항 등을 미리 확인·숙지하였다면 과실로 처방된 것임을 알 수 있었음에도 그대로 주사하여 환자가 의식불명 상태에 이르게 된 사안에서, 간호사에게는 업무상 과실치상의 형사책임은 인정되지 않는다.

> **해설** ① × : ~ 상당인과관계가 존재하여야 한다(대판 2015.6.24, 2014도11315).
> ② ○ : 대판 1996.11.8, 95도2710　③ × : 과실범은 항상 결과발생을 요하는 결과범(실질범)이므로 과실범의 미수는 이론상 인정할 여지가 없으며 현행법상 과실범에 대한 미수처벌규정도 없다.
> ④ × : ~ 형사책임이 인정된다(대판 2009.12.24, 2005도8980 ∵ 간호사에게는 당해 처방의 경위와 내용을 관련자에게 재확인함으로써 그 실행으로 인한 위험을 방지할 주의의무가 있다).

07 과실범에 대한 설명이다. 옳은 것은 몇 개인가?(다툼이 있는 경우 판례에 의함)　22. 경찰간부

> ㉠ 도급계약의 경우 원칙적으로 도급인에게는 수급인의 업무와 관련하여 사고방지에 필요한 안전조치를 취할 주의의무가 없으므로 도급인이 공사의 시공이나 개별 작업에 관하여 구체적으로 지시·감독한 경우에도 법령에 의하여 도급인에게 구체적인 관리·감독의무가 부여되어 있지 않다면 도급인에게 수급인의 업무와 관련하여 사고방지에 필요한 안전조치를 취할 주의의무를 인정하기 어렵다.
> ㉡ 내과의사 甲이 신경과 전문의와의 협의진료 결과 乙의 증세와 관련하여 신경과 영역에서 이상이 없다는 회신을 받은 후 그 회신을 신뢰하여 뇌혈관 계통 질환의 가능성을 염두에 두지 않고 내과 영역의 진료 행위를 계속하다가 乙의 증세가 호전되어 퇴원 조치한 경우, 乙의 지주막하출혈을 발견하지 못한 데 대하여 甲의 업무상 과실은 인정된다.
> ㉢ 보통과실로 인하여 장물죄를 범한 경우, 업무상 과실 또는 중과실로 인한 경우보다 경한 처벌에 처한다.

> ㉣ 안전배려 내지 안전관리사무에 계속적으로 종사하지 않았더라도 건물의 소유자로서 건물을 비정기적으로 수리하거나 건물의 일부분을 임대한 경우에는 건물에 화재가 발생하는 것을 막아야 할 업무상의 주의의무를 부담한다.
>
> ㉤ 甲과 乙이 함께 술을 마신 이후 도로 중앙선에 서 있다가 甲이 통행하는 차량의 유무를 확인하지 않고 乙의 팔을 갑자기 끌어당겨 도로를 무단횡단하던 중 지나가던 차량에 乙이 사망한 경우, 만약 甲이 술에 취해 사리분별을 할 수 없었다면 乙의 안전을 위해 차량통행 여부 및 횡단 가능 여부를 확인해야 할 주의의무를 부담하지 않는다.

① 없 음　　　② 1개　　　③ 2개　　　④ 3개

해설　㉠ × : 법령에 의하여 도급인에게 수급인의 업무에 관하여 구체적인 관리 · 감독의무가 부여되어 있거나 도급인이 공사의 시공이나 개별 작업에 관하여 구체적으로 지시 · 감독하였다는 등의 특별한 사정이 있는 경우에는, 도급인에게 수급인의 업무와 관련하여 사고방지에 필요한 안전조치를 할 주의의무가 있다(대판 2009.5.28, 2008도7030). ㉡ × : ~ 인정되지 않는다(대판 2003.1.10, 2001도3292).
㉢ × : 장물죄는 일반(보통)과실의 처벌규정이 없고 업무상 과실과 중과실만 처벌된다. 따라서 업무상 과실장물죄와 중과실장물죄는 가중적 구성요건이 아니다(부진정신분범 ×, 진정신분범 ○).
㉣ × : ~ 부담하지 않는다(대판 2009.5.28, 2009도1040 ∵ '업무' ×).
㉤ × : ~ 부담한다(대판 2002.8.23, 2002도2800).

08 다음 중 의사의 주의의무에 대한 설명으로 가장 적절하지 않은 것은?(다툼이 있는 경우 판례에 의함)
22. 경찰간부

① 의료사고에 있어 의료인의 과실을 인정하기 위하여서는 의료인이 결과발생을 예견할 수 있음에도 불구하고 그 결과발생을 예견하지 못하였고 그 결과발생을 회피할 수 있었음에도 불구하고 그 결과발생을 회피하지 못한 과실이 검토되어야 하고, 그 과실의 유무를 판단함에는 같은 업무와 직무에 종사하는 일반적 보통인의 주의정도를 표준으로 하여야 하며, 이에는 사고 당시의 일반적인 의학의 수준과 의료환경 및 조건, 의료행위의 특수성 등이 고려되어야 한다.

② 의사의 의료과실을 인정하는 요건과 판단기준에 관한 법리는 한의사나 치과의사와는 다르다.

③ 미용성형을 시술하는 의사로서는 고도의 전문적 지식에 입각하여 시술 여부, 시술의 시기, 방법, 범위 등을 충분히 검토한 후 그 미용성형 시술의 의뢰자에게 생리적, 기능적 장해가 남지 않도록 신중을 기하여야 할 뿐 아니라, 회복이 어려운 후유증이 발생할 개연성이 높은 경우 그 미용성형 시술을 거부 내지는 중단하여야 할 의무가 있다.

④ 산부인과 의사가 산모의 태반조기박리에 대한 대응조치로서 응급 제왕절개 수술을 시행하기로 결정하였다면, 이러한 경우에는 적어도 제왕절개 수술 시행 결정과 아울러 산모에게 수혈을 할 필요가 있을 것이라고 예상되는 특별한 사정이 있는 경우로 미리 혈액을 준비하여야 할 업무상 주의의무가 있다.

해설　① 대판 2007.9.20, 2006도294 ② × : ~ 동일하다(대판 2014.7.24, 2013도16101).
③ 대판 2007.5.31, 2007도1977 ④ 대판 2000.1.14, 99도3621

Answer　8.②

09 **과실범에 대한 설명으로 가장 적절한 것은?**(다툼이 있는 경우 판례에 의함)　　22. 경찰승진

① 甲이 사업당시 공사현장 감독자이기는 하였으나 해당 공사의 발주자에 의하여 현장감독에 임명된 것이 아니고 구 건설업법상 요구되는 현장건설기술자의 자격도 없었다면, 비록 그의 현장감독 부주의로 인하여 근로자가 다쳤다고 하더라도 甲에게 업무상 과실책임을 물을 수 없다.

② 의사가 설명의무를 위반한 채 의료행위를 하였다가 환자에게 사망의 결과가 발생한 경우, 의사에게 업무상 과실로 인한 형사 책임을 지우기 위하여 의사의 설명의무위반과 환자의 사망 사이에 상당인과관계가 존재할 필요는 없다.

③ 의료사고에서 의사의 과실을 인정하기 위해서는 의사가 결과발생을 예견할 수 있었음에도 이를 예견하지 못하였고 결과발생을 회피할 수 있었음에도 이를 회피하지 못한 과실이 검토되어야 하고, 과실의 유무를 판단할 때에는 같은 업무와 직무에 종사하는 보통인의 주의정도를 표준으로 하여야 한다.

④ 법인 대표자의 법규위반 행위에 대한 법인의 책임은 법인 자신의 법규위반 행위로 평가될 수 있는 행위에 대한 법인의 직접 책임으로서의 성격을 가지지만, 대표자의 과실에 의한 위반행위에 대하여는 법인 자신의 과실에 의한 책임이라고 할 수 없다.

> **해설** ① × : ~ (2줄) 자격도 없었다 하더라도 비록 그의 현장감독 부주의로 인하여 근로자가 다쳤다면 甲에게 업무상 과실책임을 물을 수 있다(대판 1983.6.14, 82도2713).
> ② × : ~ 존재하여야 한다(대판 2015.6.24, 2014도11315). ③ ○ : 대판 2007.9.20, 2006도294
> ④ × : ~ (2줄) 법인의 직접 책임으로서, 대표자의 과실에 의한 위반행위에 대하여는 법인 자신의 과실에 의한 책임이라고 할 수 있다(대판 2010.9.30, 2009도3876).

10 **과실범에 관한 설명으로 가장 적절한 것은?**(다툼이 있는 경우 판례에 의함)　　23. 순경 2차

① 형법 제14조에 따르면 정상적으로 기울여야 할 주의(注意)를 게을리하여 죄의 성립요소인 사실을 인식하지 못한 행위는 정당한 이유가 있는 때에 한하여 벌하지 아니한다.

② 의료과오사건에 있어서 의사의 과실을 인정하려면 결과발생을 예견할 수 있고 또 회피할 수 있었음에도 이를 하지 못한 점을 인정할 수 있어야 하고, 위 과실의 유무를 판단함에는 사회적 평균인의 주의 정도를 표준으로 하여야 하며, 이때 사고 당시의 일반적인 의학의 수준과 의료환경 및 조건, 의료행위의 특수성 등을 고려하여야 한다.

③ 과실범의 주의의무는 반드시 개별적인 법령에서 일일이 그 근거나 내용이 명시되어 있어야만 하는 것이 아니며, 결과발생에 즈음한 구체적인 상황에서 이와 관련된 제반사정들을 종합적으로 평가하여 결과발생에 대한 예견 및 회피가능성을 기준으로 삼아 그 결과발생을 방지하여야 할 주의의무를 인정할 수 있는 것이다.

④ 형법 제364조에 따른 업무상 과실장물취득죄는 업무상 과실에 의하여 형법 제362조 제1항에 따른 단순과실장물취득죄보다 형이 가중되는 가중적 구성요건이다.

Answer　9. ③　10. ③

[해설] ① × : ~ 인식하지 못한 행위는 법률에 특별한 규정이 있는 경우에만 처벌한다(제14조).
② × : ~ (2줄) 과실의 유무를 판단함에는 같은 업무와 직무에 종사하는 일반적 보통인(사회적 평균인 ×)의 주의 정도를 표준으로 하여야 하며, 이때 사고 당시의 일반적인 의학의 수준과 의료환경 및 조건, 의료행위의 특수성 등을 고려하여야 한다(대판 2007.9.20, 2006도294).
③ ○ : 대판 1999.1.15, 98도2605
④ × : 장물죄는 일반(보통)과실의 처벌규정이 없고 업무상 과실과 중과실만 처벌된다. 따라서 업무상 과실장물죄와 중과실장물죄는 가중적 구성요건이 아니다(부진정신분범 ×, 진정신분범 ○).

11 과실치사상의 죄에 관한 설명으로 가장 적절하지 않은 것은?(다툼이 있는 경우 판례에 의함)

① 4층 건물의 2층 내부 벽면에 설치된 분전반을 통해 3층과 4층으로 가설된 전선이 합선으로 단락되어 화재가 나 상해가 발생한 사안에서, 단지 4층 건물의 소유자로서 위 건물 2층을 임대하였다는 사정만으로는 업무상 과실치상죄에 있어서의 '업무'로 보기 어렵다.

② 고속도로를 무단횡단하는 보행자를 충격하여 사고를 발생시킨 경우라도 운전자가 상당한 거리에서 보행자의 무단횡단을 미리 예상할 수 있는 사정이 있었고, 그에 따라 즉시 감속하거나 급제동하는 등의 조치를 취하였다면 보행자와의 충돌을 피할 수 있었다는 등의 특별한 사정이 인정되는 경우에는 자동차운전자의 과실을 인정할 수 있다.

③ 야간 당직간호사가 담당 환자의 심근경색 증상을 당직의사에게 제대로 보고하지 않음으로써 당직의사가 필요한 조치를 취하지 못한 채 환자가 사망하였다면 병원의 야간당직 운영체계상 당직의사에게도 업무상 과실이 있다.

④ 의사가 환자에 대하여 주된 의사의 지위에서 진료하는 경우라도, 자신은 환자의 수술이나 시술에 전념하고 마취과 의사로 하여금 마취와 환자 감시 등을 담당토록 하는 경우처럼 서로 대등한 지위에서 각자의 의료영역을 나누어 환자 진료의 일부를 분담하였다면, 진료를 분담받은 다른 의사의 전적인 과실로 환자에게 발생한 결과에 대하여는 주된 의사의 책임을 인정할 수 없다.

[해설] ① 대판 2009.5.28, 2009도1040
② 대판 2000.9.5, 2000도2671
③ × : ~ (3줄) 운영체계상 당직간호사에게 환자의 사망을 예견하거나 회피하지 못한 업무상 과실이 있고, 당직의사에게는 업무상 과실을 인정하기 어렵다(대판 2007.9.20, 2006도294).
④ 대판 2022.12.1, 2022도1499

12 신뢰의 원칙에 관한 설명으로 가장 적절하지 않은 것은?(다툼이 있는 경우 판례에 의함)

① 오늘날 신뢰의 원칙은 도로교통위반사례 이외에 기업이나 의료행위와 같이 다수인이 일정한 목적을 달성하기 위하여 분업관계가 확립되어 있는 영역 등으로 그 범위가 확대되고 있다.

② 수련병원의 전문의와 전공의 등의 관계처럼 의료기관 내의 직책상 주된 의사의 지위에서 지휘 감독 관계에 있는 다른 의사에게 특정 의료행위를 위임하는 수직적 분업의 경우에, 그 다른 의사에게 전적으로 위임된 것이 아닌 이상 주된 의사는 자신이 주로 담당하는 환자에 대하여 다른 의사가 하는 의료행위의 내용이 적절한 것인지 여부를 확인하고 감독하여야 할 업무상 주의의무가 있고, 만약 의사가 이와 같은 업무상 주의의무를 소홀히 하여 환자에게 위해가 발생하였다면 주된 의사는 그에 대한 과실 책임을 면할 수 없다.

③ 수련병원의 전문의와 전공의 등의 관계처럼 의료기관 내의 직책상 주된 의사의 지위에서 지휘 감독 관계에 있는 다른 의사에게 특정 의료행위를 위임하는 수직적 분업의 경우에, 그 의료행위가 위임을 통해 분담가능한 내용의 것이고 실제로도 그에 관한 위임이 있었다면, 그 위임 당시 구체적인 상황하에서 위임의 합리성을 인정하기 어려운 사정이 존재하고 이를 인식하였거나 인식할 수 있었다고 볼 만한 다른 사정에 대한 증명이 없는 한, 위임한 의사는 위임받은 의사의 과실로 환자에게 발생한 결과에 대한 책임이 있다고 할 수 없다.

④ 의약품을 판매하거나 조제함에 있어서 약사는 의약품이 그 표시 포장상에 있어서 약사법 소정의 검인, 합격품이고 또한 부패·변질·변색되지 아니하고 유효기간이 경과되지 아니함을 확인하고 조제·판매한 경우에는 특별한 사정이 없는 한 관능시험 및 기기시험까지 하여야 할 주의의무가 있으므로, 그 의약품 표시 포장상의 표시만을 신뢰하여 이를 사용한 경우에는 과실이 인정된다.

> **해설** ① 옳다.
> ②③ 대판 2022.12.1, 2022도1499
> ④ × : ~ (4줄) 할 주의의무가 없으므로, 그 의약품 표시 포장상의 표시를 신뢰하여 이를 사용한 경우에는 과실이 있다고 볼 수 없다(대판 1976.2.10, 74도2046).

13 과실범에 관한 설명으로 가장 적절하지 않은 것은?(다툼이 있는 경우 판례에 의함) 24. 경찰승진

① 술을 마시고 찜질방에 들어온 A가 찜질방 직원 몰래 후문으로 나가 술을 더 마신 다음 후문으로 다시 들어와 발한실에서 잠을 자다가 사망한 경우, 찜질방 직원 및 영업주가 공중위생 영업자로서의 업무상 주의의무를 위반하였다고 볼 수 없다.

② 골프경기를 하던 중 골프공을 쳐서 아무도 예상하지 못한 자신의 등 뒤편으로 보내어 등 뒤에 있던 경기보조원(캐디)에게 상해를 입힌 경우에는 과실치상죄가 성립하지 않는다.

③ 담당의사에게서 환자에 대한 앰부 배깅(ambu bagging)과 진정제 투여 업무만을 지시받은 병원 인턴 甲이 환자를 구급차로 이송하던 중 산소 공급 이상을 발견하고 의료인에게 기대되는 적절한 조치를 취하였음에도 환자가 사망한 경우, 일반적으로 구급차 탑승 전 또는 이송도중 구급차에 비치되어 있는 산소통의 산소잔량을 확인할 주의의무는 없으므로 업무상 과실치사죄가 성립하지 않는다.

Answer   13. ②

④ 甲이 운전자의 부탁으로 차량의 조수석에 동승한 후, 운전자의 차량운전행위를 살펴보고 잘못된 점이 있으면 이를 지적하여 교정해 주려 했던 것에 그치고 전문적인 운전교습자가 피교습자에 대하여 차량운행에 관해 모든 지시를 하는 경우와 같이 주도적 지위에서 동 차량을 운행할 의도가 있었다거나 실제로 그같은 운행을 하였다고 보기 어렵다면 그와 같은 운행중에 야기된 사고에 대하여 과실범의 공동정범의 책임을 물을 수 없다.

해설 ① 대판 2010.2.11, 2009도9807
② × : 과실치상죄 ○(대판 2008.10.23, 2008도6940)
③ 대판 2011.9.8, 2009도13959
④ 대판 1984.3.13, 82도3136

14 과실범에 관한 설명 중 가장 옳지 않은 것은?(다툼이 있는 경우 판례에 의함)　24. 법원행시

① 과실범은 법률에 특별한 규정이 있는 경우에 한하여 처벌되며 형벌법규의 성질상 과실범을 처벌하는 특별규정은 그 명문에 의하여 명백, 명료하여야 한다.

② 군형법 제74조에 규정된 군용물분실죄는 같은 조에서 정한 군용에 공하는 물건을 보관할 책임이 있는 자가 선량한 보관자로서의 주의의무를 게을리하여 그의 의사에 의하지 않고 물건의 소지를 상실하는 소위 과실범을 말한다.

③ 과실범에 있어서의 비난가능성의 지적 요소란 결과발생의 가능성에 대한 인식으로서 인식 있는 과실에는 이와 같은 인식이 있고, 인식 없는 과실에는 이에 대한 인식 자체도 없는 경우인데, 과실책임이 발생하는 것은 전자이고, 후자에 대하여는 그 결과발생을 인식하지 못하였다는 데에 대한 부주의가 있다고 하더라도 과실책임을 물을 수 없다.

④ 행정상의 단속을 주안으로 하는 법규라 하더라도 명문규정이 있거나 해석상 과실범도 벌할 뜻이 명확한 경우를 제외하고는 형법의 원칙에 따라 고의가 있어야만 벌할 수 있다.

⑤ 2인 이상이 서로의 의사연락 아래 과실행위를 하여 범죄되는 결과를 발생하게 하면 과실범의 공동정범이 성립한다.

해설 ① 대판 1983.12.13, 83도2467
② 대판 1999.7.9, 98도1719
③ × : ~ (2줄) 없는 경우이나, 전자에 있어서 책임이 발생함은 물론 후자에 있어서도 그 결과발생을 인식하지 못하였다는 데에 대한 부주의가 있다면 규범적 실재로서의 과실책임이 있다고 할 것이다(대판 1984.2.28, 83도3007).
④ 대판 2010.2.11, 2009도9807 ⑤ 대판 1982.6.8, 82도781

15 과실범에 대한 설명으로 가장 옳지 않은 것은?(다툼이 있는 경우 판례에 의함)　25. 해경경사

① 고속국도를 주행하는 차량의 운전자는 도로 양측에 휴게소가 있는 경우에도 동 도로상에 보행자가 있을 것을 예상하여 감속 등 조치를 할 주의의무가 있다 할 수 없다.

② 과실일수죄는 형법상 처벌규정이 있으나 과실교통방해죄는 형법상 처벌규정이 없다.

Answer　14. ③　15. ②

③ 의사가 설명의무를 위반한 채 의료행위를 하여 피해자에게 상해가 발생하였다고 하더라도, 업무상 과실로 인한 형사책임을 지기 위해서는 피해자의 상해와 의사의 설명의무 위반 내지 승낙취득 과정의 잘못 사이에 상당인과관계가 존재하여야 한다.

④ 의료과오사건에 있어서 의사의 과실 유무를 판단함에는 같은 업무와 직무에 종사하는 일반적 보통인의 주의 정도를 표준으로 하여야 하며, 이때 사고 당시의 일반적인 의학의 수준과 의료환경 및 조건, 의료행위의 특수성 등을 고려하여야 한다.

해설 ① 대판 2000.9.5, 2000도2671
② × : 과실일수죄 ⇨ 처벌규정 ○(제181조), 과실교통방해죄 ⇨ 처벌규정 ○(제189조 제1항)
③ 대판 2015.6.24, 2014도11315
④ 대판 2007.9.20, 2006도294

16 과실에 대한 설명으로 옳은 것은?(다툼이 있는 경우 판례에 의함) 25. 9급 검찰·마약수사·철도경찰

① 행정상의 단속을 주안으로 하는 법규라 하더라도 명문규정이 있거나 해석상 과실범도 벌할 뜻이 명확한 경우를 제외하고는 형법의 원칙에 따라 고의가 있어야 벌할 수 있다.

② 법령에 의하여 도급인에게 수급인의 업무에 관하여 구체적인 관리·감독의무가 부여되거나 도급인이 공사의 시공이나 개별 작업에 관하여 구체적으로 지시·감독하였다는 등의 사정이 없더라도 도급인에게는 수급인의 업무와 관련하여 사고방지에 필요한 안전조치를 할 주의의무가 있다.

③ 개별 법령에서 일일이 그 근거나 내용이 명시되어 있지 않다면, 결과발생에 즈음한 구체적인 상황에서 이와 관련된 제반 사정들을 종합적으로 평가하여 결과발생에 대한 예견 및 회피 가능성을 기준으로 삼더라도 그 결과발생을 방지하여야 할 주의의무를 인정할 수는 없다.

④ 의사가 환자에 대하여 주된 의사의 지위에서 진료하는 경우, 다른 의사에게 그 관련된 협의진료를 의뢰한 경우처럼 서로 대등한 지위에서 각자의 의료영역을 나누어 환자 진료의 일부를 분담하였더라도 진료를 분담받은 다른 의사의 전적인 과실로 환자에게 발생한 결과에 대하여 책임을 인정할 수 있다.

해설 ① ○ : 대판 2010.2.11, 2009도9807
② × : ~ (2줄) 지시·감독하였다는 등의 사정이 있는 경우에는 도급인에게도 수급인의 업무와 관련하여 사고방지에 필요한 안전조치를 할 주의의무가 있다(대판 2009.5.28, 2008도7030).
③ × : 결과발생을 예견할 수 있고 또 그것을 회피할 수 있음에도 불구하고 정상의 주의의무를 태만히 함으로써 결과발생을 야기하였다면 과실범의 죄책을 면할 수 없고, 위와 같은 주의의무는 반드시 개별적인 법령에서 일일이 그 근거나 내용이 명시되어 있어야만 하는 것이 아니며, 결과발생에 즈음한 구체적인 상황에서 이와 관련된 제반 사정들을 종합적으로 평가하여 결과발생에 대한 예견 및 회피 가능성을 기준으로 삼아 그 결과발생을 방지하여야 할 주의의무를 인정할 수 있는 것이다(대판 2009.4.23, 2008도11921).
④ × : ~ (3줄) 일부를 분담하였다면, 진료를 분담받은 다른 의사의 전적인 과실로 환자에게 발생한 결과에 대하여 책임을 인정할 수 없다(대판 2022.12.1, 2022도1499).

Answer 16. ①

17 고의와 과실에 대한 설명으로 가장 적절하지 않은 것은?(다툼이 있는 경우 판례에 의함)

① 채권자 A가 채무자 甲의 신용상태를 인식하고 있어 장래의 변제지체 또는 변제불능에 대한 위험을 예상하고 있거나 예상할 수 있었다면, 甲이 구체적인 변제의사, 변제능력, 거래조건 등 거래 여부를 결정지을 수 있는 중요한 사항을 허위로 말하였다는 등의 사정이 없는 한, 그 후 제대로 변제하지 못했다는 사실만으로 甲에게 사기죄의 고의가 있다고 볼 수 없다.

② 방조범은 정범의 실행을 방조한다는 방조의 고의와 정범의 행위가 구성요건에 해당하는 행위인 점에 대한 정범의 고의가 있어야 하나, 이 경우 정범의 고의는 적어도 정범에 의하여 실현되는 범죄의 구체적 내용을 인식할 것을 필요로 한다.

③ 전기배선이 벽 내부에 매립 설치되어 건물 구조의 일부를 이루고 있다면 그에 관한 관리책임은 일반적으로 소유자에게 있다고 보아야 하나, 그 전기배선을 임차인이 직접 하였으며 그 이상을 미리 알았거나 알 수 있었다는 등의 특별한 사정이 있는 때에는 임차인에게도 그 부분의 하자로 인한 화재를 예방할 주의의무가 인정될 수 있다.

④ 甲은 A와 함께 술을 마시고 중앙선에 서서 도로횡단을 중단한 상황에서 지나가는 차량의 유무를 확인하지 아니하고 고개를 숙인 채 서 있는 A의 팔을 갑자기 잡아끌어 무단횡단을 하다가 지나가던 차량에 A가 충격당하여 사망한 경우, 甲이 술에 취해 있었다 하더라도 甲에게는 A의 안전을 위하여 차량의 통행 여부 및 횡단 가능 여부를 확인하여야 할 주의의무가 인정된다.

[해설] ① 대판 2016.4.28, 2012도14516
② × : ~ 구체적 내용을 인식할 것을 요하는 것은 아니고 미필적 인식 또는 예견으로 족하다(대판 2005.4.29, 2003도6056). ③ 대판 2009.5.28, 2009도1040 ④ 대판 2002.8.23, 2002도2800

18 고의와 과실에 관한 설명으로 옳지 않은 것은?(다툼이 있는 경우 판례에 의함)　　24. 경위공채

① 절도죄에서 타인의 물건을 자기에게 취득할 것이 허용된 동일한 물건으로 오인하고 가져온 경우에는 범죄사실에 대한 인식이 있다고 할 수 없으므로 범죄가 성립하지 않는다.

② 미필적 고의가 있었다고 하려면 결과발생의 가능성에 대한 인식이 있음은 물론 나아가 결과발생을 용인하는 내심의 의사가 있음을 요한다.

③ 주의의무 위반 여부를 판단함에는 행위자 본인의 주의능력을 표준으로 하여 주의의무위반을 결정해야 한다.

④ 허용된 위험이론과 신뢰의 원칙은 과실범에 있어서 주의의무의 범위를 한정하는 원리로 작동하고 있다.

[해설] ① 대판 1983.9.13, 83도1762(∵ 범의가 조각됨.) ② 대판 1987.2.10, 86도2338
③ × : 주의의무 위반 여부를 판단함에는 같은 업무와 직무에 종사하는 일반적 보통인(행위자 본인 ×)의 주의능력을 표준으로 하여 주의의무위반을 결정해야 한다(대판 2007.9.20, 2006도294 ∵ 판례·통설 ⇨ 주관설(행위자표준설) ×, 객관설(평균인표준설) ○). ④ 옳다.

제7절 결과적 가중범

관련조문

제15조 제2항 결과 때문에 형이 무거워지는 죄의 경우에 그 결과의 발생을 예견할 수 없었을 때에는 무거운 죄로 벌하지 아니한다. 17. 순경 2차

THEMA 22 '진정결과적 가중범과 부진정결과적 가중범' 총정리

1. **진정결과적 가중범**(고의+과실) : 진정결과적 가중범이란 고의에 의한 기본범죄에 의하여 과실로 중한 결과를 발생하게 한 경우로 대부분의 결과적 가중범이 이에 해당한다.
   - ⑩ 상해치사죄, 폭행치사죄, 낙태치사상죄, 유기치사상죄, 체포감금치사상죄, 강도치사상죄, 강간치사상죄 등

2. **부진정결과적 가중범**(고의+과실·고의) : 부진정결과적 가중범이란 고의에 의한 기본범죄에 의하여 중한 결과가 과실은 물론 고의에 의하여도 발생할 수 있는 것을 말하며 처벌의 균형상 이를 인정하는 것이 다수설과 판례의 입장이다. 19·20. 순경 1차, 21. 변호사시험, 24. 경찰승진
   - ⑩ ① 부진정결과적 가중범 ○ ⇨ 현주건조물방화치사상죄, 현주건조물일수치사상죄, 특수공무집행방해치상죄, 13. 7급 검찰, 16. 변호사시험·순경 2차, 21. 경찰승진·해경승진 교통방해치상죄, 음용수혼독치상죄, 중상해죄, 중손괴죄, 중권리행사방해죄, 중유기죄
     ② 부진정결과적 가중범 × ⇨ 강도(강간·인질)치사상죄〔∵ 강도범(강간범·인질범)이 상해나 살인의 고의가 있으면 강도(강간·인질)상해죄, 강도(강간·인질)살인죄가 성립함〕, 중체포·감금죄(∵ 체포·감금행위와 가혹행위가 결합된 결합범) 16. 변호사시험, 19. 경찰간부

3. **부진정결과적 가중범의 죄수** : 부진정결과적 가중범에서 고의로 중한 결과를 발생하게 한 행위가 별도의 구성요건에 해당하고 그 고의범의 법정형이 결과적 가중범의 법정형보다 더 무거운 경우에는 고의범과 결과적 가중범이 상상적 경합관계(실체적 경합관계 ×)에 있지만, 고의범의 법정형이 더 무겁지 않은 경우에는 결과적 가중범이 고의범에 대하여 특별관계에 있으므로 결과적 가중범만 성립한다(대판 2008.11.27, 2008도7311). 22. 법원직·경력채용·7급 검찰, 23. 경찰간부, 24. 경찰승진·법원행시·순경 2차, 25. 9급 검찰·마약수사·철도경찰·해경경사

⚖️ **관련판례**

1. 사람을 살해할 목적으로 현주건조물에 방화하여 사망에 이르게 한 경우 ⇨ 현주건조물방화치사죄(대판 1996.4.26, 96도485) 17. 9급 철도경찰, 18. 법원행시, 19. 순경 1차·2차, 23. 해경승진·7급 검찰

2. 존속을 살해할 목적으로 현주건조물에 방화하여 사망에 이르게 한 경우 ⇨ 존속살해죄와 현주건조물방화치사죄의 상상적 경합(대판 1996.4.26, 96도485) 20. 순경 1차, 23. 7급 검찰, 24. 해경간부

3. 재물을 강취한 후 살해할 목적으로 현주건조물에 방화하여 사망하게 한 경우 ⇨ 강도살인죄와 현주건조물방화치사죄의 상상적 경합(대판 1998.12.8, 98도3416) 16. 9급 철도경찰, 18. 변호사시험·순경 1차, 21. 경찰간부·해경승진, 22. 해경간부, 24. 순경 2차·7급 검찰, 25. 경찰승진

4. 직무를 집행하는 공무원에 대하여 위험한 물건을 휴대하여 고의로 상해를 가한 경우에는 특수공무집행방해치상죄만이 성립하고, 이와 별도로 특수상해죄는 성립하지 않는다(대판 2008.11.27, 2008도7311 ∵ 특수공무집행방해치상죄는 부진정결과적 가중범임). 14. 9급 검찰·마약수사, 21. 경찰승진, 22. 법원직, 24. 변호사시험·법원행시·순경 2차

5. 현주건조물에 방화하여 기수에 이른 후, 이 건조물에서 빠져나오려는 자를 가로막아 불에 타서 숨지게 한 경우 ⇨ 현주건조물방화죄와 살인죄의 실체적 경합범(대판 1983.1.18, 82도2341), 부진정결과적 가중범(현주건조물방화치사죄) 성립 × 13. 9급 검찰·철도경찰, 18. 순경 1차, 22. 경력채용

6. 교통사고 등의 발생 없이 운행 중인 자동차의 운전자를 폭행하거나 협박하여 운전자나 승객 또는 보행자 등을 상해나 사망에 이르게 하였다면 이로써 특정범죄가중법 제5조의 10 제2항의 구성요건을 충족한다(대판 2015.3.26, 2014도13345 ∵ 특가법 제5조의 10 제2항의 죄는 추상적 위험범이자 결과적 가중범임. 📵 신호대기를 위하여 정차 중인 대리운전기사의 얼굴을 2회 때리고 목을 졸라 14일간의 치료가 필요한 기타 유리체 장애 등의 상해를 가한 경우 ⇨ 특가법 제5조의 10 제2항의 폭행치상죄 ○). 16. 변호사시험, 22. 경찰간부

---

01 **결과적 가중범에 대한 설명으로 옳지 않은 것은?**(다툼이 있는 경우 판례에 의함)

16. 9급 철도경찰, 24. 해경경위

① 피해자의 재물을 강취한 후, 그를 살해할 목적으로 현주건조물에 방화하여 사망에 이르게 한 경우 강도살인죄와 현주건조물 방화치사죄의 상상적 경합이 된다.

② 결과적 가중범은 행위자가 행위시에 그 결과의 발생을 예견할 수 없을 때에는 비록 그 행위와 결과 사이에 인과관계가 있다 하더라도 중한 죄로 벌할 수 없다.

③ 과실에 의하여 동일한 결과가 야기된 경우보다도 결과적 가중범을 가중하는 이유는, 고의의 기본범죄 안에 내재되어 있는 전형적인 잠재적 위험이 실현되어 과실범보다 결과반가치가 크기 때문이다.

④ 피고인과 피해자가 여관에 투숙하여 별다른 저항이나 마찰 없이 성관계를 가진 후 피고인이 잠시 나간 사이에 피해자가 방문을 잠그고 구조요청을 한 후라면 피고인의 방문 흔드는 소리에 겁을 먹고 탈출하다가 상해를 입을 것이라고 예견할 수 없다.

해설 ① 대판 1998.12.8, 98도3416

② 대판 1988.4.12, 88도178

③ × : ~ 과실범보다 행위반가치(결과반가치 ×)가 크기 때문이다.

④ 대판 1985.10.8, 85도1537

Answer 1.③

02 다음 설명 중 옳지 않은 것은 모두 몇 개인가?(다툼이 있는 경우 판례에 의함)

18. 법원행시, 23. 해경승진

> ㉠ 공장에서 동료 사이에 말다툼을 하던 중 피고인의 삿대질을 피하려고 뒷걸음치던 피해자가 장애물인 철받침대에 걸려 넘어져 두개골절로 사망하였다면, 폭행치사죄가 성립하지 않는다.
>
> ㉡ 상해를 교사하였는데 피교사자가 이를 넘어 살인을 실행한 경우, 교사자에게 피해자의 사망이라는 결과에 대하여 과실 내지 예견가능성이 있는 때에는 상해치사죄의 교사범이 성립한다.
>
> ㉢ 친구를 살해할 의도로 친구가 살고 있는 집을 방화하여 그를 사망하게 하였다면, 현주건조물 방화치사죄와 살인죄가 성립하고 상상적 경합관계에 있다.
>
> ㉣ 상해 후 피해자가 졸도하자 죽은 것으로 오인하고 자살로 위장하기 위해서 베란다 아래로 떨어뜨림으로써 사망의 결과를 발생하게 한 경우 상해죄와 과실치사죄의 경합범이 성립한다.
>
> ㉤ 배우자가 경영하는 미장원에 고용된 부녀에게 성교 요구에 불응하면 해고한다고 위협하여 간음하고 이로 인하여 피해자의 처녀막이 파열되었다면, 업무상 위력에 의한 간음치상죄가 성립한다.
>
> ㉥ 피고인들이 피해자들의 재물을 강취한 후 그들을 살해할 목적으로 현주건조물에 방화하여 사망에 이르게 한 경우, 피고인들의 행위는 강도살인죄와 현주건조물방화치사죄에 모두 해당하고 그 두 죄는 실체적 경합범 관계에 있다.

① 0개   ② 1개   ③ 2개   ④ 3개   ⑤ 4개

해설 ㉠ ○ : 대판 1990.9.25, 90도1596
㉡ ○ : 1993.10.8, 93도1873
㉢ × : 현주건조물방화치사죄 ○, 살인죄 ×(대판 1996.4.26, 96도485)
㉣ × : 포괄하여 상해치사죄 ○(대판 1994.11.4, 94도2361)
㉤ × : 업무상 위력에 의한 간음치상죄 처벌규정 ×
㉥ × : ~ 상상적(실체적 ×) 경합범 관계에 있다(대판 1998.12.8, 98도3416).

03 결과적 가중범에 대한 설명으로 가장 옳은 것은?(다툼이 있는 경우 판례에 의함)

19. 경찰간부, 23. 해경승진

① 중체포·감금죄는 사람을 체포·감금하여 생명에 위험을 야기한 경우 성립하는 결과적 가중범이다.

② 기본범죄를 통하여 고의로 중한 결과를 발생하게 한 경우에 가중 처벌하는 부진정결과적 가중범에서, 고의로 중한 결과를 발생하게 한 행위가 별도의 구성요건에 해당하고 그 고의범에 대하여 결과적 가중범에 정한 형보다 더 무겁게 처벌하는 규정이 있는 경우에는 그 고의범과 결과적 가중범이 실체적 경합관계에 있다.

③ 형법 제15조 제2항 결과적 가중범은 기본범죄와 중한 결과 사이의 인과관계에 대해서만 규정하고 있을 뿐, 예견가능성을 명시적으로 요구하고 있지는 않다.

④ 해상강도치사상죄, 현주건조물일수치사상죄, 강도치사상죄, 인질치사상죄 모두 형법상 미수범 처벌규정이 있다.

Answer   2.⑤   3.④

해설 ① × : 중체포·감금죄는 부진정결과적 가중범 ×(∵ 체포·감금행위와 가혹행위가 결합된 결합범)
② × : 상상적 경합관계 ○, 실체적 경합관계 ×(대판 2008.11.27, 2008도7311)
③ × : 인과관계 ⇨ 명시적 규정 ×, 예견가능성 ⇨ 명시적 규정 ○(제15조 제2항)
④ ○ : 옳다(제342조, 제182조, 제324조의 5).

04 결과적 가중범에 관한 설명 중 옳은 것은?(다툼이 있는 경우 판례에 의함)　　19. 순경 1차

① 친구를 살해할 의도로 그 친구가 살고 있는 집을 방화하여 그를 사망에 이르게 한 경우, 현주건조물방화치사죄만 성립한다.
② 부진정 결과적 가중범은 중한 결과를 야기한 기본범죄가 고의범인 경우뿐만 아니라 과실범인 경우에도 인정되는 개념이다.
③ 기본범죄와 중한 결과 사이에 인과관계가 인정된다면, 중한 결과에 대한 예견가능성이 없는 경우라도 결과적 가중범으로 처벌할 수 있다.
④ 형법 제177조 제2항의 현주건조물일수치사죄의 법정형은 사형, 무기 또는 7년 이상의 징역이다.

해설 ① ○ : 대판 1996.4.26, 96도485
② × : 기본범죄가 과실범인 경우에는 결과적 가중범이 인정되지 않는다. 부진정결과적 가중범은 고의에 의한 기본범죄에 대하여 중한 결과가 과실은 물론 고의에 의하여도 발생할 수 있는 것을 말한다.
③ × : 결과적 가중범은 행위자가 행위시에 그 결과의 발생을 예견할 수 없을 때에는 비록 그 행위와 결과 사이에 인과관계가 있다 하더라도 중한 죄로 벌할 수 없다(대판 1988.4.12, 88도178).
④ × : ~ 무기 또는 7년 이상의 징역이다(법정형으로 사형이 규정된 결과적 가중범은 현주건조물방화치사죄와 해상강도치사죄뿐이다).

05 결과적 가중범에 대한 설명 중 가장 적절한 것은?(다툼이 있는 경우 판례에 의함)　　20. 경찰승진

① 결과적 가중범에 있어서 기본범죄는 고의·과실, 기수·미수를 불문한다.
② 진정결과적 가중범이란 고의에 의한 기본범죄에 의하여 중한 결과가 과실뿐만 아니라 고의에 의하여도 발생할 수 있는 것을 말한다.
③ 부진정결과적 가중범에서 고의로 중한 결과를 발생하게 한 행위가 별도의 구성요건에 해당하고 그 고의범에 대하여 결과적 가중범에 정한 형보다 더 무겁게 처벌하는 규정이 없는 경우에는 그 고의범과 결과적 가중범이 상상적 경합관계에 있다.
④ 여러 사람이 상해의 범의로 범행 중 한 사람이 중한 상해를 가하여 피해자가 사망에 이르게 된 경우 나머지 사람들은 사망의 결과를 예견할 수 없는 때가 아닌 한 상해치사의 죄책을 면할 수 없다.

해설 ① × : ~ 기본범죄는 고의(과실 ×)이어야 하며, 기수·미수를 불문한다.
② × : 부진정결과적 가중범(진정결과적 가중범 ×)이란 고의에 의한 기본범죄에 의하여 중한 결과가 과실뿐만 아니라 고의에 의하여도 발생할 수 있는 것을 말한다.
③ × : ~ 경우에는 결과적 가중범만 성립한다(대판 2008.11.27, 2008도7311).
④ ○ : 대판 2000.5.12, 2000도745

06 결과적 가중범에 대한 설명 중 가장 옳은 것은?(다툼이 있는 경우 판례에 의함) 　20. 경찰간부

① 결과적 가중범은 행위자가 행위시에 중한 결과의 발생을 예견할 수 없을 때에도 그 행위와 중한 결과 사이에 상당인과관계가 인정되면 중한 죄로 벌하여야 한다.

② 부진정결과적 가중범에서 고의로 중한 결과를 발생하게 한 행위를 더 무겁게 처벌하는 규정이 없는 경우에는 결과적 가중범이 고의범에 대하여 특별관계에 있으므로 그 고의범과 결과적 가중범은 상상적 경합관계에 있다.

③ 피교사자가 교사의 범위를 초과하여 중한 결과를 실현한 경우 교사자가 그 결과를 예상할 수 있는 경우에도 교사자는 자신이 교사한 기본범죄에 대해서만 교사범으로서 책임을 진다.

④ 교통방해치사상죄에 있어서 교통방해 행위와 결과 사이에 피해자나 제3자의 과실 등 다른 사실이 개재된 때에도 그와 같은 사실이 통상 예견할 수 있는 것이라면 상당인과관계를 인정할 수 있다.

[해설] ① × : 결과적 가중범은 행위자가 행위시에 그 결과의 발생을 예견할 수 없을 때에는 비록 그 행위와 결과 사이에 인과관계가 있다 하더라도 중한 죄로 벌할 수 없다(대판 1988.4.12, 88도178).
② × : ~ 있으므로 결과적 가중범만 성립한다(대판 2008.11.27, 2008도7311).
③ × : 결과적 가중범의 교사범 ○, 기본범죄의 교사범 ×(대판 1993.10.8, 93도1873)
④ ○ : 대판 2014.7.24, 2014도6206

07 다음 설명 중 옳은 것을 모두 고른 것은?(다툼이 있는 경우 판례에 의함) 　21. 변호사시험

> ㉠ 선행 교통사고와 후행 교통사고 중 어느 쪽이 원인이 되어 피해자가 사망에 이르게 되었는지 밝혀지지 않은 경우, 후행 교통사고를 일으킨 사람의 과실과 피해자의 사망 사이에 인과관계가 인정되기 위해서는 후행 교통사고를 일으킨 사람이 주의의무를 게을리하지 않았다면 피해자가 사망에 이르지 않았을 것이라는 사실이 증명되어야 한다.
> ㉡ 결과적 가중범의 미수범 규정이 있는 경우, 기본범죄가 미수에 그친 때에는 결과적 가중범의 미수범이 성립된다.
> ㉢ 결과적 가중범의 공동정범이 성립하기 위해서는 고의의 기본범죄를 공동으로 할 의사와 함께 과실에 의한 중한 결과를 공동으로 할 의사가 필요하다.
> ㉣ 절도를 교사하였는데 피교사자가 강간을 실행한 경우, 교사자에게 피교사자의 강간행위에 대한 예견가능성이 있는 때에는 강간죄의 교사범으로서의 죄책을 지울 수 있다.
> ㉤ 부진정결과적 가중범은 기본범죄가 고의범인 경우에는 물론이고 과실범인 경우에도 인정되는 개념이다.

① ㉠　　　　　　② ㉠, ㉡　　　　　　③ ㉠, ㉤
④ ㉢, ㉣, ㉤　　　　⑤ ㉡, ㉢, ㉣, ㉤

[해설] ㉠ ○ : 대판 2014.7.24, 2014도6206
㉡ × : 기본범죄가 미수에 그쳤더라도 중한 결과가 발생하면 결과적 가중범의 기수범이 성립된다(대판 1988.11.8, 88도1628).

Answer　6.④　7.①

02

ⓒ × : 기본행위를 공동으로 할 의사만 있고 결과를 공동으로 할 의사가 없더라도 중한 결과에 대한 예견가능성이 있다면 결과적 가중범의 공동정범이 인정된다(대판 2000.5.12, 2000도745).

ⓓ × : 교사의 착오 중 질적 초과 ⇨ 교사자에게는 강간죄에 대한 교사 책임이 없고, 단지 제31조 제2항에 의한 교사한 범죄(절도죄)의 예비·음모에 준하여 처벌될 수 있으나 절도죄의 예비·음모 처벌규정이 없으므로 불가벌이 된다.

ⓔ × : 기본범죄가 과실범인 경우에는 결과적 가중범이 인정되지 않는다. 부진정결과적 가중범은 고의에 의한 기본범죄에 대하여 중한 결과가 과실은 물론 고의에 의하여도 발생할 수 있는 것을 말한다.

08 다음 설명 중 옳은 것을 모두 고른 것은?(다툼이 있는 경우 판례에 의함)

22. 변호사시험, 24. 해경간부

> ㉠ 특수강간이 미수에 그쳤다 하더라도 그로 인하여 피해자가 상해를 입었다면 성폭력범죄의 처벌 등에 관한 특례법에 의한 특수강간치상죄의 기수가 성립한다.
>
> ㉡ 강도가 재물강취의 뜻을 재물의 부재로 이루지 못한 채 미수에 그쳤으나 그 자리에서 항거불능의 상태에 빠진 피해자를 간음할 것을 결의하고 실행에 착수했으나 역시 미수에 그쳤더라도 반항을 억압하기 위한 폭행으로 피해자에게 상해를 입힌 경우에는 강도강간미수죄와 강도치상죄의 실체적 경합범이 성립한다.
>
> ㉢ 재물을 강취한 후 피해자를 살해할 목적으로 현주건조물에 방화하여 사망에 이르게 한 경우, 강도살인죄와 현주건조물방화치사죄에 해당하고 그 두 죄는 상상적 경합관계에 있다.
>
> ㉣ 수뢰 후 부정처사죄는 반드시 뇌물수수 등의 행위가 완료된 이후에 부정한 행위가 이루어져야 함을 의미하는 것은 아니고, 결합범 또는 결과적 가중범 등에서의 기본행위와 마찬가지로 뇌물수수 등의 행위를 하는 중에 부정한 행위를 한 경우도 포함한다.

① ㉠, ㉡　　　　② ㉡, ㉢　　　　③ ㉢, ㉣

④ ㉠, ㉢, ㉣　　　⑤ ㉡, ㉢, ㉣

해설 ㉠ ○ : 대판 2008.4.24, 2007도10058
㉡ × : ~ 상상적 경합범(실제석 경합범 ×)이 성립한다(대판 1988.6.28, 88도820).
㉢ ○ : 대판 1998.12.8, 98도3416
㉣ ○ : 대판 2021.2.4, 2020도12103

09 결과적 가중범에 대한 설명으로 옳지 않은 것은?(다툼이 있는 경우 판례에 의함)

22. 7급 검찰, 23. 해경 3차

① 부진정 결과적 가중범에서 고의로 중한 결과를 발생하게 한 행위가 별도의 구성요건에 해당하고 그 고의범에 대하여 결과적 가중범에 정한 형보다 더 무겁게 처벌하는 규정이 있는 경우, 그 고의범과 결과적 가중범은 실체적 경합관계에 있다.

② 강간치상죄에서 상해의 결과는 강간에 수반하는 행위에서 발생한 경우도 포함하는데, 강간이 미수에 그친 경우라도 그로 인하여 피해자가 상해를 입고 그 결과의 발생을 예견할 수 있었다면 강간치상죄가 성립한다.

③ 甲이 주먹으로 A의 얼굴과 가슴을 수없이 때리고 머리채를 휘어잡아 벽에 여러 차례 부딪치게 함으로써 A가 이틀 후 두개골 결손, 뇌 경막하출혈 등으로 사망한 경우, 甲에게 사망의 결과에 대한 예견가능성이 인정된다.

④ 甲의 폭행이 A를 떠밀어 땅에 엉덩방아를 찧고 주저앉게 한 정도에 지나지 않았고 A는 외관상 건강하여 전혀 병약한 흔적이 없던 자인데, 실은 관상동맥 경화 및 협착증세를 가진 특수체질자였던 탓에 그러한 정도의 폭행에 의한 충격에도 심장마비를 일으켜 사망하게 된 경우, 甲에게 사망의 결과에 대한 예견가능성이 있었다고 보기는 어렵다.

[해설] ① × : ~ (3줄) 결과적 가중범은 상상적 경합관계(실체적 경합관계 ×)에 있다(대판 2008.11.27, 2008도7311).
② 대판 2003.5.30, 2003도1256
③ 대판 1984.12.11, 84도2183
④ 대판 1985.4.3, 85도303(∵ 폭행치사죄 ×)

10 **결과적 가중범에 대한 설명 중 가장 적절하지 않은 것은?**(다툼이 있는 경우 판례에 의함)

23. 경찰승진

① 강간을 당한 피해자가 강간을 당함으로 인하여 생긴 수치심과 장래에 대한 절망감으로 자살한 경우 강간치사죄가 성립한다.

② 결과적 가중범인 상해치사죄의 공동정범은 폭행 기타의 신체 침해행위를 공동으로 할 의사가 있으면 성립되고 결과를 공동으로 할 의사는 필요 없다.

③ 상해행위로 인하여 피해자가 정신을 잃고 빈사상태에 빠지자 사망한 것으로 오인하고 이를 은폐하여 자살로 가장하기 위해 베란다 밑 바닥으로 떨어뜨려 사망케 한 경우 상해치사죄가 성립한다.

④ 4일 가량 물조차 제대로 마시지 못하고 잠도 자지 아니하여 거의 탈진 상태에 이른 피해자의 손과 발을 17시간 이상 묶어 두고 좁은 차량 속에서 움직이지 못하게 감금하였는데, 묶인 부위의 혈액순환에 장애가 발생하여 혈전이 형성되고 그 혈전이 폐동맥을 막아 사망에 이르게 된 경우 감금치사죄가 성립한다.

[해설] ① × : 강간치사죄 ×(대판 1982.11.23, 82도1446 ∵ 인과관계 ×)
② 대판 2000.5.12, 2000도745
③ 대판 1994.11.4, 94도2361
④ 대판 2002.10.11, 2002도4315

11 결과적 가중범에 관한 설명 중 옳은 것을 모두 고른 것은?(다툼이 있는 경우 판례에 의함)

> ㉠ 사람이 현존하는 건조물을 방화하는 집단행위의 과정에서 일부 집단원이 고의행위로 상해를 가한 경우에도 다른 집단원에게 그 상해의 결과가 예견가능한 것이었다면, 다른 집단원도 그 결과에 대하여 현존건조물방화치상죄의 책임을 진다.
> ㉡ 결과적 가중범의 공동정범은 기본행위를 공동으로 할 의사가 있으면 성립하고 결과를 공동으로 할 의사는 필요 없다.
> ㉢ 부진정 결과적 가중범에 있어서, 고의로 중한 결과를 발생하게 한 행위가 별도의 구성요건에 해당하고 그 고의범에 대하여 결과적 가중범에 정한 형보다 더 무겁게 처벌하는 규정이 있는 경우에는 그 고의범과 결과적 가중범은 상상적 경합 관계에 있다.
> ㉣ 교사자가 피교사자에 대하여 중상해를 교사하였는데 피교사자가 이를 넘어 살인을 실행한 경우, 교사자에게 피해자의 사망이라는 결과에 대하여 예견가능성이 있는 때에는 상해치사죄의 교사범으로서의 죄책을 지울 수 있다.
> ㉤ 적법하게 직무를 집행하는 공무원에 대하여 위험한 물건을 휴대하여 고의로 상해를 가한 경우에는 특수공무집행방해치상죄가 성립한다.

① ㉠, ㉡, ㉢   ② ㉠, ㉡, ㉣, ㉤   ③ ㉠, ㉢, ㉣, ㉤
④ ㉡, ㉢, ㉣, ㉤   ⑤ ㉠, ㉡, ㉢, ㉣, ㉤

해설 ㉠ ○ : 대판 1996.4.12, 96도215
㉡ ○ : 대판 2000.5.12, 2000도745
㉢ ○ : 대판 2008.11.27, 2008도7311
㉣ ○ : 대판 1993.10.8, 93도1873
㉤ ○ : 대판 2008.11.27, 2008도7311

12 甲의 죄책에 대한 설명으로 옳은 것은?(다툼이 있는 경우 판례에 의함) 23. 7급 검찰, 24. 해경간부

> 甲은 방화의 고의로 A가 주거로 사용하는 집에 불을 놓았고, 이로 인해 A가 사망하였다.

① A가 사망하였더라도 甲의 방화가 미수에 그쳤다면, 甲은 현주건조물방화치사죄 미수범의 죄책을 진다.

② 甲이 A에 대한 살인의 고의로 방화한 것이라면 甲에게는 현주건조물방화치사죄 외에 고의범인 살인죄가 별도로 성립하고 양죄는 상상적 경합관계에 있다.

③ 만약 甲이 A를 살해할 고의로 방화를 하였으나 A가 사망하지 않았다면, 甲에게는 현주건조물방화치사죄의 미수범이 성립한다.

④ 만약 A가 甲의 부친(父親)이고 그 사망에 대해 甲에게 고의가 인정된다면, 甲에게는 현주건조물방화치사죄와 존속살해죄가 성립하고 양죄는 상상적 경합관계에 있다.

해설 ① × : 기본범죄(현주건조물방화죄)가 미수에 그쳤더라도 중한 결과(사망)가 발생한 경우, 결과적 가중범의 미수는 인정할 수 없다〔다수설·판례 ∴ 현주건조물방화치사죄(기수범) ○, 현주건조물방화죄의 미수범 ×〕.
② × : 현주건조물방화치사죄 ○, 살인죄 ×(대판 1996.4.26, 96도485).
③ × : 부진정결과적 가중범(현주건조물방화치사죄)에 있어서 중한 결과에 대한 고의(살해 고의)가 있었으나 중한 결과(사망)가 발생하지 않은 경우, 결과적 가중범의 미수가 성립할 수 없다(∵ 형법상 현주건조물방화치사죄의 미수범 처벌규정 × ∴ 현주건조물방화죄와 살인미수의 상상적 경합).
④ ○ : 대판 1996.4.26, 96도485

13 결과적 가중범에 관한 설명으로 옳은 것은 모두 몇 개인가?(다툼이 있는 경우 판례에 의함)

24. 경찰승진

> ㉠ 기본범죄를 통하여 고의로 중한 결과를 발생하게 한 경우에 가중 처벌하는 부진정결과적 가중범에서, 고의범에 대하여 더 무겁게 처벌하는 규정이 없는 경우에는 결과적 가중범이 고의범에 대하여 특별관계에 있으므로 결과적 가중범만 성립하고 이와 실체적 경합의 관계에 있는 고의범에 대하여는 별도로 죄를 구성하지 않는다.
> ㉡ 결과적 가중범은 중한 결과가 발생하여야 성립되는 범죄이므로 형법에는 결과적 가중범의 미수를 처벌하는 규정을 두고 있지 않다.
> ㉢ 甲의 구타행위로 상해를 입은 피해자가 정신을 잃고 빈사 상태에 빠지자 사망한 것으로 오인하고, 자신의 행위를 은폐하고 피해자가 자살한 것처럼 가장하기 위하여 피해자를 베란다 아래의 바닥으로 떨어뜨려 사망케 하였다면, 甲의 행위는 포괄하여 단일의 상해치사죄에 해당한다.
> ㉣ 형법상 부진정결과적 가중범은 중한 결과를 야기한 기본 범죄가 고의범인 경우에만 인정되고 과실범의 경우에는 인정되지 않는 개념이다.
> ㉤ 결과적 가중범이 성립하려면 행위와 결과 사이에 상당인과관계가 있어야 하고 행위시에 결과의 발생을 예견할 수 있어야 하는데, 그러한 예견가능성은 행위자를 기준으로 판단되어야 하며 일반인을 기준으로 객관적으로 판단해야 하는 것은 아니다.

① 1개　　　　② 2개　　　　③ 3개　　　　④ 4개

해설 ㉠ × : ~ (3줄) 이와 상상적 경합(실체적 경합 ×)의 관계에 있는 고의범에 대하여는 별도로 죄를 구성하지 않는다(대판 2008.11.27, 2008도7311).
㉡ × : 해상강도치사상죄, 현주건조물일수치사상죄, 강도치사상죄, 인질치사상죄 모두 형법상 미수범 처벌규정이 있다(제342조, 제182조, 제324조의 5).
㉢ ○ : 대판 1994.11.4, 94도2361
㉣ ○ : 옳다.
㉤ × : ~ (3줄) 일반인을 기준으로 객관적으로 판단되어야 하며 행위자를 기준으로 판단해야 하는 것은 아니다(대판 2014.7.24, 2014도6206).

14 **결과적 가중범에 대한 설명으로 옳지 않은 것은?**(다툼이 있는 경우 판례에 의함)　24. 7급 검찰

① 甲이 피해자들의 재물을 강취하고 그들을 살해할 목적으로 현주건조물에 방화하여 피해자들을 사망에 이르게 한 경우, 甲의 행위는 강도살인죄와 현주건조물방화치사죄에 모두 해당하고 그 두 죄는 상상적 경합범관계에 있다.

② 甲이 피해자를 폭행하여 비골 골절 등의 상해를 가한 다음 새로이 추행의 범의를 일으켜 피해자를 강제추행한 경우, 甲의 위 폭행은 강제추행의 수단으로서의 폭행으로 볼 수 있고 이로 인하여 피해자가 상해를 입은 결과에 대하여는 결과적 가중범인 강제추행치상죄가 성립한다.

③ 甲이 피해자를 강간한 후 의식불명 상태에 빠진 피해자를 비닐창고로 옮겨 놓아 피해자가 저체온증으로 사망한 경우, 강간치사상죄의 사상의 결과는 간음행위 자체나 강간에 수반하는 행위에서 발생한 경우도 포함되므로 甲에게는 강간치사죄가 인정된다.

④ 강도합동범 중 1인인 甲이 공범 乙과 공모한 대로 과도를 들고 강도를 하기 위하여 피해자의 거소에 들어가 피해자를 향하여 칼을 휘두른 경우, 대문 밖에서 망을 본 공범 乙은 구체적으로 상해를 가할 것까지 공모하지 않았다 하더라도 그 상해의 결과에 대하여 공범으로서의 책임을 면할 수 없다.

해설 ① 대판 1998.12.8, 98도3416
② × : ~ (2줄) 수단으로서의 폭행으로 볼 수 없어 이로 인하여 피해자가 상해를 입은 결과에 대하여는 결과적 가중범인 강제추행치상죄가 성립하지 않는다(대판 2009.7.23, 2009도1934 ∵ 상해와 강제추행 사이에 인과관계 ×). ③ 대판 2008.2.29, 2007도10120 ④ 대판 1998.4.14, 98도356

15 **결과적 가중범에 관한 설명으로 가장 적절하지 않은 것은?**(다툼이 있는 경우 판례에 의함)
24. 순경 2차

① 부진정결과적 가중범에서 고의로 중한 결과를 발생하게 한 행위가 별도의 구성요건에 해당하고 그 고의범에 대하여 결과적 가중범에 정한 형보다 더 무겁게 처벌하는 규정이 없는 경우에는 그 고의범과 결과적 가중범이 상상적 경합관계에 있다.

② 재물을 강취한 후 피해자를 살해할 목적으로 현주건조물에 방화하여 사망에 이르게 한 경우, 강도살인죄와 현주건조물방화치사죄는 상상적 경합관계에 있다.

③ 결과적 가중범은 그 중한 결과가 고의적인 기본범죄에 전형적으로 내포된 잠재적인 위험의 실현이라는 점에서 일반의 과실범의 결과 야기보다 행위반가치가 크다.

④ 적법하게 직무를 집행하는 공무원에 대하여 위험한 물건을 휴대하여 고의로 상해를 가한 경우에 특수공무집행방해치상죄만 성립할 뿐 이와 별도로 특수상해죄를 구성하지 않는다.

해설 ① × : ~ (3줄) 없는 경우에는 결과적 가중범이 고의범에 대하여 특별관계에 있으므로 결과적 가중범만 성립한다(대판 2008.11.27, 2008도7311).
② 대판 1998.12.8, 98도3416 ③ 옳다. ④ 대판 2008.11.27, 2008도7311

Answer　**14.② 15.①**

16 과실범과 결과적 가중범에 관한 설명 중 옳은 것은 모두 몇 개인가?(다툼이 있는 경우 판례에 의함)

24. 변호사시험

> ㉠ 형법상 특수공무집행방해치상죄는 중한 결과에 대한 예견가능성이 있었음에도 불구하고 예견하지 못한 경우뿐만 아니라 고의가 있는 경우까지도 포함하는 부진정결과적 가중범이다.
>
> ㉡ 과실범에 있어서의 인식 없는 과실은 결과발생의 가능성에 대한 인식 자체도 없는 경우로 그 결과발생을 인식하지 못하였다는 데에 대한 부주의, 즉 규범적 실재로서의 과실 책임이 있다고 할 것이다.
>
> ㉢ 건설회사가 건설공사 중 타워크레인의 설치작업을 전문업자에게 도급을 주어 타워크레인 설치작업을 하던 중 발생한 사고에 대하여, 건설회사의 현장대리인 甲에게 타워크레인의 설치작업을 관리하고 통제할 실질적인 지휘·감독 권한이 없었다면 업무상 주의의무를 위반한 과실이 있다고 볼 수 없다.
>
> ㉣ 甲이 A에 대한 살인의 고의로 A가 자고 있는 집에 불을 놓아 불이 A의 집 안방 천장까지 붙었으나 A가 잠에서 깨어 집 밖으로 빠져나오는 바람에 살인의 목적을 달성하지 못하였다면, 甲은 현주건조물방화치사죄의 미수범으로 처벌된다.
>
> ㉤ 상해를 교사하였는데 피교사자가 이를 넘어 살인을 실행한 경우 교사자는 상해죄에 대한 교사범이 되는 것이고, 다만 이 경우 교사자에게 피해자의 사망이라는 결과에 대하여 과실 내지 예견가능성이 있는 때에는 상해죄의 교사범과 과실치사죄의 상상적 경합범이 된다.
>
> ㉥ 실화죄에 있어서 공동의 과실이 경합되어 화재가 발생한 경우 적어도 각 과실이 화재의 발생에 대하여 하나의 조건이 되었다면 그 공동적 원인을 제공한 사람들은 각자 실화죄의 책임을 진다.

① 1개   ② 2개   ③ 3개   ④ 4개   ⑤ 5개

해설 ㉠ ○ : 대판 2008.11.27, 2008도7311
㉡ ○ : 대판 1984.2.28, 83도3007
㉢ ○ : 대판 2005.9.9, 2005도3108
㉣ × : ~ (2줄) 못하였다면, 甲은 현주건조물방화죄의 기수와 살인미수죄의 상상적 경합이 된다(∵ 현주건조물방화치사상죄의 미수처벌규정이 없음).
㉤ × : ~ (3줄) 있는 때에는 상해치사죄의 교사범이 성립할 수 있다(대판 1993.10.8, 93도1873).
㉥ ○ : 대판 2023.3.9, 2022도16120

17 결과적 가중범에 관한 설명으로 가장 적절하지 않은 것은?(다툼이 있는 경우 판례에 의함)

24. 순경 1차

① 부진정결과적 가중범에서 고의로 중한 결과를 발생하게 한 행위가 별도의 구성요건에 해당하고 그 고의범에 대하여 결과적 가중범에 정한 형보다 더 무겁게 처벌하는 규정이 없는 경우에는 그 고의범과 결과적 가중범이 상상적 경합관계에 있다.

② 재물을 강취한 후 피해자를 살해할 목적으로 현주건조물에 방화하여 사망에 이르게 한 경우, 강도살인죄와 현주건조물방화치사죄는 상상적 경합관계에 있다.

Answer 16. ④ 17. ①

③ 결과적 가중범은 그 중한 결과가 고의적인 기본범죄에 전형적으로 내포된 잠재적인 위험의 실현이라는 점에서 일반의 과실범의 결과 야기보다 행위반가치가 크다.

④ 적법하게 직무를 집행하는 공무원에 대하여 위험한 물건을 휴대하여 고의로 상해를 가한 경우에 특수공무집행방해치상죄만 성립할 뿐 이와 별도로 특수상해죄를 구성하지 않는다.

해설 ① × : ~ (3줄) 없는 경우에는 결과적 가중범이 고의범에 대하여 특별관계에 있으므로 결과적 가중범만 성립한다(대판 2008.11.27, 2008도7311).
② 대판 1998.12.8, 98도3416
③ 옳다.
④ 대판 2008.11.27, 2008도7311

18 과실범과 결과적 가중범에 관한 설명으로 옳은 것만을 모두 고른 것은?(다툼이 있는 경우 판례에 의함)
25. 순경 1차

> ㉠ 甲이 A의 얼굴을 주먹으로 수회 때리는 등 무차별적으로 폭행하여 상해를 가하자 A가 甲의 계속된 폭행을 피하려고 도로를 건너 도주하다가 차량에 치여 사망한 경우, 甲의 위 상해행위와 A의 사망 사이에는 상당인과관계가 인정되지 않는다.
>
> ㉡ 수련병원의 전문의 甲과 전공의 乙이 수직적 분업관계에 있는 경우, 乙에게 전적으로 위임된 것이 아닌 이상 甲은 자신이 주로 담당하는 환자에 대하여 乙이 하는 의료행위의 내용이 적절한 것인지 여부를 확인하고 감독하여야 할 업무상 주의의무가 있고, 만약 이와 같은 업무상 주의의무를 소홀히 하여 환자에게 위해가 발생하였다면 甲은 그에 대한 과실 책임을 면할 수 없다.
>
> ㉢ 의사 甲이 할로테인을 사용한 전신마취에 의하여 난소종양절제수술을 함에 앞서 혈청의 생화학적 반응에 의한 간기능검사로 환자의 간 상태를 정확히 파악하지 아니한 채 개복수술을 시행하여 환자 A가 급성전격성간염으로 인하여 사망한 경우, 혈청에 의한 간기능검사를 시행하지 않은 甲의 과실과 A의 사망 간에 인과관계가 있다고 하려면 甲이 수술 전에 A에 대한 간기능검사를 하였더라면 A가 사망하지 않았을 것임이 입증되어야 한다.
>
> ㉣ 골프경기의 경기보조원은 그 업무의 내용상 골프채의 운반·이동·취급 및 경기에 관한 조언 등으로 골프경기 참가자를 돕는 역할을 수행하는 데 그치는 것이지, 경기 진행 도중 경기 참가자의 행동으로 다른 사람에게 상해의 결과가 발생할 위험성을 고려하여 사고의 위험을 미연에 방지해야 할 업무상 주의의무까지 부담하는 것은 아니다.

① ㉠, ㉡　　　　② ㉠, ㉣　　　　③ ㉡, ㉢　　　　④ ㉢, ㉣

해설 ㉠ × : ~ 상당인과관계가 인정된다(대판 1996.5.10, 96도529).
㉡ ○ : 대판 2022.12.1, 2022도1499
㉢ ○ : 대판 1990.12.11, 90도694
㉣ × : ~ (2줄) 돕는 역할을 수행하면서 아울러 경기 진행 도중 경기 참가자의 행동으로 다른 사람에게 상해의 결과가 발생할 위험성을 고려하여 사고의 위험을 미연에 방지해야 할 업무상 주의의무를 부담한다(대판 2022.12.1, 2022도11950).

01 이른바 '부진정' 범죄에 대한 설명으로 옳지 않은 것은?(다툼이 있는 경우 판례에 의함)

17. 7급 검찰

① 부진정신분범은 신분이 없어도 범할 수 있지만 신분이 있으면 형이 가중 또는 감경되는 범죄를 말하는데, 형법상 존속살해죄는 보통살인죄와 비교하여 형이 가중되는 부진정신분범이다.

② 부진정목적범은 목적이 없어도 범할 수 있지만 목적이 있으면 형이 가중 또는 감경되는 범죄를 말하는데, 형법상 결혼목적 약취유인죄는 미성년자약취유인죄와 비교하여 형이 감경되는 부진정목적범이다.

③ 부진정부작위범의 경우에는 보호법익의 주체가 법익에 대한 침해위협에 대처할 보호능력이 없고, 부작위행위자에게 침해 위협으로부터 법익을 보호해 주어야 할 법적 작위의무가 있을 뿐 아니라, 부작위행위자가 그러한 보호적 지위에서 법익침해를 일으키는 사태를 지배하고 있어 작위의무의 이행으로 결과발생을 쉽게 방지할 수 있어야 부작위로 인한 법익침해가 작위에 의한 법익침해와 동등한 형법적 가치가 있는 것으로서 범죄의 실행행위로 평가될 수 있다.

④ 부진정결과적 가중범에 있어서 고의로 중한 결과를 발생하게 한 행위가 별도의 구성요건에 해당하고 그 고의범에 대하여 결과적 가중범에 정한 형보다 더 무겁게 처벌하는 규정이 있는 경우에는 그 고의범과 결과적 가중범의 상상적 경합이 인정된다.

> **해설** ① 옳다. ② ×: ~ 비교하여 형이 가중(감경 ×)되는 부진정목적범이다[∵ 미성년자약취유인죄(제287조) : 10년 이하의 징역, 결혼목적 약취유인죄(제288조 제1항) : 1년 이상 10년 이하의 징역]. ③ 대판 2010.1.14, 2009도12109 ④ 대판 2008.11.27, 2008도7311

02 다음 설명 중 옳지 않은 것은 모두 몇 개인가?(다툼이 있는 경우 판례에 의함)　　20. 경찰간부

> ㉠ 정당한 사유 없이 입영에 불응하는 사람을 처벌하는 병역법 제88조의 범죄에서 정당한 사유는 위법성조각사유이다.
> ㉡ 공사현장 감독인이 공사의 발주자에 의하여 현장감독에 임명된 것이 아니고, 건설업법상 요구되는 현장건설 기술자의 자격도 없다면 업무상 과실책임을 물을 수 없다.
> ㉢ 의료사고에서 의사의 과실을 인정하기 위한 요건과 판단기준은 한의사의 그것과 다르다.
> ㉣ 행정상의 단속을 주안으로 하는 법규의 위반행위는 과실범 처벌규정은 없으나 해석상 과실범도 벌할 뜻이 명확한 경우에도 형법의 원칙에 따라 고의가 있어야 벌할 수 있다.

① 1개　　　　　② 2개　　　　　③ 3개　　　　　④ 4개

> **해설** ㉠ ×: ~ '정당한 사유'는 구성요건해당성을 조각하는 사유이다. 이는 형법상 위법성조각사유인 정당행위나 책임조각사유인 기대불가능성과는 구별된다(대판 2018.11.1, 2016도10912 전원합의체). ㉡ ×: ~ 자격도 없다는 등의 사유는 업무상 과실책임을 물음에 아무런 영향도 미칠 수 없다(대판 1983.6.14, 82도2713). ㉢ ×: ~ 그것과 동일하다(대판 2014.7.24, 2013도16101). ㉣ ×: ~ 명확한 경우를 제외하고는 형법의 원칙에 따라 고의가 있어야 벌할 수 있다(대판 2010.2.11, 2009도9807).

Answer　1.②　2.④

제1절) 위법성의 일반이론

THEMA 23 주관적 불법요소와 주관적 정당화 요소의 구별

1. 주관적 불법요소 : 주관적 불법요소란 행위자의 주관적·심리적 요소임에도 불구하고 위법성 평가의 대상이 되는 주관적 구성요건요소(주관적 불법요소, 주관적 위법요소)를 말한다. 17. 9급 검찰·마약수사·철도경찰

- **예** ·일반적·주관적 불법(위법)요소 : 고의, 과실
  - ·초과(특수한) 주관적 불법(위법)요소 : 목적범의 '목적', 재물죄에 있어서 '불법영득의사'

2. 주관적 정당화(위법성조각) **요소**

① 구성요건에 해당하는 행위가 위법성조각사유에 해당되어 정당화되기 위한 주관적 측면이 주관적 정당화 요소(객관적 정당화 사정에 대한 인식과 인용)이다.

   예 정당방위의 방위의사 '방위하기 위한'(제21조 제1항), 긴급피난의 피난의사 '피하기 위한'(제22조 제1항), 자구행위의 자구의사 '피하기 위한'(제23조 제1항)

② 위법성이 조각되기 위해 이러한 주관적 정당화 요소가 필요한가에 대해서는 객관적 정당화 상황(⇨ 구성요건해당행위의 결과반가치 제거)만으로는 족하지 않고, 주관적 정당화 요소(⇨ 구성요건해당행위의 행위반가치 제거)가 필요하다는 것이 통설·판례〔정당방위·과잉방위나 긴급피난·과잉피난이 성립하기 위하여는 방위의사 또는 피난의사가 있어야 한다(대판 1997.4.17, 96도3376)〕이다. 20. 9급 철도경찰, 21. 해경간부, 24. 변호사시험, 25. 9급 검찰·마약수사·철도경찰

3. 주관적 정당화 요소를 결한 경우의 효과(우연방위, 우연긴급피난, 우연자구행위) 16. 변호사시험, 20. 7급 검찰, 23. 경찰간부·9급 검찰·마약수사·철도경찰, 24. 순경 2차·경위공채, 25. 순경 1차

   예 ·甲이 乙을 살해할 의사로 총을 쏘아 살해하였는데 사실은 乙이 먼저 甲을 살해하려고 총을 겨누고 있었던 경우 ⇨ 우연방위
   - ·피해자가 연탄가스에 질식 중인 사실을 모르고 재물손괴 의사로 유리창을 깨뜨려 신선한 공기 덕분에 피해자가 깨어난 경우 ⇨ 우연피난

만약 객관적 정당화(위법성조각 : 정당방위) 상황만 있고〔**예** 乙이 甲을 향해 총을 겨눔(현재의 부당한 침해)〕, 주관적 정당화 요소가 없는 경우(**예** 甲은 방위의사 없이 살인의 고의로 乙을 죽임)의 형법상 효과에 대해서는 형법상 명문규정이 없고, 다음과 같이 견해가 대립한다.

(1) **위법성조각설**(무죄설 : 주관적 정당화 요소 불요설)

① 위법성이 조각되려면 객관적 정당화 상황(요건)만 갖추고 있으면 족하고, 주관적 정당화 요소가 필요 없다는 견해로 우연방위(주관적 정당화 요소 ×)의 경우 위법성이 조각되어 무죄가 된다.

② 객관적 위법성론(행위의 위법성 여부는 객관적 사정만으로 판단해야 함)과 (순수한) 결과반가치론(불법의 실체는 결과반가치에 있으므로 행위자의 주관이 어떠하든 결과가 좋으면 불법하지 않음)에서 주장된다.

③ 비판 : 무죄설(위법성조각설)에 대해서는 객관적 정당화 상황이 존재하므로 결과반가치가 탈락 (∴ 행위자에게 유리한 요소로 작용됨)되더라도 주관적 정당화 요소가 결여되어 행위반가치는 여전히 남게 됨에도 불구하고 이를 적법(위법성조각)하다고 보는 것은 부당하다는 비판이 제기 된다.

⑵ **기수범설**(주관적 정당화 요소 **필요설**)

① 위법성이 조각되려면 위법성조각의 객관적 요건(객관적 정당화 상황)과 주관적 요건(주관적 정당화 요소)이 모두 갖추어져야 하므로 우연방위의 경우 기수범으로 처벌되어야 한다.

② **순수한 행위반가치론과 일원적 인적 불법론**(주관적 정당화 요소가 있는 경우에만 행위반가치 가 탈락하여 정당화됨)에서 **주장**된다.

③ 비판 : 불법(위법) 판단을 오로지 행위반가치에 의해서만 결정하려고 한다는 비판이 제기된다.

⑶ **불능미수범설**(주관적 정당화 요소 **필요설** : 다수설)

주관적 정당화 요소가 결여된 경우는 객관적 정당화 상황이 존재함으로써 **결과반가치**(행위반가 치 ×)는 배제되나 행위반가치(결과반가치 ×)는 그대로 존재하므로 미수범의 불법구조와 유사하 고, 특히 결과불법의 발생이 불가능함에도 행위자는 가능하다고 오인하였다는 점에서 **불능미수 와 유사**하므로 불능미수 규정을 유추적용하여 처벌해야 한다는 견해이다.

01 다음 사례에 대한 설명으로 옳지 않은 것은? 20. 7급 검찰

> 甲은 A를 골탕 먹일 생각으로 A의 집 창문을 향해 돌을 던져 창문을 깨뜨렸다. 하지만 마침 연탄 가스에 중독되어 위험한 상태였던 A는 甲이 창문을 깨뜨리는 바람에 생명을 구할 수 있었다.

① 위법성조각사유를 검토함에 있어 주관적 정당화요소가 필요하지 않다는 입장에 따르면 甲의 행위는 불가벌이다.

② 고의범의 위법성조각사유에는 주관적 정당화요소가 필요하다는 입장은 구성요건 해당 행위의 결과반가치와 행위반가치 모두가 상쇄되어야 위법성이 조각될 수 있다는 점을 근거로 한다.

③ 행위반가치는 인정되나 객관적 정당화상황의 존재로 인해 결과반가치가 인정되지 않으므로 甲에게 불능미수 규정을 유추적용하자는 견해에 따르는 경우, 甲의 행위는 불가벌 이다.

④ 구성요건적 결과가 발생한 이상 결과반가치가 인정되므로 甲에게 재물손괴죄의 기수를 인정해야 한다는 입장에 대하여는, 객관적 정당화상황이 존재함에도 존재하지 않는 경우 와 동일하게 평가하는 것은 문제라는 비판이 있다.

해설 사례는 주관적 정당화 요소를 결한 경우(우연피난)

①②④ 옳다.

③ × : ~ 경우, 甲의 행위는 불가벌이 아니라 손괴죄의 불능미수로 처벌될 수 있다.

02 甲은 층간소음문제로 평소 다툼이 있던 아파트 위층에 앙갚음을 할 마음으로 돌을 던져 유리창을 깨트렸다. 그런데 위층에 살던 A는 빚독촉에 시달리다 자살하기로 마음먹고 창문을 닫은 채 연탄불을 피운 결과, 연탄가스에 중독되어 쓰러져 있던 상태였다. 유리창을 깨트린 甲의 행위로 인하여 A는 구조되었다. 이 사례에서 甲이 무죄라는 견해에 관한 설명으로 가장 적절하지 않은 것은?

22. 순경 1차

① 범죄성립에 있어서 결과반가치만을 고려하는 입장에서 주장될 수 있다.

② 객관적으로 존재하는 정당화요건은 기수범 처벌에 대한 감경가능성으로만 고려될 수 있다.

③ 객관적 정당화사정의 존재가 행위자에게 유리하게 작용하는 경우이다.

④ 주관적 정당화사정이 있는 경우와 없는 경우를 동일하게 취급한다는 비판이 가능하다.

해설 사례는 주관적 정당화요소를 결한 경우(우연피난)에 무죄설(위법성조각설, 주관적 정당화요소 불요설 : 객관적 위법성론, 결과반가치론)의 견해를 묻는 것임.
① ○ : 결과반가치론(불법의 실체는 결과반가치에 있으므로 행위자의 주관이 어떠하든 결과가 좋으면 불법하지 않음)
② × : 무죄설에 따르면 위법성이 조각되어 범죄가 성립되지 않으므로 ②는 적절하지 않다.
③ ○ : 위법성이 조각되어 무죄가 되므로 ③은 옳다.
④ ○ : 주관적 정당화사정이 있는 경우(피난의사 ○)와 없는 경우(손괴의사 ○ ⇨ 피난의사 ×)를 동일하게 취급한다(둘 다 위법성이 조각되어 무죄임)는 비판이 가능하다.

03 객관적 정당화 상황이 존재함에도 주관적 정당화 요소 없이 구성요건을 실현한 경우 법적 판단에 대하여 각 학설이 대립하고 있다. 다음 중 가장 적절한 것은?

22. 경찰간부

① 기수범설에 대해서는 불법(위법성)판단을 오로지 결과반가치에 의해서만 결정하려고 한다는 비판이 제기된다.

② 무죄설에 대해서는 객관적 정당화 상황이 존재함에도 그것이 행위자에게 유리한 요소로 작용하지 못한다는 비판이 제기된다.

③ 불능미수범설은 불법의 본질을 결과반가치로서 법익침해와 행위의 주관적, 객관적 측면을 포섭하는 행위반가치를 모두 고려하여 판단하여야 한다는 입장을 기초로 한다.

④ 판례는 정당화 사유에 해당하기 위해서 객관적 정당화 상황 이외에 주관적 정당화 요소를 필요로 하지 않는다는 입장을 취하고 있다.

해설 주관적 정당화 요소를 결한 경우(우연방위)의 법적 효과에 관한 문제임.
① × : ~ 오로지 행위반가치(결과반가치 ×)에 ~ 제기된다.
② × : 무죄설(위법성조각설)에 대해서는 객관적 정당화 상황이 존재하므로 결과반가치가 탈락(∴ 행위자에게 유리한 요소로 작용됨)되더라도 주관적 정당화 요소가 결여되어 행위반가치는 여전히 남게 됨에도 불구하고 이를 적법(위법성조각)하다고 보는 것은 부당하다는 비판이 제기된다.
③ ○ : 타당하다(다수설).
④ × : ~ 필요로 한다는 입장을 취하고 있다(대판 1997.4.17, 96도3376).

04 위법성조각사유의 주관적 정당화요소에 대한 설명으로 옳은 것만을 모두 고르면?(다툼이 있는 경우 판례에 의함)   23. 9급 검찰·마약수사·철도경찰

> ㉠ 위법성조각을 위해 주관적 정당화요소가 필요하다고 보는 견해에 의하면, 형법 제21조 제1항에서 '방위하기 위하여 한'은 정당방위의 주관적 정당화요소를 규정한 것으로 해석된다.
> ㉡ 판례는 위법성조각을 위해 방위의사나 피난의사와 같은 주관적 정당화요소가 요구된다고 본다.
> ㉢ 위법성조각을 위해 주관적 정당화요소가 필요 없다고 보는 견해에 의하면, 행위자가 행위 당시 존재하는 객관적 정당화사정을 인식하지 못한 채 범죄의 고의만으로 행위를 한 경우 고의 기수범이 성립한다.
> ㉣ 위법성 판단에 행위반가치와 결과반가치가 모두 요구된다고 보는 이원적·인적 불법론의 입장에서는 주관적 정당화요소가 결여된 경우 행위반가치가 부정되므로 불능미수가 된다고 본다.

① ㉠, ㉡   ② ㉠, ㉢   ③ ㉡, ㉣   ④ ㉢, ㉣

해설 ㉠ ○ ㉡ ○ : 통설·판례(대판 1997.4.17, 96도3376)
㉢ × : ~ 보는 견해에 의하면, 주관적 정당화요소(예 방위의사)가 없더라도 객관적 정당화사정(예 현재의 부당한 침해)만 있으면 위법성이 조각되어 무죄가 된다.
㉣ × : ~ (2줄) 결여된 경우 결과반가치는 부정되나 행위반가치는 인정되므로 불능미수가 된다고 본다.

05 다음 사례에 관한 설명으로 가장 적절한 것은?   24. 순경 2차

> 甲은 남편 A가 매일 술을 마시고 들어와서 행패를 부리는 등 A와의 불화로 갈등을 겪는 중이었다. 이에 甲은 새벽에 문이 열리는 소리가 들리고 누군가 집안으로 들어오자, A에 대한 상해의 고의로 컵을 집어 던졌다. 그러자 사람이 '어이쿠'하며 쓰러지는 소리가 나서 불을 켜보니, A가 아니라 칼을 든 B가 컵에 머리를 맞고 쓰러져 있었다. B는 강도를 하기 위하여 甲의 집으로 들어오던 중이었다.

① 위 사례는 구체적 사실의 착오 중 객체의 착오에 해당하는 사례로 구체적 부합설에 따를 경우, 甲의 행위는 A에 대한 상해미수와 B에 대한 과실치상의 죄가 성립하고 양 죄는 상상적 경합관계에 있다.
② 위 사례는 주관적 정당화요소가 결여된 사례로 이러한 때에는 행위반가치는 존재하지만 결과반가치는 존재하지 않아 불능 미수범 규정을 유추적용하자는 견해에 따를 경우, 甲의 행위는 상해죄의 불능미수가 된다.
③ 위 사례는 우연방위에 해당하는 사례로 위법성조각사유에 주관적 정당화요소가 필요하지 않다는 판례에 따를 경우, 甲의 행위는 상해죄의 기수가 된다.
④ 위 사례는 오상방위에 해당하는 사례로 엄격책임설에 따를 경우, 甲이 B를 A로 오인함에 있어서 정당한 이유가 있다면 책임이 조각되어 甲의 행위는 무죄가 된다.

해설 사례는 주관적 정당화요소를 결한 경우(우연방위)이므로 ①과 ④는 해당되지 않는다.
② ○ : 불능미수범설 ③ × : ~ 주관적 정당화요소가 필요하다는 판례(대판 1997.4.17, 96도3376)에 따를 경우, 甲의 행위는 상해죄의 기수가 된다.

제2절 정당방위

관련조문

제21조【정당방위】 ① 현재의 부당한 침해로부터 자기 또는 타인의 법익을 방위하기 위하여 한 행위는 상당한 이유가 있는 경우에는 벌하지 아니한다. 22. 법원직·7급 검찰, 23. 순경 2차·해경 3차
② 방위행위가 그 정도를 초과한 경우에는 정황에 따라 그 형을 감경하거나 면제할 수 있다.
③ 제2항의 경우에 야간이나 그 밖의 불안한 상태에서 공포를 느끼거나 경악하거나 흥분하거나 당황하였기 때문에 그 행위를 하였을 때에는 벌하지 아니한다.

01 정당방위의 성립요건에 대한 설명으로 옳은 것은 모두 몇 개인가?(다툼이 있는 경우 판례에 의함)

> ㉠ 공격행위를 피하기 위하여 관련 없는 제3자의 법익을 침해하는 행위도 정당방위로 허용된다.
> ㉡ 자신의 집에서 물건을 훔쳐서 대문을 막 나서는 범인을 뒤쫓다가 그에게 폭행을 가하여 물건을 탈환하는 것은 정당방위가 되지 않는다.
> ㉢ 긴급피난에 대한 정당방위는 인정되지만 정당방위에 대한 정당방위는 인정되지 않는다.
> ㉣ 위법한 법익침해 행위가 있더라도 긴박성 또는 방위행위의 상당성이 결여된 경우에는 정당방위가 성립하지 않는다.
> ㉤ 형법전에 의해 보호되는 법익에 대해서만 정당방위가 가능하다.
> ㉥ 타인의 법익을 방위하기 위한 경우에 그 타인에게도 방위의사가 필요하다.
> ㉦ 아직 침해행위의 실행에 착수하지는 않았으나 착수 직전에 있음이 확실한 경우에는 정당방위가 가능하다.

① 2개   ② 3개   ③ 4개   ④ 5개

해설 ㉠ × : 방위행위는 침해자나 그 도구에 대하여 행하여야 하며, 침해와 무관한 제3자에게 행할 수는 없다. 침해와 무관한 제3자의 법익을 침해한 경우는 긴급피난에 해당한다.
㉡ × : 침해행위가 이미 기수에 이른 경우에도 법익침해가 현장에서 계속되는 상태에 있으면 현재의 침해로 보아 정당방위가 가능하다(다수설).
㉢ × : 긴급피난이나 정당방위 모두 위법성이 조각되어 부당한 침해가 아닌 정당한 행위이므로 이에 대한 정당방위는 인정되지 않는다.
㉣ ○ : 대판 1984.9.25, 84도1611
㉤ × : 법에 의하여 보호되는 모든 이익으로서 형법전뿐만 아니라 다른 법에 의해 보호되는 것도 포함된다.
㉥ × : 정당방위를 한 자에게는 방위의사가 필요하나, 그 타인에게는 방위의사가 필요 없으며 그 타인의 의사에 반해서도 정당방위를 할 수 있다.
㉦ ○ : 공격자가 아직 실행에 착수하지 않은 때에도 방어를 지체함으로써 방어의 기회가 곤란할 때, 침해가 확실시된 때에는 정당방위가 가능하다.

THEMA 24

다음 중 판례에 의할 경우 정당방위에 해당하는 것은 모두 몇 개인가?

> ㉠ 차량 통행문제로 자신의 父와 피해자가 다툴시 피해자의 차량전진으로 父가 위험에 처하자 피해자의 머리털을 잡아당겨 상처를 입힌 경우
>
> ㉡ 임차인이 임대차기간이 만료된 방을 비워주지 못하겠다고 억지를 쓰며 폭언을 하자 임대인의 며느리가 홧김에 그 방의 창문을 쇠스랑으로 부쉈던바, 임차인이 배척(속칭 빠루)을 들고 휘둘러 구경꾼인 마을주민에게 상해를 가한 경우
>
> ㉢ 12살 때 의붓아버지의 강간행위에 의하여 정조를 유린당한 후 계속적으로 성관계를 강요받아 온 피고인이 그의 남자친구와 공모하여 범행을 준비하고 의붓아버지가 반항할 수 없는 잠든 틈에 식칼로 심장을 찔러 살해한 경우
>
> ㉣ 불법체포에 대항하기 위하여 경찰관에게 상해를 가한 경우
>
> ㉤ 검사가 검찰청에 자진출석한 변호사사무실 사무장을 합리적 근거 없이 긴급체포하자 그 변호사가 이를 제지하는 과정에서 위 검사에게 상해를 가한 경우
>
> ㉥ 공직선거후보자 甲은 다른 후보자 乙이 연설 중 자신의 부친의 과거행적과 학력기재를 언급하면서 후보자의 자질에 관한 사실을 적시하자 물리력으로 연설을 중단시킨 경우
>
> ㉦ 술에 만취한 동생(85kg)이 누나를 폭행하자 그 남편(피고인)과 그 동생이 싸우는 과정에서 그 남편(62kg)을 넘어뜨려 목을 누르자 호흡이 곤란한 피고인이 과도로 피해자(그 동생)의 허벅지를 찔러 상해를 입힌 경우
>
> ㉧ 강제추행범의 혀를(정조와 신체를 지키려는 일념에서 엉겁결에) 깨물어 혀절단상을 입힌 경우
>
> ㉨ 이혼소송 중인 남편이 찾아와 가위로 폭행하고 변태적 성행위를 강요하는 데 격분하여 처가 칼로 남편의 복부를 찔러 사망에 이르게 한 경우

① 2개 　　　　② 3개 　　　　③ 4개 　　　　④ 5개

해설

- **정당방위 ○ :** ㉠ 대판 1986.10.14, 86도1091〔∵ 父(타인)의 생명, 신체에 대한 현재의 부당한 침해를 방위하기 위한 상당한 행위임〕 ㉣ 대판 2002.5.10, 2001도300(∵ 불법체포로 인한 신체에 대한 현재의 부당한 침해에서 벗어나기 위한 행위) ㉤ 대판 2006.9.8, 2006도148 ㉧ 정당방위 ○, 과잉방위 ×(대판 1989.8.8, 89도358)

- **정당방위 × :** ㉡ 대판 1996.4.9, 96도241(∵ 침해행위에서 벗어난 후 분을 풀려는 목적에서 나온 공격행위) ㉢ 대판 1992.12.22, 92도2540〔∵ 살해한 행위는(이 사건 범행 당시 피고인의 신체나 자유 등에 대한 현재의 부당한 침해상태가 있었다고 볼 여지가 있으나) 사회통념상 상당성을 결여한 것임 ∵ 살인죄 ○〕 ㉥ 대판 2003.11.13, 2003도3606(∵ 甲이 물리력으로 乙의 연설을 방해한 행위가 乙의 '위법하지 않은 정당한 침해'에 대하여 이루어진 것일 뿐만 아니라 상당성을 결여하였음) ㉦ 정당방위 ×, 과잉방위 ×(대판 2000.3.28, 2000도228 ∵ 상해죄 ○) ㉨ 정당방위 ×, 과잉방위 ×(대판 2001.5.15, 2001도1089 ∵ 상해치사죄 ○)

》 ③

01 정당방위에 관한 설명 중 가장 적절하지 않은 것은?(다툼이 있으면 판례에 의함)　16. 경찰승진

① 거주지 연립주택 내 도로의 차량통제 문제로 시비가 되어 차량의 진행을 제지하려고 길을 막은 아버지 앞으로 운전자가 차를 그대로 진행시키자 이를 막으려고 운전자의 머리털을 잡아당겨 상해를 입힌 아들의 행위는 정당방위에 해당한다.

② 검사가 검찰청에 자진출석한 변호사사무실 사무장을 합리적 근거 없이 긴급체포하자 그 변호사가 이를 제지하는 과정에서 위 검사에게 상해를 가한 것은 정당방위에 해당한다.

③ 서로 공격할 의사로 싸우다가 먼저 공격을 받고 이에 대항하여 가해하게 된 경우 그 가해행위는 정당방위가 될 여지는 없으나 과잉방위가 될 수는 있다.

④ 절도범으로 오인받은 자가 야간에 군중들로부터 무차별 구타를 당하자 이를 방위하기 위하여 소지하고 있던 손톱깎기에 달린 줄칼을 휘둘러 상해를 입힌 행위는 정당방위에 해당한다.

[해설] ① 대판 1986.10.14, 86도1091 ② 대판 2006.9.8, 2006도148
③ ×：정당방위 ×, 과잉방위 ×(대판 1993.8.24, 92도1329) ④ 대판 1970.9.17, 70도1473

02 정당방위에 대한 설명으로 가장 적절한 것은?(다툼이 있는 경우 판례에 의함)　18. 순경 2차

① 가해자의 행위가 피해자의 부당한 공격을 방위하기 위한 것이라기보다는 서로 공격할 의사로 싸우다가 먼저 공격을 받고 이에 대항하여 가해하게 된 것인 경우에는 형법 제21조 제2항의 과잉방위가 성립한다.

② 피고인이 피해자로부터 먼저 폭행·협박을 당하다가 이를 피하기 위하여 피해자를 칼로 찔러 즉사케 한 경우, 그 행위가 피해자의 폭행·협박의 정도에 비추어 방위행위로서의 한도를 넘어선 것으로서 사회통념상 용인될 수 없다고 판단될 때에는 형법 제21조 제2항의 과잉방위가 성립한다.

③ 생명·신체에 대한 현재의 부당한 침해를 방위하기 위한 상당한 행위가 있고, 이어서 정당방위의 요건인 상당성을 결여한 행위가 연속적으로 이루어진 경우 극히 짧은 시간 내에 계속하여 행하여진 가해자의 이와 같은 일련의 행위는 이를 전체로서 하나의 행위라고 보아 형법 제21조 제2항의 과잉방위가 성립한다고 볼 여지가 있다.

④ 경찰관이 적법절차를 준수하지 않은 채 실력으로 현행범인을 연행하려 한 경우 이에 저항하는 과정에서 경찰관에게 상해를 입힌 행위는 그것이 자신의 신체에 대한 현재의 부당한 침해를 방위하기 위한 행위로서 상당한 이유가 있는 것이었다 하더라도 정당방위가 되지 못한다.

[해설] ① ×：싸움의 경우 ⇨ 정당방위 ×, 과잉방위 ×(대판 1993.8.24, 92도1329)
② ×：～ 판단될 때 ⇨ 정당방위 ×, 과잉방위 ×(대판 2001.5.15, 2001도1089)
③ ○：대판 1986.11.11, 86도1862
④ ×：정당방위 ○(대판 2002.5.10, 2001도300)

03 다음 중 정당방위에 대한 설명으로 가장 옳은 것은?(다툼이 있는 경우 판례에 의함) 19. 경찰간부

① 12살 때 의붓아버지의 강간행위에 의하여 정조를 유린당한 후 계속적으로 성관계를 강요받아 온 피고인이 그의 남자친구와 범행을 준비하고 의붓아버지가 반항할 수 없는 잠든 틈에 식칼로 심장을 찔러 살해한 행위는 정당방위가 성립한다.

② 甲소유의 밤나무 단지에서 乙이 밤 18개를 푸대에 주워 담는 것을 본 甲이 그 푸대를 빼앗으려다가 반항하는 乙의 뺨과 팔목을 때려 상처를 입힌 경우 甲의 그러한 행위는 乙의 절취 행위를 방지하기 위한 것으로서 정당방위가 성립한다.

③ 싸움을 함에 있어서 격투를 하는 자 중의 한 사람의 공격이 그 격투에서 당연히 예상할 수 있는 정도를 초과하여 살인의 흉기 등을 사용하여 온 경우에는 이를 '부당한 침해'라고 아니할 수 없으므로 이에 대하여는 정당방위를 허용하여야 한다.

④ 이혼소송 중인 남편이 찾아와 가위로 폭행하고 변태적 성행위를 강요하는 데에 격분하여 처가 칼로 남편의 복부를 찔러 사망에 이르게 한 경우는 정당방위나 과잉방위에 해당한다.

> **해설** ① × : 정당방위 ×, 과잉방위 ×(대판 1992.12.22, 92도2540)
> ② × : 정당방위 ×(대판 1984.9.25, 84도1611)
> ③ ○ : 대판 1968.5.7, 68도370
> ④ × : 정당방위 ×, 과잉방위 ×(대판 2001.5.15, 2001도1089)

04 다음 설명 중 가장 옳지 않은 것은?(다툼이 있는 경우 판례에 의함) 20. 법원직

① 정당방위의 성립요건으로서의 방어행위에는 순수한 수비적 방어뿐만 아니라 적극적 반격을 포함하는 반격방어의 형태도 포함되나, 그 방어행위는 자기 또는 타인의 법익침해를 방위하기 위한 행위로서 상당한 이유가 있어야 한다.

② 서로 격투를 하는 자 상호간에는 공격행위와 방어행위가 연속적으로 교차되고 방어행위는 동시에 공격행위가 되는 양면적 성격을 띠는 것이므로 어느 한쪽 당사자의 행위만을 가려내어 방어를 위한 정당행위라거나 정당방위에 해당한다고 보기 어려운 것이 보통이다.

③ 겉으로는 서로 싸움을 하는 것처럼 보이더라도 실제로는 한쪽 당사자가 일방적으로 위법한 공격을 가하고 상대방은 이러한 공격으로부터 자신을 보호하고 이를 벗어나기 위한 저항수단으로서 유형력을 행사한 경우에는, 그 행위가 새로운 적극적 공격이라고 평가되지 아니하는 한, 이는 사회관념상 허용될 수 있는 상당성이 있는 것으로서 위법성이 조각된다.

④ 형사소송법 제148조의 증언거부권은 헌법 제12조 제2항에 의한 불이익 진술의 강요금지 원칙을 구체화한 자기부죄거부특권에 관한 것이다. 따라서 자신에 대해 유죄판결이 이미 확정된 증인이라 하더라도 공범에 대한 사건에서는 증언을 거부할 수 있고, 특히 증인이 자신에 대한 형사사건에서 시종일관 범행을 부인하였다면 증인이 진실대로 진술할 것을 기대할 가능성이 없는 경우에 해당한다.

Answer 3.③ 4.④

해설 ① 대판 1992.12.22, 92도2540 ② 대판 1999.10.12, 99도3377 ③ 대판 2010.2.11, 2009도12958
④ × : 유죄판결이 이미 확정된 증인은 공범에 대한 사건에서 증언을 거부할 수 없고, 자신에 대한 형사사
건에서 시종일관 범행을 부인하였다 하더라도 진실대로 진술할 것을 기대할 가능성이 없다고 볼 수는 없다
(대판 2008.10.23, 2005도10101).

05 정당방위 및 과잉방위에 대한 설명으로 가장 적절하지 않은 것은?(다툼이 있는 경우 판례에 의함)
21. 경찰승진, 23. 해경승진

① 경찰관의 불법한 현행범체포에 대해 그 체포를 면하려고 반항하는 과정에서 그 경찰관에
게 상해를 입힌 행위는 정당방위에 해당하여 위법성을 조각한다.
② 정당방위의 상당성 판단에는 상대적 최소침해의 원칙 이외에 보충성의 원칙이 필수적으
로 요구된다.
③ 형법 제21조 제2항에 의하면 과잉방위의 경우에는 그 형을 감면할 수 있다.
④ 정당방위의 방어행위에는 순수한 수비적 방어뿐만 아니라 적극적 반격을 포함하는 반격
방어의 형태도 포함된다.

해설 ① 대판 2002.5.10, 2001도300
② × : 상대적 최소침해의 원칙은 요구되나 보충성의 원칙이 필수적으로 요구되는 것은 아니다.
③ 옳다. ④ 대판 1992.12.22, 92도2540

06 정당방위에 대한 설명으로 옳지 않은 것은?(다툼이 있는 경우 판례에 의함)　　21. 7급 검찰
① 정당방위는 자기 또는 타인의 법익에 대한 현재의 부당한 침해를 방어하기 위한 것으로
서, 위법하지 않은 정당한 침해에 대한 정당방위는 인정되지 않는다.
② 제1방위행위는 상당성이 인정되는 방위행위이고 제2방위행위는 상당성을 결여한 방위행
위인 경우, 제1행위와 제2행위가 극히 짧은 시간 내에 계속하여 행하여지면 이를 전체로
서 하나의 행위로 보아야 한다.
③ 경찰관 甲과 乙이 'A가 사람을 칼로 위협한다.'는 신고를 받고 출동한 상황에서, A가 乙
을 지속적으로 폭행하며 그의 총기를 빼앗으려 하자, 甲은 A가 칼로 자신과 乙을 공격할
수 있다고 생각하고 乙을 구출하기 위하여 A에게 실탄을 발사하여 흉부관통상으로 A를
사망케 한 경우 정당방위의 상당성이 인정될 수 없다.
④ 불륜관계를 의심받아 집단폭행을 당하게 된 甲이 이를 벗어나기 위해 손을 휘저으며 발
버둥치는 과정에서 A에게 약 14일간의 치료를 요하는 뇌진탕의 상해를 가한 경우 사회
적 상당성이 인정되는 방어행위라고 할 수 있다.

해설 ① 대판 2003.11.13, 2003도3606 ② 대판 1986.11.11, 86도1862
③ × : ~ 인정될 수 있다(∵ 사례는 위법성조각사유의 전제사실에 관한 착오문제로 볼 수 있고, 이 경우
판례는 그 오인의 정당한 이유가 있는 경우에는 위법성이 조각된다고 봄).
④ 대판 2010.2.11, 2009도12958

Answer　5. ②　6. ③

07 정당방위에 관한 설명으로 옳은 것은 모두 몇 개인가?(다툼이 있는 경우 판례에 의함)

> ㉠ 정당방위에서 '침해의 현재성'이란 침해행위가 형식적으로 기수에 이르렀는지에 따라 결정되는 것이 아니라 자기 또는 타인의 법익에 대한 침해상황이 종료되기 전까지를 의미한다.
> ㉡ 정당방위 상황을 이용할 목적으로 처음부터 공격자의 공격행위를 유발하는 의도적 도발의 경우라 하더라도 그 공격행위에 대해서는 방위행위를 인정할 수 있어 정당방위가 성립한다.
> ㉢ 피해자의 침해행위에 대하여 자기의 권리를 방위하기 위한 부득이한 행위가 아니고, 그 침해행위에서 벗어난 후 분을 풀려는 목적에서 나온 공격행위는 정당방위에 해당한다고 할 수 없다.
> ㉣ 정당방위의 성립요건으로서 방어행위는 순수한 수비적 방어뿐만 아니라 적극적 반격을 포함하는 반격방어의 형태도 포함되나, 그 방어행위는 자기 또는 타인의 법익침해를 방위하기 위한 행위로서 상당한 이유가 있어야 한다.

① 1개 ② 2개 ③ 3개 ④ 4개

해설 ㉠ ○ : 대판 2023.4.27, 2020도6874
㉡ × : ~ (2줄) 방위행위를 인정할 수 없어 정당방위가 성립하지 않는다(대판 1968.11.12, 68도912).
㉢ ○ : 대판 1996.4.9, 96도241
㉣ ○ : 대판 2023.4.27, 2020도6874

제3절) 긴급피난

제22조【긴급피난】 ① 자기 또는 타인의 법익에 대한 현재의 위난을 피하기 위한 행위는 상당한 이유가 있는 때에는 벌하지 아니한다. 22. 9급 검찰·마약수사·철도경찰, 23. 순경 2차, 25. 해경경사
② 위난을 피하지 못할 책임이 있는 자에 대하여는 전항의 규정을 적용하지 아니한다.
③ 전조 제2항과 제3항의 규정은 본조에 준용한다.

01 다음과 같은 근거로 벌하지 아니하는 경우는?(다툼이 있는 경우 판례에 의함)

18. 변호사시험, 24. 해경간부

> 자기 또는 타인의 법익에 대한 현재의 위난을 피하기 위한 행위는 상당한 이유가 있는 때에는 벌하지 아니한다.

① 정당 당직자가 국회 외교통상 상임위원회 회의장 앞 복도에서 출입이 봉쇄된 회의장 출입구를 뚫을 목적으로 회의장 출입문 및 그 안쪽에 쌓여 있던 집기를 손상하거나 국회 심의를 방해할 목적으로 회의장 내에 물을 분사한 경우
② 자신의 진돗개를 물어뜯는 공격을 하였다는 이유로 소지하고 있던 기계톱으로 타인의 개를 내리쳐 등 부분을 절개하여 죽인 경우
③ 아파트 입주자대표회의 회장이 다수 입주민들의 민원에 따라 위성방송 수신을 방해하는 케이블TV방송의 시험방송 송출을 중단시키기 위하여 위 케이블TV방송의 방송안테나를 절단하도록 지시한 경우
④ 운전자가 경찰관의 불심검문을 받아 운전면허증을 교부한 후 경찰관에게 큰 소리로 욕설을 하였는데, 경찰관이 자신을 모욕죄의 현행범으로 체포하려고 하자 반항하면서 경찰관에게 가벼운 상해를 입힌 경우
⑤ 선장이 피조개양식장에 피해를 주지 않기 위해 양식장까지의 거리가 약 30미터가 되도록 선박의 닻줄을 7샤클(175미터)에서 5샤클(125미터)로 감아놓았는데, 태풍을 갑자기 만나게 되면서 선박의 안전을 위하여 어쩔 수 없이 선박의 닻줄을 7샤클로 늘여 놓았다가 피조개양식장을 침범하여 물적 피해를 야기한 경우

해설 긴급피난(제22조)에 해당하여 위법성이 조각되는 경우임.
① 긴급피난 ×, 정당행위 ×(대판 2013.6.13, 2010도13609)
② 긴급피난 ×, 책임조각적 과잉피난(제22조 제3항) ×(대판 2016.1.28, 2014도2477)
③ 긴급피난 ×, 정당행위 ×(대판 2006.4.13, 2005도9396)
④ 정당방위 ○(대판 2006.11.23, 2006도2732)
⑤ 긴급피난 ○(대판 1987.1.20, 85도221)

Answer ▸ 1.⑤

02 다음 중 정당방위 및 긴급피난에 관한 설명으로 옳은 것은 모두 몇 개인가?(다툼이 있는 경우 판례에 의함)

> ㉠ 긴급피난의 본질에 관하여 책임조각설을 따를 경우 긴급피난행위에 대해서 공범의 성립과 정당방위 및 긴급피난이 가능하다.
> ㉡ 이혼소송 중인 남편이 찾아와 가위로 폭행하고 변태적 성행위를 강요하는 데에 격분하여 처가 칼로 남편의 복부를 찔러 사망에 이르게 한 경우 과잉방위에 해당한다.
> ㉢ 위법성의 평가방법에 관한 주관적 위법성론에 의하면 책임무능력자의 행위에 대해서는 정당방위는 할 수 없고, 긴급피난만 가능하게 된다.
> ㉣ 甲이 乙과 말다툼을 하던 중 乙이 건초더미에 있던 낫을 들고 반항하자 乙로부터 낫을 빼앗아 그 낫으로 乙의 가슴, 배, 왼쪽허벅 부위 등을 수차례 찔러 乙이 사망한 경우, 甲에 대한 현재의 부당한 침해를 방위하기 위한 것으로 정당방위에 해당한다.

① 1개 ② 2개 ③ 3개 ④ 4개

해설 ㉠ ○ : 위법성이 인정되기 때문에 공범의 성립(다수설인 제한적 종속형식)과 정당방위 및 긴급피난이 가능하다.
㉡ × : 정당방위 ×, 과잉방위 ×(대판 2001.5.15, 2001도1089 ∴ 상해치사죄 ○)
㉢ ○ : 위법성을 주관적인 의사결정규범에 대한 위반으로 보는 주관적 위법성론에 의하면, 법규범의 의미내용을 이해하지 못하고 이에 따라 자기의 의사를 결정할 수 없는 책임무능력자의 행위는 위법하다고 할 수 없으므로 이들에 대한 정당방위는 불가능하고, 다만 긴급피난이 가능하다.
㉣ × : 정당방위 ×, 과잉방위 ×(대판 2007.4.26, 2007도1794)

03 다음 사례에서 甲, 乙, 丙의 죄책에 대한 설명으로 옳은 것은?(다툼이 있는 경우 판례에 의함)

> ㉠ 甲은 이혼소송 중인 남편이 찾아와 가위로 폭행하고 변태적인 성행위를 강요하는 데 격분하여 칼로 남편의 복부를 찔러 사망에 이르게 하였다.
> ㉡ 乙은 A에게 복수하기 위해 A의 방 유리창에 돌을 던져 유리창이 깨졌는데 마침 A가 방에서 연탄가스에 중독되어 사경을 헤매고 있었고, 깨진 유리창으로 산소가 유입되어 A는 생명을 구할 수 있었다.
> ㉢ 丙과 B는 서로 밧줄로 연결된 채 암벽 등반을 하던 중 추락하였으나 丙이 암벽에 설치된 고정핀을 손으로 붙잡아 계곡으로 떨어지지는 않았다. 그러나 점점 힘이 빠지고 있어 둘 다 추락사할 수 있는 상황이었다. 丙은 B와 연결된 밧줄을 끊어버리면 B는 추락사할 수 있으나, 자신은 암벽을 올라가서 살 수 있으리라 생각하고 B와 연결된 밧줄을 끊어버렸다.

① 甲의 행위는 정당방위에는 해당하지 않으나 과잉방위에 해당한다.
② 乙의 손괴행위는 행위반가치가 존재하지 않지만 결과반가치는 여전히 존재하는 경우로서 위법성이 조각되지 않는다.

③ B가 추락하여 사망하였다 하더라도 丙의 행위는 현재의 위난을 피하기 위한 행위로서 긴급피난이 성립한다.

④ B는 밧줄을 끊으려는 丙의 행위에 대해 정당방위가 가능하다.

해설 ① × : 정당방위 ×, 과잉방위 ×(대판 2001.5.15, 2001도1089 ∴ 상해치사죄 ○)
② × : 주관적 정당화 요소를 결한 우연피난의 사례로, 결과반가치는 존재하지 않지만 주관적 정당화 요소(피난의사)가 없어 행위반가치는 여전히 존재하는 경우로서 위법성이 조각되지 않는다(통설 · 판례).
③ × : 丙의 생명이 B의 생명보다 본질적으로 우월하다고 할 수 없으므로(사람의 생명은 이익교량할 수 있는 법익이 아님) 긴급피난이 성립되지 않는다. 다만, 적법행위에 대한 기대가능성이 없으므로 책임이 조각될 수 있다(면책적 긴급피난).
④ ○ : 위법성이 조각되는 긴급피난에 대하여는 정당방위가 불가능하고 긴급피난만이 가능하나, ©의 사례와 같이 위법하나(긴급피난 ×) 책임이 조각되는 경우(면책적 긴급피난)에는 정당방위가 가능하다.

04 긴급피난에 대한 설명으로 옳은 것은?(다툼이 있는 경우 판례에 의함)

25. 9급 검찰 · 마약수사 · 철도경찰

① 긴급피난과 달리 과잉피난이 성립하기 위하여 피고인에게 반드시 피난의사가 있어야 하는 것은 아니다.

② 집회장소 사용 승낙을 하지 않은 대학교 측의 요청에 따라 경찰관들이 대학교 출입문에서 신고된 대학교에서의 집회에 참가하려는 자의 출입을 저지하자 소정의 신고 없이 다른 장소로 장소를 옮겨서 집회를 한 것은 긴급피난에 해당한다.

③ 피난행위가 '위난에 처한 법익을 보호하기 위한 유일한 수단'이어야 함은 긴급피난에서 상당한 이유가 인정되기 위한 조건 중 하나이다.

④ 피난행위가 그 정도를 초과한 경우로서의 이른바 과잉피난에 대해서는 형을 감경할 수 있지만 면제할 수는 없다.

해설 ① × : 정당방위 · 과잉방위나 긴급피난 · 과잉피난이 성립하기 위하여는 방위의사 또는 피난의사가 있어야 한다(대판 1997.4.17, 96도3376).
② × : 긴급피난 ×(대판 1990.8.14, 90도870 ∴ 급박한 현재의 위난을 피하기 위한 부득이한 것 ×)
③ ○ : 대판 2016.1.28, 2014도2477
④ × : ~ 형을 감경 또는 면제할 수 있다(제22조 제1항).

제4절 자구행위

관련조문

제23조【자구행위】 ① 법률에서 정한 절차에 따라서는 청구권을 보전할 수 없는 경우에 그 청구권의 실행이 불가능해지거나 현저히 곤란해지는 상황을 피하기 위하여 한 행위는 상당한 이유가 있는 때에는 벌하지 아니한다. 22. 법원직, 24. 9급 검찰·마약수사·철도경찰, 25. 해경경사
② 제1항의 행위가 그 정도를 초과한 경우에는 정황에 따라 그 형을 감경하거나 면제할 수 있다.
▶ 제21조 제3항 ⇨ 준용규정 ×(과잉자구행위가 야간 기타 불안한 상태에서 공포, 경악, 흥분 또는 당황으로 인한 때에는 벌하지 아니한다. ⇨ 틀림)

01 자구행위에 대한 설명으로 옳지 않은 것은?(다툼이 있는 경우 판례에 의함)

22. 9급 검찰·마약수사·철도경찰

① 과잉자구행위의 경우에는 과잉방위의 경우와 달리, 야간이나 그 밖의 불안한 상태에서 공포를 느끼거나 흥분하거나 당황하였기 때문에 그 행위를 하였을 때에는 벌하지 아니한다는 규정이 존재하지 않는다.

② 채무자가 부도를 내고 도피하자 채권자가 채권확보를 위하여 채무자 소유의 가구점에 관리종업원이 있는데도 그 가구점의 시정장치를 쇠톱으로 절단하고 들어가 가구들을 무단으로 취거한 행위는 자구행위에 해당하지 않는다.

③ 타인의 청구권을 보전하기 위한 자구행위는 인정되지 않지만, 청구권자로부터 자구행위의 실행을 위임받은 경우에는 가능하다.

④ 토지소유권자가 타인이 운영하는 회사에 대하여 사용대차계약을 해지하고 그 토지의 인도 등을 구할 권리가 있다는 이유로 그 회사로 들어가는 진입로를 폐쇄한 경우, 그 권리를 확보하기 위하여 다른 적법한 절차를 취하는 것이 곤란하지 않았더라도, 정당한 행위 또는 자력구제에 해당한다.

해설 ① 옳다.
② 대판 2006.3.24, 2005도8081
③ 옳다.
④ × : ~ (3줄) 것이 곤란하지 않았다면, 정당한 행위 또는 자력구제(자구행위)에 해당하지 않는다(대판 2007.5.11, 2006도4328).

02 자구행위에 관한 설명 중 가장 적절하지 않은 것은? 23. 순경 1차

① 자구행위란 법률에서 정한 절차에 따라서는 청구권을 보전(保全)할 수 없는 경우에 그 청구권의 실행이 불가능해지거나 현저히 곤란해지는 상황을 피하기 위한 상당한 이유가 있는 행위를 말한다.

② 자구행위의 경우에도 야간이나 그 밖의 불안한 상태에서 공포를 느끼거나 경악하거나 흥분하거나 당황하였기 때문에 그 행위를 하였을 때 벌하지 아니하는 형법 제21조 제3항의 규정이 준용된다.

③ 자구행위는 사후적 긴급행위이므로 과거의 침해에 대해서만 가능하다.

④ 자구행위에서 청구권 보전의 불가능이란 시간적·장소적 관계로 국가기관의 구제를 기다릴 여유가 없거나 후일 공적수단에 의한다면 그 실효를 거두지 못할 긴급한 사정이 있는 경우를 말한다.

해설 ①③④ 타당하다.
② × : 형법 제21조 제3항의 규정은 자구행위에 준용되지 않는다.

03 자구행위에 대한 설명으로 옳지 않은 것은?(다툼이 있는 경우 판례에 의함)
24. 9급 검찰·마약수사·철도경찰

① 자구행위는 법률에서 정한 절차에 따라서는 청구권을 보전할 수 없는 경우에 할 수 있다.

② 소유권의 귀속에 관한 분쟁이 있어 민사소송이 계속 중인 건조물에 관하여 현실적으로 관리인이 있음에도 위 건조물의 자물쇠를 쇠톱으로 절단하고 침입한 행위는 법정절차에 의하여 그 권리를 보전하기가 곤란하고 그 권리의 실행불능이나 현저한 실행곤란을 피하기 위해 상당한 이유가 있는 행위라고 할 수 없다.

③ 자신이 소유하는 토지상에 도로가 무단으로 확장 개설되어 그대로 방치한 경우 불특정 다수인이 통행할 우려가 있다는 사정만으로는 법정절차에 의하여 자신의 청구권을 보전하는 것이 불가능한 경우에 해당한다고 볼 수 없다.

④ 피해자에게 석고를 납품한 대금을 받지 못하고 있던 중 피해자가 화랑을 폐쇄하고 도주하자 야간에 폐쇄된 화랑의 베니어판 문을 미리 준비한 드라이버로 뜯어내고 피해자의 물건을 몰래 가지고 나온 경우 자구행위에 해당한다.

해설 ① 제23조 제1항
② 대판 1985.7.9, 85도707
③ 대판 2007.3.15, 2006도9418
④ × : 자구행위 ×(대판 1984.12.26, 84도2582 ∵ 강제적 채권추심 또는 채권추심을 목적으로 하는 물품의 취거행위 ⇨ 자구행위 ×)

THEMA 25 '정당방위 · 긴급피난 · 자구행위' 비교분석 · 정리

구 분	정당방위	긴급피난	자구행위
의 의	자기 또는 타인의 법익에 대한 현재의 부당한 침해를 방위하기 위한 행위	자기 또는 타인의 법익에 대한 현재의 위난을 피하기 위한 행위	법정절차에 의하여 청구권을 보전하기 불능한 경우에 그 청구권의 실행불능 또는 현저한 실행곤란을 피하기 위한 행위

성 질	• '不正 대 正'의 관계
	• 긴급행위
	• 위법성조각사유
		• '正 대 正'의 관계
		• 긴급행위
		• ┌ 위법성조각설(다수설)
		  ├ 책임조각설
		  └ 이분설
			• '不正 대 正'의 관계
			• 긴급행위
			• 위법성조각사유

시 기	사전적	사전적	사후적
보호법익의 범위	자기 또는 타인의 법익 * 국가적 · 사회적 법익 제외 (원칙)	자기 또는 타인의 법익 * 국가적 · 사회적 법익 포함	과거에 침해된 자기의 청구권 * 타인의 청구권 ×
상당성	보충성 · 균형성 不要	보충성 · 균형성 要	보충성 要, 균형성 不要
상당성의 결여 (그 정도를 초과)	• 과잉방위(제21조 제2항) ⇨ 임의적 감면 • 不罰(제21조 제3항)	정당방위 규정 준용 (제21조 제2항 · 제3항)	• 과잉자구행위(제23조 제2항) ⇨ 임의적 감면 • 不罰 규정 없음(제21조 제3항이 준용되지 않는다)
침해의 원인	사람의 행위	사람의 행위, 자연현상, 동물의 침해 불문	사람의 행위
행위의 대상	침해자 * 제3자에 대해서는 방위행위 不可	침해자 · 제3자에 대해서도 피난행위 可	침해자(피청구권자)
주관적 정당화요소	방위의사	피난의사	자구의사
형법상 취급	위법성조각 ⇨ 적법행위 ⇨ 범죄 불성립	위법성조각 ⇨ 적법행위 ⇨ 범죄 불성립	위법성조각 ⇨ 적법행위 ⇨ 범죄 불성립
주체의 제한	주체의 제한 없음	주체의 제한 있음(제22조 제2항)	청구권의 소유자 또는 위임받은 자

☑ **세 가지 공통되는 요건** : ① 긴급행위 ② 위법성조각사유 ③ 상당성(상당성 내용에는 차이가 있음) ④ 주관적 정당화요소 要

제5절 **피해자의 승낙**

관련조문

제24조【피해자의 승낙】 처분할 수 있는 자의 승낙에 의하여 그 법익을 훼손한 행위는 법률에 특별한 규정이 없는 한(있는 경우에만 ×) 벌하지 아니한다. 14. 7급 검찰, 17. 경찰승진, 19. 순경 1차

THEMA 26 '피해자의 승낙' 총정리

1. 피해자의 승낙(동의)에 대한 형법상의 취급

16. 변호사시험 · 7급 검찰, 20. 순경 1차, 21. 해경승진, 22. 경찰간부, 23. 경력채용

유 형	형법규정
피해자의 동의가 구성요건 해당성을 조각하는 경우 (피해자의 양해)	구성요건이 피해자의 의사에 반하는 때에만 실현될 수 있도록 규정되어 있는 범죄(각칙상 개인의 자유 · 재산 · 사생활의 평온을 보호하기 위한 죄의 대부분)가 여기에 해당된다. 예 강간죄, 주거침입죄, 절도죄 등
피해자의 동의가 있어도 범죄가 성립하는 경우(동의가 범죄구성요건으로 된 경우)	• 13세 미만자에 대한 간음 · 추행죄(제305조) : 의제강간죄 · 강제추행죄 • 피구금자에 대한 간음죄(제303조) • 아동혹사죄(제274조)
피해자의 동의가 형의 감경 사유가 되어 다른 구성요건에 해당하는 경우	• 일반살인죄(제205조 제1항)에 대한 촉탁 · 승낙살인죄(제252조 제1항) • 타인소유 일반건조물방화죄(제166조 제1항)에 대한 자기소유일반건조물방화죄(제166조 제2항) • 타인소유 일반물건방화죄(제167조 제1항)에 대한 자기소유일반물건방화죄(제167조 제2항)
피해자의 동의가 있으면 구성요건에는 해당하나 위법성이 조각되는 경우	• 피해자의 승낙에 의한 행위(제24조) • 상해죄와 폭행죄가 대표적이다.

2. 성립요건

① 승낙의 대상이 될 수 있는 법익 : 처분 가능한 개인적 법익에 한함(국가적 · 사회적 법익 ×)

⚖ **관련판례**

무고죄는 국가의 형사사법권 또는 징계권의 적정한 행사를 주된 보호법익으로 하고, 다만 개인의 부당하게 처벌 또는 징계받지 아니할 이익을 부수적으로 보호하는 죄이므로, 설사 무고에 있어서 피무고자의 승낙이 있었다고 하더라도 무고죄의 성립에는 영향을 미치지 못한다(대판 2005.9.30, 2005도2712). 19. 경찰승진, 20. 경찰간부 · 9급 검찰, 22. 해경 2차, 24. 순경 1차 · 7급 검찰

② 유효한 승낙 : 피해자의 승낙은 유효한 승낙이어야 하므로 승낙의 의미와 내용을 이해할 수 있는 자(승낙능력자)의 자유로운 의사에 의한 진지한 것이어야 한다. 승낙능력은 민법상의 행위능력과 구별되며, 형법의 독자적인 기준에 의하여 구체적 · 개별적으로 결정된다. 16. 사시, 22. 경찰간부

⚖ **관련판례**

1. 의사가 설명의무를 다하지 않은 상태에서(부정확 또는 불충분한 설명을 근거로) 피해자로부터 수술승낙을 받은 경우 수술의 위법성을 조각할 유효한 승낙이라고 볼 수 없다(대판 1993.7.27, 92도2345 **예** 의사가 정밀한 진단방법을 실시하지 않은 채 환자의 병명이 자궁외임신인 것을 자궁근종으로 오진하고 환자인 피해자에게 자궁적출수술의 불가피성만을 설명하고 자궁외임신에 관한 설명을 하지 않은 채 피해자의 승낙을 받아 자궁적출수술을 한 경우 ⇨ 업무상 과실치상죄 ○). 18. 법원행시 · 경찰간부, 19. 경찰승진, 21. 변호사시험 · 해경 2차, 22. 순경 2차, 23. 경력채용, 25. 9급 검찰 · 마약수사 · 철도경찰

2. 환자의 생명과 환자의 자기결정권을 비교형량하기 어려운 특별한 사정이 있다고 인정되는 경우에 의사가 자신의 직업적 양심에 따라 환자의 양립할 수 없는 두 개의 가치 중 어느 하나를 존중하는 방향으로 행위하였다면, 이러한 행위는 처벌할 수 없다(대판 2014.6.26, 2009도14407). 16. 법원행시, 20. 순경 2차

③ 승낙의 시기 : 승낙은 행위 전이나 행위시에 표시되어 법익침해시까지 계속되어야 하므로 사후 승낙은 허용되지 아니한다(**예** 사문서위조죄나 공정증서원본부실기재죄가 성립한 이후, 피해자의 동의 등으로 문서에 기재된 대로 효과의 승인을 받거나 등기가 실체적 권리관계에 부합하게 되더라도 이미 성립한 범죄에 아무런 영향이 없다(대판 1999.5.14, 99도202)). 20. 7급 · 9급 검찰, 21. 해경승진, 24. 경찰승진 피해자의 승낙은 침해행위 이전에 자유롭게 철회할 수 있고, 그 철회의 방법에는 특별한 제한이 없다(대판 2011.5.13, 2010도9962 **예** 피고인이 피해자 甲의 상가건물에 대한 임대차계약 당시 甲의 모(母) 乙에게서 인테리어 공사 승낙을 받았는데, 이후 乙이 임대차 보증금 잔금 미지급을 이유로 즉시 공사를 중단하고 퇴거할 것을 요구하자 도끼를 집어 던져 상가 유리창을 손괴한 경우 ⇨ 재물손괴죄 ○ ∵ 乙이 위 의사표시로써 시설물 철거에 대한 동의를 철회한 것임). 16. 변호사시험 · 사시, 19. 경력채용, 20. 순경 1차, 20 · 21. 경찰간부, 25. 경찰승진 · 9급 검찰 · 마약수사 · 철도경찰

④ 승낙의 표시 : 승낙은 적극적으로 표시될 필요는 없지만 어떠한 방법으로든지 외부에서 인식할 수 있을 정도로 외부로 표시하여야 한다(명시적 · 묵시적 승낙 모두 가능). 21. 변호사시험, 22. 해경 2차

  ⚖ **관련판례** : 동거 중인 피해자의 지갑에서 현금(6만원)을 꺼내 가는 것을 현장에서 목격하고도 만류하지 않은 경우 ⇨ 절도죄 ×(대판 1985.11.26, 85도1487 ∵ 이를 허용하는 묵시적 의사가 있음) 16. 9급 검찰 · 마약수사, 20. 경찰승진 · 순경 1차, 21. 순경 2차, 23. 9급 철도경찰 · 경력채용

⑤ 상당성 : 위법성이 조각되는 피해자의 승낙은 개인적 법익을 훼손하는 경우에 법률상 이를 처분할 수 있는 사람의 승낙이어야 할 뿐만 아니라 그 승낙이 윤리적 · 도덕적으로 사회상규에 반하는 것이 아니어야 한다(대판 2008.12.11, 2008도9606). 21. 변호사시험 · 9급 검찰 · 마약수사 · 철도경찰, 22. 해경 2차, 23. 경력채용 · 순경 2차

⚖ **관련판례**

1. 甲이 乙과 공모하여 교통사고를 가장해 보험금을 편취할 목적으로 乙에게 상해를 가했다면, 甲의 상해행위는 피해자의 승낙에 의해 위법성이 조각되지 않는다(대판 2008.12.11, 2008도9606). 18. 경찰간부 · 순경 3차, 20. 9급 검찰 · 철도경찰, 21. 순경 2차 · 해경 2차 · 경력채용, 23. 경찰승진 · 순경 1차, 25. 변호사시험

2. 피할 만한 여유도 없는 좁은 장소에서, 피해자보다 신체가 더 건강한 피고인이 약 1분 이상 피해자의 급소인 가슴과 배를 때려 사망의 결과에 이르렀다면, 그 폭행이 장난권투로서 피해자의 승낙에 의하여 위법성이 조각된다고 할 수 없다(대판 1989.11.28, 89도201). 19. 경력채용, 21. 법원행시, 22. 해경간부

3. 甲이 병을 앓고 있는 乙에게 잡귀 때문에 병이 있다고 하자 乙은 잡귀를 물리쳐 줄 것을 부탁하였고, 이에 甲은 12시간 동안 잡귀를 물리친다면서 배와 가슴을 손과 무릎으로 힘껏 누르고 밟아 乙로 하여금 내출혈로 사망에 이르게 한 경우 ⇨ 폭행치사죄(대판 1985.12.10, 85도1892)

3. 추정적 승낙 : 추정적 승낙이란 피해자의 현실적인 승낙은 없지만 행위 당시의 모든 사정을 객관적으로 판단할 때 피해자의 승낙이 있었을 것이라고 확실히 기대될 수 있는 경우를 말한다(객관적 의미의 추정 ○, 주관적 의미의 추정 ×). 📕 주인의 장기간 여행으로 비어 있는 옆집에 수도관이 파열된 것을 발견하고서 이웃 주민이 이를 고치기 위해 옆집의 문을 열고 들어간 경우 10. 사시

⚖️ **관련판례**

1. 작성권한 없는 자가 타인 명의를 모용하여 사문서를 작성·수정할 당시 명의자의 현실적인 승낙은 없었지만 행위 당시의 모든 객관적 사정을 종합하여 명의자가 행위 당시 그 사실을 알았다면 당연히 승낙했을 것이라고 추정되는 경우 사문서위·변조죄가 성립하지 않는다(대판 2008.4.10, 2007도9987). 18. 경찰간부, 19. 변호사시험·경찰승진, 20. 9급 검찰·마약수사·철도경찰, 24. 7급 검찰

2. 추정적 승낙 여부는 행위 당시를 기준으로 판단되어야 하므로, 명의자의 명시적인 승낙이나 동의가 없다는 것을 알고 있으면서도 명의자 이외의 자의 의뢰로 권한 없이 문서를 작성하는 경우, 명의자가 문서작성 사실을 알았다면 승낙하였을 것이라고 기대하거나 예측한 것만으로는 그 승낙이 추정된다고 단정할 수 없다(대판 2008.4.10, 2007도9987). 19. 법원행시, 21. 법원직·9급 검찰·마약수사·철도경찰, 24. 7급 검찰

---

01 피해자의 승낙에 대한 설명으로 옳지 않은 것은?(다툼이 있는 경우 판례에 의함)

20. 9급 검찰·마약수사·철도경찰

① 피무고자의 승낙을 받아 허위사실을 기재한 고소장을 수사기관에 제출하였다면 무고죄로 처벌할 수 없다.

② 사문서위조죄나 공정증서원본부실기재죄가 성립한 이후, 피해자의 동의 등으로 문서에 기재된 대로 효과의 승인을 받거나 등기가 실체적 권리관계에 부합하게 되더라도 이미 성립한 범죄에 아무런 영향이 없다.

③ 피해자와 공모하여 보험금을 편취할 목적으로 교통사고를 가장하여 피해자에게 상해를 가하였다면 피해자의 승낙이 있었더라도 위법성이 조각되지 않는다.

④ 진단상 과오가 없었으면 당연히 설명받았을 내용을 설명받지 못한 피해자로부터 수술승낙을 받았다면, 그 승낙은 부정확한 설명에 근거한 것으로서 수술의 위법성을 조각할 수 없다.

해설 ① × : 무고죄는 국가의 형사사법권 또는 징계권의 적정한 행사를 주된 보호법익으로 하고, 다만 개인의 부당하게 처벌 또는 징계받지 아니할 이익을 부수적으로 보호하는 죄이므로, 설사 무고에 있어서 피무고자의 승낙이 있었다고 하더라도 무고죄의 성립에는 영향을 미치지 못한다(대판 2005.9.30, 2005도2712).

② 대판 1999.5.14, 99도202 ③ 대판 2008.12.11, 2008도9606 ④ 대판 1993.7.27, 92도2345

Answer 1. ①

02 피해자의 승낙에 관한 설명 중 옳은 것을 모두 고른 것은?(다툼이 있는 경우 판례에 의함)

21. 변호사시험

> ㉠ 피해자의 승낙이 객관적으로 존재하는데도 불구하고 행위자가 이를 알지 못하고 행위한 경우에는 위법성조각사유의 전제사실의 착오가 되어 위법성이 조각되지 않는다.
> ㉡ 개인적 법익을 훼손하는 경우에 형법 제24조의 피해자의 승낙에 의해 위법성이 조각되려면 그 승낙이 법률상 이를 처분할 수 있는 사람의 승낙이어야 할 뿐 아니라 윤리적·도덕적으로 사회상규에 반하지 않아야 할 것이라는 요건도 충족되어야 한다.
> ㉢ 의사의 진단상 과오로 인해 당연히 설명받았을 내용을 설명받지 못한 경우라도 피해자로부터 수술 승낙을 받은 이상 그 승낙은 수술의 위법성을 조각할 유효한 승낙이라고 볼 수 있다.
> ㉣ 묵시적 승낙이 있는 경우에도 피해자의 승낙에 의해 위법성이 조각될 수 있다.

① ㉠, ㉡   ② ㉠, ㉢   ③ ㉡, ㉢
④ ㉡, ㉣   ⑤ ㉡, ㉢, ㉣

해설 ㉠ × : ~ 경우에는 주관적 정당화요소를 결한 경우의 문제로서 불능미수(다수설)가 성립된다. 반대로 객관적으로 승낙사실이 존재하지 않는데도 불구하고 승낙사실이 존재한다고 오인하고 행위한 경우가 위법성조각사유의 전제사실의 착오가 되어 판례에 의할 경우, 그 오인에 정당한 이유가 있는 경우에는 위법성이 조각된다(대판 1986.10.28, 86도1406).
㉡ ○ : 대판 2008.12.11, 2008도9606 ㉢ × : ~ 유효한 승낙이라고 볼 수 없다(대판 1993.7.27, 92도2345).
㉣ ○ : 대판 1983.2.8, 82도2436

03 다음 중 피해자 승낙에 대한 설명으로 가장 적절한 것은?

22. 경찰간부

① 형법은 살인, 상해, 강간의 경우에 피해자의 승낙이 있더라도 처벌하는 특별한 규정을 두고 있다.
② 승낙의 주체는 승낙의 의미와 내용을 이해할 수 있는 능력을 가진 자를 의미하므로 승낙 권자는 민법상 행위능력자여야 한다.
③ 승낙은 원칙적으로 자유롭게 철회할 수 있으므로, 철회 전에 이루어진 행위는 정당화되지 않는다.
④ 승낙이 있는 것으로 오인한 자의 행위는 객관적 정당화 상황에 관한 착오에 해당하고, 승낙이 없는 것으로 오인한 자의 행위는 주관적 정당화 요소를 결한 경우의 문제가 된다.

해설 ① × : 살인의 경우에 처벌하는 특별규정(제252조 제1항 ; 촉탁·승낙살인죄)이 있으나 상해, 강간의 경우에는 없다.
② × : 승낙능력은 민법상의 행위능력과 구별되며, 형법의 독자적인 기준에 의하여 구체적·개별적으로 결정된다.
③ × : 철회 후에 이루어진 행위는 정당화(피해자 승낙에 의한 위법성조각)되지 않으나, 철회 전에 이루어진 행위는 정당화된다.
④ ○ : ~ 행위는 객관적 정당화 상황의 착오(위법성조각사유의 전제사실에 관한 착오)에 해당하고, 승낙이 없는 것으로 오인한 자의 행위는 주관적 정당화 요소를 결한 경우(우연승낙)의 문제가 된다.

THEMA 27 `'피해자의 승낙(추정적 승낙)'` 관련판례 총정리

1. 피고인이 피해자가 사용 중인 공중화장실의 용변칸에 노크하여 남편으로 오인한 피해자가 용변칸 문을 열자 강간할 의도로 용변칸에 들어간 것이라면 피해자가 명시적 또는 묵시적으로 이를 승낙하였다고 볼 수 없어 주거침입죄에 해당한다(대판 2003.5.30, 2003도1256). 16. 7급 검찰 · 철도경찰, 18. 법원행시 · 순경 3차, 19. 경찰승진

2. 작성권한 없는 자가 사문서를 작성함에 있어서 명의자의 명시적 · 묵시적 · 추정적 승낙이 있었다면 사문서위조죄가 성립하지 않는다(대판 2003.5.30, 2002도235). 15. 9급 검찰 · 철도경찰, 16. 사시, 20. 경찰승진
   피고인에게 이 사건 문서를 작성케 하고 그의 서명을 대신하게 하여 비치하도록 지시 내지 승낙한 사실을 인정하기에 충분하므로 피고인의 위 소위는 공문서위조죄 등의 구성요건해당성(위법성 ×)이 조각된다(대판 1983.5.24, 82도1426). 18. 법원행시, 24. 해경승진

   ▶ 대법원은 문서위조죄는 사회적 법익이지만 피해자의 승낙이 구성요건해당성을 배제시킨다는 태도를 취한다.

   유사판례 : 타인의 인장을 조각할 당시에 명의자로부터 명시적이거나 묵시적인 승낙 내지 위임을 받은 경우 인장위조죄는 성립하지 않는다(대판 2014.9.26, 2014도9213). 20. 경찰간부, 21. 해경간부

3. 피고인이 자신의 부(父) 甲에게서 甲소유 부동산의 매매에 관한 권한 일체를 위임받아 이를 매도하였는데, 그 후 甲이 갑자기 사망하자 부동산 소유권 이전에 사용할 목적으로 甲이 자신에게 인감증명서 발급을 위임한다는 취지의 인감증명 위임장을 작성한 후 주민센터 담당직원에게 이를 제출한 경우 ⇨ 사문서위조죄 및 동행사죄(대판 2011.9.29, 2011도6223 ∵ 피고인이 명의자 甲이 승낙하였을 것이라고 기대하거나 예측한 것만으로는 사망한 甲의 승낙이 추정된다고 단정할 수 없음) 14. 변호사시험, 15. 사시, 18. 9급 검찰 · 마약수사, 21. 경찰간부 · 순경 2차

4. 사망한 사람 명의의 사문서를 위조한 경우 문서명의인이 생존하고 있다는 점이 문서의 중요한 내용을 이루거나 그 점을 전제로 문서가 작성되었다면, 사망한 명의자의 승낙이 추정된다는 이유로 사문서위조죄의 성립을 부정할 수는 없다(대판 2011.9.29, 2011도6223). 14. 사시, 20. 7급 검찰 · 철도경찰, 21. 법원행시, 22. 순경 2차, 25. 9급 검찰 · 마약수사 · 철도경찰

5. 사자 명의로 된 약속어음을 작성함에 있어 사망자의 처로부터 사망자의 인장을 교부받아 생존 당시 작성한 것처럼 약속어음의 발행일자를 그 명의자의 생존 중의 일자로 소급하여 작성한 때에는 발행 명의인의 승낙이 있었다고 볼 수 없다(대판 2011.7.14, 2010도1025 ∵ 유가증권위조죄 ○) 16 · 18. 법원행시, 22. 경찰간부

6. 건물의 소유권에 대한 분쟁이 계속되고 있는 상황이라면 건물의 소유자라고 주장하는 피고인이 그 건물에 침입하는 것에 대한 건물점유자의 추정적 승낙이 있었다거나 사회상규에 위배되지 않는 것이라 볼 수 없다(대판 1989.9.12, 89도889 ∵ 건조물침입죄 ○). 18. 순경 3차, 21. 순경 2차, 22. 해경간부, 25. 경찰승진

7. 甲이 점유자와 소유자가 다른 승용차를 점유자의 의사에 반하여 자신의 점유로 옮긴 경우, 이러한 甲의 행위가 결과적으로 소유자의 이익이 되거나 이에 대한 소유자의 추정적 승낙이 있다고 볼 만한 사정이 있는 것만으로는 甲의 불법영득의사를 부정할 수 없다(대판 2014.2.21, 2013도14139). 15. 사시, 16. 순경 2차, 20. 7급 검찰, 21. 해경 2차

8. 관련 민사소송에서 쟁점이 된 제3자로부터 급여를 받은 사실을 숨기기 위해 통장의 입금자 부분을 화이트테이프로 지우고 복사하였을 뿐 입금자를 제3자로 변경하지 않았다면, 통장 명의자인 은행의 추정적 승낙이 있었다고 볼 수 없다(대판 2011.9.29, 2010도14587 ∵ 사문서변조죄 ○). 18. 법원행시, 20. 경찰간부, 24. 7급 검찰

9. 아동복지법상 아동(18세 미만자)매매죄는 대가를 받고 아동의 신체를 인계 · 인수함으로써 성립하고, 설령 위와 같은 행위에 대하여 아동이 명시적인 반대 의사를 표시하지 아니하거나 더 나아가 동의 · 승낙의 의사를 표시하였다 하더라도 이러한 사정은 아동매매죄의 성립에 아무런 영향을 미치지 아니한다(대판 2015.8.27, 2015도6480). 15. 법원직, 21. 법원행시

10. 피해자가 부도를 낸 이후 피해자에 대한 자신들의 물품대금채권을 다른 채권자들보다 우선적으로 확보할 목적으로 피해자의 승낙 없이 새벽에 시건장치를 쇠톱으로 절단하고 침입하여 피해자의 가구들을 화물차에 싣고 갔다면 피해자의 추정적 승낙이 있다고 볼 수 없다〔대판 2006.3.24, 2005도8081 ▶ 자구행위 ×, 피해자의 추정적 승낙 ×, 불법영득의사 ○ ⇨ ∴ 특수절도죄(손괴 후 야간주거침입절도죄)〕. 09. 법원직, 10. 9급 검찰

11. 회사의 임원이 그 임무에 위배되는 행위로 재산상 이익을 취득하거나 제3자로 하여금 이를 취득하게 하여 회사에 손해를 가한 때에는 이로써 업무상 배임죄가 성립하고, 그 임무위배행위에 대하여 사실상 대주주의 양해를 얻었다거나 이사회의 결의가 있었다고 하여 업무상 배임죄의 성립에 어떠한 영향이 있는 것은 아니다(대판 2000.5.26, 99도2781). 07. 법원직, 21. 9급 검찰 · 마약수사 · 철도경찰

12. 밍크 45마리에 관하여 자기에게 그 권리가 있다고 주장하면서 이를 가져간 데 대해 묵시적 동의가 있었다면 그 주장이 후에 허위임이 밝혀졌더라도 절도죄의 절취행위에는 해당 ×(대판 1990.8.10, 90도1211 ∵ 절도죄의 구성요건해당성 ×) 22. 해경간부, 23. 법원행시 · 7급 검찰, 25. 9급 검찰 · 마약수사 · 철도경찰 · 해경경사

13. 채무자가 채권확보를 위한 채권자의 요구를 거절할 수 없었기 때문에 채권자가 계주의 업무를 대행하는 데 대하여 이를 승인 내지 묵인한 경우(묵시적 승낙) ⇨ 피해자의 승낙 ⇨ 위법성조각 ⇨ 업무방해죄 ×(대판 1983.2.8, 82도2486) 05. 순경

14. 피해자가 스스로 가출하였다고는 하나 그것이 피고인의 독자적인 교리설교에 의하여 하자 있는 의사로써 이루어진 것이고, 동 피해자를 보호감독권자의 보호관계로부터 이탈시켜 피고인의 지배하에 옮긴 이상 미성년자유인죄가 성립한다(대판 1982.4.27, 82도186).

15. 사무실 임차인이 임대차계약 종료 후 갱신계약 여부에 관한 의사표시나 명도의무를 지체하고 있다는 이유로 '차임 · 관리비의 연체 등의 사유가 있는 경우 임대인이 단전조치를 할 수 있다.'는 임대차계약에 근거하여 임대인이 단전조치를 취한 경우, 설령 같은 이유로 단전조치를 당했거나 단전조치를 통지받았거나 임대인에게 기한유예 요청을 한 사실이 있더라도 위 단전조치를 묵시적으로 승낙한 것으로 볼 수 없다(대판 2006.4.27, 2005도8074 ∴ 업무방해죄 ○).

16. 타인의 승낙을 받아 촬영한 영상물도 반포시에 그 촬영대상자의 의사에 반하여 반포하였다면, 성폭력범죄의 처벌 등에 관한 특례법 제14조 제2항(카메라 등 이용촬영 · 반포)이 적용된다(대판 2022.6.9, 2022도1683). 23. 7급 검찰

17. 예금주인 현금카드 소유자를 협박하여 그 카드를 갈취한 후 승낙을 받고 이를 이용하여 현금자동지급기에서 현금을 인출한 경우, 현금인출행위는 하자있는 의사표시에 의한 것이지만 피해자의 승낙에 의한 행위이므로 절도죄가 성립하지 않는다(대판 1996.9.20, 95도1728). 18. 변호사시험, 19. 경찰간부, 20. 경찰승진, 21. 법원직, 23. 순경 2차, 24. 법원행시 · 해경순경

01 다음 설명 중 가장 옳은 것은?(다툼이 있는 경우 판례에 의함)　　　　　20. 경찰간부

① 절도죄의 구성요건에서 재물의 타인성에 관하여 착오를 일으킨 경우 법률의 착오에 해당한다.

② 피해자의 승낙은 침해행위 이전에 자유롭게 철회할 수 있고, 그 철회의 방법에는 특별한 제한이 없다.

③ 관련 민사소송에서 쟁점이 된 제3자로부터 급여를 받은 사실을 숨기기 위해 통장의 입금자 부분을 화이트테이프로 지우고 복사하였을 뿐 입금자를 제3자로 변경하지 않았다면, 통장 명의자인 은행의 추정적 승낙이 있었다고 볼 수 있다.

④ 무고죄는 부수적으로 부당하게 처벌 또는 징계받지 아니할 개인의 이익을 보호하는 죄이므로 피무고인이 무고사실에 대하여 승낙한 경우 무고인을 처벌할 수 없다.

> **해설** ① × : 재물의 타인성을 오신하여 그 재물의 취득이 자기에게 허용된 동일한 물건으로 오인하고 가져온 경우에는 범죄사실에 대한 인식이 있다고 할 수 없으므로 범의가 조각되어 절도죄가 성립하지 아니한다 (대판 1983.9.13, 83도1762). ② ○ : 대판 2011.5.13, 2010도9962
> ③ × : ~ 볼 수 없다(대판 2011.9.29, 2010도14587 ∴ 사문서변조죄 ○).
> ④ × : 무고죄는 국가의 형사사법권 또는 징계권의 적정한 행사를 주된 보호법익으로 하고, 다만 개인의 부당하게 처벌 또는 징계받지 아니할 이익을 부수적으로 보호하는 죄이므로, 설사 무고에 있어서 피무고자의 승낙이 있었다고 하더라도 무고죄의 성립에는 영향을 미치지 못한다(대판 2005.9.30, 2005도2712).

02 추정적 승낙에 대한 설명 중 옳은 것(○)과 옳지 않은 것(×)을 바르게 연결한 것은?(다툼이 있는 경우 판례에 의함)　　　　　20. 7급 검찰

> ㉠ 승낙의 추정은 행위시에 있어야 하며, 사후승낙은 인정되지 않는다.
> ㉡ 문서명의인이 이미 사망하였는데 그가 생존하고 있음을 전제로 하는 문서를 권한 없는 자가 작성하였다면, 그러한 내용의 문서에 관하여 사망한 명의자의 승낙이 추정된다는 이유로 사문서위조죄의 성립을 부정할 수는 없다.
> ㉢ 어떠한 물건을 점유자의 의사에 반하여 취거하는 행위가 결과적으로 소유자의 이익으로 된다는 사정 또는 소유자의 추정적 승낙이 있다고 볼 만한 사정이 있는 경우, 불법영득의 의사가 부정된다.
> ㉣ 사문서 명의자의 명시적인 승낙이나 동의가 없다는 것을 알고 있으면서 명의자 이외의 자의 의뢰로 문서를 작성하는 경우라 하더라도, 명의자가 문서작성 사실을 알았다면 승낙하였을 것이라고 기대하거나 예측하였다면 그 승낙이 추정된다.

① ㉠(○), ㉡(○), ㉢(×), ㉣(×)　　　　② ㉠(○), ㉡(○), ㉢(○), ㉣(×)
③ ㉠(×), ㉡(○), ㉢(×), ㉣(○)　　　　④ ㉠(○), ㉡(×), ㉢(○), ㉣(○)

> **해설** ㉠ ○ : 옳다. ㉡ ○ : 대판 2011.9.29, 2011도6223
> ㉢ × : ~ 사정이 있다고 하더라도, 그러한 사유만으로 불법영득의사가 없다고 할 수는 없다(대판 2014. 2.21, 2013도14139). ㉣ × : ~ 기대하거나 예측한 것만으로는 그 승낙이 추정된다고 단정할 수 없다(대판 2008.4.10, 2007도9987).

03 **피해자의 승낙 또는 추정적 승낙에 대한 설명으로 옳지 않은 것은?**(다툼이 있는 경우 판례에 의함)

21. 9급 검찰·마약수사·철도경찰

① 회사의 임원이 임무위배행위로 재산상 이익을 취득하여 회사에 손해를 가한 경우, 그 임무위배행위에 대하여 사실상 대주주의 양해를 얻었다고 하더라도 업무상 배임죄가 성립한다.

② 명의자 이외의 자의 의뢰로 사문서를 작성하는 경우에 명의자의 명시적인 승낙이 없다는 것을 알았지만 명의자가 사문서 작성 사실을 알았다면 승낙하였을 것이라고 작성자가 기대하거나 예측한 것만으로도 승낙은 추정된다.

③ 피해자의 승낙은 개인적 법익을 훼손하는 경우에 법률상 이를 처분할 수 있는 사람의 승낙을 말할 뿐만 아니라 그 승낙이 윤리적·도덕적으로 사회상규에 반하는 것이 아니어야 한다.

④ 피해자의 승낙이 객관적으로 존재하지 않음에도 불구하고 행위자는 그것이 존재한다고 오신한 때에는 위법성조각사유의 전제사실에 대한 착오의 문제가 된다.

해설 ① 대판 2000.5.26, 99도2781

② ×: ~ 기대하거나 예측한 것만으로는 그 승낙이 추정된다고 단정할 수 없다(대판 2008.4.10, 2007도9987).

③ 대판 2008.12.11, 2008도9606 ④ 옳다.

04 **피해자의 승낙에 대한 설명으로 가장 적절하지 않은 것은?**(다툼이 있는 경우 판례에 의함)

21. 순경 2차

① 甲이 동거 중인 A의 지갑에서 현금을 꺼내 가는 것을 A가 현장에서 목격하고도 만류하지 아니한 경우에는 이를 허용하는 A의 묵시적 의사가 있었다고 볼 수 있다.

② 건물의 소유자라고 주장하는 甲과 그것을 점유 관리하고 있는 A 사이에 건물의 소유권에 대한 분쟁이 계속되고 있는 상황에서 甲이 그 건물에 침입하는 경우에는 그 침입에 대한 A의 승낙이 있었다고 볼 수 없다.

③ 甲이 乙과 공모하여 교통사고를 가장하여 보험금을 편취할 목적으로 乙에게 승낙을 받고 상해를 가한 경우에는 피해자의 승낙에 의하여 위법성이 조각된다고 할 수 없다.

④ 甲은 자신의 아버지 A소유 부동산 매매에 관한 권한 일체를 위임받아 이를 매도한 후 갑자기 A가 사망하자 소유권이전에 사용할 목적으로 A가 자신에게 인감증명서 발급을 위임한다는 취지의 위임장을 작성하여, 주민센터 담당직원에게 제출한 경우에는 甲이 A가 승낙하였을 것이라고 기대하거나 예측한 것만으로도 사망한 A의 승낙이 추정된다.

해설 ① 대판 1985.11.26, 85도1487

② 대판 1989.9.12, 89도889 ③ 대판 2008.12.11, 2008도9606

④ ×: ~ 예측한 것만으로는 사망한 A의 승낙이 추정된다고 단정할 수 없다(대판 2011.9.29, 2011도6223).

Answer 3.② 4.④

05 피해자의 승낙에 관한 다음 설명 중 옳고 그름의 표시(○, ×)가 모두 바르게 된 것은?(다툼이 있는 경우 판례에 의함)
22. 순경 2차

> ㉠ 형법 제24조에 따라 위법성이 조각되는 피해자의 승낙은 개인적 법익을 훼손하는 경우에 법률상 이를 처분할 수 있는 사람의 승낙을 말할 뿐만 아니라 그 승낙이 윤리적·도덕적으로 사회상규에 반하는 것이 아니어야 한다.
> ㉡ 문서명의인이 문서의 작성일자 전에 이미 사망했어도 문서명의인이 생존하고 있다는 점이 문서의 중요한 내용을 이루거나 그 점을 전제로 문서가 작성되어 공공의 신용을 해할 위험이 있는 경우에는 사문서위조죄가 성립하나, 그 문서에 관하여 사망한 명의자의 승낙이 추정되는 경우에는 피해자의 승낙에 따라 위법성이 조각된다.
> ㉢ 형법 제24조 피해자의 승낙은 정당방위, 긴급피난, 자구행위와 같이 '상당한 이유'라는 명문의 규정을 두고 있다.
> ㉣ 의사의 불충분한 설명을 근거로 환자가 수술에 동의하였다면 피해자의 승낙으로 수술의 위법성은 조각되지 않는다.

① ㉠(×) ㉡(×) ㉢(○) ㉣(×) 　② ㉠(×) ㉡(○) ㉢(○) ㉣(○)
③ ㉠(○) ㉡(×) ㉢(×) ㉣(×) 　④ ㉠(○) ㉡(×) ㉢(×) ㉣(○)

해설 ㉠ ○ : 대판 2008.12.11, 2008도9606
㉡ × : 문서명의인이 이미 사망하였는데도 문서명의인이 생존하고 있다는 점이 문서의 중요한 내용을 이루거나 그 점을 전제로 문서가 작성되었다면 이미 문서에 관한 공공의 신용을 해할 위험이 발생하였다 할 것이므로, 그러한 내용의 문서에 관하여 사망한 명의자의 승낙이 추정된다는 이유로 사문서위조죄의 성립을 부정할 수는 없다(대판 2011.9.29, 2011도6223).
㉢ × : ~ 규정을 두고 있지 않다.
㉣ ○ : 대판 1993.7.27, 92도2345

06 피해자의 승낙에 관한 설명 중 옳은 것을 모두 고른 것은?(다툼이 있는 경우 판례에 의힘)
21. 변호사시험

> ㉠ 피해자의 승낙이 객관적으로 존재하는데도 불구하고 행위자가 이를 알지 못하고 행위한 경우에는 위법성조각사유의 전제사실의 착오가 되어 위법성이 조각되지 않는다.
> ㉡ 개인적 법익을 훼손하는 경우에 형법 제24조의 피해자의 승낙에 의해 위법성이 조각되려면 그 승낙이 법률상 이를 처분할 수 있는 사람의 승낙이어야 할 뿐 아니라 윤리적·도덕적으로 사회상규에 반하지 않아야 할 것이라는 요건도 충족되어야 한다.
> ㉢ 의사의 진단상 과오로 인해 당연히 설명받았을 내용을 설명받지 못한 경우라도 피해자로부터 수술 승낙을 받은 이상 그 승낙은 수술의 위법성을 조각할 유효한 승낙이라고 볼 수 있다.
> ㉣ 묵시적 승낙이 있는 경우에도 피해자의 승낙에 의해 위법성이 조각될 수 있다.

① ㉠, ㉡ 　　② ㉠, ㉢ 　　③ ㉡, ㉢
④ ㉡, ㉣ 　　⑤ ㉡, ㉢, ㉣

Answer　5.④　6.④

[해설] ㉠ × : ~ 경우에는 주관적 정당화 요소를 결한 경우의 문제로서 불능미수(다수설)가 성립된다. 반대로 객관적으로 승낙사실이 존재하지 않는데도 불구하고 승낙사실이 존재한다고 오인하고 행위한 경우가 위법성조각사유의 전제사실의 착오가 되어 판례에 의할 경우, 그 오인에 정당한 이유가 있는 경우에는 위법성이 조각된다(대판 1986.10.28, 86도1406).
㉡ ○ : 대판 2008.12.11, 2008도9606
㉢ × : ~ 유효한 승낙이라고 볼 수 없다(대판 1993.7.27, 92도2345).
㉣ ○ : 대판 1983.2.8, 82도2436

07 다음 중 피해자 승낙에 대한 설명으로 가장 적절한 것은? 22. 경찰간부

① 형법은 살인, 상해, 강간의 경우에 피해자의 승낙이 있더라도 처벌하는 특별한 규정을 두고 있다.

② 승낙의 주체는 승낙의 의미와 내용을 이해할 수 있는 능력을 가진 자를 의미하므로 승낙권자는 민법상 행위능력자여야 한다.

③ 승낙은 원칙적으로 자유롭게 철회할 수 있으므로, 철회 전에 이루어진 행위는 정당화되지 않는다.

④ 승낙이 있는 것으로 오인한 자의 행위는 객관적 정당화 상황에 관한 착오에 해당하고, 승낙이 없는 것으로 오인한 자의 행위는 주관적 정당화 요소를 결한 경우의 문제가 된다.

[해설] ① × : 살인의 경우에 처벌하는 특별규정(제252조 제1항 ; 촉탁 · 승낙살인죄)이 있으나 상해, 강간의 경우에는 없다.
② × : 승낙능력은 민법상의 행위능력과 구별되며, 형법의 독자적인 기준에 의하여 구체적 · 개별적으로 결정된다.
③ × : 철회 후에 이루어진 행위는 정당화(피해자 승낙에 의한 위법성조각)되지 않으나, 철회 전에 이루어진 행위는 정당화된다.
④ ○ : ~ 행위는 객관적 정당화 상황의 착오(위법성조각사유의 전제사실에 관한 착오)에 해당하고, ~ 행위는 주관적 정당화 요소를 결한 경우(우연승낙)의 문제가 된다.

08 피해자의 승낙 및 동의에 대한 설명으로 옳지 않은 것은?(다툼이 있는 경우 판례에 의함)

23. 7급 검찰

① 무고죄는 국가의 형사사법권 또는 징계권의 적정한 행사와 개인의 부당하게 처벌 또는 징계받지 아니할 이익을 보호법익으로 하는 죄이므로, 무고에 있어서 피무고자의 승낙이 있었다면 무고죄는 성립하지 않는다.

② 피고인이 피해자 소유의 물건에 관한 권리가 자기에게 있다고 주장하면서 이를 가져간 데 대하여 피해자의 묵시적인 동의가 있었다면, 피고인의 주장이 후에 허위임이 밝혀졌더라도 절도죄의 절취행위에는 해당하지 않는다.

③ 타인의 승낙을 받아 촬영한 영상물도 반포시에 그 촬영대상자의 의사에 반하여 반포하였다면, 성폭력 범죄의 처벌 등에 관한 특례법 제14조 제2항(카메라 등 이용촬영 · 반포)이 적용된다.

Answer 7.④ 8.①

④ 형법 제305조 제2항에 의하면 13세 이상 16세 미만의 사람에 대하여 간음 또는 추행을 한 19세 이상의 자는 상대방의 동의 유무를 불문하고 형법 제297조(강간), 제297조의 2(유사강간), 제298조(강제추행), 제301조(강간 등 상해·치상) 또는 제301조의 2(강간 등 살인·치사)의 예에 의하여 처벌된다.

[해설] ① × : 무고죄는 국가의 형사사법권 또는 징계권의 적정한 행사를 주된 보호법익으로 하고, 다만 개인의 부당하게 처벌 또는 징계받지 아니할 이익을 부수적으로 보호하는 죄이므로, 설사 무고에 있어서 피무고자의 승낙이 있었다고 하더라도 무고죄의 성립에는 영향을 미치지 못한다(대판 2005.9.30, 2005도2712).
② 대판 1990.8.10, 90도1211
③ 대판 2022.6.9, 2022도1683
④ 형법 제305조 제1항 관련판례(대판 1982.10.12, 82도2183) 참고, 제305조 제2항(2020.5.19. 신설)

09 추정적 승낙에 대한 설명으로 옳지 않은 것은?(다툼이 있는 경우 판례에 의함)   24. 7급 검찰

① 추정적 승낙이란 피해자의 현실적인 승낙이 없었다고 하더라도 행위 당시 행위자의 주관적 사정에 비추어 볼 때 만일 피해자가 행위의 내용을 알았더라면 당연히 승낙하였을 것으로 예견되는 경우를 말한다.

② 타인 명의 문서를 작성함에 있어 명의자의 명시적인 승낙이나 동의가 없다는 것을 알고 있으면서 명의자가 문서작성 사실을 알았다면 승낙하였을 것이라고 기대하거나 예측한 것만으로는 승낙이 추정된다고 단정할 수 없다.

③ 건물의 소유자라고 주장하는 피고인과 그것을 점유·관리하고 있는 피해자 사이에 건물의 소유권에 대한 분쟁이 계속되고 있는 경우, 피고인이 그 건물에 침입하는 것에 대한 피해자의 추정적 승낙이 있었다고 볼 수 없다.

④ 피고인이 민사소송에서 증거로 제출하기 위하여 자기 명의 예금통장 기장내용 중 특정 회사로부터 지급받은 월급여의 입금자 부분을 화이트테이프로 지우고 복사하여 변조한 후 그 통장사본을 법원에 증거로 제출한 경우, 통장의 명의자인 은행장의 승낙이 추정된다고 볼 수 없다.

[해설] ① × : ~ 행위 당시의 모든 객관적 사정(행위자의 주관적 사정 ×)을 종합하여 피해자가 행위의 내용을 알았더라면 당연히 승낙하였을 것으로 추정(예견 ×)되는 경우를 말한다(대판 2008.4.10, 2007도9987).
② 대판 2008.4.10, 2007도9987(∴ 사문서위조죄 ○)
③ 대판 1989.9.12, 89도889(∴ 건조물침입죄 ○)
④ 대판 2011.9.29, 2010도14587(∴ 사문서변조죄 ○)

10 다음 설명 중 가장 적절하지 않은 것은?(다툼이 있는 경우 판례에 의함)　　　25. 경찰승진

① 甲이 피해자 A가 B로부터 매수한 토지의 경계부분에 매수 전 자신이 식재하였던 수목을 전기톱으로 절단한 경우 甲이 수목을 식재할 당시 토지의 전 소유자 B로부터 명시적 또는 묵시적으로 승낙을 얻었더라도 특수재물손괴죄가 성립한다.

② 甲이 접근금지, 문언송신금지 등을 명한 임시보호명령을 위반하여 피해자의 주거지에 접근하고 문자메시지를 보낸 사안에서, 임시보호명령을 위반한 주거지 접근이나 문자메시지 송신을 피해자가 양해 내지 승낙했더라도 가정폭력범죄의 처벌 등에 관한 특례법 위반죄의 구성요건에 해당하고 형법 제20조의 정당행위로 볼 수 없다.

③ 건물의 소유자라고 주장하는 甲과 그것을 점유관리하고 있는 A 사이에 건물의 소유권에 대한 분쟁이 계속되고 있는 상황이라면 甲이 위 건물에 침입하는 것에 대한 A의 추정적 승낙이 있었다거나 甲의 범행이 사회상규에 위배되지 않는다고 볼 수 없다.

④ 甲은 A의 상가건물에 대한 임대차계약 당시 A의 모(母) B에게서 인테리어 공사 승낙을 받았는데, 이후 B가 임대차보증금 잔금 미지급을 이유로 즉시 공사를 중단하고 퇴거할 것을 요구하자 甲이 도끼를 집어 던져 상가 유리창을 손괴한 사안에서, B가 위 의사표시로써 시설물 철거에 대한 동의를 철회하였다고 보아야 하므로 甲의 위 행위는 위법성이 조각되지 않는다.

> **해설** ① × : ~ (3줄) 묵시적으로 승낙·동의를 얻었다면 이 수목은 토지에 부합하지 않고 이를 식재한 甲에게 소유권이 귀속되므로 특수재물손괴죄가 성립하지 않는다(대판 2023.11.16, 2023도11885).
> ② 대판 2022.1.14, 2021도14015
> ③ 대판 1989.9.12, 89도889
> ④ 대판 2011.5.13, 2010도9962

제6절 정당행위

제20조【정당행위】 법령에 의한 행위 또는 업무로 인한 행위 기타 사회상규에 위배되지 아니하는 행위는 벌하지 아니한다.

THEMA 28

1. 사회상규란 국가질서의 존엄성을 기초로 한 국민 일반의 건전한 도의감 또는 법질서 전체의 정신이나 배후에 있는 사회윤리 내지 사회통념에 비추어 용인되는 것을 말한다(대판 2002.1.25, 2000도1696). 19. 변호사시험·9급 철도경찰, 21. 해경 2차, 22. 법원직

2. 형법 제20조는 '사회상규에 위배되지 아니하는 행위'를 정당행위로서 위법성이 조각되는 사유로 규정하고 있다. 위 규정에 따라 사회상규에 의한 정당행위를 인정하려면, ① 그 행위의 동기나 목적의 정당성, ② 행위의 수단이나 방법의 상당성, ③ 보호이익과 침해이익과의 법익균형성, ④ 긴급성, ⑤ 그 행위 외에 다른 수단이나 방법이 없다는 보충성 등의 요건을 갖추어야 하는데, 위 '목적·동기', '수단', '법익균형', '긴급성', '보충성'은 불가분적으로 연관되어 하나의 행위를 이루는 요소들로 종합적으로 평가되어야 한다(대판 2023.5.18, 2017도2760). 21. 해경 2차, 22. 법원직·7급 검찰, 23. 경찰간부

   ① '목적의 정당성'과 '수단의 상당성' 요건은 행위의 측면에서 사회상규의 판단 기준이 된다. 사회상규에 위배되지 아니하는 행위로 평가되려면 행위의 동기와 목적을 고려하여 그것이 법질서의 정신이나 사회윤리에 비추어 용인될 수 있어야 한다. 수단의 상당성·적합성도 고려되어야 한다. 또한 보호이익과 침해이익 사이의 법익균형은 결과의 측면에서 사회상규에 위배되는지를 판단하기 위한 기준이다(대판 2023.5.18, 2017도2760). 25. 경찰승진

   ② 이에 비하여 행위의 긴급성과 보충성은 수단의 상당성을 판단할 때 고려요소의 하나로 참작하여야 하고 이를 넘어 독립적인 요건으로 요구할 것은 아니다. 또한 그 내용 역시 다른 실효성 있는 적법한 수단이 없는 경우를 의미하고 '일체의 법률적인 적법한 수단이 존재하지 않을 것'을 의미하는 것은 아니라고 보아야 한다(대판 2023.5.18, 2017도2760). 24. 9급 검찰·마약수사·철도경찰·법원직·순경 2차, 25. 경찰승진·순경 1차

   ③ 어떠한 행위가 위 요건들을 충족하는 정당한 행위로서 위법성이 조각되는 것인지는 구체적인 사정 아래서 합목적적·합리적으로 고찰하여 개별적으로 판단되어야 하므로, 구체적인 사안에서 정당행위로 인정되기 위한 긴급성이나 보충성의 정도는 개별 사안에 따라 다를 수 있다(대판 2021.12.30, 2021도9680). 22. 법원직

3. 형법 제20조의 '사회상규에 위배되지 아니하는 행위'라 함은 국가질서의 존중이라는 인식을 바탕으로 한 국민일반의 건전한 도의적 감정에 반하지 아니한 행위로서 초법규적인 기준에 의하여 이를 평가해야 한다(대판 1983.11.22, 83도2224). 19. 변호사시험, 20. 순경 1차, 23. 경찰간부

4. 어떠한 행위가 범죄구성요건에 해당하지만 정당행위라는 이유로 위법성이 조각된다는 것은 그 행위가 적극적으로 용인, 권장된다는 의미가 아니라 단지 특정한 상황하에서 그 행위가 범죄행위로서 처벌대상이 될 정도의 위법성을 갖추지 못하였다는 것을 의미한다(대판 2021.12.30, 2021도9680). 22. 법원직, 24. 경찰승진·9급 검찰·마약수사·철도경찰

● **사회상규에 위배되어(정당행위 ×) 위법성이 인정된 경우**

1. 자신의 배우자가 상간자의 방에서 간통을 할 것이라고 추측하고 이혼소송에 사용할 증거자료 수집을 목적으로 그들의 간통현장을 직접 목격하고 그 사진을 촬영하기 위하여 상간자의 주거에 침입한 경우(대판 2003.9.26, 2003도3000 ∵ 수단·방법의 상당성 × ∴ 주거침입죄) 13. 7급 검찰, 16. 사시·경찰승진

2. 방송사 기자인 피고인이, 구 국가안전기획부 내 정보수집팀이 타인과의 사적 대화를 불법 녹음하여 생성한 도청자료인 녹음테이프와 녹취보고서를 입수한 후 그 내용을 자사의 방송프로그램을 통하여 공개한 경우(대판 2011.3.17, 2006도8839 전원합의체 ∴ 통신비밀보호법위반죄 ○). 14. 법원행시, 16. 9급 검찰·마약수사·철도경찰, 21. 경찰간부·경력채용

   ⚖ 유사판례 : 국회의원인 피고인이 구 국가안전기획부 내 정보수집팀이 대기업 고위관계자와 중앙일간지 사주 간의 사적 대화를 불법 녹음한 자료를 입수한 후 그 대화내용과 위 대기업으로부터 이른바 떡값 명목의 금품을 수수하였다는 검사들의 실명이 게재된 보도자료를 작성하여 자신의 인터넷 홈페이지에 게재한 경우, 정당행위에 해당한다고 볼 수 없다(대판 2011.5.13, 2009도4442). 15. 순경 2차, 18. 순경 1차, 20. 해경승진, 23. 경찰승진

3. 통상의 일반적인 안수기도의 방식과 정도를 벗어나 환자의 신체에 비정상적이거나 과도한 유형력을 행사하고 신체의 자유를 과도하게 제압하여 그 결과 환자의 신체에 상해까지 입힌 경우라면, 그러한 유형력의 행사가 비록 안수기도의 명목과 방법으로 이루어졌다 해도 일반적으로 사회상규상 용인되는 정당행위라고 볼 수 없음은 물론이고, 이를 치료행위로 오인한 피해자 측의 승낙이 있었다 하여 달리 볼 수도 없다(대판 2008.8.21, 2008도2695). 14. 법원행시, 15. 경찰승진, 23. 법원직

4. 행방불명된 남편에 대하여 불리한 민사판결이 선고되자, 그 처가 적법한 다른 방법을 강구하지 아니하고 남편 명의의 항소장을 위조하여 이를 법원에 제출한 경우(대판 1994.11.8, 94도1657) 14. 순경 2차, 16. 법원직, 22. 경력채용

5. 아파트 입주자대표회의 회장이 다수 입주민들의 민원에 따라 위성방송 수신을 방해하는 케이블TV방송의 시험방송 송출을 중단시키기 위해 케이블TV방송의 방송안테나를 절단하도록 지시한 행위(대판 2006.4.13, 2005도9396 : 긴급피난 ×, 정당행위 ×) 16. 경찰간부·7급 검찰, 18. 변호사시험, 22. 경찰승진

6. 대출의 조건 및 용도가 임야매수자금으로 한정되어 있는 정부정책자금을 대출받으면서 임야매수자금 외의 용도에 사용할 목적으로 임야매수자금을 실제보다 부풀린 허위계약서를 제출하여 대출받은 행위는, 정책자금을 대출받은 자가 대출의 조건 및 용도에 위반하여 자금을 사용하는 관행이 있더라도 사회상규에 반하므로 위법하다(대판 2007.4.27, 2006도7634). 15. 사시·순경 3차, 17. 경찰승진

7. 사채업자인 피고인이 채무자 甲에게, 채무를 변제하지 않으면 甲이 숨기고 싶어 하는 과거 행적과 사채를 쓴 사실 등을 남편과 시댁에 알리겠다는 등의 문자메시지를 발송한 경우 ⇨ 협박죄 ○(대판 2011.5.26, 2011도2412 ∵ 정당행위 ×) 16. 사시, 21. 해경승진, 23. 변호사시험, 24. 순경 1차

8. 공사업자가 이전 공사대금의 잔금을 지급받지 못하자 추가로 자동문의 번호키 설치공사를 도급받아 시공하면서 자동문이 수동으로만 여닫히게 설정하여 일시적으로 자동잠금장치로서 역할을 할 수 없게 한 경우 ⇨ 재물손괴죄 ○(대판 2016.11.25, 2016도9219 ∵ 피해자의 승낙 ×, 정당행위 ×) 17. 법원행시·7급 검찰, 18. 경찰간부, 19. 순경 2차

9. 운수회사 직원인 甲이 회사 대표와 공모하여 지입차주인 피해자들이 점유하는 각 차량 또는 번호판을 지입료 등 연체를 이유로 무단 취거한 행위(대판 2003.6.27, 2002도6088 ∴ 권리행사방해죄 ○) 16. 사시

10. 상사 계급의 피고인이 그의 잦은 폭력으로 신체에 위해를 느끼고 겁을 먹은 상태에 있던 부대원들에게 청소불량 등을 이유로 40~50분간 머리박아(속칭 원산폭격)를 시키거나 양손을 깍지낀 상태에서 2시간 동안 팔굽혀펴기를 하게 한 행위(대판 2006.4.27, 2003도4151 ∴ 강요죄) 13. 7급 검찰, 24. 순경 2차

11. 대학 당국이 집회를 허가하지 않았지만 학생회가 동의하였으므로 위법하지 않다고 믿고 금융노조가 집회를 목적으로 대학 내 학생회관에 들어간 경우(대판 1995.4.14, 95도12) 17. 경찰간부

12. 甲주식회사 임원인 피고인들이 회사 직원들 및 그 가족들에게 수여할 목적으로 전문의약품인 타미플루 39,600정 등을 제약회사로부터 매수하여 취득한 경우(대판 2011.10.13, 2011도6287) 17. 경찰간부, 19. 경찰승진

13. 甲정당 당직자인 피고인들 등이 국회 외교통상 상임위원회 회의장 앞 복도에서 출입이 봉쇄된 회의장 출입구를 뚫을 목적으로 회의장 출입문 및 그 안쪽에 쌓여 있던 책상, 탁자 등 집기를 손상하거나, 국회의 심의를 방해할 목적으로 소방호스를 이용하여 회의장 내에 물을 분사한 경우, 이를 위법성이 조각되는 정당행위나 긴급피난의 요건을 갖춘 행위로 평가하기 어렵다(대판 2013.6.13, 2010도13609 ∴ 공용물건손상죄 및 국회회의장소동죄 ○). 16. 순경 2차, 17. 경찰간부, 18. 변호사시험, 21. 9급 검찰·마약수사·철도경찰

14. 주식회사 감사인 피고인이 회사 경영진과의 불화로 한 달 가까이 결근하다가 자신의 출입카드가 정지되어 있는데도 이른 아침에 경비원에게서 출입증을 받아 컴퓨터 하드디스크를 절취하기 위해 회사 감사실에 들어간 경우 ⇨ 방실침입죄 ○(대판 2011.8.18, 2010도9570 ∴ 정당행위 ×) 13. 사시

15. 현직 군수로서 전국동시지방선거(제5회) 지방자치단체장 선거에 특정 정당 후보로 출마가 확실시되는 피고인이 같은 정당 지역청년위원장 등 선거구민 20명에게 약 36만원 상당의 식사를 제공하여 기부행위를 한 경우 ⇨ 정당행위 ×(대판 2011.2.24, 2010도14720) 14. 경찰승진

16. 시위참가자들이 경찰관들의 위법한 제지행위에 대항하는 과정에서 공동하여 경찰관들에게 돌을 던지고 PVC파이프를 휘두르거나 진압방패와 채증장비를 빼앗는 등의 폭행행위를 한 것 ⇨ 정당행위 ×, 정당방위 ×(대판 2009.6.11, 2009도2114) 13. 사시

17. 정보보안과 소속 경찰관이 자신의 지위를 내세우면서 타인의 민사분쟁에 개입하여 빨리 채무를 변제하지 않으면 상부에 보고하여 문제를 삼겠다고 말한 경우, 상대방이 채무를 변제하고 피해 변상을 하는지 여부에 따라 직무집행 여부를 결정하겠다는 취지라도 정당행위에 해당하지 않는다(대판 2007.9.28, 2007도606 전원합의체 ∴ 협박죄 ○). 13. 사시

18. 국군보안사령부의 민간인에 대한 정치사찰을 폭로한다는 명목으로 군무를 이탈한 행위 ⇨ 정당방위 ×, 정당행위 ×(대판 1993.6.8, 93도766) 17. 변호사시험, 23. 순경 1차

19. 주점 임대차 약정기간이 만료되지 않고 임대차보증금도 상당한 액수가 남아 있는 상태에서 주점 임대인이 그 임차인의 차임 연체를 이유로 계약해지의 의사표시와 경고만을 한 후 계약서상 규정에 따라 그 주점에 대하여 단전·단수조치를 취한 경우(대판 2007.9.20, 2006도9157 ∴ 업무방해죄 ○) 13. 7급 검찰

20. 남북정상회담의 개최과정에서 이루어진 법정절차를 거치지 아니한 대북송금행위 자체는 사법심사의 대상이 되며 이는 정당행위에 해당 ×(대판 2004.3.26, 2003도7878) 10. 경찰승진

21. 甲주식회사 대표이사인 피고인이 주주총회 등에서 특정 의결권 행사방법을 독려하기 위한 방법으로 甲회사의 주주총회 등에 참석하여 사전투표 또는 직접투표 방식으로 의결권을 행사한 주주들에게 甲회사에서 발행한 20만원 상당의 상품교환권 등을 제공한 경우 ⇨ 정당행위 ×(대판 2018.2.8, 2015도7397 ∴ 주주총회 의결권 행사와 관련된 이익의 공여로서 사회통념상 허용되는 범위를 넘어서는 것이어서 상법상 주주의 권리행사에 관한 이익공여의 죄에 해당한다.) 20. 순경 2차

22. 공직선거법 제250조 제2항 소정의 허위사실공표죄가 성립하는 그 행위가 공공의 이익을 위한 것이라고 하여 위법성이 조각된다고 볼 수 없다. 아울러 피고인의 행위가 사회상규에 위배되지 아니하는 행위로서 형법 제20조 소정의 정당행위라고 볼 수도 없다(대판 2011.12.22, 2008도11847).

    ⚖ 비교판례 : 선거관리위원회가 주최한 합동연설회장에서 일간지의 신문기사를 읽는 방법으로 상대 후보의 전과사실을 적시한 사안에서, 상대 후보의 평가를 저하시켜 스스로 자신이 당선되려는 사적 이익도 동기가 되었지만 유권자들에게 상대 후보의 자질에 대한 자료를 제공함으로써 적절한 투표권을 행사하도록 하려는 공적 동기도 있었던 경우 ⇨ 공직선거법 제251조 단서(후보자비방죄 : 진실한 사실로서 공공이 이익에 관한 때에는 처벌하지 아니한다)에 의하여 위법성이 조각됨(대판 1996.6.28, 96도977). 22. 경찰승진

23. 구 공직선거 및 선거부정방지법상 선거비용지출죄는 회계책임자가 아닌 자가 선거비용을 지출한 경우에 성립되는 죄인바, 후보자가 그와 같은 행위가 죄가 되는지 몰랐다고 하더라도 회계책임자가 아닌 후보자가 선거비용을 지출한 이상 회계책임자가 후에 후보자의 선거비용 지출을 추인하였다 하더라도 그 위법성이 조각되지 않는다(대판 1999.10.12, 99도3335). 23. 순경 1차

24. 문언송신금지를 명한 가정폭력범죄의 처벌 등에 관한 특례법상 임시보호명령을 위반하여 피고인이 피해자에게 문자메시지를 보낸 경우 문자메시지 송신을 피해자가 양해 내지 승낙했더라도 형법 제20조의 정당행위로 볼 수 없다(대판 2022.1.14, 2021도14015). 23. 9급 검찰·마약수사·철도경찰·순경 2차, 25. 경찰승진

25. 특정후보자에 대한 낙선운동 ⇨ 시민불복종운동으로서 헌법상의 기본권행사 범위 내에 속하는 정당행위 ×, 사회상규에 위반되지 않은 정당행위 ×, 긴급피난 ×(대판 2004.4.27, 2002도315) 23. 법원직

26. 甲주식회사가 피고인에게 공립유치원의 놀이시설 제작 및 설치공사를 하도급주었는데, 피고인이 유치원 행정실장 등에게 공사대금의 직접 지급을 요구하였으나 거절당하자 놀이시설의 일부인 보호대를 칼로 뜯어내고 일부 놀이시설은 철거하는 방법으로 공무소에서 사용하는 물건을 손상한 경우 ⇨ 정당행위 ×, 공용물건손상죄 ○(대판 2017.5.30, 2017도2758 ∵ 수단·방법의 상당성 ×, 공사대금 확보를 위한 유치권을 행사하는 데에 긴급하고 불가피한 수단 ×) 24. 순경 1차

27. 피고인이 피해자를 '어용', '앞잡이' 등으로 표현한 현수막, 피켓 등을 장기간 반복하여 일반인의 왕래가 잦은 도로변 등에 게시한 행위는 피해자에 대한 모욕적 표현으로서 사회상규에 위배되지 않는 행위라고 보기 어렵다(대판 2021.9.9, 2016도88 ∴ 모욕죄 ○). 22. 법원행시·순경 2차

28. 甲이 동물권보호단체 회원들과 공모하여 농장으로부터 생닭을 공급받아 도계영업을 하는 A회사 공장 정문 앞 도로에 드러누워 생닭을 실은 트럭들을 가로막는 등 차량 진행을 방해하고 위 단체 회원들은 "닭을 죽이면 안 된다."는 플래카드를 걸고 같은 내용의 구호를 외치며 노래를 부르는 등 위력으로써 A회사의 업무를 방해한 경우, 그 동기나 목적의 정당성이 인정될 여지가 있다고 하여도 수단과 방법의 상당성, 법익균형성 등이 인정되지 아니하여 甲에게 업무방해죄가 성립한다(대판 2024.8.1, 2021도2084). 25. 경찰승진·9급 철도경찰

29. 중학교 교사가 수업시간 중 다소 선정적인 책을 보고 있었던 학생에게 엎드려뻗쳐를 시키고 같은 반 학생들에게 책을 보여주면서 "선정적이냐? 아니냐?"라고 묻는 등 망신을 주어, 아동학대 신고의무자로서 보호하는 피해아동에 대하여 정서적 학대행위를 한 경우 ⇨ 아동학대범죄의 처벌 등에 관한 특례법 위반(아동복지시설 종사자 등의 아동학대가중처벌)죄 ○(대판 2024.9.12, 2020도12020 ∵ 정당행위 ×)

30.

> 의사나 한의사 아닌 자의 의료행위 ⇨ 무면허의료행위 ○

① 의사가 모발이식시술을 하면서 이에 관하여 어느 정도 지식을 가지고 있는 간호조무사로 하여금 모발이식시술행위 중 일정 부분을 직접 하도록 맡겨둔 채 별반 관여하지 않은 경우(대판 2007.6.28, 2005도8317) 15. 사시, 16. 경찰승진, 19. 순경 2차, 22. 경찰간부

② 외국에서 침구사자격을 취득하였으나 국내에서 침술행위를 할 수 있는 면허나 자격을 획득하지 못한 자가 수지침 정도의 수준을 넘어 체침을 시술한 경우(대판 2002.12.26, 2002도5077) 18. 법원행시, 23. 경찰승진

③ 민간관리자격자로부터 대체의학자격증을 수여받은 자가 침술원을 개설한 경우(대판 2003.5.13, 2003도939) 14. 사시

④ 조산사가 산모의 분만과정 중 별다른 응급상황이 없음에도 독자적 판단으로 포도당 또는 옥시토신을 투여한 행위(대판 2007.9.6, 2005도9670) 15. 사시

⑤ 의료인이 아닌 자가 안마·지압 행위를 하면서 신체에 대한 상당한 물리적 충격을 가하는 방법으로 질병의 치료행위에까지 이르거나, 크리스탈 필링기를 사용하여 각질을 제거하는 피부박피술을 행한 경우(대판 2004.1.15, 2001도298 ; 대판 2003.9.5, 2003도2903) 22. 경찰간부

⑥ 의사가 간호사에게 진료의 보조행위를 하도록 지시하거나 위임할 수는 있으나, 고도의 지식과 기술을 요하여 반드시 의사만이 할 수 있는 의료행위(예 마취액을 직접 주사하여 척수마취를 시행하는 행위) 자체를 하도록 지시하거나 위임하는 것은 허용될 수 없으므로, 마취전문간호사가 의사의 지시나 위임을 받고 독자적으로 마취약제와 사용량을 결정하여 척수마취시술을 한 경우 ⇨ 정당행위 ×(대판 2010.3.25, 2008도590 ∴ 무면허 의료행위 ○) 22. 경찰간부

⑦ 한의사 면허나 자격이 없는 甲이 한약재 달인 물을 처방하는 등 소위 통합의학에 기초하여 환자를 진찰하여 처방하는 행위는 정당행위로 인정되지 않는다(대판 2009.10.15, 2006도6870). 18. 9급 검찰·마약수사·철도경찰

31.

> 사회통념상 허용되는 정도나 범위를 넘은 권리행사 ⇨ 정당행위 ×

① 주주총회에 참석한 주주가 회사측이 정당한 이유 없이 회계장부 등의 열람을 거부하자 회사의 의사에 반하여 회사 사무실을 뒤져 회계장부를 강제로 찾아 열람한 경우 ⇨ 방실수색죄(대판 2001. 9.7, 2001도2917) 16. 9급 검찰·마약수사·법원직, 21. 해경승진, 22. 경력채용

② 대금청구소송의 계속 중 상대방에게 탈세사실을 진정하겠다고 말하여 겁을 먹은 피해자로부터 대금지급약속을 받아낸 경우(대판 1990.11.23, 90도1864 ∴ 공갈죄) 16. 9급 검찰·마약수사

③ 피해자의 기망에 의하여 부동산을 비싸게 매수한 피고인이 그 계약을 취소함이 없이 등기를 피고인 앞으로 둔 채 피해자의 전매차익을 받아낼 셈으로 피해자를 협박하여 돈을 받아낸 경우(대판 1991.9.24, 91도1824 ∴ 공갈죄) 09. 경찰승진

④ 공사수급인의 공사부실로 하자가 발생되어 도급인 측에서 하자보수까지 공사비 잔액의 지급을 거절하자 수급인이 도급인 측에 대하여 비리를 관계기간에 고발하겠다는 내용의 협박 내지 사무실의 장시간 무단점거 및 직원들에 대한 폭행 등의 수단을 써서 공사대금 명목으로 금 8천만원을 교부한 경우(대판 1991.12.13, 91도2127 ∴ 공갈죄) 09. 경찰승진, 14. 순경 2차

⑤ 불특정·다수인의 통행로로 이용되어 오던 기존통로의 일부 소유자인 피고인으로부터 사용승낙을 받지 아니한 채 통로를 활용하여 공사차량을 통행하게 함으로써 피고인의 영업에 다소 피해가 발생하자 피고인이 공사차량을 통행하지 못하도록 자신 소유의 승용차를 통로에 주차시켜 놓은 행위(대판 2005.9.30, 2005도4688) 13. 사시, 22. 법원직

⑥ 택시운전사가 고객인 가정주부들에게 입에 담지 못할 욕설을 퍼부어 가정주부들로부터 핸드백과 하이힐로 얻어맞게 되자, 그들을 고발하기 위해 파출소로 끌고가는 것을 빙자하여 손목을 비틀어 상해를 입힌 경우(대판 1991.12.27, 91도1169) 12. 사시

⑦ 채권을 변제받을 목적으로 채무자에게 사회통념상 용인되기 어려울 정도의 협박을 수단으로 재물을 교부받은 경우(대판 2000.2.25, 99도4305 ∴ 공갈죄)

⑧ 채권을 변제받기 위한 방편으로 피해자에게 환전하여 주겠다고 기망하여 약속어음을 교부받는 경우(대판 1982.9.14, 82도1679 ∴ 사기죄)

⑨ 피해어민들이 피해보상 주장을 관철하기 위해 집단적인 시위를 하고, 선박의 입·출항 업무를 방해하며 이를 진압하려는 해양경찰관에게 대나무 등을 들고 구타하여 상해를 입히는 등의 행위를 한 경우(대판 1991.5.10, 91도346) 21. 해경승진

⑩ 甲이 자신의 가옥 앞 도로가 폐기물 운반차량의 통행로로 이용되어 가옥 일부에 균열 등이 발생하자 위 도로에 트랙터를 세워두거나 철책 펜스를 설치함으로써 위 차량의 통행을 불가능하게 한 경우(대판 2009.1.30, 2008도10560 ∴ 일반교통방해죄 ○) 24. 순경 1차

● **사회상규에 위배되지 않아**(정당행위 ○) **위법성이 조각되는 경우**

1.
> 상대방의 도발행위나 폭행·강제연행을 피하기 위한 소극적인 저항(방어)행위 ⇨ 정당행위 ○

① 피해자가 피고인의 고소로 조사받는 것을 따지기 위하여 야간에 피고인의 집에 침입한 상태에서 문을 여닫는 실랑이가 계속되는 과정에서 문짝이 떨어져 그 앞에 있던 피해자가 넘어져 2주간의 치료를 요하는 상해를 입은 경우(대판 2000.3.10, 99도4273) 11. 경찰승진·법원행시, 16. 법원직, 23. 순경 1차

② 야간에 술에 만취되어 따지기 위해 거실에 침입하는 피해자를 밀어내는 과정에서 전치 2주의 상처를 입힌 경우(대판 1995.2.28, 94도2746) 14. 사시, 17. 경찰승진

③ 목이 졸린 상태에서 벗어나기 위해 손을 잡아 비틀면서 서로 밀고 당기고 한 경우(대판 1996.5.28, 96도979) 08. 경찰승진, 10. 7급 검찰, 16. 법원직

④ 며칠간에 걸쳐 집요한 괴롭힘을 당해 온 데다가 강의실 출입구에서 자신의 진로를 막아서자 극도로 흥분된 상태에서 그 행패에서 벗어나기 위하여 팔을 뿌리쳐서 상해를 가한 경우(대판 1995.8.22, 95도936) 15. 경찰간부, 22. 경력채용

⑤ 피해자가 갑자기 달려 나와 정당한 이유 없이 자신의 멱살을 잡고 파출소로 가자면서 계속하여 끌어당기므로 피해자의 행위를 제지하기 위하여 그의 양팔부분의 옷자락을 잡고 밀친 경우(대판 1990.1.23, 89도1328) 10. 7급 검찰

⑥ 피해자가 술에 취하여 피고인에게 아무런 이유 없이 시비를 걸면서 얼굴을 때리다가 피고인이 이를 뿌리치고 현장에서 도망가는 바람에 그가 땅에 넘어져 상처를 입은 경우(대판 1990.5.22, 90도748) 07. 사시

⑦ 분쟁 중인 부동산관계로 따지러 온 피해자가 피고인에게 달려들어 멱살을 잡고 발로 차는 등 폭행을 가하자 이를 뿌리치기 위하여 소극적인 저항방법으로 부득이 멱살을 잡고 있는 피해자의 손을 잡고 비틀어 떼어낸 행위(대판 1986.6.10, 86도400) 06. 법원행시, 23. 경찰승진

⑧ 남자가 비좁은 여자 화장실 내에 주저앉아 있는 피고인으로부터 무리하게 쇼핑백을 빼앗으려고 다가오는 것을 저지하기 위하여 피해자의 어깨를 순간적으로 밀친 행위(대판 1992.3.27, 91도2831) 08. 경찰승진, 18. 9급 검찰

⑨ 취객이 아무 연고도 없는 타인의 집에 함부로 들어가 출입문의 유리창을 발로 걷어차 깨뜨리는 등의 행동을 보고 그 집에 혼자 있던 **가정주부**가 '빨리 가라.'면서 잡고 있던 **왼손으로 취객의 어깨 부위를 밀치자** 취객이 몸을 제대로 가누지 못하고 앞으로 넘어져 시멘트 바닥에 이마를 부딪히면서 1차성 쇼크로 **사망**한 경우(대판 1992.3.10, 92도37) 04. 사시, 21. 경력채용

2.

① 피해자로부터 범인으로 오인되어 경찰에 끌려가 구타당하여 입원하게 되자 피해자에게 치료비를 요구하고 응하지 않으면 **무고죄로 고소**하겠다고 하여 치료비를 받은 경우(대판 1971.11.9, 71도1629) 14. 순경 2차

② 인접대지 위에 건축허가조건에 위반되게 건물을 신축사용하는 소유자로부터 일조권 침해 등으로 인한 **손해배상의 합의금**을 받는 경우(대판 1990.8.14, 90도114)

③ 비료를 매수하여 시비한 결과 사과나무묘목이 고사하자 그 비료를 생산한 회사에게 손해배상을 요구하면서 사장 이하 간부들에게 욕설을 하거나 응접탁자 등을 들었다 놓았다 하거나 현수막을 만들어 보이면서 시위를 할 듯한 태도를 보이는 경우(대판 1980.11.25, 79도2565) 19. 경찰간부

④ "앞으로 수박이 없어지면 네 책임으로 한다."고 말한 경우(대판 1995.9.29, 94도2187) 09. 경찰승진

⑤ 여관을 매도하고 계약금과 잔대금 일부를 수령하였는데 여관을 명도하기가 어렵게 되자 "여관을 명도해 주던가 **명도소송비용**을 내놓지 않으면 고소하여 구속시키겠다."고 말한 경우(대판 1984. 6.26, 84도648)

⑥ 공사한 건물의 대장상 평수보다 실제상의 평수가 많아 실제상의 평수에 따른 공사금의 지급을 요구하면서 그렇지 않으면 **구청장에게 진정**하여서라도 대장상의 건물평수가 부족함을 밝히겠다고 한 경우(대판 1979.10.30, 79도1660)

⑦ 이혼 후 자녀를 직접 양육하지 아니하는 **모(母)**가 자녀를 양육하고 있는 부(父)의 허락을 받지 않고 그 **주거에 들어가** 자녀들의 양육에 필요한 최소한의 행위만을 한 경우(대판 2003.11.28, 2003도5931 ∵ 주거침입죄의 고의 ×, 정당행위 ○ ⇨ 주거침입죄 ×)

3. 신문기자인 피고인이 고소인에게 2회에 걸쳐 증여세 포탈에 대한 **취재를 요구하면서 이에 응하지 않으면 자신이 취재한 내용대로 보도하겠다고 말하여 협박한 행위**가 설령 협박죄에서 말하는 해악의 고지에 해당하더라도 특별한 사정이 없는 한 기사 작성을 위한 자료를 수집하고 보도하기 위한 것으로서 신문기자의 일상적 업무 범위에 속하여 **사회상규에 반하지 아니한다**(대판 2011.7.14, 2011도639). 18. 순경 1차, 19. 경찰승진 · 순경 2차, 23. 9급 검찰 · 마약수사 · 철도경찰 · 법원행시 · 법원직, 24. 해경승진 · 7급 검찰

4. '회사의 직원이 회사의 이익을 **빼돌린다.**'는 소문을 확인할 목적으로, 비밀번호를 설정함으로써 비밀장치를 한 전자기록인 피해자가 사용하던 '개인용 컴퓨터의 하드디스크'를 떼어내어 다른 컴퓨터에 연결한 다음 의심이 드는 단어로 파일을 검색하여 **메신저 대화 내용, 이메일 등을 출력**한 경우(대판 2009.12.24, 2007도6243 ∵ 제316조 제2항의 **비밀침해죄** ×) 17. 경찰간부, 18. 순경 3차, 19. 경찰승진, 23. 법원직, 24. 9급 검찰 · 마약수사 · 철도경찰

5. 시장번영회의 회장이 시행 중인 **관리규정을 위반**하여 천장까지 칸막이를 설치한 일부 점포주들에 대하여 **단전조치**를 한 경우(대판 1994.4.15, 93도2899 ∵ 업무방해죄 ×), 시장번영회 회장이 이사회의 결의와 시장번영회의 **관리규정에 따라서** 관리비 **체납자의 점포**에 대하여 실시한 **단전조치**(대판 2004.8.20, 2003도4732) 15. 법원직, 16. 9급 검찰 · 마약수사, 21. 경찰간부, 22. 해경 2차

6. 아파트 입주자대표회의의 임원 또는 아파트관리회사의 직원들이 기존 관리회사의 직원들로부터 계속 업무집행을 제지받던 중 저수조 청소를 위하여 출입문에 설치된 자물쇠를 손괴하고 중앙공급실에 침입한 행위(대판 2006.4.13, 2003도3902 : 그러나 관리비 고지서를 빼앗거나 사무실의 집기 등을 들어낸 행위 ⇨ 정당행위 ×) 15. 경찰승진, 22. 법원직

7. 시위방법의 하나인 삼보일배 행진은 시위의 목적달성에 필요한 합리적인 범위에서 사회통념상 용인될 수 있는 다소의 피해를 발생시킨 경우에 불과하고, 신고내용에 포함되지 않은 삼보일배 행진을 한 것이 신고제도의 목적 달성을 심히 곤란하게 하는 정도에 이른다고 볼 수도 없으므로 사회상규에 위반되지 않는 행위로 위법성이 조각된다(대판 2009.7.23, 2009도840) 14. 사시, 19. 순경 2차, 24. 9급 검찰·마약수사·철도경찰

8. 교회담임목사를 출교처분한다는 취지의 교단산하 판결위원회의 판결문을 복사하여 예배를 보러 온 신도들에게 배포한 행위(대판 1989.2.14, 88도899 : 정당행위 내지 제310조에 의해 위법성 조각) 11. 사시, 12. 9급 철도경찰

9. 수지침 시술행위나 부항 시술행위가 광범위하고 보편화된 민간요법이고, 그 시술로 인한 위험성이 적다는 사정만으로 그것이 바로 사회상규에 위배되지 아니하는 행위에 해당한다고 보기는 어렵고, 다만 여러 가지를 종합적으로 고려하여 구체적인 경우에 있어서 개별적으로 보아 법질서 전체의 정신이나 그 배후에 놓여 있는 사회윤리·사회통념에 비추어 용인되는 행위라고 인정되는 경우에 위법성이 조각된다(대판 2000.4.25, 98도2389 **예** 수지침 한 봉지를 사 가지고 수지침 전문가인 피고인을 찾아와 수지침 시술을 부탁하므로 피고인이 아무런 대가없이 시술행위를 해준 경우 ⇨ 정당행위 ○ ; 대판 2004.10.28, 2004도3405 **예** 찜질방에서 돈을 받고 수지침 정도의 수준에 그치지 아니하고 부항침과 부항을 이용하여 체내의 혈액을 밖으로 배출되도록 한 경우 ⇨ 정당행위 ×). 17. 법원직, 19. 변호사시험, 22. 경찰간부, 23. 9급 검찰·마약수사·철도경찰·순경 2차, 24. 경찰승진·해경승진

10. 후보자의 회계책임자가 자원봉사자인 후보자의 배우자, 직계혈족 기타 친족에게 식사를 제공한 경우 (대판 1999.10.22, 99도2971) 11. 경찰승진

11. 부랑인 수용시설의 책임자가 부랑인들의 야간도주를 방지하기 위해 취침시간에 출입문을 잠근 경우 (대판 1988.11.8, 88도1580 ∴ 감금죄 ×) 09. 경찰승진

12. 피고인이 소속한 교단협의회에서 조사위원회를 구성하여 피고인이 목사로 있는 교회의 이단성 여부에 대한 조사활동을 하고 보고서를 그 교회 사무국장에게 작성토록 하자, 피고인이 조사보고서의 관련 자료에 피해자를 명예훼손죄로 고소했던 고소장의 사본을 첨부한 경우(대판 1995.3.17, 93도923 ∵ 자신의 주장의 정당성을 입증하기 위한 자료의 제출행위) 09. 경찰승진, 22. 경력채용

13. 뽕밭을 유린하는 소의 고삐가 나무에 얽혀 풀 수 없는 상황하에서 고삐를 낫으로 끊고 소를 밭에서 끌어내는 행위(대판 1976.12.28, 76도2359) 04. 행시

14. 어떤 행위가 당시의 상황에서 사회윤리나 사회통념상 취할 수 있는 본능적이고 소극적인 방어행위라고 평가할 수 있다면 이는 사회상규에 위배되지 않는 행위라고 보아야 할 것이다〔대판 2014.3.27, 2012도11204 **예** 실내 어린이 놀이터에서 자신의 딸(4세)에게 피해자가 다가와 딸이 가지고 놀고 있는 블록을 발로 차고 손으로 집어 들면서 쌓아놓은 블록을 무너뜨리고, 이에 딸이 울자 피고인이 피해자에게 "하지 마, 그러면 안 되는 거야."라고 말하면서 몇 차례 피해자를 제지하자 피해자가 갑자기 딸의 눈 쪽을 향해 오른 손을 뻗었고 이를 본 피고인이 왼손을 내밀어 피해자의 행동을 제지하여 피해자가 바닥에 넘어져 충격방지용 고무매트가 깔린 바닥에 엉덩방아를 찧게끔 한 경우 ⇨ 정당행위 ○〕. 15. 경찰간부, 19. 순경 2차, 23. 7급 검찰

15. 연립주택 아래층에 사는 피해자가 위층 피고인의 집으로 통하는 상수도관의 밸브를 임의로 잠근 후 이를 피고인에게 알리지 않아 하루 동안 수돗물이 나오지 않은 고통을 겪었던 피고인이 상수도관의 밸브를 확인하고 이를 열기 위하여 부득이 피해자의 집에 들어간 행위(대판 2004.2.13, 2003도7393) 20. 9급 철도경찰

16. 甲아파트 입주자대표회의 회장인 피고인이 자신의 승인 없이 동대표들이 관리소장과 함께 게시한 입주자대표회의 소집공고문을 뜯어내 제거한 경우 ⇨ 재물손괴죄 ×(대판 2021.12.30, 2021도9680 ∵ 그에 선행하는 위법한 공고문 작성 및 게시에 따른 위법상태의 구체적 실현이 임박한 상황하에서 그 위법성을 바로잡기 위한 것으로 사회통념상 허용되는 범위를 크게 넘어서지 않는 행위로 볼 수 있다. ∴ 정당행위 ○) 23 · 24. 순경 2차

17. 피고인이 방송국 홈페이지의 시청자 의견란에 작성 게시한 글 중 일부의 표현("그렇게 소중한 자식을 범법행위의 방패로 쓰시다니 정말 대단하십니다.")이 모욕적 언사에 해당될지라도 게시판에 올린 글을 전체적인 맥락에서 파악했을 때, 이로써 곧 사회통념상 피해자의 사회적 평가를 저하시키는 내용의 경멸적 판단을 표시한 것으로 인정하기 어렵다면 형법 제20조의 사회상규에 위배되지 아니하는 행위로 봄이 상당하다(대판 2003.11.28, 2003도3972 ∴ 모욕죄 ×). 21. 경찰간부, 22. 순경 1차

18. 골프클럽 경기보조원들의 구직편의를 위해 제작된 인터넷 사이트 내 회원 게시판에 특정 골프클럽의 운영상 불합리성을 비난하는 글을 게시하면서 위 클럽담당자에 대하여 한심하고 불쌍한 인간이라는 등 경멸적 표현을 한 경우 ⇨ 모욕죄 ×(대판 2008.7.10, 2008도1433 ∵ 사회상규에 위배 ×) 15. 경찰승진 · 순경 3차, 16. 법원행시, 18. 경력채용, 20. 순경 1차, 21. 경찰간부 · 수사경과 · 해경승진

19. 모욕죄의 형사처벌은 표현의 자유를 제한하고 있으므로, 어떠한 글이 모욕적 표현을 포함하는 판단이나 의견을 담고 있을 경우에도 그 시대의 건전한 사회통념에 비추어 살펴보아 그 표현이 사회상규에 위배되지 않는 행위로 볼 수 있는 때에는 형법 제20조의 정당행위에 해당하여 위법성이 조각된다고 보아야 하고, 이로써 표현의 자유로 획득되는 이익 및 가치와 명예보호에 의하여 달성되는 이익 및 가치를 적절히 조화할 수 있다(대판 2021.8.19, 2020도14576). 22. 법원직

　　🏛 **유사판례** : 어떤 글이 모욕적 표현을 담고 있는 경우에도 그 글이 객관적으로 타당성이 있는 사실을 전제로 하여 그 사실관계나 이를 둘러싼 문제에 관한 자신의 판단과 피해자의 태도 등이 합당한가에 대한 의견을 밝히고, 자신의 판단과 의견이 타당함을 강조하는 과정에서 부분적으로 다소 모욕적인 표현이 사용된 것에 불과하다면 사회상규에 위배되지 않는 행위로서 형법 제20조에 의하여 위법성이 조각될 수 있다. 그리고 인터넷 등 공간에서 작성된 단문의 글이라고 하더라도, 그 내용이 자신의 의견을 강조하거나 압축하여 표현한 것이라고 평가할 수 있고 표현도 지나치게 모욕적이거나 악의적이지 않다면 마찬가지로 위법성이 조각될 수 있다(대판 2022.8.25, 2020도16897 🔵 피고인이 자신의 페이스북에 甲에 대한 비판적인 글을 게시하면서 "철면피, 파렴치, 양두구육, 극우부패세력"이라는 표현을 사용한 경우 ⇨ 모욕죄 × ∵ 피고인이 사용한 위 표현이 모욕적 표현으로서 모욕죄의 구성요건에는 해당하나, 피고인이 甲의 공적 활동과 관련한 자신의 의견을 담은 게시글을 작성하면서 위 표현을 한 것은 사회상규에 위배되지 않는 행위로서 형법 제20조에 의하여 위법성이 조각된다). 23. 순경 2차

　　🏛 **비교판례** : 피고인이 피해자를 '어용', '앞잡이' 등으로 표현한 현수막, 피켓 등을 장기간 반복하여 일반인의 왕래가 잦은 도로변 등에 게시한 행위는 피해자에 대한 모욕적 표현으로서 사회상규에 위배되지 않는 행위라고 보기 어렵다(대판 2021.9.9, 2016도88 ∴ 모욕죄 ○). 22. 법원행시 · 순경 2차

20. 제품의 안정성에 논란이 많은 가운데 인터넷 신문사 소속기자 A가 인터넷 포털사이트의 '핫이슈'란에 제품을 옹호하는 기사를 게재하자 그 기사를 읽은 상당수의 독자들이 '네티즌 댓글'란에 A를 비판하는 댓글을 달고 있는 상황에서 甲이 "이런 걸 기레기라고 하죠?"라는 댓글을 게시한 경우, 이는 모욕적 표현에 해당하나 사회상규에 위배되지 않는 행위로서 형법 제20조에 의하여 위법성이 조각된다(대판 2021.3.25, 2017도17643). 21. 순경 2차, 22. 법원행시·9급 검찰·마약수사

21. 부사관 교육생이던 피고인이 동기들과 함께 사용하는 단체채팅방에서 지도관이던 피해자가 목욕탕 청소 담당 교육생들에게 과실 지적을 많이 한다는 이유로 "도라이 ㅋㅋㅋ 습기가 그렇게 많은데"라는 글을 게시한 경우, '도라이'는 상관인 피해자를 경멸적으로 비난한 것으로 모욕적인 언사라고 볼 수 있으나, 피고인의 위 표현은 군의 조직질서와 정당한 지휘체계가 문란하게 되었다고 보이지 않으므로, 이러한 행위는 사회상규에 위배되지 않는다(대판 2021.8.19, 2020도14576). 22. 순경 2차

22. 방송통신심의위원회 심의위원인 피고인이 자신의 인터넷 블로그에 위원회에서 음란정보로 의결한 '남성의 발기된 성기 사진'을 게시한 경우, 이 게시물은 사진과 학술적·사상적 표현 등이 결합된 결합 표현물로서 사진은 음란물에 해당하나, 결합 표현물인 게시물을 통한 사진의 게시는 '사회상규에 위배되지 아니하는 행위'에 해당한다(대판 2017.10.26, 2012도13352 ∴ 음란물유포죄 ×). 18. 7급 검찰, 23. 9급 검찰·마약수사·철도경찰, 24. 해경승진

23. 접근금지, 문언송신금지를 명한 가정폭력범죄의 처벌 등에 관한 특례법상 임시보호명령을 위반하여 피고인이 피해자에게 문자메시지를 보낸 경우 문자메시지 송신을 피해자가 양해 내지 승낙했더라도 형법 제20조의 정당행위로 볼 수 없다(대판 2022.1.14, 2021도14015). 23. 9급 검찰·마약수사·철도경찰·순경 2차

24. 甲대학교는 학교법인의 전 이사장 乙이 부정입학과 관련된 금품수수 등의 혐의로 구속되었다가 甲대학교 총장으로 선임됨에 따라 학내 갈등을 빚던 중, 총학생회 간부인 피고인들이 총장 乙과의 면담을 요구하면서 총장실 입구에서 진입을 시도하거나, 교무위원회 회의실에 들어가 총장의 사퇴를 요구하면서 이를 막는 학교 교직원들과 실랑이를 벌인 경우 ⇨ 정당행위 ○(대판 2023.5.18, 2017도2760 ∴ 위력에 의한 업무방해죄 ×) 24. 순경 1차

25. 회사가 시설물 보안 및 화재 감시라는 정당한 이익을 위하여 CCTV를 설치한 것으로 볼 수 있는 경우, 그 설치 과정에서 근로자들의 동의 절차나 노사협의회의 협의를 거치지 아니하였다는 이유로 ① 회사가 CCTV 시험가동을 하려고 하자 노동조합원들이 CCTV 카메라 51대에 검정색 비닐봉지를 씌운 경우는 정당행위에 해당하지 않으나(∴ 위력에 의한 업무방해죄 ○), ② 회사가 비닐봉지를 제거하고 CCTV 카메라의 작동을 시작하여 근로자들의 작업 모습이 찍히는 CCTV 카메라 14대에 노동조합원들이 검정색 비닐봉지를 씌운 경우는 정당행위에 해당한다(대판 2023.6.29, 2018도1917 ∴ 위력에 의한 업무방해죄 ×). 24. 순경 2차

01 쟁의행위에 대한 설명으로 옳은 것은?(다툼이 있는 경우 판례에 의함)

20. 9급 검찰·마약수사·철도경찰, 23. 해경승진

① 쟁의행위가 추구하는 목적 중 일부가 정당하지 못한 경우에는 주된 목적 내지 진정한 목적을 기준으로 그 정당성 여부를 판단하여야 한다.

② 기업 구조조정의 실시로 근로자들의 지위나 근로조건의 변경이 필연적으로 수반되는 경우, 특별한 사정이 없더라도 이를 반대하는 쟁의행위의 정당성을 인정할 수 있다.

③ 조합원의 민주적 의사결정이 실질적으로 확보된 때에는 쟁의행위의 개시에 앞서 노동조합 및 노동관계조정법 제41조 제1항에 의한 투표절차를 거치지 아니한 경우에도 쟁의행위의 정당성은 상실되지 않는다.

④ 쟁의행위로서의 직장 또는 사업장시설 점거는 그 범위가 직장 또는 사업장시설 일부분에 그치고 사용자 측의 출입이나 관리지배를 배제하지 않는 병존적인 경우라도 이미 정당성의 한계를 벗어난 것이다.

해설 ① ○ : 대판 2007.5.11, 2006도9478
② × : ~ 정당성을 인정할 수 없다(대판 2003.12.26, 2001도3380).
③ × : ~ 정당성은 상실된다(대판 2001.10.25, 99도4837 전원합의체).
④ × : 부분적·병존적 점거 ⇨ 정당성 ○, 전면적·배타적 점거 ⇨ 정당성 ×(대판 2007.12.28, 2007도5204)

02 정당행위에 대한 설명 중 옳은 것은 모두 몇 개인가?(다툼이 있는 경우 판례에 의함)

21. 경찰간부

> ㉠ 방송기자가 방송프로그램에서 약 8년 전에 이루어진 사적 대화의 불법녹음을 대화자의 실명과 구체적인 대화의 내용까지 공개한 것은, 그 내용이 공적 관심의 대상이 되기 어렵고 행위의 수단이나 방법이 상당성을 결여한 것으로 정당행위에 해당하지 않는다.
>
> ㉡ 기업의 구조조정 실시 여부는 원칙적으로 단체교섭의 대상이 될 수 없으나, 구조조정의 실시가 필연적으로 근로자들의 지위나 근로조건의 변경을 수반하기 때문에 이를 반대하기 위하여 진행한 노동조합의 쟁의행위는 목적의 정당성이 인정된다.
>
> ㉢ 1년 이상 관리비를 체납한 고액체납자의 점포에 대하여 이 사회의 결의 및 시장번영회의 관리규정에 따라 행한 번영회장의 단전조치는 동기와 목적, 수단과 방법 등을 고려할 때 정당한 행위로 인정될 수 있다.
>
> ㉣ 노동조합이 쟁의행위의 일시·장소·참가인원 및 그 방법에 관한 서면신고를 하지 않고 쟁의를 한 경우에는 신고절차의 미준수로 인해 쟁의행위의 정당성이 부정된다.
>
> ㉤ 재건축조합 조합장이 조합탈퇴의 의사표시를 한 자를 상대로 '사업시행구역 안에 있는 그 소유의 건물을 명도하고 이를 재건축사업에 제공하여 행하는 업무를 방해하여서는 아니 된다'는 가처분의 판결을 받아 건물을 철거한 것은 형법 제20조의 업무로 인한 정당행위에 해당한다.

① 2개   ② 3개   ③ 4개   ④ 5개

해설 ㉠ ○ : 대판 2011.3.17, 2006도8839 전원합의체
㉡ × : ~ 변경이 수반된다 하더라도 ~ 정당성을 인정할 수 없다(대판 2003.12.26, 2001도3380).
㉢ ○ : 대판 2004.8.20, 2003도4732
㉣ × : ~ 신고절차의 미준수만을 이유로 쟁의행위의 정당성을 부정할 수는 없다(대판 2007.12.28, 2007도5204).
㉤ ○ : 대판 1998.2.13, 97도2877

03 형법 제20조 정당행위에 관한 설명 중 가장 옳지 않은 것은?(다툼이 있는 경우 판례에 의함)

22. 법원직

① 형법 제20조에 정하여진 '사회상규에 위배되지 아니하는 행위'란 법질서 전체의 정신이나 그 배후에 놓여 있는 사회윤리 내지 사회통념에 비추어 용인될 수 있는 행위를 말하므로, 어떤 행위가 그 행위의 동기나 목적의 정당성, 행위의 수단이나 방법의 상당성, 보호이익과 침해이익의 법익균형성, 긴급성, 그 행위 이외의 다른 수단이나 방법이 없다는 보충성 등의 요건을 갖춘 경우에는 정당행위에 해당한다.

② 어떠한 행위가 위 요건들을 충족하는 정당한 행위로서 위법성이 조각되는 것인지는 구체적인 사정 아래서 합목적적, 합리적으로 고찰하여 개별적으로 판단되어야 하므로, 구체적인 사안에서 정당행위로 인정되기 위한 긴급성이나 보충성의 정도는 개별 사안에 따라 다를 수 있다.

③ 어떠한 행위가 형법 제20조의 정당행위에 해당한다는 것은 그 행위가 단지 특정한 상황하에서 범죄행위로서 처벌대상이 될 정도의 위법성을 갖추지 못하였다는 것을 의미하는 것이 아니라, 그 행위가 적극적으로 용인, 권장된다는 의미이다.

④ 어떠한 글이 모욕적 표현을 포함하는 판단이나 의견을 담고 있을 경우에도 그 시대의 건전한 사회통념에 비추어 살펴보아 그 표현이 사회상규에 위배되지 않는 행위로 볼 수 있는 때에는 형법 제20조의 정당행위에 해당하여 위법성이 조각된다고 보아야 하고, 이로써 표현의 자유로 획득되는 이익 및 가치와 명예보호에 의하여 달성되는 이익 및 가치를 적절히 조화할 수 있다.

해설 ①② 대판 2021.12.30, 2021도9680
③ × : 어떠한 행위가 범죄구성요건에 해당하지만 정당행위라는 이유로 위법성이 조각된다는 것은 그 행위가 적극적으로 용인, 권장된다는 의미가 아니라 단지 특정한 상황하에서 그 행위가 범죄행위로서 처벌대상이 될 정도의 위법성을 갖추지 못하였다는 것을 의미한다(대판 2021.12.30, 2021도9680).
④ 대판 2021.8.19, 2020도14576

Answer 3. ③

04 **다음 설명 중 가장 옳지 않은 것은?**(다툼이 있는 경우 판례에 의함)　　　　　22. **법원직**

① 사용자가 적법한 직장폐쇄기간 중임에도 불구하고 일방적으로 업무에 복귀하겠다고 하면서 자신의 퇴거요구에 불응한 채 계속하여 사업장 내로 진입을 시도하는 해고근로자를 폭행, 협박하였다면 이는 사업장 내의 평온과 노동조합의 업무방해행위를 방지하기 위한 정당방위 내지 정당행위에 해당한다.

② 피해자가 불특정·다수인의 통행로로 이용되어 오던 기존 통로의 일부 소유자인 피고인으로부터 사용승낙을 받지 아니한 채 통로를 활용하여 공사차량을 통행하게 함으로써 피고인의 영업에 다소 피해가 발생하자 피고인이 공사차량을 통행하지 못하도록 자신 소유의 승용차를 통로에 주차시켜 놓은 행위가 사회상규에 위배되지 않는 정당행위에 해당한다고 할 수 없다.

③ 아파트 입주자대표회의 회장이 다수 입주민들의 민원에 따라 위성방송수신을 방해하는 케이블TV방송의 시험방송송출을 중단시키기 위하여 위 케이블TV방송의 방송안테나를 절단하도록 지시한 행위를 긴급피난 내지는 정당행위에 해당한다고 볼 수 없다.

④ 아파트 입주자대표회의의 임원 또는 아파트관리회사의 직원들인 피고인들이 기존 관리회사의 직원들로부터 계속 업무집행을 제지받던 중 저수조청소를 위하여 출입문에 설치된 자물쇠를 손괴하고 중앙공급실에 침입한 행위는 정당행위에 해당하지 않지만, 관리비 고지서를 빼앗거나 사무실의 집기 등을 들어낸 것에 불과한 행위는 정당행위에 해당하여 위법성이 조각된다.

> **해설** ① 대판 2005.6.9, 2004도7218
> ② 대판 2005.9.30, 2005도4688
> ③ 대판 2006.4.13, 2005도9396
> ④ × : ~ (3줄) 침입한 행위는 정당행위에 해당하나, 관리비 고지서를 빼앗거나 사무실의 집기 등을 들어낸 행위는 정당행위에 해당하지 않는다(대판 2006.4.13, 2003도3902).

05 **다음 중 甲의 행위가 형법 제20조**(정당행위)**에 해당하는 것을 모두 고른 것은?**(다툼이 있는 경우 판례에 의함)　　　　　22. **경력채용**

> ㉠ 회사의 정기 주주총회에 적법하게 참석한 주주 甲이 회사측이 회사 운영을 부실하게 하여 소수 주주들에게 손해를 입게 하였다고 주장하면서 강제로 회사 사무실을 뒤져 회계장부를 찾아낸 경우
> ㉡ 乙은 甲을 며칠간에 걸쳐 집요하게 괴롭혀 왔고, 甲이 교수로 재직하고 있는 대학교의 강의실 출입구에서 甲의 진로를 막아서면서 물리적으로 저지하려 하자, 甲이 극도로 흥분된 상태에서 그 행패에서 벗어나기 위하여 乙의 팔을 뿌리치면서 상해를 입힌 경우
> ㉢ 행방불명된 남편 乙에 대하여 불리한 민사판결이 선고되자 처(妻) 甲이 남편 乙 명의의 항소장을 임의로 작성하여 법원에 제출한 경우

> ㉣ 피고인 甲이 소속된 교단협의회에서 조사위원회를 구성하여 甲이 목사로 있는 교회의 이단성
> 여부에 대한 조사활동 보고서를 그 교회 사무국장 乙에게 작성하도록 하자, 甲은 乙에게 조사
> 보고서의 관련 자료에 과거에 丙이라는 사람이 甲소속 교단을 이단 사이비집단으로 매도한다
> 는 이유로 甲이 丙을 명예훼손죄로 고소했었던 고소장 사본을 첨부하도록 지시하고 고소장
> 사본이 첨부된 조사보고서를 제작 배포하게 한 경우

① ㉠, ㉡　　　　　② ㉠, ㉢　　　　　③ ㉡, ㉣　　　　　④ ㉢, ㉣

해설 ・ **정당행위** ○ : ㉡ 대판 1995.8.22, 95도936 ㉣ 대판 1995.3.17, 93도923(∵ 자신의 주장의 정당성을
입증하기 위한 자료의 제출행위)
・ **정당행위** × : ㉠ 대판 2001.9.7, 2001도2917 ㉢ 대판 1994.11.8, 94도1657

06 형법 제20조(정당행위)에 대한 설명으로 옳지 않은 것은?(다툼이 있는 경우 판례에 의함)

23. 경찰간부

① 구성요건에 해당하는 행위가 형법 제20조에 따라 위법성이 조각되려면, 첫째 그 행위의
동기나 목적의 정당성, 둘째 행위의 수단이나 방법의 상당성, 셋째 보호법익과 침해법익
의 균형성, 넷째 긴급성, 다섯째 그 행위 이외의 다른 수단이나 방법이 없다는 보충성의
요건을 모두 갖추어야 한다.

② 형법 제20조에서 '사회상규에 위배되지 아니하는 행위'라 함은 국가질서의 존중이라는
인식을 바탕으로 한 국민일반의 건전한 도의적 감정에 반하지 아니한 행위로서 초법규적
인 기준에 의하여 이를 평가하여야 한다.

③ 집행관이 조합 소유 아파트에서 유치권을 주장하는 甲을 상대로 부동산인도집행을 실시
하여 조합이 그 아파트를 인도받고 출입문의 잠금장치를 교체하는 등으로 그 점유가 확
립된 이후에 甲이 아파트 출입문과 잠금장치를 훼손하며 강제로 개방하고 아파트에 들어
간 경우, 甲의 행위는 민법상 자력구제에 해당하므로 형법 제20조에 따라 위법성이 조각
된다.

④ 민사소송법 제335조에 따른 법원의 감정인 지정결정 또는 같은 법 제341조 제1항에 따라
법원의 감정촉탁을 받은 사람이 감정평가업자가 아니었음에도 그 감정사항에 포함된 토
지 등의 감정평가를 한 행위는 법령에 근거한 법원의 적법한 결정이나 촉탁에 따른 것으
로 형법 제20조에 따라 위법성이 조각된다.

해설 ① 대판 2008.10.23, 2008도6999
② 대판 1983.11.22, 83도2224
③ × : ~ (3줄) 민법상 자력구제에 해당하지 않는다(대판 2017.9.7, 2017도9999 ∵ 재물손괴죄와 건조물침
입죄 ○).
④ 대판 2021.10.14, 2017도10634

Answer　6.③

07 정당행위에 대한 설명 중 가장 적절하지 않은 것은?(다툼이 있는 경우 판례에 의함) 23. 경찰승진

① 甲이 자신의 차를 손괴하고 도망하려는 피해자를 도망하지 못하게 멱살을 잡고 흔들어 피해자에게 전치 14일의 흉부찰과상을 가한 경우 정당행위에 해당한다.

② 분쟁 중인 부동산관계로 따지러 온 피해자가 甲의 가게 안에 들어와서 甲 및 그의 아버지에게 행패를 부리자, 이에 甲이 피해자를 가게 밖으로 밀어내려다가 피해자를 넘어지게 한 경우 사회통념상 용인될 만한 상당성이 있는 행위로 위법성이 없다.

③ 甲이 외국에서 침구사자격을 취득하였으나 국내에서 침술행위를 할 수 있는 면허나 자격을 취득하지 못하였음에도 불구하고 단순한 수지침 정도의 수준을 넘어 체침을 시술한 경우 사회상규에 위배되지 아니하는 무면허의료행위로 인정될 수 없다.

④ 국회의원 甲이 대기업 고위관계자와 중앙일간지 사주 간의 사적 대화를 불법 녹음한 자료를 입수한 후 그 대화내용과 위 대기업으로부터 이른바 떡값 명목의 금품을 수수하였다는 검사들의 실명이 게재된 보도자료를 작성하여 자신의 인터넷 홈페이지에 게재한 경우 공익에 대한 중대한 침해가 발생할 가능성이 현저한 경우로서 비상한 공적 관심의 대상이 되고, 방법의 상당성도 갖추었으므로 정당행위에 해당한다.

해설 ① 대판 1999.1.26, 98도3029 ② 대판 1986.6.10, 86도400 ③ 대판 2002.12.26, 2002도5077 ④ × : ~ (4줄) 비상한 공적 관심의 대상이 되는 경우에 해당한다고 보기 어려우며, 방법의 상당성을 결여하였으므로 정당행위에 해당하지 않는다(대판 2011.5.13, 2009도14442).

08 정당행위에 대한 설명으로 옳지 않은 것은?(다툼이 있는 경우 판례에 의함)
23. 9급 검찰 · 마약수사 · 철도경찰, 25. 해경경위

① 음란물이 문학적 · 예술적 · 사상적 · 과학적 · 의학적 · 교육적 표현 등과 결합되어 음란표현의 해악이 상당한 방법으로 해소되거나 다양한 의견과 사상의 경쟁메커니즘에 의해 해소될 수 있는 정도에 이르렀다면, 이러한 결합표현물에 의힌 표현행위는 형법 제20조에 정하여진 '사회상규에 위배되지 않는 행위'에 해당한다.

② 문언송신금지를 명한 가정폭력범죄의 처벌 등에 관한 특례법상 임시보호명령을 위반하여 피고인이 피해자에게 문자메시지를 보낸 경우 문자메시지 송신을 피해자가 양해 내지 승낙하였다면 형법 제20조의 정당행위에 해당한다.

③ 신문기자인 피고인이 고소인에게 2회에 걸쳐 증여세 포탈에 대한 취재를 요구하면서, 이에 응하지 않으면 자신이 취재한 내용대로 보도하겠다고 협박한 것은 특별한 사정이 없는 한 사회상규에 반하지 않는 행위이다.

④ 의료인이 아닌 자가 찜질방 내에서 부항과 부항침을 놓고 일정한 금원을 받은 행위는 그 시술로 인한 위험성이 적다는 사정만으로 사회상규에 위배되지 않는 행위로 보기는 어렵다.

해설 ① 대판 2017.10.26, 2012도13352 ② × : 접근금지, 문언송신금지를 ~ 양해 내지 승낙했더라도 형법 제20조의 정당행위로 볼 수 없다(대판 2022.1.14, 2021도14015). ③ 대판 2011.7.14, 2011도639 ④ 대판 2004.10.28, 2004도3405

Answer 7.④ 8.②

09 위법성조각사유에 관한 설명 중 가장 적절하지 않은 것은?(다툼이 있는 경우 판례에 의함)

① A가 甲의 고소로 조사받는 것을 따지기 위하여 야간에 甲의 집에 침입한 상태에서 문을 닫으려는 甲과 열려는 A 사이의 실랑이가 계속되는 과정에서 문짝이 떨어져 그 앞에 있던 A가 넘어져 2주간의 치료를 요하는 타박상을 입게 된 경우, 甲의 행위는 사회통념에 비추어 용인할 수 있는 정도의 것이라고 보기 어렵다.

② 현역군인이 국군보안사령부의 민간인에 대한 정치사찰을 폭로한다는 명목으로 군무를 이탈한 행위는 정당방위나 정당행위에 해당하지 아니한다.

③ 노동조합이 주도한 쟁의행위 자체의 정당성과 이를 구성하거나 여기에 부수되는 개개 행위의 정당성은 구별하여야 하므로, 일부 소수의 근로자가 폭력행위 등의 위법행위를 하였더라도, 전체로서의 쟁의행위마저 당연히 위법하게 되는 것은 아니다.

④ 구 공직선거 및 선거부정방지법상 선거비용지출죄는 회계책임자가 아닌 자가 선거비용을 지출한 경우에 성립되는 죄인바, 후보자가 그와 같은 행위가 죄가 되는지 몰랐다고 하더라도 회계책임자가 아닌 후보자가 선거비용을 지출한 이상 회계책임자가 후에 후보자의 선거비용 지출을 추인하였다 하더라도 그 위법성이 조각되지 않는다.

> **해설** ① × : ~ 정도의 것이라고 볼 수 있다(대판 2000.3.10, 99도4273 ∴ 정당행위 ○).
> ② 대판 1993.6.8, 93도766
> ③ 대판 2017.7.11, 2013도7896
> ④ 대판 1999.10.12, 99도3335

10 위법성조각사유에 관한 설명 중 가장 옳은 것은?(다툼이 있는 경우 판례에 의함)　　　

① 통상의 일반적인 안수기도의 방식과 정도를 벗어나 환자의 신체에 비정상적이거나 과도한 유형력을 행사하고 신체의 자유를 과도하게 제압하여 그 결과 환자의 신체에 상해까지 입힌 경우라면, 그러한 유형력의 행사가 비록 안수기도의 명목과 방법으로 이루어졌다 해도 일반적으로 사회상규상 용인되는 정당행위라고 볼 수 없으나, 이를 치료행위로 보아 피해자 측이 승낙하였다면 이는 정당행위에 해당한다.

② 신문기자인 피고인이 甲에게 2회에 걸쳐 증여세 포탈에 대한 취재를 요구하면서 이에 응하지 않으면 자신이 취재한 내용대로 보도하겠다고 말하여 협박한 경우 비록 피고인이 폭언을 하거나 보도하지 않는 데 대한 대가를 요구하지 않았다 하더라도 위 행위는 협박죄에서 말하는 해악의 고지에 해당하여 사회상규에 위반한 행위라고 보는 것이 타당하다.

③ 회사의 이익을 빼돌린다는 소문을 확인할 목적으로, 피해자가 사용하면서 비밀번호를 설정하여 비밀장치를 한 전자기록인 개인용 컴퓨터의 하드디스크를 검색한 행위는 형법 제20조의 '정당행위'에 해당된다.

Answer　9.①　10.③

④ 피고인들이 확성장치 사용, 연설회 개최, 불법행렬, 서명날인운동, 선거운동기간 전 집회 개최 등의 방법으로 특정 후보자에 대한 낙선운동을 함으로써 공직선거 및 선거부정방지법에 의한 선거운동제한 규정을 위반한 피고인들의 같은 법 위반의 각 행위는 시민불복종운동으로서 헌법상의 기본권 행사 범위 내에 속하는 정당행위이거나 형법상 사회상규에 위반되지 아니하는 정당행위 또는 긴급피난의 요건을 갖춘 행위로 보아야 한다.

[해설] ① × : ~ (4줄) 정당행위라고 볼 수 없음은 물론이고, 이를 치료행위로 오인한 피해자 측의 승낙이 있었다 하여 달리 볼 수도 없다(대판 2008.8.21, 2008도2695).
② × : ~ (4줄) 해악의 고지에 해당하더라도 특별한 사정이 없는 한 기사 작성을 위한 자료를 수집하고 보도하기 위한 것으로서 신문기자의 일상적 업무 범위에 속하여 사회상규에 반하지 아니한다(대판 2011.7.14, 2011도639).
③ ○ : 대판 2009.12.24, 2007도6243
④ × : ~ 요건을 갖춘 행위로 볼 수는 없다(대판 2004.4.27, 2002도315).

11 정당행위에 관한 설명 중 옳은 것만을 모두 고른 것은?(다툼이 있는 경우 판례에 의함)

> ㉠ 甲은 ○○수지요법학회의 지회를 운영하면서 일반인에게 수지침을 보급하고 무료의료봉사활동을 하는 사람으로서 A에게 수지침 시술을 부탁받고 아무런 대가 없이 수지침 시술을 해 준 경우, 甲이 침술 면허가 없다고 해도 해당 행위는 사회상규에 위배되지 아니하는 행위로서 위법성이 조각될 수 있다.
> ㉡ A노동조합의 조합원 甲 등이 관계 법령에서 정하는 서면 신고의무에 따라 쟁의행위의 일시, 장소, 참가인원 및 그 방법에 관한 서면신고를 하지 않고 쟁의행위를 한 경우, 세부적·형식적 절차를 미준수한 것으로서 쟁의행위의 정당성이 부정된다.
> ㉢ A아파트 입주자대표회의 회장인 甲이 자신의 승인 없이 동대표들이 관리소장과 함께 게시한 입주자대표회의의 소집 공고문을 뜯어내 제거한 경우, 해당 공고문을 손괴한 조치가 그에 선행하는 위법한 공고문 작성 및 게시에 따른 위법상태의 구체적 실현이 임박한 상황에서 그 위법성을 바로잡기 위한 것이라면 사회통념상 허용되는 범위를 크게 넘어서지 않는 것으로 볼 수 있다.
> ㉣ 甲이 가정폭력범죄의 처벌 등에 관한 특례법상의 임시보호명령을 위반하여 피해자인 A의 주거지에 접근하고 문자메시지를 보낸 경우, 이에 대하여 A의 양해 내지 승낙이 있었다면 甲의 행위가 사회상규에 위배되는 행위로 볼 것은 아니다.

① ㉠, ㉡   ② ㉠, ㉢   ③ ㉠, ㉡, ㉣   ④ ㉠, ㉢, ㉣

[해설] ㉠ ○ : 대판 2000.4.25, 98도2389
㉡ × : ~ (2줄) 쟁의행위를 한 경우에는 신고절차의 미준수만을 이유로 쟁의행위의 정당성을 부정할 수 없다(대판 2007.12.28, 2007도5204).
㉢ ○ : 대판 2021.12.30, 2021도9680
㉣ × : ~ (2줄) 이에 대하여 A(피해자)가 양해 내지 승낙을 했더라도 동법 위반죄의 구성요건에 해당하고 甲의 행위가 형법 제20조의 정당행위(사회상규에 위배되지 않는 행위)로 볼 수 없다(대판 2022.1.14, 2021도14015).

Answer 11. ②

12 정당행위에 대한 설명으로 옳지 않은 것은?(다툼이 있는 경우 판례에 의함)   **23. 7급 검찰**

① 내국인의 출입을 허용하는 폐광지역 개발 지원에 관한 특별법 등에 따라 폐광지역 카지노에 출입하는 것은 법령에 의한 행위로 위법성이 조각되나, 도박죄를 처벌하지 않는 외국 카지노에서의 도박이라는 사정만으로 그 위법성이 조각된다고 할 수 없다.

② 피고인의 행위가 피해자의 부당한 행패를 저지하기 위해 사회통념상 취할 수 있는 본능적인 소극적 방어 행위라면, 사회상규에 위배되지 아니하는 정당행위에 해당한다.

③ 한의사 자격 없이 영리를 목적으로 부항침과 부항을 이용하여 체내의 혈액을 밖으로 배출되도록 하는 시술행위는 사회상규에 위배되는 행위로서 정당행위에 해당하지 않는다.

④ 감정평가업자가 아닌 공인회계사가 타인의 의뢰에 의하여 일정한 보수를 받고 감정평가법이 정한 토지에 대한 감정평가를 업으로 행하는 것은 특별한 사정이 없는 한 법령에 의한 행위로서 정당행위에 해당한다.

해설 ① 대판 2004.4.23, 2002도2518 ② 대판 2014.3.27, 2012도11204 ③ 대판 2004.10.28, 2004도3405
④ × : ~ 해당한다고 볼 수 없다(대판 2015.11.27, 2014도191).

13 정당행위에 관한 설명으로 가장 적절하지 않은 것은?(다툼이 있는 경우 판례에 의함) **24. 경찰승진**

① 적정한 한계를 벗어나는 현행범인 체포행위는 그 부분에 관한 한 법령에 의한 행위로 될 수 없다고 할 것이나, 적정한 한계를 벗어나는 행위인가 여부는 결국 정당행위의 일반적 요건을 갖추었는지 여부가 아니라 그 행위가 소극적인 방어행위인가 적극적인 공격행위인가에 따라 결정되어야 한다.

② 어떠한 행위가 범죄구성요건에 해당하지만 정당행위라는 이유로 위법성이 조각된다는 것은 그 행위가 적극적으로 용인, 권장된다는 의미가 아니라 단지 특정한 상황하에서 그 행위가 범죄행위로서 처벌대상이 될 정도의 위법성을 갖추지 못하였다는 것을 의미한다.

③ 집행관이 압류집행을 위하여 채무자의 주거에 들어가는 과정에서 집행을 방해하는 채무자를 배제하고 주거에 들어가기 위하여 채무자를 떠밀었고 그로 인하여 채무자에게 약 2주간의 가료를 요하는 상해를 입힌 경우, 정당행위로서 위법성이 조각된다.

④ 의학적 전문지식이 없는 甲이 찜질방 내에 침대, 부항기 및 부항침 등을 갖추어 놓고 찾아오는 사람들에게 아픈 부위와 증상을 물어본 다음 아픈 부위에 부항을 뜬 후 그곳을 부항침으로 10회 정도 찌르고 다시 부항을 뜨는 방법으로 치료를 하여 주고 치료비 명목으로 15,000원 또는 25,000원을 받은 경우, 정당행위로서 위법성이 조각되는 경우에 해당하지 않는다.

해설 ① × : ~ (3줄) 갖추었는지 여부에 따라 결정되어야 할 것이지 그 행위가 소극적인 방어행위인가 적극적인 공격행위인가에 따라 결정되어야 하는 것은 아니다(대판 1999.1.26, 98도3029).
② 대판 2021.12.30, 2021도9680 ③ 대판 1993.10.12, 93도875 ④ 대판 2004.10.28, 2004도3405

Answer 12. ④ 13. ①

14 다음 중 甲에게 정당행위가 인정되는 것은?(다툼이 있는 경우 판례에 의함) 24. 순경 1차

① 사채업자 甲이 채권추심을 위하여 채무자 A에게 채무를 변제하지 않으면 A가 숨기고 싶어하는 과거 행적과 사채를 쓴 사실 등을 남편과 시댁에 알리겠다는 문자메시지를 발송한 경우

② A주식회사로부터 공립유치원의 놀이시설 제작 및 설치공사를 하도급 받은 甲이 유치원 행정실장 등에게 공사대금의 직접 지급을 요구하였으나 거절당하자, 공사대금 직불청구권이 있는 놀이시설의 정당한 유치권자로서 공사대금 채권을 확보할 필요가 있어 놀이시설의 일부인 보호대를 칼로 뜯어내고 일부 놀이시설은 철거하는 방법으로 공무소에서 사용하는 물건을 손상한 경우

③ 甲이 자신의 가옥 앞 도로가 폐기물 운반차량의 통행로로 이용되어 가옥 일부에 균열 등이 발생하자 위 도로에 트랙터를 세워두거나 철책 펜스를 설치함으로써 위 차량의 통행을 불가능하게 한 경우

④ 학교법인의 전 이사장 A가 부정입학과 관련된 금품수수 혐의로 구속되었다가 그 학교법인이 설립한 B대학교의 총장으로 선임됨에 따라 학내 갈등을 빚던 중 총학생회 간부 甲이 대학 운영의 정상화를 위해 A와의 대화를 꾸준히 요구하였으나, 학교의 소극적인 태도로 인해 면담이 성사되지 않자 A를 직접 찾아가 면담하는 이외에는 다른 방도가 없다는 판단 아래 A와의 면담을 추진하는 과정에서 총장실 진입을 시도하거나, 교무위원회 회의실에 들어가 총장의 사퇴를 요구하면서 이를 막는 학교 교직원들과 길지 않은 시간 동안 실랑이를 벌인 경우

> **[해설]** • **정당행위** ○ : ④ 대판 2023.5.18, 2017도2760(∵ 위력에 의한 업무방해죄 ×)
> • **정당행위** × : ① 대판 2011.5.26, 2011도2412(∵ 협박죄 ○) ② 대판 2017.5.30, 2017도2758(∵ 수단·방법의 상당성 ×, 공사대금 확보를 위한 유치권을 행사하는 데에 긴급하고 불가피한 수단 × ∴ 공용물건손상죄 ○) ③ 대판 2009.1.30, 2008도10560(∵ 일반교통방해죄 ○)

15 정당행위에 관한 설명으로 가장 적절하지 않은 것은?(다툼이 있는 경우 판례에 의함) 24. 순경 2차

① 행위의 긴급성과 보충성은 수단의 상당성을 판단할 때 고려 요소의 하나로 참작하여야 하며, 다른 실효성 있는 적법한 수단이 없는 경우를 의미하는 것이지 일체의 법률적인 적법한 수단이 존재하지 않을 것을 의미하는 것은 아니라고 보아야 한다.

② 구 군인사법에 따른 얼차려의 결정권자가 아닌 상사 계급의 甲이 경계근무 태만이나 청소 불량 등을 이유로 부대원들에게 속칭 원산폭격을 시키거나 양손을 깍지 낀 상태에서 팔굽혀펴기를 50~60회 정도 하게 하는 등 얼차려 지침상 허용되지 않는 얼차려를 지시하는 행위는 정당행위로 볼 수 없다.

③ CCTV 설치 운영에 근로자들의 동의 절차나 노사협의회의 협의를 거치지 않았다는 이유로 노동조합원 甲 등이 회사에서 설치하여 작동 중인 CCTV 카메라 51대 중 근로자들의 작업 모습이 찍히는 12대를 골라 검정색 비닐봉지를 씌워 임시적으로 촬영을 방해한 경우 정당행위의 성립요건 중 수단과 방법의 상당성을 인정할 수 없다.

④ 아파트 입주자대표회의 회장이자 회의 소집권자인 甲이 자신이 소집하지 않은 입주자대표회의 소집공고문을 공휴일 야간에 발견하였고 공고문에서 정한 입주자대표회의 개최일이 다음 날이어서 시기적으로 다른 적절한 방법을 찾기 어려웠다면 위 공고문을 뜯어내 제거한 행위는 정당행위에 해당한다고 볼 수 있다.

> **해설** ① 대판 2023.5.18, 2017도2760
> ② 대판 2006.4.27, 2003도4151
> ③ × : ~ (4줄) 정당행위의 성립요건 중 목적의 정당성, 법익균형성, 긴급성과 보충성 및 수단과 방법의 상당성도 인정할 수 있다(대판 2023.6.29, 2018도1917 ∴ 정당행위 ○ ⇨ 위력에 의한 업무방해죄 ×).
> ④ 대판 2021.12.30, 2021도9680

16 정당행위에 관한 설명으로 가장 적절하지 않은 것은?(다툼이 있는 경우 판례에 의함) 25. 경찰승진

① 정당행위에 있어 행위의 긴급성과 보충성은 수단의 상당성을 판단할 때 고려요소의 하나로 참작하여야 하고 이를 독립적인 요건으로 요구하지 않는다.

② '동물권'을 주장해 온 피고인들이 A회사가 농장으로부터 생닭을 공급받아 도계하는 영업을 계속한다는 이유로 A회사의 공장 정문 앞 도로에서 차량 진행을 방해하는 등 위력으로써 A회사의 생닭 운송 및 도계 업무를 방해한 경우, 그 동기나 목적의 정당성이 인정될 여지가 있지만, 수단과 방법의 상당성, 법익 균형성 등이 인정되지 아니하여 정당행위에 해당하지 않는다.

③ 사회상규에 기한 정당행위를 인정하기 위한 요건 중 하나인 "보호이익과 침해이익 사이의 법익균형"은 결과적 측면이 아니라 행위의 동기 또는 목적의 정당성 측면에서 사회상규에 위배되는지를 판단하기 위한 기준이다.

④ 행위의 긴급성과 보충성은 다른 실효성 있는 적법한 수단이 없는 경우를 의미하고 일체의 법률적인 적법한 수단이 존재하지 않을 것을 의미하는 것은 아니다.

> **해설** ① 대판 2023.5.18, 2017도2760
> ② 대판 2024.8.1, 2021도2084
> ③ × : ~ (2줄) 법익균형"은 결과의 측면에서 사회상규에 위배되는지를 판단하기 위한 기준이다(대판 2023.5.18, 2017도2760).
> ④ 대판 2023.5.18, 2017도2760

01 범죄성립을 조각하는 사유에 관한 설명 중 옳은 것은?(다툼이 있는 경우 판례에 의함)

19. 순경 1차

① 긴급피난의 본질을 위법성조각사유라고 볼 경우, 긴급피난행위에 대해서 정당방위는 인정되지 아니하나 긴급피난은 인정된다.

② '정당한 사유' 없이 입영에 불응하는 사람을 처벌하는 병역법 제88조의 범죄에서 '정당한 사유'는 위법성조각사유이다.

③ 자구행위가 야간이나 기타 불안스러운 상태하에서 공포, 경악, 흥분 또는 당황으로 인한 때에는 벌하지 아니한다.

④ 처분할 수 있는 자의 승낙에 의하여 그 법익을 훼손한 행위는 법률에 특별한 규정이 있는 경우에만 벌하지 아니한다.

해설 ① ○ : 옳다.

② × : ~ 사유'는 구성요건해당성을 조각하는 사유이다. 이는 형법상 위법성조각사유인 정당행위나 책임조각사유인 기대불가능성과는 구별된다(대판 2018.11.1, 2016도10912 전원합의체).

③ × : 제21조 제3항 준용규정 × ④ × : ~ 규정이 없는 한 벌하지 아니한다(제24조).

02 위법성조각사유에 대한 설명으로 가장 적절한 것은?(다툼이 있는 경우 판례에 의함) 20. 순경 2차

① 형법 제252조 제1항 촉탁·승낙살인죄는 피해자 승낙을 배제하는 효과를 그 내용으로 하고 있으므로, 본 죄의 위법성조각은 불가능하다.

② 무수혈 인공고관절 수술의 위험성을 충분히 설명받았으나, 진지한 의사결정에 의한 수혈거부 의사가 존재하여 무수혈수술 동의 아래 수술을 진행하였는데 생명에 위험이 발생할 수 있는 응급상황이 발생하였음에도 환자의 자기결정권을 존중하여 수혈하지 않다가 환자가 과다출혈로 사망에 이른 경우 의사는 업무상 과실치사의 죄책을 진다.

③ 위법성의 본질을 결과반가치에서만 구하는 입장은 우연방위에 대해 위법성을 탈락시킨다.

④ 주식회사 대표이사로서 회사의 계산으로 사전투표와 직접투표를 한 주주들에게 무상으로 20만원 상당의 상품교환권 등을 각 제공한 것은 주주총회 의결권 행사와 관련된 이익의 공여이지만 사회통념상 허용되는 범위를 넘지 않는 행위로서 위법성이 조각된다.

해설 ① × : 소극적 안락사(의사가 생명유지에 필요한 의료적 조치를 취하지 않아 환자가 사망한 경우 **예** 인공생명유지장치 제거)의 경우 촉탁·승낙살인죄의 위법성이 조각될 수 있다(통설).

② × : 업무상 과실치사죄 ×(대판 2014.6.26, 2009도14407 ∵ 환자의 생명과 환자의 자기결정권을 비교형량하기 어려운 특별한 사정이 있다고 인정되는 경우에 의사가 자신의 직업적 양심에 따라 환자의 양립할 수 없는 두 개의 가치 중 어느 하나를 존중하는 방향으로 행위하였다면, 이러한 행위는 처벌할 수 없다.)

③ ○ : 타당하다.

④ × : ~ 범위를 넘어서는 행위로서 위법성이 조각되지 않는다(대판 2018.2.8, 2015도7397).

03 위법성조각사유에 관한 설명으로 적절한 것을 모두 고른 것은?(다툼이 있는 경우 판례에 의함)

20. 순경 1차

> ㉠ 재건축조합의 조합장이 조합탈퇴의 의사표시를 한 자를 상대로 '사업시행구역 안에 있는 그 소유의 건물을 명도하고 이를 재건축사업에 제공하여 행하는 업무를 방해하여서는 아니 된다'는 가처분의 판결을 받아 위 건물을 철거한 행위는 형법 제20조에 정한 업무로 인한 정당행위에 해당한다.
> ㉡ 인근 상가의 통행로로 이용되고 있는 토지의 사실상 지배권자가 위 토지에 철주와 철망을 설치하고 포장된 아스팔트를 걷어냄으로써 통행로로 이용하지 못하게 한 것은 자구행위로 위법성이 조각된다.
> ㉢ 피해자의 승낙에서의 사전적 승낙이 있었다 하더라도 행위 이전에 피해자는 언제든지 자유롭게 승낙을 철회할 수 있으며, 승낙을 철회한 경우에는 승낙은 더 이상 존재하지 않게 된다.
> ㉣ 사회상규에 반하지 않는 행위는 국가질서의 존중이라는 인식을 바탕으로 한 국민일반의 건전한 도의적 감정에 반하지 아니하는 행위를 가리키는 것으로, 초법규적인 기준에 의해 평가되어서는 안 된다.

① ㉠, ㉡ 　　② ㉠, ㉢ 　　③ ㉡, ㉢ 　　④ ㉡, ㉣

해설 ㉠ ○ : 대판 1998.2.13, 97도2877

㉡ × : 자구행위 ×(대판 2007.12.28, 2007도7717 ∴ 일반교통방해죄) ㉢ ○ : 대판 2011.5.13, 2010도9962

㉣ × : ~ 초법규적인 기준에 의하여 이를 평가해야 한다(대판 1983.11.22, 83도2224).

04 다음 설명 중 가장 옳지 않은 것은?(다툼이 있는 경우 판례에 의함)　　20. 법원행시

① 정보통신망을 통한 명예훼손이나 허위사실적시 명예훼손 행위에는 위법성 조각에 관한 형법 제310조가 적용되지 않는다.

② 상관의 적법한 직무상 명령에 따른 행위는 정당행위로서 형법 제20조에 의하여 그 위법성이 조각된다고 할 것이나, 상관의 위법한 명령에 따라 범죄행위를 한 경우에는 상관이 명령에 따랐다고 하여 부하가 한 범죄행위의 위법성이 조각될 수는 없다.

③ 자신의 내면에 형성된 양심을 이유로 집총과 군사훈련을 수반하는 병역의무를 이행하지 않는 사람에게 형사처벌 등 제재를 해서는 안 된다. 따라서 진정한 양심에 따른 병역거부라면, 이는 병역법 제88조 제1항의 '정당한 사유'에 해당한다.

④ 공직선거법 제250조 제2항의 허위사실공표죄가 성립하는 경우에도 그 행위가 공공의 이익을 위한 것이라면 위법성이 조각된다.

⑤ 사용자인 수급인에 대한 정당성을 갖춘 쟁의행위가 도급인의 사업장에서 이루어져 형법상 보호되는 도급인의 법익을 침해한 경우, 그것이 항상 위법하다고 볼 것은 아니고, 법질서 전체의 정신이나 그 배후에 놓여 있는 사회윤리 내지 사회통념에 비추어 용인될 수 있는 행위에 해당하는 경우에는 형법 제20조의 '사회상규에 위배되지 아니하는 행위'로서 위법성이 조각된다.

Answer　3. ②　4. ④

해설 ① 대판 2006.8.25, 2006도648
② 대판 1997.4.17, 96도3376 전원합의체 ③ 대판 2020.7.9, 2019도17322
④ × : ~ 위한 것이라고 하여 위법성이 조각된다고 볼 수 없다(대판 2011.12.22, 2008도11847).
⑤ 대판 2020.9.3, 2015도1927

05 위법성조각사유에 대한 설명으로 옳은 것은?(다툼이 있는 경우 판례에 의함)

21. 9급 검찰 · 마약수사 · 철도경찰

① 甲이 A를 강간하던 중 A가 손가락을 깨물며 반항하자, 甲이 물린 손가락을 비틀어 잡아 뽑다가 A에게 치아결손을 가한 행위는 긴급피난에 해당한다.

② 경찰관이 현행범인으로서의 요건을 갖추지 못한 甲을 체포하려고 하자, 甲이 체포를 면하려고 반항하는 과정에서 경찰관에게 상해를 가한 행위는 정당방위에 해당한다.

③ 친권자 甲이 스스로의 감정을 이기지 못하고 야구방망이로 때릴 듯이 자녀 A에게 "죽여 버린다."고 말하여 협박한 행위는 정당행위에 해당한다.

④ 정당 당직자 甲이 국회 상임위원회 회의장 앞 복도에서 출입이 봉쇄된 회의장 출입구를 뚫을 목적으로 회의장 출입문 및 그 안쪽에 쌓여 있던 집기를 손상한 행위는 정당행위에 해당한다.

해설 ① × : 긴급피난 ×, 강간치상죄 ○(대판 1995.1.12, 94도2781)
② ○ : 대판 2002.5.10, 2001도300
③ × : 정당행위 × ⇨ 협박죄 ○(대판 2002.2.8, 2001도6468 ∵ 교양권의 행사 ×)
④ × : 정당행위 × ⇨ 공용물건손상죄 ○(대판 2013.6.13, 2010도13609)

06 위법성조각사유에 대한 아래 ㉠부터 ㉣까지의 설명 중 옳고 그름의 표시(○, ×)가 모두 바르게 된 것은?(다툼이 있는 경우 판례에 의함)

21. 순경 1차

> ㉠ 정당방위상황은 존재하지만 방위의사 없이 행위한 경우, 위법성조각사유의 요건에 있어 주관적 정당화요소가 필요 없다고 보는 견해에서는 여전히 행위반가치는 존재하므로 이를 불능미수범으로 취급하여야 한다고 본다.
>
> ㉡ 위법하지 않은 정당한 침해에 대한 정당방위는 인정되지 않는다.
>
> ㉢ 수급인 소속 근로자의 쟁의행위가 도급인의 사업장에서 일어나 도급인의 형법상 보호되는 법익을 침해한 경우, 사용자인 수급인에 대한 관계에서 쟁의행위의 정당성을 갖추었다면 사용자가 아닌 도급인에 대한 관계에서도 법령에 의한 정당한 행위로서 위법성이 조각된다.
>
> ㉣ 사용자가 당해 사업과 관계없는 자를 쟁의행위로 중단된 업무의 수행을 위하여 채용 또는 대체하는 경우, 쟁의행위에 참가한 근로자들이 위법한 대체근로를 저지하기 위하여 상당한 정도의 실력을 행사하는 것은 정당행위로서 위법성이 조각된다.

① ㉠(×), ㉡(○), ㉢(×), ㉣(○)　　② ㉠(○), ㉡(×), ㉢(○), ㉣(×)

③ ㉠(×), ㉡(○), ㉢(○), ㉣(○)　　④ ㉠(○), ㉡(○), ㉢(×), ㉣(×)

[해설] ㉠ × : ~ (2줄) 견해에서는 행위반가치가 존재하지 않으므로 위법성이 조각되어 무죄이다.
㉡ ○ : 대판 2003.11.13, 2003도3606
㉢ × : 도급인은 원칙적으로 수급인 소속 근로자의 사용자가 아니므로, 수급인 소속 근로자의 쟁의행위가 도급인의 사업장에서 일어나 도급인의 형법상 보호되는 법익을 침해한 경우에는 사용자인 수급인에 대한 관계에서 쟁의행위의 정당성을 갖추었다는 사정만으로 사용자가 아닌 도급인에 대한 관계에서까지 법령에 의한 정당한 행위로서 법익 침해의 위법성이 조각된다고 볼 수는 없다(대판 2020.9.3, 2015도1927).
㉣ ○ : 대판 2020.9.3, 2015도1927

07 위법성조각사유에 대한 설명으로 옳은 것은?(다툼이 있는 경우 판례에 의함) 21. 경찰간부

① 甲이 자신의 아버지 乙에게서 乙소유 부동산 매매에 관한 일체의 권한을 위임받아 이를 매도하였는데, 그 후 乙이 사망하자 부동산 소유권 이전에 사용할 목적으로 乙이 甲에게 인감증명서 발급을 위임한다는 취지의 인감증명 위임장을 작성한 후 주민센터 담당 직원에게 제출한 경우, 사망한 명의자 乙의 승낙이 추정되므로 위법성이 조각된다.
② 경찰관의 불심검문을 받게 된 甲이 운전면허증을 교부한 후 경찰관에게 큰 소리로 욕설을 하였고 이에 경찰관이 모욕죄의 현행범으로 체포하겠다고 고지한 후 甲의 어깨를 잡자, 甲이 이를 면하려고 반항하는 과정에서 경찰관에게 상해를 입힌 행위는 정당방위에 해당한다.
③ 운전자가 자신의 차를 가로막고 서서 통행을 방해하는 피해자를 향해 차를 조금씩 전진시키고 피해자가 뒤로 물러나면 다시 차를 전진시키는 방식의 운행을 반복한 경우, 정당방위에 해당하여 폭행죄가 성립하지 않는다.
④ 피해자의 승낙은 언제든지 자유롭게 철회될 수 있고 그 방법에는 제한이 없으며, 법익이 침해된 이후의 사후 승낙도 위법성을 조각할 수 있다.

[해설] ① × : ~ 승낙이 추정된다고 단정할 수 없으므로 위법성이 조각되지 않는다(대판 2011.9.29, 2011도6223 ∴ 사문서위조죄 및 동행사죄 ○).
② ○ : 대판 2011.5.26, 2011도3682
③ × : ~ 경우, 정당방위나 정당행위에 해당하지 않아 폭행죄가 성립한다(대판 2016.10.27, 2016도9302).
④ × : ~ (2줄) 사후 승낙은 위법성을 조각할 수 없다.

08 정당화사유에 대한 설명으로 옳은 것만을 모두 고르면?(다툼이 있는 경우 판례에 의함)

21. 7급 검찰

㉠ 정당방위의 방어행위에는 순수한 수비적 방어뿐 아니라 적극적 반격을 포함하는 반격방어의 형태도 포함된다.
㉡ 자기의 생명에 대한 현재의 위난을 피하기 위하여 타인의 생명을 침해하는 행위는 상당한 이유가 있으면 긴급피난으로서 위법성이 조각된다.
㉢ 행위 당시 사문서의 명의자가 현실적으로 승낙하지는 않았지만 명의자가 그 사실을 알았다면 당연히 승낙했을 것이라고 추정되는 경우라면 추정적 승낙에 의해 사문서변조죄가 성립하지 않는다.

ㄹ 주민들이 농기계 등으로 그 주변의 농경지나 임야에 통행하기 위해 이용하는 자신 소유의 도로에 깊이 1m 정도의 구덩이를 판 행위는 일반교통방해죄의 구성요건에 해당하지만, 자구행위로서 위법성이 조각된다.

① ㄱ, ㄷ　　　　　② ㄱ, ㄹ　　　　　③ ㄴ, ㄷ　　　　　④ ㄴ, ㄷ, ㄹ

 ㄱ ○ : 대판 1992.12.22, 92도2540
ㄴ × : 사람의 생명은 이익교량할 수 있는 법익이 아니므로 긴급피난에 의해 사람을 살해하는 것은 위법성을 조각할 수 없고, 다만 기대가능성의 유무에 따라 책임에 영향을 준다(면책적 긴급피난).
ㄷ ○ : 대판 2008.4.10, 2007도9987
ㄹ × : 자구행위 ×, 정당행위 ×(대판 2007.3.15, 2006도9418 ∴ 일반교통방해죄 ○)

09 위법성조각사유에 대한 설명으로 가장 적절한 것은?(다툼이 있는 경우 판례에 의함) 21. 경찰승진

① 정당방위는 부당한 침해에 대한 방어행위인데 반해 긴급피난은 부당한 침해가 아닌 위난에 대해서도 가능하다.

② 형법 제23조에 의하면 과잉자구행위가 야간 기타 불안스러운 상태하에서 공포·경악·흥분 또는 당황으로 인한 때에는 벌하지 아니한다.

③ 형법 제23조 제1항은 타인의 청구권보전을 위한 자구행위도 가능한 것으로 명시하고 있다.

④ 건물의 소유자라고 주장하는 피고인과 그것을 점유·관리하고 있는 피해자 사이에 건물의 소유권에 대한 분쟁이 계속되고 있는 상황이라면, 피고인이 그 건물에 침입하였다 하더라도 피해자의 추정적 승낙이 있었다거나 피고인의 행위가 사회상규에 위배되지 않는다고 볼 수 있다.

해설 ① ○ : 타당하다(제21조 제1항, 제22조 제1항).
② × : 형법 제23조에 제21조 제3항이 준용된다는 조항이 없다.
③ × : ~ 것으로 명시하고 있지 않다.
④ × : ~ (3줄) 위배되지 않는 것이라 볼 수 없다(대판 1989.9.12, 89도889).

10 다음 설명 중 가장 옳지 않은 것은?(다툼이 있는 경우 판례에 의함) 21. 법원직

① 사용자인 수급인에 대한 정당성을 갖춘 쟁의행위가 도급인의 사업장에서 이루어져 형법상 보호되는 도급인의 법익을 침해한 경우, 그것이 항상 위법하다고 볼 것은 아니고, 법질서 전체의 정신이나 그 배후에 놓여있는 사회윤리 내지 사회통념에 비추어 용인될 수 있는 행위에 해당하는 경우에는 형법 제20조의 '사회상규에 위배되지 아니하는 행위'로서 위법성이 조각된다.

② 노동조합이 주도한 쟁의행위 자체의 정당성과 이를 구성하거나 여기에 부수되는 개개 행위의 정당성은 구별하여야 하므로, 일부 소수의 근로자가 폭력행위 등의 위법행위를 하였더라도, 전체로서의 쟁의행위마저 당연히 위법하게 되는 것은 아니다.

Answer　9.①　10.③

③ 사문서를 작성·수정할 때 명의자의 명시적인 승낙이나 동의가 없다는 것을 알면서도 명의자가 문서작성 사실을 알았다면 승낙하였을 것이라고 기대하거나 예측하였다면 그 승낙이 추정된다고 할 수 있다.

④ 현행범인 체포행위가 적법한 공무집행을 벗어나 불법인 것으로 볼 수밖에 없다면, 현행범이 체포를 면하려고 반항하는 과정에서 경찰관에게 상해를 가한 것은 불법체포로 인한 신체에 대한 현재의 부당한 침해에서 벗어나기 위한 행위로서 정당방위에 해당하여 위법성이 조각된다.

해설 ① 대판 2020.9.3, 2015도1927

② 대판 2017.7.11, 2013도7896

③ × : ~ 기대하거나 예측한 것만으로는 그 승낙이 추정된다고 할 수 없다(대판 2008.4.10, 2007도9987).

④ 대판 2002.5.10, 2001도300

11 형법 총칙상 위법성조각사유에 대한 설명 중 가장 적절하지 않은 것은?(다툼이 있는 경우 판례에 의함)

21. 경력채용

① A가 술에 만취하여 아무런 연고도 없는 가정주부인 甲의 집에 들어가 유리창을 깨는 등 행패를 부리고 나가자 甲이 유리창 값을 받으러 A를 뒤따라가며 그 어깨를 붙잡았으나, 상스러운 욕설을 계속하므로 더 이상 참지 못하고 잡고 있던 손으로 A의 어깨부분을 밀치자 술에 취하여 비틀거리던 A가 몸을 제대로 가누지 못하고 앞으로 넘어져 시멘트 바닥에 이마를 부딪쳐 1차성 쇼크로 사망한 경우, 甲의 행위는 정당방위에 해당한다.

② 방송사 기자인 甲은 국가안전기획부 정보수집팀이 타인 간의 8년 전 사적 대화를 불법 녹음하여 생성한 도청자료인 녹음테이프와 녹취보고서를 입수한 후 이를 자사의 방송프로그램을 통하여 공개한 경우, 甲의 행위는 수단이나 방법이 상당성을 결여하여 정당행위에 해당하지 않는다.

③ 정당 당직자인 甲이 국회 외교통상 상임위원회 회의장 앞 복도에서 출입이 봉쇄된 회의장 출입구를 뚫을 목적으로 회의장 출입문 및 그 안쪽에 쌓여있던 집기를 손상하거나, 국회 심의를 방해할 목적으로 회의장 내에 물을 분사한 경우, 이러한 甲의 행위는 합법적 절차를 외면한 채 곧바로 폭력적 행동으로 나아가 방법이나 수단에 있어서도 상당성의 요건을 갖추지 못하여 정당행위나 긴급피난에 해당하지 않는다.

④ 甲이 A와 공모하여 교통사고를 가장하여 보험금을 편취할 목적으로 A에게 상해를 가하였다면, A의 승낙이 있었다고 하더라도 甲의 행위가 A의 승낙에 의하여 위법성이 조각된다고 할 수 없다.

해설 ① × : 정당방위 ×, 정당행위 ○(대판 1992.3.10, 92도37)

② 대판 2011.3.17, 2006도8839 전원합의체

③ 대판 2013.6.13, 2010도13609

④ 대판 2008.12.11, 2008도9606

12 위법성에 관한 설명 중 옳지 않은 것을 모두 고른 것은?(다툼이 있는 경우 판례에 의함)

22. 변호사시험

> ㉠ 사채업자 A의 채무변제 독촉을 받고 있던 甲은 아들 B(20세)의 상해보험금을 타서 이를 변제
> 하기로 하고 B의 진지한 승낙을 받아 B의 새끼손가락을 절단한 경우, 甲의 상해행위는 위법
> 성이 조각되지 않는다.
> ㉡ 甲은 乙과 말다툼을 하다가 낫을 들고 반항하는 乙로부터 낫을 빼앗아 乙의 가슴, 배, 목 등을
> 10여 차례 찔러 乙로 하여금 자상으로 사망하게 한 경우, 甲의 행위는 그 정도를 초과한 것으
> 로서 형법 제21조 제2항의 과잉방위에 해당한다.
> ㉢ 甲이 스스로 야기한 강간범행의 와중에 피해자 A가 甲의 손가락을 깨물며 반항하자 물린 손
> 가락을 비틀어 잡아 뽑다가 A에게 치아결손의 상해를 입힌 경우, 甲의 행위는 법에 의하여
> 용인되는 피난행위라 할 수 없다.
> ㉣ 甲이 乙로부터 갑자기 뺨을 맞는 등 폭행을 당하여 서로 멱살을 잡고 다투자 주위 사람들이
> 싸움을 제지하였으나 甲은 맨손으로 공격하는 乙에게 대항하기 위하여 깨어진 병으로 乙을
> 찌를 듯이 겨누어 협박한 경우, 甲의 행위는 사회통념상 그 정도를 초과하여 상당성이 결여된
> 것으로서 정당방위에 해당하지 않는다.
> ㉤ 甲이 불심검문을 받아 경찰관 A에게 운전면허증을 교부한 후 불심검문에 항의하는 과정에서
> 우발적으로 큰소리로 욕설을 하여 A뿐만 아니라 인근 주민도 그 욕설을 직접 들었던 상황에
> 서, A가 甲을 모욕죄의 현행범으로 체포하려 하자 甲이 이에 반항하는 과정에서 A에게 상해
> 를 입힌 행위는 정당방위에 해당하지 않는다.

① ㉠, ㉡   ② ㉠, ㉢   ③ ㉡, ㉤
④ ㉡, ㉣, ㉤   ⑤ ㉢, ㉣, ㉤

해설 ㉠ ○ : 대판 2008.12.11, 2008도9606(∵ 피해자의 승낙이 위법한 목적에 이용하기 위한 것임.)
㉡ × : 정당방위 ×, 과잉방위 ×(대판 2007.4.26, 2007도1794)
㉢ ○ : 대판 1995.1.12, 94도2781
㉣ ○ : 정당방위 ×, 과잉방위 ○(제21조 제3항 적용 ×)(대판 1991.5.28, 91도80)
㉤ × : 정당방위 ○(대판 2011.5.26, 2011도3682)

13 다음 중 위법성이 조각되는 경우는?(다툼이 있는 경우 판례에 의함)

22. 경찰승진

① 인근상가의 통행로로 이용되고 있는 토지의 사실상 지배권자가 그 토지에 철주와 철망을
설치하고 포장된 아스팔트를 걷어냄으로써 통행로로 이용하지 못하게 한 경우
② 집회장소 사용승낙을 하지 않은 A대학교측의 집회 저지 협조 요청에 따라 경찰관들이
A대학교 출입문에서 신고된 A대학교에서의 집회에 참가하려는 자의 출입을 저지하자,
그 때문에 소정의 신고 없이 B대학교로 장소를 옮겨서 집회를 한 경우
③ 아파트입주자대표회의 회장이 다수 입주민들의 민원에 따라 위성방송수신을 방해하는
케이블 TV방송의 시험방송 송출을 중단시키기 위하여 위 케이블방송의 방송안테나를
절단하도록 지시한 경우

Answer   12. ③   13. ④

④ 선거관리위원회가 주최한 합동연설회장에서 일간지의 신문기사를 읽는 방법으로 상대 후보의 전과사실을 적시한 사안에서, 상대 후보의 평가를 저하시켜 스스로 자신이 당선되려는 사적 이익도 동기가 되었지만 유권자들에게 상대 후보의 자질에 대한 자료를 제공함으로써 적절한 투표권을 행사하도록 하려는 공적 동기도 있었던 경우

[해설] • **위법성조각** ○ : ④ 공직선거법 제251조 단서(후보자비방죄 : 진실한 사실로서 공공이 이익에 관한 때에는 처벌하지 아니한다.)에 의하여 위법성이 조각됨(대판 1996.6.28, 96도977).
• **위법성조각** × : ① 자구행위 ×(대판 2007.12.28, 2007도7717 ∴ 일반교통방해죄) ② 긴급피난 ×(대판 1990.8.14, 90도870 ∵ 급박한 현재의 위난을 피하기 위한 부득이한 것 ×) ③ 긴급피난 ×, 정당행위 ×(대판 2006.4.13, 2005도9396)

14 다음은 위법성조각사유에 관한 어떤 규정을 설명한 것이다. 이 규정을 적용할 때 甲을 벌하지 아니하는 경우에 해당하는 것은?(다툼이 있는 경우 판례에 의함)   22. 순경 1차

> 이 규정은 사회상규라는 초법규적 위법성조각사유를 일반적 · 포괄적 위법성조각사유로 명문화해 놓은 것으로서, 다른 위법성조각사유에 대한 일반적 보충적 성격을 지니고 있는 것으로 볼 수 있다.

① A가 칼을 들고 찌르자 甲이 그 칼을 빼어 반격을 가한 결과 A에게 상해를 입힌 경우
② 甲이 자신의 차를 가로막고 서서 통행을 방해하는 A를 향해 차를 조금씩 전진시키고 A가 뒤로 물러나면 다시 차를 전진시키는 방식의 운행을 반복한 경우
③ 甲과 A가 공모하여 교통사고를 가장해 보험금을 편취할 목적으로 A에게 상해를 입힌 경우
④ 甲이 방송국 시사프로그램을 시청한 후 방송국 홈페이지의 시청자 의견란에 "그렇게 소중한 자식을 범법행위의 변명의 방패로 쓰시다니 정말 대단하십니다."는 등의 표현이 담긴 글을 게시한 경우

[해설] BOX는 정당행위(제20조)에 관한 설명임.
① 정당방위 ×(대판 1984.1.24, 83도1873)
② 특수폭행죄 ○(대판 2016.10.27, 2016도9302 ∵ 피해자에 대한 위법한 유형력 행사 ○, 정당방위 × 정당행위 ×)
③ 피해자의 승낙 ×(대판 2008.12.11, 2008도9606)
④ 정당행위 ○ : 모욕적 언사에 해당될지라도 형법 제20조의 사회상규에 위배되지 아니하는 행위로 봄이 상당하다(대판 2003.11.28, 2003도3972).

15 위법성조각사유에 대한 설명으로 옳지 않은 것은?(다툼이 있는 경우 판례에 의함)
22. 9급 검찰·마약수사·철도경찰, 25. 해경경사

① 법률에서 정한 절차에 따라서는 청구권을 보전할 수 없는 경우에 그 청구권의 실행이 현저히 곤란해지는 상황을 피하기 위하여 한 행위는 상당한 이유가 있는 때에는 벌하지 아니한다.

② 타인의 법익에 대한 현재의 위난을 피하기 위한 행위는 상당한 이유가 있는 때에는 벌하지 아니한다.

③ 어떠한 물건에 대하여 자기에게 그 권리가 있다고 주장하면서 이를 가져간 데 대하여 피해자의 묵시적인 동의가 있었더라도 위 주장이 후에 허위임이 밝혀졌다면 피고인의 행위는 절도죄의 절취행위에 해당한다.

④ 폭력행위 등 처벌에 관한 법률에 규정된 죄를 범한 사람이 흉기로 사람에게 위해를 가하려 할 때 이를 예방하기 위하여 한 행위는 벌하지 아니한다.

> **해설** ① 자구행위(제23조 제1항)
> ② 긴급피난(제22조 제1항)
> ③ × : ~ (2줄) 동의가 있었다면 위 주장이 후에 허위임이 밝혀졌더라도 피고인의 행위는 절도죄의 절취행위에 해당하지 않는다(대판 1999.8.10, 90도1211).
> ④ 폭력행위 등 처벌에 관한 법률 제8조 제1항(정당방위)

16 위법성조각사유에 대한 설명 중 가장 적절하지 않은 것은?(다툼이 있는 경우 판례에 의함)
23. 경찰승진

① 방위행위가 그 정도를 초과한 경우에 야간이나 그 밖의 불안한 상태에서 공포를 느끼거나 경악하거나 흥분하거나 당황하였기 때문에 그 행위를 하였을 때에는 그 형을 감경하거나 면제할 수 있다.

② 외관상 서로 격투를 하는 것처럼 보이는 경우라고 할지라도 실지로는 한쪽 당사자가 일방적으로 불법한 공격을 가하고 甲이 이러한 공격으로부터 자신을 보호하고 이를 벗어나기 위한 저항수단으로 유형력을 행사한 경우라면 위법성이 조각된다.

③ 검사가 참고인 조사를 받는 줄 알고 검찰청에 자진 출석한 변호사 甲의 사무실 사무장을 합리적 근거 없이 긴급체포하자 甲이 이를 제지하는 과정에서 검사에게 상해를 가한 경우 정당방위에 해당한다.

④ 甲이 피해자와 공모하여 교통사고를 가장하여 보험금을 편취할 목적으로 피해자에게 상해를 가하였다면 피해자의 승낙이 있었다고 하더라도 甲의 행위가 피해자의 승낙에 의하여 위법성이 조각된다고 할 수 없다.

> **해설** ① × : ~ 때에는 벌하지 아니한다(제21조 제3항).
> ② 대판 1999.10.12, 99도3377 ③ 대판 2006.9.8, 2006도148 ④ 대판 2008.12.11, 2008도9606

Answer   15.③   16.①

17 위법성에 관한 설명 중 옳지 않은 것을 모두 고른 것은?(다툼이 있는 경우 판례에 의함)

23. 변호사시험

> ㉠ 甲과 乙이 교통사고를 가장하여 보험금을 편취할 것을 공모한 후 乙의 승낙을 받은 甲이 乙에게 상해를 가한 경우, 乙의 승낙이 위법한 목적에 이용하기 위한 것이었다고 할지라도 甲의 행위는 상해죄의 위법성이 조각된다.
>
> ㉡ 사채업자 甲이 채무자 A에게 채무를 변제하지 않으면 A가 숨기고 싶어 하는 과거 행적과 사채를 쓴 사실 등을 남편과 시댁에 알리겠다는 등의 문자메시지를 발송한 경우, 甲의 행위는 사회통념상 용인되는 범위를 넘지 않는 것이어서 협박죄가 성립하지 않는다.
>
> ㉢ A와 B가 차량 통행 문제로 다투던 중에 A가 차를 몰고 대문 안으로 운전해 들어가려 하자 B가 양팔을 벌리고 제지하였음에도 A가 차를 약 3미터 가량 B의 앞쪽으로 급진시키자, 이때 그 차 운전석 옆에 서 있던 B의 아들 甲이 B를 구하려고 차를 정지시키기 위하여 운전석 옆 창문을 통해 A의 머리카락을 잡아당겨 A의 흉부가 차의 창문틀에 부딪혀 약간의 상처를 입게 하였다면, 甲의 행위는 정당방위에 해당한다.
>
> ㉣ 임대인의 승낙 없이 건물을 전차한 전차인은 비록 불법 침탈 등의 방법에 의하여 건물의 점유를 개시한 것이 아니고 그동안 평온하게 음식점 영업을 하면서 점유를 계속하여 왔더라도 그 전대차로써 임대인에게 대항할 수 없기 때문에, 임대인이 그 건물의 열쇠를 새로 만들어 잠근 행위는 업무방해죄의 위법성을 조각하는 자구행위에 해당한다.
>
> ㉤ 싸움의 상황에서 상대방의 공격을 피하기 위하여 소극적으로 방어를 하던 도중 그 상대방을 상해 또는 사망에 이르게 한 경우라 하더라도, 이는 사회통념상 허용될 만한 상당성이 있는 정당행위라고 할 수 없다.

① ㉠, ㉡, ㉢   ② ㉡, ㉢, ㉤

③ ㉢, ㉣, ㉤   ④ ㉠, ㉡, ㉣, ㉤

⑤ ㉠, ㉢, ㉣, ㉤

해설 ㉠ × : ~ (2줄) 이용하기 위한 것이었다면 甲의 행위는 상해죄의 위법성이 조각되지 않는다(대판 2008.12.11, 2008도9606).

㉡ × : ~ (3줄) 범위를 넘는 것이어서 협박죄가 성립한다(대판 2011.5.26, 2011도2412).

㉢ ○ : 대판 1986.10.14, 86도1091

㉣ × : 임대인의 승낙 없이 건물을 전차한 전차인은 임대인에게 대항할 수 없다고 하더라도 불법침탈 등의 방법에 의하여 위 건물의 점유를 개시한 것이 아니고 그동안 평온하게 음식점영업을 하면서 점유를 계속하여 온 이상 임대인이 그 건물의 열쇠를 새로 만들어 잠근 행위는 업무방해죄의 위법성을 조각하는 정당한 행위이거나 자구행위에 해당한다고 볼 수 없다(대판 1986.12.23, 86도1372 ∴ 업무방해죄 ○).

㉤ × : ~ 할 수 있다(대판 1991.1.15, 89도2239).

Answer 17.④

18 위법성조각사유에 대한 설명으로 옳은 것은?(다툼이 있는 경우 판례에 의함)   23. 7급 검찰

① 형법 제310조(위법성의 조각)에서 '공공의 이익'이라 함은 널리 국가·사회 기타 일반 다수인의 이익에 관한 것만을 의미하며, 특정한 사회집단이나 그 구성원의 관심과 이익에 관한 것은 포함되지 않는다.

② 甲이 스스로 야기한 강간범행의 와중에서 피해자가 甲의 손가락을 깨물며 반항하자 물린 손가락을 비틀며 잡아 뽑다가 피해자에게 치아결손의 상해를 입힌 행위는 긴급피난에 해당한다.

③ 수급인 소속 근로자의 쟁의행위가 도급인의 사업장에서 일어나 도급인의 형법상 보호되는 법익을 침해한 경우, 사용자인 수급인에 대한 관계에서 쟁의행위의 정당성을 갖추었다 하더라도 그 사정만으로 사용자가 아닌 도급인에 대한 관계에서까지도 법령에 의한 정당한 행위로서 법익 침해의 위법성이 조각되는 것은 아니다.

④ 경찰관의 체포행위가 적법한 공무집행을 벗어나 불법하게 체포한 것으로 볼 수밖에 없다면, 피의자가 그 체포를 면하려고 반항하는 과정에서 경찰관을 폭행한 것은 불법체포로 인한 신체에 대한 현재의 부당한 침해에서 벗어나기 위한 행위이므로, 그 피의자의 공무집행방해는 정당방위로서 위법성이 조각된다.

해설 ① × : ~ (2줄) 관한 것뿐만 아니라 특정한 사회집단이나 그 구성원의 관심과 이익에 관한 것도 포함된다(대판 2002.9.24, 2002도3570).
② × : 긴급피난 ×(대판 1995.1.12, 94도2781)
③ ○ : 대판 2020.9.3, 2015도1927
④ × : ~ (3줄) 행위이므로, 정당방위로서 위법성이 조각된다〔대판 2000.7.4, 99도434 ▶ **주의** : 경찰관의 체포행위는 적법한 공무집행이라고 할 수 없어(구성요건해당성을 조각) 공무집행방해죄가 성립하지 않는 것이지, 정당방위로서 위법성이 조각되는 것이 아니다〕.

19 위법성조각사유에 관한 설명으로 가장 적절한 것은?(다툼이 있는 경우 판례에 의함) 24. 순경 1차

① 일련의 연속되는 행위로 인해 침해상황이 중단되지 아니하거나 일시 중단되더라도 추가 침해가 곧바로 발생할 객관적인 사유가 있는 경우, 그중 일부 행위가 범죄의 기수에 이르렀을지라도 정당방위의 요건 중 침해의 현재성이 인정된다.

② 甲이 A를 살해하기 위해 총을 쏴 A가 사망하였는데, 알고 보니 A도 甲을 살해하기 위해 甲에게 총을 조준하고 있었던 경우, 위법성이 조각되기 위해서는 주관적 정당화요소가 필요하다는 견해에 따르면 甲의 행위는 위법성이 조각된다.

③ 위난을 피하지 못할 책임 있는 자에게는 긴급피난이 허용되지 않기에 이들이 감수해야 할 범위를 넘는 위난에 처한 때에도 긴급피난은 허용되지 않는다.

④ 무고죄는 국가의 형사사법권의 적정한 행사뿐만 아니라 개인이 부당하게 처벌받지 아니할 이익을 부수적으로 보호하는 죄이기에, 피무고자의 승낙이 있는 경우에는 위법성이 조각된다.

Answer 18. ③ 19. ①

해설 ① ○ : 대판 2023.4.27, 2020도6874

② × : ~ 위법성이 조각되지 않는다.

③ × : ~ (1줄) 긴급피난이 허용되지 않는다고 하더라도 이들이 감수해야 할 범위를 넘는 위난에 처한 때에는 긴급피난은 허용된다.

④ × : ~ (2줄) 피무고자의 승낙이 있었다고 하더라도 무고죄의 성립에는 영향을 미치지 못한다(대판 2005.9.30, 2005도2712).

20 위법성조각사유에 관한 설명 중 가장 옳은 것은?(다툼이 있는 경우 판례에 의함)　　24. 법원직

① 싸움을 하는 경우 가해행위는 방어행위인 동시에 공격행위의 성격을 가진다. 따라서 싸움을 하는 경우에는 어느 경우에도 정당방위가 인정될 수 없다.

② 사회상규에 의한 정당행위를 인정하려면, 첫째 그 행위의 동기나 목적의 정당성, 둘째 행위의 수단이나 방법의 상당성, 셋째 보호이익과 침해이익과의 법익균형성, 넷째 긴급성, 다섯째로 그 행위 외에 다른 수단이나 방법이 없다는 보충성 등의 요건을 갖추어야 한다. 그중 행위의 긴급성과 보충성은 수단의 상당성을 판단할 때 고려요소의 하나로 참작하여야 하고 이를 넘어 독립적인 요건으로 요구할 것은 아니다. 그리고 그 내용은 '일체의 법률적인 적법한 수단이 존재하지 않을 것'을 의미한다.

③ 위난을 스스로 초래한 '자초위난'의 경우에는 원칙적으로 긴급피난이 허용되지 않는다.

④ 형법 제20조에서 업무로 인한 행위는 벌하지 아니한다고 규정하므로, 성직자가 범인의 은신처를 마련하거나 도피자금을 제공하는 등의 행위를 한 경우 범인은닉·도피죄로 처벌할 수 없다.

해설 ① × : 싸움의 경우 원칙적으로 정당방위 내지 과잉방위는 인정되지 않으나, 예외적으로 그 싸움(격투)에서 당연히 예상할 수 있는 정도를 초과하여 공격해 온 때〔살인의 흉기 등을 사용한 경우(언쟁 중 구타당하자 카빈소총을 등 뒤에 겨눈 경우) : 대판 1968.5.7, 68도370〕와 외관상 서로 싸움(격투)을 하는 것처럼 보여도 실지로는 상대방의 일방적인 불법한 공격에 대해 자신을 보호하기 위한 수단으로 유형력을 행사한 경우(적극적인 반격이 아니라 소극적인 방어한도 내에서 : 대판 1999.10.12, 99도3377)에는 정당방위가 인정될 수 있다.

② × : ~ (5줄) 독립적인 요건으로 요구할 것은 아니다. 또한 그 내용 역시 다른 실효성 있는 적법한 수단이 없는 경우를 의미하고 '일체의 법률적인 적법한 수단이 존재하지 않을 것'을 의미하는 것은 아니라고 보아야 한다(대판 2023.5.18, 2017도2760).

③ ○ : 대판 1995.1.12, 94도2781

④ × : 천주교 사제(성직자)가 범인을 고발하지 않은 것에 그치지 아니하고 적극적으로 은닉·도피하게 한 행위(은신처 마련, 도피자금 제공) ⇨ 정당행위 ×(∵ 사제의 정당한 직무에 속하는 것 ×) ⇨ 범익은닉·도피죄(대판 1983.3.8, 82도3248)

Answer　20. ③

21 위법성 조각사유에 관한 설명으로 옳고 그름의 표시(○, ×)가 바르게 된 것은?(다툼이 있는 경우 판례에 의함)

> ㉠ 어떠한 행위가 형법 제20조의 '사회상규에 위배되지 아니하는 행위'인지를 평가함에 있어 '목적의 정당성'과 '수단의 상당성' 요건은 행위의 측면에서 사회상규의 판단 기준이 되고 보호이익과 침해이익 사이의 법익균형은 결과의 측면에서 이를 판단하기 위한 기준이 되지만, 행위의 긴급성과 보충성은 수단의 상당성을 판단할 때 고려요소의 하나가 될 뿐 그 자체로서 독립적인 요건이 되는 것은 아니다.
>
> ㉡ 甲은 자신의 토지에 인접하여 있는 A소유의 상가건물에 건축법상 위법요소가 존재함에도 A가 그와 같은 위법요소를 방치 내지 조장하고 있을 뿐만 아니라 해당 건물의 건축허가에 관한 관할관청의 행정행위에 하자가 존재한다는 이유로, 상가의 통행로로 이용되고 있는 자신의 토지에 철주와 철망을 설치하고 포장된 아스팔트를 걷어냄으로써 통행로로 이용하지 못하게 하였는데, 이는 자신의 소유권을 방해하는 사람들에 대한 방해배제의 청구권을 보전하기 위한 자구행위로 볼 수 있다.
>
> ㉢ A가 뒤에서 甲을 칼로 찌르려고 하던 찰나에 그 사실을 모르던 甲이 계속 따라오는 A에게 짜증이 나 상해의 고의로 A를 주먹으로 가격하여 상해를 가한 경우, 위법성 조각사유를 인정함에 있어 주관적 정당화요소가 필요하다는 견해에 따르면 甲에게는 방위의사가 없어 결과불법은 인정되지만 행위불법이 결여되어 상해죄의 불능미수가 된다고 본다.
>
> ㉣ 침해행위가 일단 기수에 이른 때에는 자기 또는 타인의 법익에 대한 침해상황이 아직 종료되지 않았다고 하더라도 정당방위에서의 '침해의 현재성'을 인정할 수 없다.

① ㉠(○), ㉡(○), ㉢(×), ㉣(×)

② ㉠(○), ㉡(×), ㉢(○), ㉣(×)

③ ㉠(○), ㉡(×), ㉢(×), ㉣(×)

④ ㉠(×), ㉡(○), ㉢(○), ㉣(○)

해설 ㉠ ○ : 대판 2023.5.18, 2017도2760

㉡ × : ~ 자구행위로 볼 수 없다(대판 2007.12.28, 2007도7717).

㉢ × : ~ (3줄) 방위의사가 없어 행위불법(행위반가치)은 인정되지만 결과불법(결과반가치)이 결여되어 상해죄의 불능미수가 된다고 본다(불능미수범설 : 다수설).

㉣ × : 침해행위가 일단 기수에 이르렀더라도 자기 또는 타인의 법익에 대한 침해상황이 아직 종료되지 않았다면 정당방위에서의 '침해의 현재성'을 인정할 수 있다(대판 2023.4.27, 2020도6874 ∵ 정당방위에서 '침해의 현재성'이란 침해행위가 형식적으로 기수에 이르렀는지에 따라 결정되는 것이 아니라 자기 또는 타인의 법익에 대한 침해상황이 종료되기 전까지를 의미한다).

제1절 책임능력

제9조【형사미성년자】 14세 되지 아니한 자의 행위는 벌하지 아니한다.

제10조【심신장애인】 ① 심신장애로 인하여 사물을 변별할 능력이 없거나 의사를 결정할 능력이 없는 자의 행위는 벌하지 아니한다(심신상실자).

② 심신장애로 인하여 전항의 능력이 미약한 자의 행위는 형을 감경할 수 있다(심신미약자).

③ 위험의 발생을 예견하고 자의로 심신장애를 야기한 자의 행위에는 전 2항의 규정을 적용하지 아니한다(원인에 있어서 자유로운 행위).

제11조【청각 및 언어 장애인】 듣거나 말하는 데 모두 장애가 있는 사람의 행위에 대해서는 형을 감경한다.

THEMA 29

다음 중 부당한 것은?

① 14세 미만자의 행위는 벌하지 아니한다.

② 심신상실자의 행위는 벌하지 아니한다.

③ 심신미약자의 행위는 형을 감경한다.

④ 농아자(청각 및 언어 장애인)의 행위는 형을 감경할 수 있다.

도움말 형법상 책임무능력자와 (한정)책임능력자

심신장애자 = 심신상실자(제10조 제1항) + 심신미약자(제10조 제2항)

심신장애로 인하여 { • 사물변별능력 / • 의사결정능력 } 어느 하나가 { • 없는 자 ⇨ 심신상실자 (책임능력 × ⇨ 책임조각 ⇨ 범죄성립 ×) / • 미약한 자 ⇨ 심신미약자 (한정책임능력 ○ ⇨ 책임감경 ⇨ 임의적 감경) }

(생물학적 요소) + (심리적 요소) = (혼합적 방법)

1. 책임무능력자
- 형사미성년자(만 14세 미만자, 절대적 책임무능력자)
- 심신상실자

벌하지 아니한다(제9조, 제10조 제1항). 즉, 책임능력이 없으므로 책임이 조각되어 범죄가 성립하지 아니한다.

2. (한정)책임능력자
- 심신미약자 ⇨ 형을 감경할 수 있다(제10조 제2항, 제11조). 책임무능력자가 아니라 책임능력자이지만 규범에 따라 행위하는 것이 극히 곤란하기 때문에 책임이 감경되어 형이 감경될 수 있다(임의적 감경).
- 농아자(청각과 발음 기능에 모두 장애가 있는 자) ⇨ 형을 감경한다(필요적 감경).

[**해 설**]

③ 형을 감경한다(필요적 감경)가 아니라 감경할 수 있다(임의적 감경).

④ 형을 감경할 수 있다(임의적 감경)가 아니라 감경한다(필요적 감경). ≫ ③④

THEMA 30 소년법에 의한 소년범죄자의 특별취급

소년법상의 소년은 19세 미만자를 말한다(동법 제2조). 20. 해경 1차

1. 10세 미만 : 일체의 형사적인 처분이나 소년법상 제재로부터 면책된다. 24. 법원행시

2. 10세 이상 14세 미만(촉법소년) : 형사처벌은 불가능하지만 보호처분은 가능하다(동법 제4조 제1항 제2호). 14. 법원행시, 19. 순경 2차, 20. 법원직 · 9급 검찰 · 마약수사 · 철도경찰, 25. 해경경위

3. 14세 이상 19세 미만(범죄소년) : 형사처벌과 보호처분이 모두 가능하다(동법 제4조 제1항 제1호). 16. 9급 철도경찰

- 상대적 부정기형(제60조) : 법정형이 장기 2년 이상의 유기징역에 해당하는 범죄 ⇨ 장기는 10년, 단기는 5년을 초과하지 못한다. 다만, 집행유예와 선고유예를 선고할 때에는 정기형을 선고한다.
- 범행시(심판시 ×) 18세 미만 소년에 대한 사형 · 무기형 × ⇨ 대신 15년의 유기징역(동법 제59조) 08. 7급 검찰
- 18세 미만 소년에 대한 환형처분 금지(동법 제62조)

⚖ 관련판례

1. 소년법(제60조 제2항 : 임의적 감경)상의 소년인지의 여부의 판단은 원칙적으로 심판시(사실심판결 선고시)를 기준으로 하여야 한다. 따라서 범행시에 소년이었다고 할지라도 사실심 판결선고 당시에 이미 성년이 된 경우에는 부정기형을 선고할 수 없다(대판 2000.8.18, 2000도2704). 14. 사시, 21. 경찰승진 · 7급 검찰, 22. 변호사시험, 25. 해경경위

2. 소년법상 부정기형의 선고대상이 되는 '소년'인지의 여부는 사실심 판결 선고시를 기준으로 삼아야 하므로 피고인이 항소심 판결 선고일에 이미 19세에 달하여 소년법상의 소년에 해당하지 않게 되었다면, 항소심 법원은 피고인에 대하여 정기형을 선고하여야 한다(대판 2008.10.23, 2008도8090). 18. 순경 2차, 23. 경찰간부, 25. 해경수사

3. 법정형이 사형, 무기형 또는 유기형의 삼자가 있어 선택으로 된 경우에, 사형 · 무기형을 배척하고 유기형을 선택한 때에는 그 장기가 2년 이상이라면, 감경 여하에 불구하고, 부정기형을 가하여야 할 것이다(대판 1966.7.19, 66도735). 08. 경찰승진

4. 특정범죄 가중처벌 등에 관한 법률 제5조의 4 제5항을 적용하기 위한 요건으로서 요구되는 과거 전과로서의 징역형에는 소년으로서 처벌받은 징역형도 포함된다고 보아야 한다(대판 2010.4.29, 2010도973). 21. 법원행시

5. 상습성을 인정하는 자료에는 아무런 제한이 없으므로 과거에 소년법에 의한 보호처분을 받은 사실도 상습성 인정의 자료로 삼을 수 있다(대판 1990.6.26, 90도887). 03. 법원행시, 20. 경찰간부

6. 소년법 제53조 소정의 "사형 또는 무기형으로 처할 것인 때에는 15년의 유기징역으로 한다."라는 규정은 소년에 대한 처단형이 사형 또는 무기형일 때에 15년의 유기징역으로 한다는 것이지 법정형이 사형 또는 무기형인 경우를 의미하는 것은 아니다(대판 1986.12.23, 86도2314). 21. 해경승진

THEMA 31 '심신장애' 관련판례 총정리

1. 형법 제10조에 규정된 심신장애는 생물학적 요소로서 정신병 또는 비정상적 정신상태와 같은 정신적 장애가 있는 외에 심리학적 요소로서 이와 같은 정신적 장애로 말미암아 사물에 대한 변별능력과 그에 따른 행위통제능력이 결여되거나 감소되었음을 요한다(대판 2018.9.13, 2018도7658). 19. 9급 철도경찰, 21 · 23. 9급 검찰 · 마약수사 · 철도경찰

2. 정신적 장애가 있는 자라고 하여도 범행 당시 정상적인 사물변별능력이나 행위통제능력이 있었다면 심신장애로 볼 수 없다(대판 1992.8.18, 92도1425). 16. 순경 1차, 19. 경찰간부, 21. 법원직 · 7급 검찰, 22. 경력채용, 23. 경찰승진 · 순경 2차, 24. 경위공채 · 해경경위, 25. 변호사시험

3. 심신장애의 유무는 법원이 형벌제도의 목적 등에 비추어 판단하여야 할 법률문제(사실문제 ×)로서 그 판단에 전문감정인의 정신감정결과가 중요한 참고자료가 되기는 하나, 법원이 반드시 그 의견에 구속되는 것은 아니고, 그러한 감정결과뿐만 아니라 범행의 경위, 수단, 범행 전후의 피고인의 행동 등 기록에 나타난 여러 자료 등을 종합하여 독자적으로 심신장애의 유무를 판단하여야 한다(대판 2018.9.13, 2018도7658). 19. 경찰승진, 21. 변호사시험 · 경찰간부 · 해경승진 · 순경 1차 · 9급 검찰 · 철도경찰, 22. 해경간부 · 해경 2차, 23 · 24. 7급 검찰

1. ① 심신장애자의 행위인 여부는 반드시 전문가의 감정에 의하여만 결정할 수 있는 것이 아니고 그 행위의 전후 사정이나 기록에 나타난 제반자료와 공판정에서의 피고인의 태도 등을 종합하여 심신상실 또는 미약자의 행위가 아니라고 인정하여도 이를 위법이라 할 수 없다(대판 1984.4.24, 84도527). 09. 사시, 23. 9급 검찰 · 마약수사

② 피고인이 편집형 정신분열증환자로서 심신상실의 상태에 있었다는 감정인의 의견을 배척하고 제반사정을 종합하여 법원이 독자적으로 심신미약으로 판단할 수 있다(대판 1994.5.13, 94도581). 10. 9급 검찰, 15. 사시

③ 피고인이 범행 당시 그 심신장애의 정도가 단순히 사물을 변별할 능력이나 의사를 결정할 능력이 미약한 상태에 그쳤는지 아니면 그러한 능력이 상실된 상태이었는지 여부가 불분명한 경우에는 법원은 피고인의 정신장애의 내용 및 그 정도 등에 관하여 정신의로 하여금 감정을 하게 한 다음, 그 감정결과를 중요한 참고자료로 삼아 범행 당시의 심신상실 여부를 경험칙에 비추어 규범적으로 판단하여야 한다(대판 1998.4.10, 98도549). 22. 경력채용, 24. 7급 검찰

⚖ **비교판례** : 심신장애의 의심이 드는 경우 ⇨ 전문가의 감정 필요함.
피고인에게 우울증 기타 정신병이 있고, 특히 생리도벽이 발동하여 절도 범행을 저지른 의심이 들 경우에 법원은 전문가에게 피고인의 정신상태를 감정시키는 등의 방법으로 심신장애 여부를 심리하여야 한다(대판 1999.4.27, 99도693). 14. 사시, 19. 경력채용, 25. 해경경사 · 경위

2. ① 원칙적으로 충동조절장애와 같은 성격적 결함(도벽성)은 정상인에게서도 얼마든지 찾아볼 수 있으므로 형의 감면사유인 심신장애에 해당하지 않으나, 그것이 매우 심각하여 원래의 의미의 정신병을 가진 사람과 동등하다고 평가할 수 있다든지 또는 다른 심신장애사유와 경합된 경우에는 심신장애를 인정할 수 있다(대판 1995.2.24, 94도3163 ; 대판 2002.5.24, 2002도1541 ; 대판 2006.10.13, 2006도5360 ; 대판 2009.2.26, 2008도9867). ② 소아기호증과 같은 질환이나 무생물인 옷 등을 성적 각성과 희열의 자극제로 믿고 이를 성적 흥분을 고취시키는 데 쓰는 성주물성애증이라는 정신질환이 있다는 사정은 그 자체만으로는 형의 감면사유인 심신장애에 해당하지 아니한다고 봄이 상당하고, 다만 그 증상이 매우 심각하여 원래의 의미의 정신병이 있는 사람과 동등하다고 평가할 수 있거나, 다른 심신

   장애사유와 경합된 경우 등에는 심신장애를 인정할 여지가 있다(대판 2007.2.8, 2006도7900 ; 대판 2013.1.24, 2012도12689). 19. 법원직, 20. 법원행시, 23. 변호사시험 · 경찰간부 · 경찰승진 · 9급 검찰 · 마약수사 · 철도경찰 · 해경 1차 · 2차 · 7급 검찰 · 순경 1차, 25. 해경경사 · 경위

3. 정신적 장애가 있는 자라고 하여도 범행 당시 정상적인 사물판별능력이나 행위통제능력이 있었다면 심신장애로 볼 수 없다(대판 1992.8.18, 92도1425). 14. 사시, 16. 순경 1차, 19. 경찰간부 · 순경 2차, 21. 7급 검찰 · 법원직, 22. 변호사시험 · 경력채용, 23. 경찰승진

4. 평소 간질병증세가 있더라도 범행 당시에 간질병이 발작하지 않았다면 심신상실이나 심신미약의 경우가 아니다(대판 1983.10.11, 83도1897). 15. 사시 · 9급 검찰 · 마약수사 · 철도경찰, 22. 경력채용

5. 사물변별능력이나 의사결정능력은 사실의 인식능력이나 기억능력과 반드시 일치하는 것은 아니다 (대판 1990.8.14, 90도1328 ㉑ 범행 당시 정신분열증을 앓고 있던 甲에게 A를 살해한다는 명확한 의식이 있었고 甲이 범행 경위를 소상하게 기억하고 있다는 점만으로는 甲이 범행 당시 심신상실상 태가 아니었다고 단정할 수 없다). 15. 사시, 20. 법원행시, 21. 해경간부, 23. 순경 1차

   범행 당시 범행을 기억하고 있지 않다는 사실만으로 심신상실상태에 있었다고 할 수 없다(대판 1985.5.28, 85도361). 19. 경력채용, 20. 경찰승진, 22. 9급 철도경찰

   범행 전후사정을 비교적 사리에 맞도록 기억한다고 하여 반드시 범행 당시 사물을 변별할 능력을 갖추고 있었다고 할 수 없다(대판 1969.10.14, 69도1265).

6. 편집형 정신분열증세와 방화에 대한 억제하기 어려운 충동으로 6일간에 걸쳐 8회의 연속된 방화를 한 경우 이는 심신미약상태이다(대판 1984.2.28, 83도3007). 12. 9급 철도경찰

7. 심신상실을 인정한 경우

   ① 범행 당시 정신분열증에 의한 망상에 지배되어 피해자를 "사탄"이라고 생각하고 피해자를 죽여야만 자신이 천당에 갈 수 있다고 믿어 살해하기에 이른 경우(대판 1990.8.14, 90도1328) 03. 행시, 11. 7급 검찰 · 경찰승진, ② 편집성 정신병자가 아들이 단순히 자기말을 잘 듣지 않는다는 사유만으로 그가 가문의 역적이니 죽여야 된다는 심한 망상속에 빠져 현실을 판단하는 자아의 힘을 상실한 상태에서 살해한 경우(대판 1984.8.21, 84도1510), ③ 심한 만성형 정신분열증에 따른 망상의 지배로 말미암아 아무런 관계도 없는 행인들의 머리를 이유 없이 도끼로 내리쳐 상해를 입힌 경우(대판 1991.5.28, 91도636) 16. 9급 철도경찰, 25. 해경경위

8. 행위자가 범죄행위 당시 심신미약 등 정신적 장애상태에 있었다는 이유만으로 그 범죄행위가 상습성 이 발현된 것이 아니라고 단정할 수 없다(대판 2009.2.12, 2008도11550). 12. 순경 1차, 15. 법원행시

9. 음주운전과 관련한 도로교통법 위반죄의 범죄수사를 위하여 미성년자인 피의자의 혈액채취가 필요한 경우에도 피의자에게 의사능력이 있다면 피의자 본인만이 혈액채취에 관한 유효한 동의를 할 수 있고, 피의자에게 의사능력이 없는 경우에도 명문의 규정이 없는 이상 법정대리인이 피의자를 대리하 여 동의할 수는 없다(대판 2014.11.13, 2013도1228). 17. 법원직, 18. 변호사시험

01 책임의 근거 또는 본질에 대한 설명 중 옳지 않은 것은? 13. 변호사시험

① 사회적 책임론에 따르면, 책임의 근거는 행위자의 반사회적 성격에 있으므로 사회생활을 하고 있는 책임무능력자에 대하여도 사회방위를 위해 보안처분을 가하여야 한다. 이러한 의미에서 책임능력은 형벌능력을 의미한다.

② 심리적 책임론에 따르면, 책임의 본질은 결과에 대한 인식과 의사인 고의 또는 결과를 인식하지 못한 과실에 있으며, 범죄 성립의 모든 객관적·외적 요소는 구성요건과 위법성단계에, 주관적·내적 요소는 책임단계에 배치한다.

③ 도의적 책임론은 형사책임의 근거를 행위자의 자유의사에서 찾으며, 가벌성 판단에서 행위보다 행위자에 중점을 두는 주관주의 책임론의 입장이다.

④ 기능적 책임론에 따르면, 책임의 내용은 형벌의 목적, 특히 일반예방의 목적에 따라 결정되어야 하며, 책임은 예방의 필요성을 한계로 하고 예방의 필요성도 책임형벌을 제한함으로써 책임과 예방의 상호제한적 기능을 인정한다.

⑤ 규범적 책임론에 따르면, 책임의 구성요소는 행위자의 감정세계와 구성요건에 해당하는 결과 사이의 심리적 결합이 아니라 행위자의 적법행위가 요구되었음에도 불구하고 위법행위를 하였다는 환경의 평가에 있으므로, 책임은 구성요건에 해당하는 불법행위에 대한 비난가능성이다.

해설 ①②④⑤는 옳은 설명이다.
③ 도의적 책임론은 형사책임의 근거를 행위자의 자유의사에서 찾으며, 가벌성 판단에서 행위자보다 행위에 중점을 두는 객관주의 책임론의 입장이다.

02 책임의 근거와 본질에 관한 학설의 설명으로 옳고 그름의 표시(○, ×)가 바르게 된 것은? 24. 경찰간부

> ㉠ 책임은 자유의사를 가진 자가 그 의사에 의하여 적법한 행위를 할 수 있었음에도 불구하고 위법한 행위를 선택하였으므로 이에 대해 윤리적 비난을 가하는 것이다. - 심리적 책임론
> ㉡ 인간의 행위는 자유의사가 아니라 환경과 소질에 의해 결정되는 것으로 책임의 근거가 행위자의 반사회적 성격에 있다. - 규범적 책임론
> ㉢ 책임은 행위 당시 행위자가 가지고 있었던 고의·과실이라는 심리적 관계로 이해하여 심리적인 사실인 고의·과실이 있으면 책임이 있고, 그것이 없으면 책임도 없다. - 도의적 책임론
> ㉣ 책임을 심리적 사실관계로 보지 않고 규범적 평가 관계로 이해하여 행위자가 적법행위를 할 수 있었음에도 위법행위를 한 것에 대한 규범적 비난이 책임이다. - 사회적 책임론

① ㉠(○), ㉡(○), ㉢(○), ㉣(○) ② ㉠(○), ㉡(×), ㉢(○), ㉣(×)
③ ㉠(×), ㉡(○), ㉢(×), ㉣(○) ④ ㉠(×), ㉡(×), ㉢(×), ㉣(×)

해설 ㉠ × : 책임의 근거에 관한 도의적 책임론이다. ㉡ × : 책임의 근거에 관한 사회적 책임론이다.
㉢ × : 책임의 본질에 관한 심리적 책임론이다. ㉣ × : 책임의 본질에 관한 규범적 책임론이다.

Answer 1.③ 2.④

03 다음 중 책임능력에 대한 설명으로 옳지 않은 것은 모두 몇 개인가?

20. 해경 1차

> ㉠ 도의적 책임론은 형사책임의 근거를 행위자의 자유의사에 찾으며, 가벌성 판단에서 행위보다 행위자에 중점을 두는 객관주의 책임론의 입장이다.
> ㉡ 사회적 책임론에 따르면, 책임의 근거는 행위자의 반사회적 성격에 있으므로 사회생활을 하고 있는 책임무능력자에 대하여도 사회방위를 위해 보안처분을 가하여야 한다. 이러한 의미에서 책임능력은 형벌능력을 의미한다.
> ㉢ 순수한 규범적 책임론에 대해서는 평가의 대상과 대상의 평가를 엄격히 구분하려 한 나머지 규범적 평가의 대상을 결하여 책임개념의 공허화를 초래한다는 비판이 제기된다.
> ㉣ 책임능력을 범죄능력으로 이해하는 견해에 의하면 책임무능력자를 교사한 자에 대하여는 공범성립의 극단적 종속형식에 의하더라도 교사범이 성립될 수 있다.
> ㉤ 행위시 책임능력이 없는 자의 행위는 어떠한 경우에도 형벌을 부과할 수 없다.

① 1개　　　　② 2개　　　　③ 3개　　　　④ 4개

해설 ㉠ × : 도의적 책임론은 형사책임의 근거를 행위자의 자유의사에 찾으며, 가벌성 판단에서 행위자(행위 ×)보다 행위(행위자 ×)에 중점을 두는 객관주의 책임론의 입장이다. ㉡ ○ : 옳다. ㉢ ○ : 옳다.
㉣ × : 극단적 종속형식에 의하면 정범의 행위가 구성요건에 해당하고 위법·유책해야만, 즉 범죄의 성립요건을 완전히 구비해야만 공범(교사범)이 성립하므로 책임무능력자를 교사한 자는 교사범이 성립될 수 없다.
㉤ × : 원인에 있어서 자유로운 행위(제10조 제3항)의 경우 책임능력자로 처벌될 수 있다.

04 책임능력에 관한 설명 중 옳은 것은 모두 몇 개인가?(다툼이 있는 경우 판례에 의함)

13. 사시, 17. 경찰간부·법원직

> ㉠ 형사미성년자라도 사물변별능력 또는 의사결정능력이 결여되어야 책임능력이 부정된다.
> ㉡ 단순한 충동조절장애와 같은 성격적 결함은 원칙적으로 심신장애에 해당하지 않는다.
> ㉢ 농아자는 청각기능과 발음기능 모두에 장애가 있는 한정책임능력자로서 임의적으로 형을 감경할 수 있다.
> ㉣ 행위자에게 정신적 장애가 있는 경우에는 범행 당시 정상적인 사물변별능력과 행위통제 능력이 있었다고 하더라도 형법 제10조의 심신장애가 인정된다.
> ㉤ 형법 제10조에 규정된 심신장애의 유무 및 정도의 판단은 사실적 판단으로서 반드시 전문감정인의 의견에 기속되어야 하는 것은 아니다.
> ㉥ 심신장애로 인하여 사물을 변별할 능력이 없거나 의사를 결정할 능력이 없는 자의 행위는 벌하지 아니하고, 심신장애로 인하여 위 능력이 미약한 자의 행위는 형을 감경할 수 있다.
> ㉦ 음주운전과 관련한 도로교통법 위반죄의 범죄수사를 위하여 미성년자의 혈액채취가 필요한 경우 미성년자에게 의사능력이 없다면 법정대리인이 피의자를 대리하여 동의할 수 있다.

① 1개　　　　② 2개　　　　③ 3개　　　　④ 4개

해설 ㉠ × : 형사미성년자(제9조)의 인정 여부는 순수한 생물학적 요인에 의해 결정되는 것이지 심리학적 요인으로 판단하는 것이 아니므로, 사물변별능력 또는 의사결정능력의 유무와 관계없이 책임능력이 부정된다(절대적 책임무능력자). ㉡ ○ : 대판 1999.4.27, 99도693

Answer　3. ③　4. ②

ⓒ × : 임의적 감경 ×, 필요적 감경 ○(제11조) ㉣ × : 심신장애 ×(대판 1983.10.11, 83도1897)
ⓜ × : 심신장애의 유무 및 정도의 판단은 법률적 판단으로서 전문감정인의 의견에 기속되어야 하는 것은
아니고 여러 사정을 종합하여 법원이 독자적으로 판단할 수 있다(대판 1999.1.26, 98도3812).
ⓗ ○ : 제10조 제1항·제2항
ⓢ × : 음주운전과 관련한 도로교통법 위반죄의 범죄수사를 위하여 미성년자인 피의자의 혈액채취가 필요
한 경우에도 피의자에게 의사능력이 있다면 피의자 본인만이 혈액채취에 관한 유효한 동의를 할 수 있고,
피의자에게 의사능력이 없는 경우에도 명문의 규정이 없는 이상 법정대리인이 피의자를 대리하여 동의할
수는 없다(대판 2014.11.13, 2013도1228).

05 책임능력에 관한 설명 중 가장 옳지 않은 것은?(다툼이 있는 경우 판례에 의함) 20. 법원직

① 심신장애로 인하여 사물을 변별할 능력이나 의사를 결정할 능력이 미약한 자가 2019. 12.
1. 절도죄를 저지른 경우 반드시 형을 감경하여야 한다.
② 심신장애의 유무 및 정도의 판단은 법률적 판단으로서 반드시 전문감정인의 의견에 기속
되어야 하는 것은 아니다.
③ 2005. 3. 3.에 출생한 자가 2019. 1. 1.에 절도죄를 저지른 경우 그 행위에 대하여 형벌을
과할 수 없다.
④ 농아자가 2019. 12. 1. 절도죄를 저지른 경우 반드시 형을 감경하여야 한다.

해설 ① × : ~ 저지른 경우 형을 감경할 수 있다[제10조 제2항 ※ 개정 2018. 12. 18. 이후에 범한 범죄로
구법(필요적 감경)이 아닌 개정법(임의적 감경)이 적용됨].
② 대판 1999.1.26, 98도3812 ③ 촉법소년(10세 이상 14세 미만)으로 형사처벌은 불가능하지만 보호처분은
가능하다(소년법 제4조 제1항 제2호). ④ 제11조

06 책임능력에 대한 설명으로 옳지 않은 것은?(다툼이 있는 경우 판례에 의함)

20. 9급 검찰·마약수사·철도경찰

① 형사미성년자는 책임능력의 결여로 인하여 형사처벌의 대상이 되지는 않지만, 그 연령에
따라 소년법상 보호처분의 대상이 될 수 있다.
② 정신적 장애가 있는 자라도 범행 당시 정상적인 사물변별능력이나 행위통제능력이 있었
다면 심신장애로 볼 수 없다.
③ 심신장애의 유무 및 정도의 판단은 법률적 판단으로서 반드시 전문감정인의 의견에 기속
되어야 하는 것은 아니므로, 정신분열증의 경우에도 법원은 여러 사정을 종합하여 심신
장애의 유무 및 정도를 독자적으로 판단할 수 있다.
④ 농아자라도 행위 당시 사물을 변별하고 이에 따라 행위를 통제할 능력이 있는 경우에는
형을 감경하지 않는다.

해설 ① 형법 제9조, 소년법 제32조(10세 이상 14세 미만 : 촉법소년 ⇨ 형벌 ×, 보호처분 ○)
② 대판 1992.8.18, 92도1425 ③ 대판 1999.1.26, 98도3812
④ × : 농아자가 행위 ~ 능력이 있다 하더라도 반드시 형을 감경하여야 한다(제11조).

Answer 5. ① 6. ④

07 형법 제10조(심신장애인)에 관한 설명 중 가장 적절하지 않은 것은?(다툼이 있는 경우 판례에 의함)

① 정신적 장애가 있는 자라고 하여도 범행 당시 정상적인 사물 변별능력이나 행위통제능력이 있었다면 심신장애로 볼 수 없다.

② 피고인이 평소 간질병 증세가 있었다면 범행 당시에 간질병이 발작하지 아니하였더라도 심신상실 내지 심신미약의 경우에 해당한다.

③ 피고인이 범행 당시 그 심신장애의 정도가 단순히 사물을 변별할 능력이나 의사를 결정할 능력이 미약한 상태에 그쳤는지 아니면 그러한 능력이 상실된 상태이었는지 여부가 불분명한 경우에는 법원은 피고인의 정신장애의 내용 및 그 정도 등에 관하여 정신의로 하여금 감정을 하게 한 다음, 그 감정결과를 중요한 참고자료로 삼아 범행 당시의 심신상실 여부를 경험칙에 비추어 규범적으로 판단하여야 한다.

④ 소아기호증 질환이 있다는 사정은 그 자체만으로는 심신장애에 해당하지 않지만, 그 증상이 매우 심각하여 원래의 의미의 정신병이 있는 사람과 동등하다고 평가할 수 있거나, 다른 심신장애 사유와 경합된 경우에는 심신장애로 인정할 여지가 있다.

해설 ① 대판 1992.8.18, 92도1425
② × : ~ (1줄) 증세가 있더라도 범행 당시에 간질병이 발작하지 아니하였다면 심신상실 내지 심신미약의 경우에 해당하지 않는다(대판 1983.10.11, 83도1897).
③ 대판 1998.4.10, 98도549 ④ 대판 2013.1.24, 2012도12689

08 책임능력에 관한 설명 중 가장 적절하지 않은 것은?(다툼이 있는 경우 판례에 의함) 23. 순경 1차

① 심신장애로 인하여 사물을 변별할 능력이 없거나 의사를 결정할 능력이 없는 자의 행위는 벌하지 아니하고, 심신장애로 인하여 위의 능력이 미약한 자의 행위는 형을 감경할 수 있다.

② 충동조절장애와 같은 성격적 결함은 형의 감면사유인 심신장애에 해당하지 아니하지만 그것이 매우 심각하여 원래의 의미의 정신병을 가진 사람과 동등하다고 평가할 수 있는 경우에는 그로 인한 범행은 심신장애로 인한 범행으로 보아야 한다.

③ 형법은 책임능력의 평가방법에 있어서 제9조의 형사미성년자는 생물학적 방법을, 제10조의 심신장애인은 '심신장애'라는 생물학적 방법과 '사물변별능력 의사결정능력'이라는 심리적 방법의 혼합적 방법을 채택하고 있다.

④ 사물을 변별할 능력이나 의사를 결정할 능력은 판단능력 또는 의지능력과 관련된 것으로서 사실의 인식능력이나 기억능력과 반드시 일치하여야 한다.

해설 ① 제10조 제1항·제2항 ② 대판 1995.2.24, 94도3163 ③ 타당하다.
④ × : ~ 반드시 일치하는 것은 아니다(대판 1990.8.14, 90도1328).

THEMA 32 — 원인에 있어서 자유로운 행위

> **제10조 제3항** 위험의 발생을 예견하고 자의로 심신장애를 야기한 자의 행위에는 전 2항의 규정을 적용하지 아니한다.

1. **의의** : 책임능력자(∴ 원인설정행위시에는 책임능력 要)가 고의 또는 과실로 자기 자신을 책임능력 결함상태〔심신장애상태 : 책임무능력(심신상실) 내지 한정책임능력(심신미약)상태〕에 빠뜨리고 범행시에 그러한 상태에서 범죄를 실행하는 것을 말한다.

2. **책임주의와의 관계** : '행위와 책임의 동시존재의 원칙'과 관련하여 문제되나 우리 형법은 가벌성에 관해 명문규정을 두어(제10조 제3항) 입법적으로 해결하였다. 11. 9급 검찰 · 7급 검찰 · 경찰승진

3. **가벌성의 근거** 21. 순경 1차, 22. 변호사시험 · 경찰간부 · 7급 · 9급 검찰 · 마약수사 · 철도경찰, 25. 경찰승진

구 분	원인설정행위시설 (간접정범유사설, 구성요건모델설, 일치설)	원인행위와 실행행위의 불가분적 관련성설(예외모델)
행위와 책임(능력)의 동시존재의 원칙	유지됨	유지되기 어려움(예외 인정)
실행의 착수시기	원인(설정)행위시	실행행위시
비 판	구성요건의 정형성을 무시하여 가벌성이 확장됨(죄형법정주의의 보장적 기능 침해)	

4. **유형** : 원인에 있어서 자유로운 행위는 고의에 의한 작위 · 부작위범 및 과실에 의한 작위 · 부작위범 모두에 적용된다. 11. 7급 검찰

　① 고의에 의한 원인에 있어서 자유로운 행위 : 행위자가 결과 발생을 예견하면서도 의식적으로 심신장애상태를 야기시켜 이 상태하에서 작위 또는 부작위의 형태로 구성요건을 실현하는 경우이다.

　　⚖ **관련판례** : 살인범행 당시에 대마초를 흡연하여 그로 인하여 심신이 다소 미약한 상태에 있었음은 인정되나, 이는 피해자들을 살해할 의사를 가지고 범행을 공모한 후에 대마초를 흡연하고, 위 각 범행에 이른 것으로 대마초 흡연시에 이미 범행을 예견하고도 자의로 위와 같은 심신장애를 야기한 경우에 해당하므로, 형법 제10조 제3항에 의하여 심신장애로 인한 감경 등을 할 수 없다(대판 1996.6.11, 96도857). 18. 7급 검찰, 21. 변호사시험, 22. 경찰간부 · 9급 검찰 · 마약수사, 23. 경찰승진

　② 과실에 의한 원인에 있어서 자유로운 행위 : 형법 제10조 제3항은 고의에 의한 원인에 있어서 자유로운 행위만이 아니라 과실에 의한 원인에 있어서 자유로운 행위까지도 포함하는 것으로서 위험의 발생을 예견할 수 있었는데도 자의로 심신장애를 야기한 경우도 그 적용 대상이 된다(대판 1992.7.28, 92도999). 18. 7급 검찰, 19. 순경 2차, 20. 경찰간부 · 해경승진, 22. 해경간부, 23. 9급 검찰 · 마약수사 · 철도경찰 · 경찰승진, 24. 경위공채 · 해경경위

　　⚖ **관련판례** : 음주운전을 할 의사를 가지고 음주만취한 후 운전을 결행하여 교통사고를 일으켰다면 음주시에 교통사고를 일으킬 위험성을 예견하였는데도 자의로 심신장애를 야기한 경우에 해당하므로 위 법조항에 의하여 심신장애로 인한 감경 등을 할 수 없다(대판 1992.7.28, 92도999). 18. 법원행시 · 순경 2차, 19. 법원직 · 경력채용, 22. 9급 검찰 · 마약수사 · 순경 1차, 23. 변호사시험 · 경찰간부, 24. 경찰승진 · 7급 검찰, 25. 해경경위

5. **효과** : 심신상실자나 심신미약자의 행위가 아닌 책임능력자와 동일하게 처벌한다. 20. 해경승진 · 해경 1차, 22. 해경간부 · 9급 검찰 · 마약수사 · 철도경찰, 24. 경찰승진, 25. 해경경위

01 원인에 있어서 자유로운 행위에 대한 설명으로 옳은 것은 모두 몇 개인가?(다툼이 있는 경우 판례에 의함)
16. 경찰간부, 22. 해경간부

> ㉠ 행위시에 사물변별능력과 의사결정능력이 없는 자에게는 어떠한 경우에도 형벌을 부과할 수 없다.
> ㉡ 형법은 원인에 있어서 자유로운 행위의 가벌성을 입법적으로 해결하고 있다.
> ㉢ 자의로 심신장애를 야기하였다면 언제나 원인에 있어서 자유로운 행위에 해당한다.
> ㉣ 원인행위를 실행의 착수로 인정할 경우 행위와 책임의 동시존재의 원칙이 유지된다.
> ㉤ 원인에 있어서 자유로운 행위에 관한 형법 제10조 제3항은 위험의 발생을 예견할 수 있었는데도 자의로 심신장애를 야기한 경우에는 적용되지 않는다.
> ㉥ 원인에 있어서 자유로운 행위는 형법상 책임무능력자의 행위와 동일하게 취급된다.

① 1개 　　　　② 2개 　　　　③ 3개 　　　　④ 4개

[해설] ㉠ × : 행위시에 책임능력이 없는 경우에도 원인에 있어서 자유로운 행위에 해당할 때에는 면책 또는 감경되지 아니한다(제10조 제3항).
㉡ ○ : 제10조 제3항
㉢ × : 위험의 발생을 예견하고 자의로 심신장애를 야기한 경우가 원인에 있어서 자유로운 행위에 해당한다(제10조 제3항).
㉣ ○ : 타당하다.
㉤ × : ～ 경우에도 적용된다(대판 1992.7.28, 92도999).
㉥ × : ～ 책임능력자와 동일하게 처벌된다(제10조 제3항).

02 원인에 있어서 자유로운 행위에 관한 설명 중 가장 적절한 것은?(다툼이 있는 경우 판례에 의함)
17. 경찰승진

① 우리 형법상 원인에 있어서 자유로운 행위에는 심신상실, 심신미약 규정을 적용하지 아니하므로 책임조각 내지 책임감경이 되지 아니하고 책임능력자로 취급하여 처벌하고 있다.
② 원인에 있어서 자유로운 행위의 가벌성의 근거를 자신을 도구로 이용하는 간접정범으로 이해하여 원인설정행위를 실행행위로 파악하여 원인설정행위시의 책임능력을 기초로 책임을 인정하는 견해는 구성요건의 정형성을 중시하여 죄형법정주의의 보장적 기능을 관철하는 데 부합하는 이론이다.
③ 원인에 있어서 자유로운 행위의 가벌성의 근거를 원인설정행위와 실행행위의 불가분적 관련에서 찾는 견해는 행위와 책임능력의 동시존재의 원칙을 따르는 이론이다.
④ 원인에 있어서 자유로운 행위에 관한 형법 제10조 제3항은 위험의 발생을 예견할 수 있었는데도 자의로 심신장애를 야기한 경우에는 적용되지 않는다.

[해설] ① ○ : 제10조 제3항
② × : ～ 정형성을 무시하여(중시하여 ×) ～ 보장적 기능을 훼손한다.
③ × : ～ 원칙의 예외를 인정한다.
④ × : ～ 야기한 경우에도 적용된다(대판 1992.7.28, 92도999).

Answer　1.②　2.①

03 원인에 있어서 자유로운 행위에 관한 설명으로 가장 적절하지 않은 것은?　　　20. 순경 1차

① 원인행위를 실행행위로 보는 견해에 따르면 행위와 책임의 동시존재의 원칙에 부합하고, 책임무능력상태에서의 실행행위는 책임이 없거나 행위라고 할 수도 없기 때문에 원인행위 자체를 실행행위로 보지 않으면 원인에 있어서 자유로운 행위를 처벌할 수 없게 된다.

② 원인행위와 실행행위의 불가분적 연관에서 책임의 근거를 인정하는 견해에 따르면 원인설정행위는 실행행위 또는 그 착수행위가 될 수 없지만 책임능력 없는 상태에서의 실행행위와 불가분의 연관을 갖는 것이므로 원인설정행위에 책임비난의 근거가 있다.

③ 원인행위를 실행행위로 보는 견해에 따르면 원인설정행위를 실행행위로 파악하기 때문에 구성요건적 행위정형성을 중시하여 죄형법정주의의 보장적 기능에 부합한다.

④ 책임능력 결함상태에서의 실행행위를 책임의 근거로 인정하는 견해에 따르면 반무의식 상태에서 실행행위가 이루어지는 한 그 주관적 요소를 인정할 수 있지만, 대부분의 경우에 책임능력이 인정되어 법적 안정성을 해하는 결과를 초래한다.

해설 ①②④ 타당하다.
③ × : ~ 행위정형성을 무시하여 죄형법정주의의 보장적 기능을 훼손한다.

04 원인에서 자유로운 행위에 대한 설명으로 옳지 않은 것은?(다툼이 있는 경우 판례에 의함)

22. 9급 검찰 · 마약수사 · 철도경찰, 23. 해경승진

① 사람을 살해할 의사를 가지고 범행을 공모한 후 대마초를 흡연하고 범행하였다면 심신장애로 인한 감경을 할 수 없다.

② 음주운전을 할 의사를 가지고 음주 만취한 후 운전을 결행하여 교통사고를 일으켰다면 심신장애로 인한 감경을 할 수 없다.

③ 위험의 발생을 예견하고도 자의로 심신장애를 야기한 자의 행위에 대하여는 심신장애에 관한 형법 제10조 제1항 및 제2항의 적용이 배제된다.

④ 피고인이 자신의 차를 운전하여 술집에 가서 술을 마신 후 운전을 하다가 교통사고를 일으켰다는 사실만으로는 피고인이 음주할 때 교통사고를 일으킬 수 있다는 위험성을 예견하고도 자의로 심신장애를 야기한 경우에 해당하지 않는다.

해설 ① 대판 1996.6.11, 96도857
② 대판 1992.7.28, 92도999
③ 제10조 제3항
④ × : ~ (2줄) 사실만으로도 피고인이 음주할 때 교통사고를 일으킬 수 있다는 위험성을 예견하고도 자의로 심신장애를 야기한 경우에 해당한다(대판 1992.7.28, 92도999).

05 다음 사례에 대한 설명으로 가장 적절한 것은?

> 甲과 乙은 A를 살해하기로 공모한 후에 범죄실행의 용기를 내기 위해 만취상태에 가까울 정도로 술을 마신 후에 심신미약 상태에서 A를 찾아갔다.

① 甲과 乙이 A를 살해하였다면, 甲과 乙의 행위는 심신미약 상태에서 이루어진 것이므로 형법 제10조 제2항에 따라 심신미약의 규정이 적용된다.

② 원인에서 자유로운 행위를 '행위와 책임 동시존재 원칙의 예외'로 파악하는 견해에 따르면 甲과 乙이 A의 집 앞까지 갔다가 후회하여 다시 돌아온 경우에 실행의 착수가 없으므로 불가벌이다.

③ 원인에서 자유로운 행위를 간접정범과 유사한 구조로 보고, 원인행위부터 실행행위로 보아 가벌성의 근거를 원인행위에 있다고 하는 견해에 따르면 甲과 乙이 A의 집 앞까지 갔다가 후회하여 다시 돌아온 경우에 살인죄의 예비, 음모로 처벌할 수 있다.

④ 원인에서 자유로운 행위의 실행의 착수시기를 심신장애상태에서 실행행위로 파악하는 견해에 따르면 위 사례에서 살인죄의 실행의 착수가 원인에서 자유로운 행위의 실행의 착수이므로, 甲과 乙이 A의 집 앞까지 갔다가 후회하여 다시 돌아온 경우에 甲과 乙의 실행의 착수를 인정하지 않는다.

[해설] 사례는 원인에 있어서 자유로운 행위 문제임.

① × : 제10조 제2항(심신미약자)이 적용되는 것이 아니라, 제10조 제3항(원인에 있어서 자유로운 행위)이 적용된다.

② × : 동 견해에 따르면 실행행위시에 실행의 착수가 있다고 보므로 甲과 乙의 행위는 실행의 착수가 인정되지 않아 살인미수죄로 처벌할 수 없으나 살인죄의 예비·음모로 처벌할 수 있다.

③ × : 동 견해에 따르면 원인행위시에 실행의 착수가 있다고 보므로 甲과 乙의 행위는 실행의 착수가 인정되어 살인죄의 예비·음모가 아닌 살인죄의 미수범으로 처벌할 수 있다.

④ ○ : 옳다.

06 다음 사례에 관한 설명으로 가장 적절한 것은?(다툼이 있는 경우 판례에 의함)

> [사례 1] 甲은 A를 살해하기로 마음먹었고 용기를 내기 위해 술을 마신 후 심신미약 상태에서 A를 살해하였다.
> [사례 2] 乙은 음주시 교통사고의 위험성을 예견하였음에도 자의로 음주 후, 음주만취한 상태에서 운전하여 교통사고를 일으켰다.
> [사례 3] 丙은 자신이 저지른 살해행위에 대한 재판 도중, 범행 당시 심신장애로 인하여 사물을 변별할 능력 또는 의사를 결정할 능력이 미약하였음을 주장하고 있다.

① [사례 1]에서 실행의 착수시기를 심신미약 상태에서의 살해행위로 본다는 견해는 책임능력과 행위의 동시존재 원칙을 고수한다는 장점이 있다.

② [사례 1]에서 실행의 착수시기를 원인행위시로 보는 견해에 대해서는 구성요건의 정형성을 무시한다는 비판이 제기된다.

③ [사례 2]는 [사례 1]과 달리 형법 제10조 제3항의 적용이 배제되어 심신장애로 인한 감경 등을 할 수 있다.

④ [사례 3]에서 전문감정인이 丙의 범행 당시에 심신미약 상태임을 인정하는 소견서를 제출하였다면, 법원은 전문감정인의 의견에 구속되어 형법 제10조 제2항을 적용하여야 한다.

해설 [사례 1]은 고의에 의한 원인에 있어서 자유로운 행위, [사례 2]는 과실에 의한 원인에 있어서 자유로운 행위에 관한 문제임.

① × : ~ 착수시기를 원인행위시로 본다는 견해(심신미약 상태에서의 살해행위로 본다는 견해 ×)는 책임능력과 행위의 동시존재 원칙을 고수한다는 장점이 있다.

② ○ : 옳다.

③ × : ~ 제10조 제3항이 적용되어 심신장애로 인한 감경 등을 할 수 없다(대판 1992.7.28, 92도999).

④ × : ~ 소견서를 제출하였더라도 법원은 반드시 전문감정인의 의견에 구속되는 것은 아니고 독자적으로 심신장애의 유무를 판단할 수 있다(대판 1999.1.26, 98도3812).

---

07 원인에 있어서 자유로운 행위에 관한 설명으로 가장 적절하지 않은 것은?(다툼이 있는 경우 판례에 의함)　　　　　　**25. 경찰승진**

① 원인에 있어서 자유로운 행위에 관하여 범죄행위와 책임능력의 동시존재 원칙을 지키려는 견해는 실행의 착수시기를 원인설정행위에서 찾는다.

② 원인에 있어서 자유로운 행위의 가벌성을 원인설정행위와 실행행위의 불가분적 연관에서 찾는 견해에 의하면, 간접정범과 유사한 구조로 이해하는 견해보다 실행의 착수시기가 늦어진다.

③ 원인에 있어서 자유로운 행위를 간접정범과 유사한 구조로 파악하는 견해는 구성요건의 정형성을 중시하여 죄형법정주의의 보장적 기능을 관철하는 데 부합하는 이론이다.

④ 형법 제10조 제3항은 고의에 의한 원인에 있어서의 자유로운 행위만이 아니라 과실에 의한 원인에 있어서의 자유로운 행위까지도 포함한다.

해설 ①② 옳다.

③ × : ~ (2줄) 정형성에 반하여 가벌성이 확장되어 죄형법정주의의 보장적 기능을 훼손한다.

④ 대판 1992.7.28, 92도999

종합문제 **책임능력**

01 책임능력에 관한 설명 중 옳은 것(○)과 옳지 않은 것(×)을 올바르게 조합한 것은?(다툼이 있는 경우 판례에 의함) 21. 변호사시험

> ㉠ 형법 제10조에 규정된 심신장애의 유무 및 정도에 관한 법원의 판단은 전문감정인의 의견에 기속된다.
> ㉡ 사춘기 이전의 소아들을 상대로 한 성행위를 중심으로 성적 흥분을 강하게 일으키는 공상, 성적 충동, 성적 행동이 반복되어 나타나는 소아기호증과 같은 질환이 있다는 사정은 그 자체만으로 형의 감면사유인 심신장애에 해당한다.
> ㉢ 음주운전을 할 의사를 가지고 음주만취한 후 운전을 결행하여 교통사고를 일으켰다면 음주시에 교통사고를 일으킬 위험성을 예견하였는데도 자의로 심신장애를 야기한 경우에 해당하므로 심신장애로 인한 감경 등을 할 수 없다.
> ㉣ 대마초 흡연 시에 이미 범행을 예견하고 자의로 심신장애를 야기한 경우, 그로 인해 그 범행 시에 의사결정능력이 없거나 미약했다면 심신장애로 인한 감경 등을 할 수 있다.
> ㉤ 반사회적 인격장애 혹은 기타 성격적 결함에 기하여 자신의 충동을 억제하지 못하여 범죄를 저지르는 경우, 특별한 사정이 없는 한 이와 같은 자에 대해서는 자신의 충동을 억제하고 법을 준수하도록 요구할 수 없다.

① ㉠(×), ㉡(○), ㉢(×), ㉣(○), ㉤(×)
② ㉠(×), ㉡(×), ㉢(○), ㉣(○), ㉤(×)
③ ㉠(×), ㉡(×), ㉢(×), ㉣(×), ㉤(○)
④ ㉠(×), ㉡(×), ㉢(○), ㉣(×), ㉤(×)
⑤ ㉠(○), ㉡(○), ㉢(○), ㉣(○), ㉤(×)

[해설] ㉠ × : ~ 기속되어야 하는 것은 아니다(대판 1999.1.26, 98노3812).
㉡ × : ~ 해당하지 않는다(대판 2007.2.8, 2006도7900).
㉢ ○ : 대판 1992.7.28, 92도999
㉣ × : ~ 감경 등을 할 수 없다(대판 1996.6.11, 96도857).
㉤ × : 인격장애 혹은 기타 성격적 결함에 기하여 자신의 충동을 억제하지 못하여 범죄를 저지르게 되는 현상은 정상인에게서도 얼마든지 찾아볼 수 있는 일로서, 특별한 사정이 없는 한 이와 같은 성격적 결함을 가진 자에 대하여 자신의 충동을 억제하고 법을 준수하도록 요구하는 것이 기대할 수 없는 행위를 요구하는 것이라고 할 수 없다(대판 2016.2.19, 2015도12980).

02 책임능력에 대한 설명으로 가장 적절한 것은?(다툼이 있는 경우 판례에 의함) 21. 경찰승진

① 형법 제10조 제3항은 고의에 의한 원인에 있어 자유로운 행위만이 아니라 과실에 의한 원인에 있어 자유로운 행위까지도 적용된다.
② 형법 제10조 제2항에 의하면 심신미약자의 행위는 형을 감경하여야 한다.

③ 형법 제10조에서 말하는 사물을 판별할 능력 또는 의사를 결정할 능력은 자유의사를 전제로 한 의사결정의 능력에 관한 것으로서, '그 능력의 유무와 정도' 및 '그 능력에 관해 확정된 사실이 심신상실 또는 심신미약에 해당하는지 여부'는 모두 감정사항에 속하는 사실문제에 해당한다.

④ 법률상 감경을 규정한 소년법 제60조 제2항의 적용대상인 소년인지 여부를 판단하는 기준시점은 사실심 판결선고시가 아니라 행위시이다.

[해설] ① ○ : 대판 1992.7.28, 92도999 ② × : ~ 형을 감경할 수 있다.
③ × : ~ (2줄) '그 능력의 유무와 정도'는 감정사항에 속하는 사실문제라 할지라도 '그 능력에 관한 확정된 사실이 심신상실 또는 심신미약에 해당하는지 여부'는 법률문제에 속한다(대판 1968.4.30, 68도400).
④ × : ~ 기준시점은 행위시가 아니라 사실심 판결선고시이다(대판 2000.8.18, 2000도2704).

03 형법 제10조에 대한 설명으로 옳은 것은?(다툼이 있는 경우 판례에 의함)

21. 9급 검찰 · 마약수사 · 철도경찰

① 심신장애는 생물학적 요소로서 정신병이나 정신박약 또는 비정상적 정신상태와 같은 정신적 장애가 있는 것만으로도 인정된다.

② 심신장애의 유무 및 정도의 판단은 사실적 판단이므로 법원으로서는 전문감정인의 의견에 기속되어야 한다.

③ 형법 제10조 제3항은 고의에 의한 원인에 있어서의 자유로운 행위를 포함하고 과실에 의한 원인에 있어서의 자유로운 행위는 포함하지 않는다.

④ 무생물인 옷 등을 성적 각성과 희열의 자극제로 믿고 이를 성적 흥분을 고취시키는 데 쓰는 성주물성애증이라는 정신질환의 경우, 그 증상이 매우 심각하여 정신병이 있는 사람과 동등하다고 평가할 수 있으면 심신장애를 인정할 수 있다.

[해설] ① × : 형법 제10조에 규정된 심신장애는 생물학적 요소로서 정신병 또는 비정상적 정신상태와 같은 정신적 장애가 있는 외에 심리학적 요소로서 이와 같은 정신적 장애로 말미암아 사물에 대한 변별능력과 그에 따른 행위통제능력이 결여되거나 감소되었음을 요한다(대판 2018.9.13, 2018도7658).
② × : 심신장애의 유무 및 정도의 판단은 법률적(의학적 ×, 사실적 ×) 판단으로서 전문감정인의 의견에 기속되어야 하는 것은 아니고 여러 사정을 종합하여 법원이 독자적으로 판단할 수 있다(대판 1999.1.26, 98도3812). ③ × : ~ 과실에 ~ 행위도 포함된다(대판 1992.7.28, 92도999).
④ ○ : 대판 2013.1.24, 2012도12689

04 책임능력에 대한 다음 설명 중 적절한 것만을 고른 것은 모두 몇 개인가?　　21. 순경 1차

> ㉠ 심신장애로 인하여 사물을 변별할 능력 또는 의사를 결정할 능력이 미약한 자의 행위는 형을 감경한다.
> ㉡ 심신장애의 유무 및 정도에 관한 판단은 전문감정인의 의견에 구속되며, 법원이 독자적으로 이를 판단하여서는 안 된다는 것이 판례의 태도이다.

Answer 3. ④　4. ④

> ⓒ 원인에 있어서 자유로운 행위의 가벌성의 근거를 원인설정행위에서 찾아 원인행위시를 실행의 착수시기로 파악하는 견해에 대해서는, 책임능력과 행위의 동시존재의 원칙이 인정될 수 없다는 비판이 제기되고 있다.
> ⓔ 원인에 있어서 자유로운 행위의 가벌성의 근거를 원인행위와 실행행위의 불가분적 연관에서 찾아 실행행위를 심신장애 상태하에서의 행위로 파악하는 견해에 대해서는, 실행행위의 정형성을 무시하여 예비행위와의 구별이 곤란하다는 비판이 제기되고 있다.

① 1개　　　　② 2개　　　　③ 3개　　　　④ 없 음

해설 ㉠ × : ~ 형을 감경할 수 있다(제10조 제2항).
㉡ × : 심신장애의 유무 및 정도의 판단은 법률적(의학적 ×, 사실적 ×) 판단으로서 전문감정인의 의견에 기속되어야 하는 것은 아니고 여러 사정을 종합하여 법원이 독자적으로 판단할 수 있다(대판 1999.1.26, 98도3812). ㉢ × : ~ (2줄) 동시존재의 원칙이 유지된다.
㉣ × : 실행행위의 정형성을 무시하여 예비행위와의 구별이 곤란하다는 비판이 제기되고 있는 견해는 원인에 있어서 자유로운 행위의 가벌성의 근거를 원인설정행위에서 찾아 원인행위시를 실행의 착수시기로 파악하는 견해이다.

05 다음 중 책임에 대한 설명으로 옳지 않은 것은 모두 몇 개인가?(다툼이 있는 경우 판례에 의함)

21. 해경간부

> ㉠ 심신상실자란 심신장애로 인하여 사물을 변별할 능력이 없거나 의사를 결정할 능력이 결여된 자를 말한다.
> ㉡ 책임이 반드시 불법을 전제로 하여야 성립하는 것은 아니다.
> ㉢ 형법 제10조 제3항은 고의에 의한 원인에 있어서 자유로운 행위만이 아니라 과실에 의한 원인에 있어서 자유로운 행위에도 적용된다는 것이 판례의 입장이다.
> ㉣ 책임능력을 형벌능력으로 이해하는 견해는 상습범을 책임무능력자로 평가하는 결점이 있다.
> ㉤ 도의적 책임론은 책임능력을 형벌능력으로 파악하나 사회적 책임론은 책임능력을 범죄능력이라고 한다.
> ㉥ 피고인이 심각한 충동조절장애에 빠져 절도 범행을 저지른 것으로 의심된다고 하더라도 자신의 충동을 억제하지 못하여 범죄를 저지르게 되는 현상은 정상인에게서도 얼마든지 찾아볼 수 있는 일이므로, 형의 감면사유인 심신장애에 해당하지 아니한다.

① 1개　　　　② 2개　　　　③ 3개　　　　④ 4개

해설 ㉠ ○ : 제10조 제1항
㉡ × : ~ 성립하는 것이다[∵ 불법(구성요건해당성 ○, 위법성 ○)이 인정됨을 전제로 책임 여부를 따짐].
㉢ ○ : 대판 1992.7.28, 92도999
㉣ ○ : 동 견해에 의하면 상습범은 형벌적응능력이 없으므로 책임무능력자로 평가하는 결점이 있다.
㉤ × : 도의적 책임론(책임능력 = 범죄능력), 사회적 책임론(책임능력 = 형벌능력)
㉥ × : 원칙적으로 충동조절장애와 같은 성격적 결함(도벽성)은 정상인에게서도 얼마든지 찾아볼 수 있으므로 형의 감면사유인 심신장애에 해당하지 않으나, 그것이 매우 심각하여 원래의 의미의 정신병을 가진 사람과 동등하다고 평가할 수 있다든지 또는 다른 심신장애사유와 경합된 경우에는 심신장애를 인정할 수 있다(대판 1995.2.24, 94도3163).

Answer 5. ③

06 책임에 관한 설명 중 옳지 않은 것은?(다툼이 있는 경우 판례에 의함)　　22. 변호사시험

① 정신적 장애가 있는 자라고 하여도 범행 당시 정상적인 사물변별능력이나 행위통제능력이 있었다면 심신장애자로 볼 수 없다.

② 심신상실을 이유로 처벌받지 아니하거나 심신미약을 이유로 형벌이 감경될 수 있는 자라 할지라도 금고 이상의 형에 해당하는 죄를 지은 자에 대해서는 치료감호시설에서 치료를 받을 필요가 있고 재범의 위험성이 있는 경우 치료감호의 대상이 된다.

③ 소년법 제60조 제2항은 '소년의 특성에 비추어 상당하다고 인정되는 때에는 그 형을 감경할 수 있다'고 규정하고 있는데 여기에서의 '소년'에 해당하는지 여부의 판단은 원칙적으로 범죄행위시가 아니라 사실심 판결선고시를 기준으로 한다.

④ 원인에 있어서 자유로운 행위의 가벌성 근거와 관련하여 예외모델은 원인설정행위를 실행행위라고 이해하므로 실행행위의 정형성에 반한다는 비판을 받는다.

⑤ 형법 제12조의 강요된 행위에서 '저항할 수 없는 폭력'이란 심리적 의미에 있어서 육체적으로 어떤 행위를 절대적으로 하지 아니할 수 없게 하는 경우와 윤리적 의미에 있어서 강압된 경우를 말한다.

> **해설** ① 대판 1992.8.18, 92도1425 ② 치료감호 등에 관한 법률 제2조 제1항 제1호
> ③ 대판 2000.8.18, 2000도2704 ④ × : 원인설정행위를 실행행위라고 이해하므로 실행행위의 정형성에 반한다는 비판을 받는 것은 예외모델(불가분적 연관설 : 실행행위는 심신장애상태하의 행위이나 책임능력은 원인행위시에 갖추어져 있으므로 원인행위와 실행행위의 불가분적 연관성 때문에 가벌성의 근거가 있고, 행위와 책임의 동시존재의 원칙의 예외를 인정함)이 아니라 구성요건모델(원인설정행위에 가벌성의 근거를 인정하는 견해)이다. ⑤ 대판 1983.12.13, 83도2276

07 책임에 대한 설명 중 옳은 것만을 모두 고른 것은?(다툼이 있는 경우 판례에 의함)　23. 경찰간부

> ㉠ 책임비난의 근거를 행위자의 자유의사에서 찾는 도의적 책임론은 행위자책임을 형벌권 행사의 근거로 보기 때문에 책임무능력자에 대한 보안처분 부과를 옹호한다.
> ㉡ 사회적 책임론은 과거에 잘못 형성된 행위자의 성격에서 책임의 근거를 찾으므로 범죄는 행위자의 소질과 환경에 의해 결정된다고 이해한다.
> ㉢ 행위 당시 18세였던 甲이 제1심에서 부정기형을 선고받은 후 항소심 선고 이전에 19세에 도달한 경우, 항소심 법원은 甲에 대하여 정기형을 선고하여야 한다.
> ㉣ 형법 제10조에 규정된 심신장애는 정신병 또는 비정상적 정신상태와 같은 정신적 장애가 있는 외에 정신적 장애로 말미암아 사물에 대한 변별능력과 그에 따른 행위통제능력이 결여되거나 감소되었음을 요하므로 정신적 장애가 있는 자라고 하여도 범행 당시 정상적인 사물변별능력이나 행위통제능력이 있었다면 심신장애로 볼 수 없다.
> ㉤ 음주습벽이 있는 甲이 음주운전을 할 의사를 가지고 음주만취하여 심신상실상태에서 운전을 결행하여 부주의로 보행자 A를 충격하여 현장에서 즉사시키고 도주하였다면, 이는 음주시에 교통사고를 일으킬 위험성을 예견하였는데도 자의로 심신장애를 야기한 경우에 해당하므로 甲에 대한 형사처벌이 가능하다.

① ㉠, ㉢, ㉣　　　　② ㉡, ㉣, ㉤
③ ㉢, ㉣, ㉤　　　　④ ㉡, ㉢, ㉣, ㉤

해설 ㉠ × : ~ 도의적 책임론은 행위(행위자 ×)책임을 형벌권 행사의 근거로 보기 때문에 책임무능력자에 대한 보안처분 부과를 옹호한다.
㉡ ○ : 옳다.
㉢ ○ : 대판 2008.10.23, 2008도8090
㉣ ○ : 대판 1992.8.18, 92도1425
㉤ ○ : 대판 1992.7.28, 92도999

08 책임능력에 대한 설명으로 옳은 것은?(다툼이 있는 경우 판례에 의함)

23. 9급 검찰 · 마약수사 · 철도경찰

① 심신장애인의 행위인지 여부는 전문가의 감정, 그 행위의 전후 사정이나 기록에 나타난 제반자료를 종합하여 인정하되, 공판정에서의 피고인의 태도를 고려하여서는 안 된다.
② 심신장애는 생물학적 요소 외에 심리학적 요소로서 정신병 또는 비정상적 정신상태와 같은 정신적 장애로 말미암아 사물에 대한 변별능력과 그에 따른 행위통제능력이 결여되거나 감소되었음을 요한다.
③ 성적 측면에서의 성격적 결함에 따른 소아기호증은 그 증상이 심각하여 원래의 의미의 정신병이 있는 사람과 동등하다고 평가할 수 있더라도 심신장애를 인정할 여지는 없다.
④ 위험의 발생을 예견할 수 있었는데도 자의로 심신장애를 야기한 경우는 원인에 있어서 자유로운 행위에 관한 형법 제10조 제3항의 적용대상이 아니다.

해설 ① × : 심신장애자의 행위인 여부는 반드시 전문가의 감정에 의하여만 결정할 수 있는 것이 아니고, 그 행위의 전후 사정이나 기록에 나타난 제반자료와 공판정에서의 피고인의 태도 등을 종합하여 심신상실 또는 미약자의 행위가 아니라고 인정하여도 이를 위법이라 할 수 없다(대판 1984.4.24, 84도527).
② ○ : 대판 2018.9.13, 2018도7658
③ × : ~ (2줄) 평가할 수 있다면 심신장애를 인정할 여지가 있다(대판 2007.2.8, 2006도7900).
④ × : ~ 적용대상이 된다(대판 1992.7.28, 92도999).

09 책임에 관한 설명으로 가장 적절하지 않은 것은?(다툼이 있는 경우 판례에 의함)　23. 순경 2차

① 형법 제10조 제2항에 따르면 심신장애로 인하여 사물을 변별할 능력이나 의사를 결정할 능력이 미약한 사람의 행위는 형을 감경할 수 있다.
② 형법 제10조에 규정된 심신장애는 생물학적 요소로서 정신병 또는 비정상적 정신 상태와 같은 정신적 장애가 있는 외에 심리학적 요소로서 이와 같은 정신적 장애로 말미암아 사물에 대한 변별능력과 그에 따른 행위통제능력이 결여되거나 감소되었음을 요하므로, 정신적 장애가 있는 자라고 하여도 범행 당시 정상적인 사물변별능력이나 행위통제능력이 있었다면 심신장애로 볼 수 없다.

Answer　8. ②　9. ④

③ 형법 제10조 제1항 및 동조 제2항에 규정된 심신장애의 유무 및 정도의 판단은 법률적 판단으로서 반드시 전문감정인의 의견에 기속되어야 하는 것은 아니고, 정신분열증의 종류와 정도, 범행의 동기, 경위, 수단과 태양, 범행 전후의 피고인의 행동, 반성의 정도 등 여러 사정을 종합하여 법원이 독자적으로 판단할 수 있다.

④ 원인에 있어서 자유로운 행위에 관한 형법 제10조 제3항은 원인행위시 심신장애 상태에서 위법행위로 나아갈 예견가능성이 없었던 경우에도 적용된다.

해설 ① 옳다(제10조 제2항).
② 대판 1992.8.18, 92도1425
③ 대판 1999.1.26, 98도3812
④ × : ~ 심신장애 상태에서 위험의 발생을 예견할 수 있었는데도 자의로 심신장애를 야기한 경우에도 적용된다(대판 1992.7.28, 92도999 ∴ 예견가능성이 없었던 경우에는 적용 ×).

10 **책임능력에 대한 설명으로 옳지 않은 것은?**(다툼이 있는 경우 판례에 의함) 24. 7급 검찰

① 피고인이 범행 당시 심신장애 상태에 있었는지 여부를 판단함에는 반드시 전문가의 감정을 거쳐야 하는 것은 아니고, 법원이 범행의 경위, 수단, 범행 전후의 피고인의 행동 등을 종합하여 이를 판단하여도 위법이 아니다.

② 법원은 피고인의 심신장애가 의심되는 경우, 피고인의 정신장애의 내용 및 그 정도 등에 관하여 정신의로 하여금 감정을 하게 한 다음, 그 감정 결과를 중요한 참고자료로 삼아 범행 당시의 심신상실 여부를 경험칙에 비추어 규범적으로 판단하여 그 당시 심신상실의 상태에 있었던 것으로 인정된다면 무죄를 선고하여야 한다.

③ 피고인의 병력, 피고인에 대한 정신감정 결과 등에 비추어 피고인의 각 범행이 매우 심각한 충동조절장애와 같은 성격적 결함으로 인하여 심신장애 상태에서 순간적으로 저지른 것일 가능성이 나타난 경우라도, 법원이 객관적 정신감정기관을 통하여 자세한 정신감정을 다시 실시하는 등의 방법으로 심신장애 여부를 심리하지 아니한 채 독자적으로 판단하였다고 하여 위법이라 할 것은 아니다.

④ 피고인이 사고 당시 심신미약 상태에 있었다고 하더라도 자신의 차를 운전하여 술집에 가서 술을 마신 후 운전을 하다가 교통사고를 일으켰다면, 이는 피고인이 음주할 때 교통사고를 일으킬 수 있다는 위험성을 예견하고도 자의로 심신장애를 야기한 경우에 해당하여 심신미약으로 인한 형의 감경을 할 수 없다.

해설 ① 대판 2018.9.13, 2018도7658
② 대판 1998.4.10, 98도549
③ × : ~ (3줄) 가능성이 나타난 경우, 법원이 객관적 정신감정기관을 통하여 자세한 정신감정을 다시 실시하는 등의 방법으로 심신장애 여부를 심리하지 아니한 것은 위법하다(대판 2006.10.13, 2006도5360).
④ 대판 1992.7.28, 92도999

Answer　10.③

제2절 ## 제2절 위법성의 인식

THEMA 33 위법성 인식의 체계적 지위

위법성의 인식은 범죄체계론상 어디에 속하며 어떤 법적 효과가 있는가에 대해 다음과 같이 견해가 대립한다.

고의설(인과적 행위론)	책임설(목적적 행위론)
책임형식(책임조건) • 고의 ┌ 구성요건적 사실(범죄사실)의 인식 …… 　　　└ 위법성의 인식 …………………………… • 과 실 　* 위법성의 인식이 없으면 고의가 성립되지 않는다.	⇨ 주관적 구성요건요소 ⇨ 독자적 책임요소 * 위법성의 인식의 유무는 고의와는 무관하다.

☑ 위법성의 인식에 관한 학설 총정리

학 설		내용과 비판
위법성인식 불요설		• 범죄의 성립에는 구성요건적 사실의 인식만 있으면 되고 그 위법성의 인식은 불필요하다는 견해이다. 즉, 고의성립에 위법성 인식이 필요치 않으며 따라서 법률의 착오는 고의를 조각하지 않는다는 입장이다. • "법률의 부지는 변명이 되지 않는다." "법률의 부지는 용서받지 못한다."
고의설		• 고의를 책임요소로 이해하고, 고의의 내용으로서 구성요건에 해당하는 객관적 사실의 인식 이외에 다시 위법성의 인식 또는 그 인식의 가능성이 필요하다는 견해이다(인과적 행위론). • 위법성의 인식이 없으면 고의가 조각되며, 이때 회피가능성이 있는 경우에 과실범의 처벌규정이 있으면 과실범으로 처벌될 뿐이다.
	엄격 고의설	• 책임요소로서의 고의가 성립하기 위해서는 범죄사실의 인식 이외에 현실적인 위법성의 인식이 필요하다는 견해로 사실의 착오와 법률의 착오의 법적 효과(과실범으로 처벌)가 같아진다. 17. 9급 철도경찰, 20. 해경 3차, 21. 9급 검찰·마약수사·철도경찰 • 비판 : 도의심이 박약한 자·확신범·상습범·격정범 등은 위법성의 인식이 없으므로 고의가 조각되고, 과실범처벌규정이 없으면 처벌하지 못한다는 중대한 형사정책적 결함이 있다. 17. 경찰승진, 21. 9급 검찰·마약수사·철도경찰
	제한적 고의설	• 위법성의 현실적 인식은 필요 없으나 적어도 위법성인식가능성은 필요하다는 견해이다. • 위법성의 인식가능성(위법성의 불인식에 과실)이 있으면 고의범이 된다. 17. 9급 철도경찰
책임설		• 위법성의 인식을 고의와 독립된 책임요소로 보는 견해이다(목적적 행위론). • 위법성의 인식이 결여되면 금지착오의 문제로서 고의와는 관계없이 회피가능성에 따라 책임을 조각 또는 감경한다.
	엄격 책임설	모든 위법성조각사유에 관한 착오를 금지착오(법률의 착오)로 본다.
	제한적 책임설 (다수설)	• 위법성조각사유의 전제사실에 관한 착오(예 오상방위) : 이는 구성요건적 착오는 아니지만 구성요건적 착오(사실의 착오)와의 구조적 유사성을 근거로 구성요건적 착오와 동일한 법적 효과를 인정하자는 견해이다. 따라서 이 경우에 고의책임은 조각되고 과실범의 처벌규정이 있는 때에만 과실범으로 처벌된다. • 위법성조각사유의 존재 그 자체나 허용한계에 관한 착오 : 금지착오로 본다.

▶ "법률의 착오가 범의(고의)를 조각한다(대판 1970.9.22, 70도1206)." ⇨ 고의설의 입장

제3절 　법률의 착오(위법성의 착오, 금지의 착오)

관련조문

제16조【법률의 착오】 자기의 행위가 법령에 의하여 죄가 되지 아니하는 것으로 오인한 행위는 그 오인에 정당한 이유가 있는 때에 한하여 **벌하지 아니한다.** 18. 경찰승진, 20. 해경승진, 24. 순경 2차, 25. 해경경사

THEMA 34　형법상의 착오 15. 순경 1차, 19. 9급 검찰·마약수사, 20. 경찰승진·순경 2차, 25. 변호사시험

1. **사실의 착오**(구성요건적 착오, 구성요건의 소극적 착오) : 행위자가 인식한 사실과 실제로 발생한 사실이 일치하지 않을 경우, 즉 실제로 존재(발생)하는 사실을 인식하지 못한 경우를 말한다〔예 甲인 줄 알고 총을 쏘았으나 실은 甲이 아니라 乙이었던 경우 ⇨ 인식사실(甲)≠발생사실(乙 : 乙이라는 인식 ×)〕.

2. **불능미수**(반전된 사실의 착오, 적극적 사실의 착오) : 행위자가 실제로 존재하지 않는 사실을 존재한다고 오인한 경우를 말한다〔예 시체를 살아 있는 사람으로 오인하고 사살한 경우 ⇨ 처음부터 구성요건의 충족(살인죄의 사망)은 불가능 ⇨ 행위의 위험성 ○(불능미수 : 제27조), 위험성 ×(불능범 : 불가벌)〕.

3. **법률**(위법성, 금지)**의 착오**(위법성의 소극적 착오) : 행위자가 범죄사실의 인식은 있으나 그 행위의 위법성을 인식하지 못한 경우, 즉 위법한 행위를 위법하지 않다고 오인한 경우를 말한다〔예 개를 타살하면서 개는 재물손괴죄의 객체가 아니라고 오인한 경우 ⇨ 범죄사실의 인식(타인의 개를 타살한다는 인식)은 있으나 위법성 인식이 없음(개는 손괴죄의 객체가 아니므로 허용된 행위로서 죄가 되지 아니한다고 잘못 인식함) ⇨ 잘못 인식함에 정당한 이유가 있는 경우 ⇨ 불가벌(제16조)〕.

4. **환각범**(반전된 금지의 착오, 위법성의 적극적 착오) : 행위자가 위법하지 않은 행위(처벌되지 않는 행위 ⇨ 처벌법규가 존재 ×)를 위법한 행위(처벌되는 행위)라고 오인(처벌법규가 존재한다고 오인)한 경우를 말한다〔예 동성애(처벌규정 ×)를 하면서 죄가 된다고 오인(위법성 인식 ○)한 경우 ⇨ 불가벌〕.

THEMA 35 금지착오(법률의 착오, 위법성의 착오)의 유형

유 형	내 용
직접적 착오 (금지규범의 착오)	행위자가 자기의 행위에 직접적으로 적용되는 금지규범 그 자체를 인식하지 못하고 자신의 행위가 허용되는 것으로 오인한 경우
법률의 부지 (금지규범의 존재에 관한 착오)	형벌법규의 존재 자체를 알지 못하여 자기행위의 위법성을 인식하지 못한 경우 **⑩** 도박죄 처벌규범의 존재를 모르는 외국인의 도박행위 　　1. 판례 : 금지착오가 아니므로 범죄성립에 영향이 없다. 　　2. 통설 : 금지의 착오에 해당한다.
효력의 착오 (금지규범의 효력에 관한 착오)	특정한 형벌 법규의 규정이 헌법 등 상위규범에 위반되어 효력이 없다고 오인하고 그러한 금지규정에 위반하여 행위한 경우 ⇨ 금지의 착오(판례) **⑩** 형법의 어떤 규정이 위헌이기 때문에 효력이 없다고 오인한 경우
포섭의 착오 (금지규범의 효력 범위에 관한 착오)	구성요건적 사실은 인식하고 있었으나 행위자가 그 금지규범의 법적 의미에 대해 착오를 일으켜(금지규범을 너무 좁게 해석하여) 자신의 행위가 법적으로 허용된다고 믿은 경우 **⑩** 1. 학교장이 교육상 양귀비를 심은 경우 　　2. 존속살인죄의 존속에는 양부는 포함되지 않는다고 오신한 경우 　　3. 재물에는 동물이 포함되지 않는다고 오신한 경우
간접적 착오(허용규범의 착오) : 위법성조각사유의 착오	행위자가 금지된 것은 인식하였으나 구체적인 경우에 위법성조각사유(허용규범)의 존재나 한계를 오인하여 자기의 행위가 허용된다고 판단한 경우
위법성조각사유의 존재에 대한 착오 (허용규범의 착오)	법이 인정하고 있지 아니한 위법성조각사유를 존재하는 것으로 행위자가 오신한 경우 ⇨ 금지착오 07. 9급 검찰, 13. 경찰승진 **⑩** 남편이 부인에 대한 징계권이 있는 줄 잘못 알고 부인에게 체벌을 가한 경우
위법성조각사유의 한계에 관한 착오 (허용한계의 착오)	행위자가 위법성을 조각하는 행위상황은 바로 알았으나 그에게 허용된 한계를 초과한 경우 ⇨ 금지착오 16. 7급 검찰, 20. 경찰승진, 24. 순경 2차 **⑩** 사인이 현행범체포를 위해 그를 살해해도 된다고 생각하고 살해한 경우
위법성조각사유의 전제사실에 관한 착오 (객관적 정당화 상황의 착오)	행위자가 객관적으로 존재하지 않는 위법성조각사유의 객관적 전제사실이 존재한다고 착오로 잘못 믿고 위법성조각사유에 해당하는 행위(정당방위, 긴급피난, 자구행위 등)를 한 경우 **⑩** 오상방위 · 오상피난 · 오상자구행위 　　↳ (전보배달부를 강도로 오인하고 상해를 입힌 경우)

THEMA 36 위법성조각사유의 전제사실에 관한 착오(허용구성요건의 착오)

행위자가 존재하지 않는 위법성조각사유(예 정당방위)의 객관적 전제사실(예 자기 또는 타인의 법익에 대한 현재의 부당한 침해)이 존재한다고 오인하고 위법성조각사유에 해당하는 행위(예 방위의사로 정당방위 행위)를 한 경우〔예 길을 물으려고 다가오는 행인(현재의 부당한 침해 ×)을 강도(현재의 부당한 침해 ○)로 오인하고 상해를 입힌 경우 : 오상방위〕를 말한다. 18. 순경 3차, 20. 경찰간부, 22. 9급 검찰·마약수사·철도경찰, 23. 7급 검찰·순경 2차, 24. 변호사시험·해경승진·경위공채·순경 1차, 25. 경찰승진

학 설	내 용
엄격고의설	책임요소인 고의조각 ⇨ 과실범 문제〔오인에 정당한 이유 ×(과실 ○) ⇨ 과실범 ○, 오인에 정당한 이유 ○(과실 ×) ⇨ 책임조각 ∴ 무죄〕
소극적 구성요건표지(요소)이론	위법성조각사유는 소극적 구성요건요소가 되므로 위법성을 조각하는 행위상황에 대한 착오는 당연히 구성요건적 착오가 되어 고의를 조각한다. 단지 과실범 성립 여부만 남는다〔오인에 정당한 이유 ×(과실 ○) ⇨ 과실범 ○, 오인에 정당한 이유 ○(과실 ×) ⇨ 과실범 × ⇨ 무죄〕.
제한적 책임설	• 유추적용 제한적 책임설 : 사실의 착오 유추적용 ⇨ 고의조각, 과실범 문제 • 법효과제한적 책임설(다수설) : 불법(구성요건)고의 인정, 책임고의 조각 ⇨ 과실범 문제
엄격책임설	법률의 착오(금지의 착오)에 해당(고의 인정) ⇨ 책임조각 문제〔오인에 정당한 이유 ×(과실 ○) ⇨ 고의범 ○(과실범 ×), 오인에 정당한 이유 ○(과실 ×) ⇨ 책임조각 ⇨ 무죄〕

예 • 甲은 乙이 담력을 시험하기 위해 장난감 권총을 내밀자 생명의 위험을 느끼고 총을 쏘아 乙을 살해한 경우 甲의 죄책은?(오인에 과실 ○, 오인에 정당한 이유 ×)
　┌ 엄격고의설, 소극적 구성요건표지이론, 제한적 책임설 ⇨ 과실치사죄
　└ 엄격책임설 ⇨ 살인죄(고의범) ○
　• 심야에 늦게 귀가한 남편을 강도로 오인하고 폭행한 경우(오인에 과실 ○, 오인에 정당한 이유 ×)
　┌ 엄격고의설, 소극적 구성요건표지이론, 제한적 책임설 ⇨ 과실폭행죄의 처벌규정이 없으므로 무죄
　└ 엄격책임설 ⇨ 폭행죄(고의범) ○

⚖ **관련판례**

1. 명예훼손죄의 특별한 위법성조각사유를 규정한 형법 제310조의 요소 중 사실의 진실성에 대한 착오가 있는 경우, 다수설은 이 경우를 위법성조각사유의 전제사실에 관한 착오문제로 보지만, 판례에 의하면 "적시된 사실이 진실한 것이라는 증명이 없더라도 행위자가 진실한 것으로 믿었고 또 그렇게 믿을 만한 상당한 이유가 있는 경우에는 위법성이 없다(대판 2007.12.14, 2006도2074)."고 판시함으로써 위법성이 조각될 수 있다. 13. 사시·법원행시, 17. 9급 검찰·경찰승진, 24. 9급 철도경찰

2. 중대장의 지시에 따라 관사를 지키고 있던 당번병인 피고인이 중대장의 처가 마중 나오라는 지시를 정당한 명령으로 오인하고 관사를 무단이탈하였는데 당번병으로서의 그 임무범위 내에 속하는 일로 오인하고, 그 오인에 정당한 이유가 있는 경우에는 위법성이 없다(대판 1986.10.28, 86도1406 ∵ 위법성조각사유의 전제사실에 대한 착오에 대해 판례는 위법성조각설의 입장임). 20. 순경 1차, 21. 해경승진·7급 검찰

3. 甲은 관장 乙이 운영하는 복싱클럽에 회원등록을 하였던 자로서 등록을 취소하는 문제로 乙로부터 질책을 들은 다음 약 1시간이 지난 후 다시 복싱클럽을 찾아와 乙에게 항의하는 과정에서 乙이 甲의 멱살을 잡아당기거나 바닥에 넘어뜨린 후 목을 조르는 등 乙과 甲이 뒤엉켜 몸싸움을 벌였는데, 코치인 피고인이 이를 지켜보던 중 甲이 왼손을 주머니에 넣어 불상의 물건을 꺼내 움켜쥐자, 호신용 작은 칼 같은 흉기를 꺼내는 것으로 생각하고 甲의 왼손 주먹을 강제로 펴게 함으로써 甲에게 손가락 골절상을 입혔다. 그런데 甲이 주머니에서 꺼내어 움켜쥐고 있던 물건은 휴대용 녹음기였다. ⇨ 위법성조각사유의 전제사실에 관한 착오 ⇨ 그 오인에 정당한 이유 ○ ⇨ 위법성조각 ○(대판 2023.11.2, 2023도10768 ∴ 상해죄 ×) 24. 순경 1차

4. 공무집행방해죄에서 공무집행의 적법성에 관한 피고인의 잘못된 법적 평가로 인하여 자신의 행위가 금지되지 않는다고 오인한 경우에는 그 오인에 정당한 이유가 있는지를 살펴보아야 한다〔대판 2024.7.25, 2023도16951 ∴ 공무집행이 적법한데도 위법하다고 오인한 경우에 형법 제16조(법률의 착오)가 적용된다. ▶ 주의 : 위법성조각사유의 전제사실에 대한 착오가 아님. 예 甲이 경찰관 A의 직무집행에 저항하기 위하여 A를 폭행한다는 사실 자체는 인식하였지만 법적 평가를 잘못하여 A의 적법한 직무집행이 위법하다고 오인한 경우, 甲에게 위법성 조각사유의 전제사실에 대한 착오가 있었다고 볼 수는 없다〕. 25. 순경 1차

01 위법성조각사유의 전제사실에 대한 착오에 관한 설명으로 가장 옳지 않은 것은?

20. 경찰간부, 25. 해경경위

① 오상방위, 오상피난, 오상자구행위 등이 이에 해당한다.

② 甲이 야간에 악수를 청하는 이웃집 사람을 강도로 오인하고 방어할 생각으로 그를 때려 상해를 입힌 경우, 정당한 이유가 없다면 소극적 구성요건표지이론에 의할 때 상해죄가 성립한다.

③ 엄격고의설에 의하면 위법성조각사유의 전제사실에 대한 착오가 있는 경우에는 위법성 인식이 없으므로 고의가 조각된다.

④ 정당방위 상황이 객관적으로 존재하지 않음에도 불구하고 행위자는 존재하는 것으로 잘못 알고 방위행위를 한 경우, 엄격책임설은 이를 법률의 착오로 보고 '오인에 정당한 이유'가 있으면 책임이 조각된다고 본다.

해설 ①③④ 옳다.
② × : 소극적 구성요건표지이론 ⇨ 상해죄 ×, 과실치상죄 ○

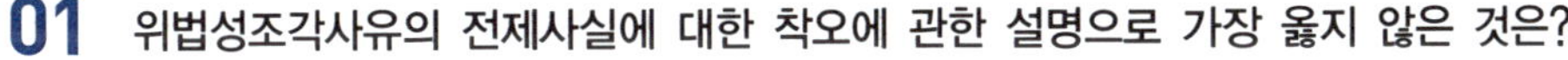

02 오상방위에 대한 설명으로 옳지 않은 것은?
20. 7급 검찰

① 엄격고의설은 오상방위의 경우 행위자에게 위법성의 현실적 인식이 없어 고의가 조각되고, 해당 행위에 대해 과실범 규정이 있는 경우 과실범으로 처벌할 수 있을 뿐이라고 한다.

② 엄격책임설은 오상방위를 금지착오로 해석하나, 이에 대해서는 착오에 이르게 된 상황의 특수성을 무시하였다는 비판이 가해진다.

③ 소극적 구성요건요소이론은 사실의 착오 규정이 직접 적용되어 구성요건적 고의가 조각된다고 보나, 이에 대해서는 구성요건해당성과 위법성의 차이를 인정하지 않는다는 비판이 가해진다.

④ 법효과제한적 책임설은 고의의 이중적 기능을 전제로 오상방위의 경우 책임고의가 조각된다고 보나, 책임고의가 조각되면 제한적 종속형식에 의할 경우 이에 대한 공범성립이 불가능하여 처벌의 흠결이 있다는 비판이 가해진다.

[해설] ①②③ 옳다.

④ ✕ : ~ (2줄) 책임고의가 조각된다고 보나, 구성요건에 해당하고(구성요건 고의 인정) 위법성이 인정되므로 제한적 종속형식(정범이 구성요건에 해당하고 위법하면 책임이 조각되더라도 공범이 성립됨)에 의할 경우 공범성립이 가능하다.

03 새벽에 귀가 중인 甲에게 노숙자 A가 구걸을 하려고 접근하였다. 그러나 甲은 이전에 소위 '퍽치기' 강도를 당한 경험 때문에, A를 '퍽치기' 강도로 오인하였다. 이때 현장에 온 택시기사 乙이 A가 노숙자이고 구걸을 하려는 것을 알면서도, 甲에게 "A가 당신을 공격하려 한다."라고 말하였다. 이에 甲은 그 말을 믿고 A를 폭행하였다. 甲과 乙의 형사책임에 관한 설명 중 옳지 않은 것은?
21. 변호사시험

① 소극적 구성요건요소이론에 의하면 甲의 착오는 사실의 착오(구성요건적 착오)에 해당하며 폭행죄의 고의가 부정된다.

② 엄격책임설에 의하면 甲의 착오는 법률의 착오에 해당하여 오인함에 정당한 이유가 없는 경우 폭행죄가 성립한다.

③ 구성요건적 착오규정을 유추적용하는 견해에 의하면 甲의 고의가 부정되어 폭행죄가 성립하지 않는다.

④ 법효과제한적 책임설에 의하면 甲에게 고의불법은 인정되지만 고의책임이 배제되어 폭행죄가 성립하지 않는다.

⑤ 소극적 구성요건요소이론과 법효과제한적 책임설에 따르면 제한적 종속형식에 의할 때 乙은 甲의 행위에 대하여 폭행죄의 교사범이 된다.

[해설] ①②③④ 타당하다.

⑤ ✕ : 법효과제한적 책임설에 따르면 甲의 행위는 구성요건에 해당하고 위법한 행위이므로 제한적 종속형식에 의할 때 乙은 폭행죄의 교사범이 성립할 수 있으나, 소극적 구성요건요소이론에 따르면 甲의 행위는 구성요건에 해당하지 않아 제한적 종속형식에 의할 때 乙은 폭행죄의 교사범이 성립할 수 없다.

Answer　2.④　3.⑤

04 위법성조각사유의 전제사실에 대한 착오의 설명으로 가장 적절한 것은?(다툼이 있는 경우 판례에 의함)

21. 경찰승진

① 엄격책임설에 의하면 위법성조각사유의 전제사실에 대한 착오의 경우 형법 제13조를 직접 적용함으로써 고의범의 성립이 부정되고 과실이 있는 경우 과실범으로 처벌한다.

② 위법성조각사유의 요건을 총체적 불법구성요건의 소극적 표지로 이해하는 소극적 구성요건표지이론에 의하면 위법성조각사유의 전제사실에 대한 착오를 고의범으로 처벌한다.

③ 고의설과 법효과제한책임설은 위법성조각사유의 전제사실에 대한 착오의 법적 효과에 있어 동일한 결론을 취한다.

④ 유추적용설에 의하면 위법성조각사유의 전제사실에 대한 착오의 경우 형법 제13조를 유추적용함으로써 구성요건적 고의는 인정되지만 책임고의를 부정하여 고의범의 성립을 부정한다.

> **해설** ① × : ~ 착오의 경우 법률의 착오에 해당한다고 보아 고의(불법고의, 구성요건적 고의)는 인정되고, 오인함에 정당한 이유가 없는 경우에는 고의범으로 처벌되며, 정당한 이유가 있는 경우에는 책임이 조각되어 범죄가 성립하지 않는다.
> ② × : ~ 착오를 과실범(고의범 ×)으로 처벌한다.
> ③ ○ : 둘다 과실범으로 처벌하므로 결론은 동일하다.
> ④ × : ~ (2줄) 구성요건적 고의가 부정되어 과실범으로 처벌한다. 구성요건적 고의는 인정되지만 책임고의를 부정하여 고의범의 성립을 부정하는 견해는 법효과제한적 책임설이다.

05 범죄의 성립요건 중 조각되는 사유가 다른 것은?(다툼이 있는 경우 판례에 의함)   20. 순경 1차

① 피고인이 동거 중인 피해자의 지갑에서 현금을 꺼내 가는 것을 피해자가 현장에서 목격하고도 만류하지 아니한 경우(형법상 절도죄)

② 중대장의 지시에 따라 관사를 지키고 있던 당번병인 피고인이 중대장의 처가 마중 나오라는 지시를 정당한 명령으로 오인하고 관사를 무단이탈하였는데 당번병으로서의 그 임무범위 내에 속하는 일로 오인하고, 그 오인에 정당한 이유가 있는 경우(군형법상 무단이탈죄)

③ 병역법 제88조 제1항은 국방의 의무를 실현하기 위하여 현역입영 또는 소집통지서를 받고도 정당한 사유 없이 이에 응하지 않은 사람을 처벌하는데, 피고인에게 정당한 사유가 있는 경우(병역법상 입영 등 기피죄)

④ 사용자의 직장폐쇄가 정당한 쟁의행위로 인정되지 아니하고 다른 특별한 사정이 없어 근로자가 평소 출입이 허용되는 사업장 안에 들어가는 경우(형법상 주거침입죄)

> **해설** • **구성요건해당성 조각** : ① 대판 1985.11.26, 85도1487(∵ 피해자의 양해) ③ 대판 2018.11.1, 2016도10912 전원합의체 ④ ~ 들어가는 경우 주거침입죄를 구성하지 아니한다(대판 2002.9.24, 2002도2243).
> • **위법성 조각** : ② ~ 있는 경우 위법성이 없다(대판 1986.10.28, 86도1406 ∵ 위법성조각사유의 전제사실에 대한 착오에 대해 판례는 위법성조각설의 입장임).

Answer   4.③   5.②

06 (가) ~ (라)는 甲이 밤에 연락 없이 자신의 집을 방문한 이웃을 강도로 오인하여 상해를 입힌 사례와 관련한 견해이다. 이에 대한 설명으로 옳지 않은 것은?(다툼이 있는 경우 판례에 의함)

23. 7급 검찰

> (가) "위법성의 인식은 고의와 구별되는 책임의 독자적인 요소인데, 이 사례는 행위자가 구성요건 사실은 인식하였지만 자기 행위의 위법성을 인식하지 못한 경우에 해당한다."
>
> (나) "이 사례와 관련하여 甲이 위법성조각사유의 전제사실의 부존재를 인식하는 것 역시 구성요건에 해당한다."
>
> (다) "이 사례는 구성요건 착오는 아니지만 구성요건 착오와 유사한 경우이니, 구성요건 착오 규정을 적용하여 행위자에게 고의책임을 인정하지 않아야 한다."
>
> (라) "이 사례의 경우 구성요건 고의는 인정되지만, 책임 고의가 부정된다."

① (가)견해에 의하면, 甲의 오인에 정당한 이유가 없다면 甲은 상해의 고의범으로 처벌된다.

② (나)견해에 의하면, 甲은 구성요건 착오에 해당하여 상해의 고의가 조각된다.

③ (다)견해에 의하면, 甲에 대해 상해의 과실범의 성립을 검토할 수 있다.

④ (라)견해에 의하면, 甲은 상해의 고의범으로 처벌되지만 그 책임이 감경된다.

해설 사례는 위법성조각사유 전제사실에 관한 착오(오상방위)문제임.

① (가)견해(엄격책임설) : 옳다.

② (나)견해(소극적 구성요건요소이론) : 옳다.

③ (다)견해(유추적용제한적 책임설) : 옳다.

④ × : (라)견해(법효과제한적 책임설) : 甲의 오인에 정당한 이유가 있다면 상해의 고의는 인정되나 책임이 조각(감경 ×)되어 무죄이다.

07 다음 사례와 학설에 관한 설명으로 가장 적절한 것은?

23. 순경 2차

> 〈사 례〉
>
> 甲이 야간에 자신의 방에 들어오는 룸메이트를 강도로 오인하고 상해의 고의는 없이 방어할 의사로 그를 폭행하였는데 강도로 오인한 과실이 회피 가능하였을 경우

> 〈학 설〉
>
> (가) 범죄를 불법과 책임의 두 단계로 나누어, 위법성조각사유의 요건을 소극적 구성요건요소로 이해하는 이론으로서 위 사례는 구성요건적 착오의 문제로 이해하는 견해
>
> (나) 위법성의 인식을 고의의 요소가 아닌 독자적인 책임요소로 파악하는 이론으로서, 위 사례는 금지착오의 문제로 이해하는 견해
>
> (다) 위법성조각사유의 전제사실은 구성요건적 사실과 유사하다는 점을 전제로 하여, 위 사례는 구성요건적 착오 규정을 유추적용 해야 하는 것으로 이해하는 견해
>
> (라) 고의의 이중적 지위를 전제로 하여, 위 사례는 구성요건적 고의는 인정되나 책임고의가 탈락되어 결국 구성요건적 착오와 법효과적으로 동일한 것으로 이해하는 견해

Answer 6.④ 7.④

① (가)와 (다)에 따르면 甲에게는 폭행죄가 성립한다.
② (나)와 (라)에 따르면 甲에게는 상해죄가 성립한다.
③ (나)와 (다)에 따르면 甲에게는 과실치상죄가 성립한다.
④ (가)와 (라)에 따르면 甲은 처벌되지 않는다.

해설 사례는 위법성조각사유 전제사실에 관한 착오(오상방위)문제임(▶ 주의 : 상해의 고의 없이 폭행에 그쳤으므로 상해죄나 과실치상죄는 문제되지 않음).
(가) 소극적 구성요건 표지(요소)이론 (다) 유추적용 제한적 책임설 : 甲에게는 폭행죄의 고의가 부정되고 오인에 과실이 인정되나 과실폭행죄의 처벌규정이 없으므로 불가벌이다. ∴ ① × ③ × ④ ○
(나) 엄격책임설 : 오인에 과실이 있으므로 폭행죄(고의범)가 성립한다. ∴ ② × ③ ×
(라) 법효과제한적 책임설 : 甲에게는 과실범이 문제되나 과실폭행죄의 처벌규정이 없으므로 불가벌이다. ∴ ② × ④ ○

08 다음 사례에 대하여 위법성 인식의 체계적 지위에 관한 학설의 설명으로 가장 적절한 것은?

24. 순경 1차

> A는 관장 B가 운영하는 복싱클럽에 회원등록을 한 후 등록을 취소하는 문제로 B로부터 질책을 들은 다음 약 1시간이 지나 다시 복싱클럽을 찾아와 B에게 항의를 하였다. 그 과정에서 A와 B가 서로 멱살을 잡아당기거나 뒤엉켜 몸싸움을 벌였다. 이를 지켜보던 코치 甲은 A가 왼손을 주머니에 넣어 특정한 물건을 꺼내 움켜 쥐자, 조금만 주의를 기울였으면 흉기가 아니라는 것을 알 수 있었음에도 불구하고 B를 찌르기 위해 흉기를 꺼낸다고 오인하여 A를 다치게 해서라도 이를 막고자 A의 왼손을 때려 손가락 골절상을 입혔다. 그러나 A가 움켜쥔 물건은 휴대용 녹음기로 밝혀졌다.

① 엄격고의설에 따르면 甲에게는 A에 대한 상해죄의 고의가 인정된다.
② 제한고의설에 따르면 甲이 현실적으로 자신의 행위가 위법하다고 인식하지 못했지만 위법성을 인식할 가능성이 있었기에 甲에게는 A에 대한 과실치상죄가 성립한다.
③ 엄격책임설에 따르면 甲에게는 A에 대한 상해죄의 고의가 조각된다.
④ 법효과제한책임설에 따르면 甲에게는 A에 대한 과실치상죄가 성립한다.

해설 사례는 위법성조각사유의 전제사실에 관한 착오(오상방위)에 관련된 것으로 판례는 오인에 정당한 이유가 있다고 보아 위법성이 없다(판례 : 위법성조각설의 입장임)고 판시함(대판 2023.11.2, 2023도10768 ∴ 상해죄 ×).
▶ 주의 : BOX 사례의 경우에는 오인에 정당한 이유가 없음〔∵ (4줄) 조금만 주의를 기울였으면 흉기가 아니라는 것을 알 수 있었음에도 불구하고 B를 찌르기 위해 흉기를 꺼낸다고 오인〕.
① × : 엄격고의설 ⇨ 상해죄의 책임고의 조각(∴ 상해죄 ×, 과실치상죄 ○)
② × : 제한적 고의설 ⇨ 위법성을 인식할 가능성만 있어도 고의범이 된다(∴ 상해죄 ○, 과실치상죄 ×).
③ × : 엄격책임설 ⇨ 법률의 착오로 보아 상해죄의 고의는 인정되고, 오인에 정당한 이유가 없어 책임이 조각되지 않는다(∴ 상해죄 ○).
④ ○ : 법효과 제한적 책임설 ⇨ 구성요건적 고의는 인정되나, 책임고의가 조각되어 과실치상죄가 성립한다.

Answer 8.④

09 다음 사례에 관한 설명으로 옳은 것은?　　　24. 경위공채

> 甲은 헤어진 내연남 A가 계속하여 집에 찾아와 다시 만나줄 것을 간청하자, A와 집 앞에서 실랑이를 하는 중에 A를 혼내 줄 생각으로 옆집에 사는 乙이 집 앞으로 지나가는 것을 보고 "성폭행범이다. 살려주세요"라고 소리를 쳤다. 甲이 의도한 대로 乙은 甲을 구하기 위해 A를 밀어 넘어뜨려 A에게 전치 2주의 상해를 입혔다.

① 유추적용설에 의하면 乙의 착오에 정당한 이유가 존재하지 않는다면 乙의 행위는 상해죄가 성립한다.

② 엄격책임설에 의하면 乙의 행위는 과실 유무에 따라 과실치상죄가 성립될 수 있다.

③ 법효과제한적 책임설에 의할 때 乙의 상해행위는 구성요건적 고의는 인정되지만 책임고의가 조각되므로 상해죄가 성립하지 않는다.

④ 엄격책임설과 법효과제한적 책임설에 의하면 甲에게 상해죄의 교사범이 성립될 여지는 없다.

해설 사례는 위법성조각사유 전제사실에 관한 착오(오상방위) 문제임.
① × : ~ 乙의 행위는 구성요건적 고의가 부정되어 과실범(과실치상죄)이 성립한다.
② × : ~ 乙의 행위는 구성요건적 고의는 인정되고, 착오에 과실(상당한 이유)이 없는 경우에는 고의범(상해죄)으로 처벌되며, 과실(정당한 이유)이 있는 경우에는 책임이 조각되어 상해죄가 성립하지 않는다.
③ ○ : 옳다. ④ × : ~ 성립될 여지는 있다〔∵ 두 학설에 따를 경우 乙(정범)의 행위는 구성요건에 해당하고 (구성요건 고의 인정) 위법성이 인정되므로 제한적 종속형식(정범이 구성요건에 해당하고 위법하면 책임이 조각되더라도 공범이 성립됨)에 의할 경우 공범(교사범) 성립이 가능하다〕.

10 甲은 자신을 계속 뒤따라오다 손을 갑자기 내뻗는 A를 강제추행범으로 오인하고 이를 막고자 공격을 통해 A를 상해하였는데 실제로 A는 甲의 친구로서 장난을 치기 위해 위와 같은 행동을 한 것이었다. 이 사례의 해결방식과 설명에 대한 〈보기1〉과 〈보기2〉가 바르게 연결된 것은?　　　24. 변호사시험

> 〈보기1〉
> 가. 甲이 정당방위상황으로 잘못 판단한 데에 정당한 이유가 있으면 책임을 조각하려는 견해
> 나. 甲행위의 구성요건적 고의를 인정하면서 고의범으로서의 법효과만을 제한하려는 견해
> 다. 사실의 착오 근거규정을 유추적용하려는 견해
> 라. 구성요건적 고의의 인식대상이 되는 사실과 위법성조각사유의 전제되는 사실을 구별하지 아니하는 견해

> 〈보기2〉
> ㉠ '불법'과 '책임'의 두 단계로 범죄체계를 구성한다면 형법상 위법성조각사유는 소극적 구성요건표지이다.
> ㉡ 甲은 행위상황에서 필요한 주의의무를 다 하지 않았을 뿐이고 그에게 책임고의가 존재하는 것은 아니다.

Answer　9. ③　10. ④

> ㉢ 甲에게는 위법성의 인식이 없었으므로, '자기의 행위가 법령에 의하여 죄가 되지 아니하는 것으로 오인한' 때에 해당한다.
> ㉣ A를 강제추행범으로 오인하여 반격하였다면 이는 고의의 인식대상을 착오한 것과 유사하다.

① 가 - ㉠, 나 - ㉡, 다 - ㉢, 라 - ㉣
② 가 - ㉡, 나 - ㉢, 다 - ㉣, 라 - ㉠
③ 가 - ㉢, 나 - ㉣, 다 - ㉠, 라 - ㉡
④ 가 - ㉢, 나 - ㉡, 다 - ㉣, 라 - ㉠
⑤ 가 - ㉣, 나 - ㉢, 다 - ㉠, 라 - ㉡

[해설] 사례는 위법성조각사유의 전제사실에 관한 착오(오상방위)임.
가. 엄격책임설 : 법률의 착오에 해당한다고 보는 견해로 ㉢과 연결된다.
나. 법효과제한적 책임설 : 구성요건적 고의를 인정하나 책임고의가 조각된다고 보는 견해로 ㉡과 연결된다.
다. 유추적용 제한적 책임설 : 사실의 착오를 유추적용한다는 견해로 ㉣과 연결된다.
라. 소극적 구성요건 표지이론 : 위법성조각사유를 소극적 구성요건요소로 보아 위법성조각사유가 존재하면 위법성이 조각되는 것이 아니라 애초부터 구성요건에도 해당하지 않는다는 견해로 ㉠과 연결된다.

11 위법성조각사유의 전제사실에 관한 착오와 관련된 설명으로 가장 적절하지 않은 것은?

25. 경찰승진

① "현재의 부당한 침해"라는 정당방위 상황이 객관적으로 존재하지 않음에도 불구하고 행위자가 그 상황이 존재하는 것으로 잘못 알고 방위행위를 한 경우 이를 법률의 착오로 보고 오인에 정당한 이유가 있으면 책임이 조각된다고 보는 견해는 엄격책임설이다.
② 甲이 자신이 운영하는 가게에 온 손님인 A를 강도로 오인하고 방어할 의사로 A를 폭행하였는데 강도로 오인한 과실이 회피 가능한 경우 법효과제한책임설에 따르면 甲은 처벌되지 아니한다.
③ 甲이 A와 B가 장난치는 것을 보고 A가 일방적으로 B를 강제추행하는 것으로 오인한 나머지 B를 돕고자 A를 때려 상해를 입힌 경우 엄격책임설은 甲의 오인에 정당한 이유가 있다면 상해죄의 구성요건에 해당하나 책임이 부정되어 상해죄는 성립하지 않는다는 입장을 취하고 있다.
④ 법효과제한책임설은 위법성조각사유의 전제사실에 관한 착오에 빠진 자를 교사하여 죄를 범하게 한 교사자를 교사범으로 처벌할 수 없다는 점에서 비판을 받는다.

[해설] ① 옳다.
② 옳다〔∵ 법효과제한책임설 : 불법(구성요건)고의 인정, 책임고의 조각 ⇨ 과실범 문제 ⇨ 강도죄는 과실범 처벌규정이 없으므로 불가벌〕.
③ 옳다.
④ × : ~ 처벌할 수 있다〔∵ 법효과제한적 책임설에 따르면 위법성조각사유의 전제사실의 착오에 빠진 자의 행위는 구성요건에 해당하고(구성요건 고의 인정) 위법하나 책임고의가 조각될 뿐이므로 제한적 종속형식에 따르면 교사자를 교사범으로 처벌할 수 있다〕.

Answer 11. ④

THEMA 37 　법률의 착오 '정당한 이유' 관련판례 총정리

형법 제16조의 법률착오는 단순한 법률의 부지(행위자가 자기의 행위와 관련된 금지규범을 알지 못한 경우)가 아니라(∴ 단순한 법률의 부지의 경우는 형법 제16조의 적용대상 ×), 일반적으로 범죄가 되는 행위이지만 자기의 특수한 경우에는 법령에 의하여 허용된 행위로서 죄가 되지 아니한다고 그릇 인식하고 그와 같이 그릇 인식함에 정당한 이유가 있는 경우에는 벌하지 않는다는 뜻이다(대판 1995.8.25, 95도1351 ; 대판 2006.3.24, 2005도3717 ; 대판 2009.5.28, 2008도11857). 20. 9급 철도경찰 · 법원행시, 21. 7급 · 9급 검찰, 22. 해경간부 · 법원직 · 순경 1차, 23. 순경 2차 · 해경 3차, 24. 경찰간부 · 경찰승진 · 변호사시험

● **단순한 법률의 부지로 본 경우** ⇨ **법률의 착오에 해당 ×** ⇨ **범죄 성립 ○**

1. 일본 영주권을 가진 재일교포가 영리를 목적으로 관세물품을 구입한 것이 아니라거나 국내 입국시 관세신고를 하지 않아도 되는 것으로 착오한 경우(대판 2007.5.11, 2006도1993). 15. 경찰간부 · 순경 2차, 16. 9급 검찰 · 마약수사 · 순경 1차, 19. 법원행시, 21. 해경 2차 · 7급 검찰, 24. 경찰승진 · 해경승진

2. 건축법상 허가대상인줄 모르고 허가 없이 근린시설 건축물을 교회로 용도변경한 경우(대판 1991. 10.11, 91도1566) 14. 법원행시, 22. 9급 검찰 · 마약수사

   ⚖ **유사판례** : 건물의 임차인이 건축법의 관계 규정을 알지 못하여 임차건물을 자동차정비공장으로 사용하는 것이 건축법상의 무단용도변경 행위에 해당한다는 것을 모르고 사용을 계속한 경우(대판 1995.8.25, 95도1351) 13. 법원직, 15. 순경 3차

3. 디스코클럽사장이 경찰당국의 단속대상(18세 미만자와 고등학생)에서 제외된 만 18세 이상의 고등학생이 아닌 미성년자나 대학생은 출입이 허용되는 것으로 알고 출입시키고 주류를 판매한 행위(대판 1985.4.9, 85도25) 10. 9급 검찰, 14. 법원행시

4. 타인이 허가를 얻어 벌채하고 남아 있던 잔존목을 위법인 줄 모르고 허가 없이 벌채한 경우(대판 1986.6.24, 86도810) 10. 9급 검찰

5. 국토이용관리법상 거래허가대상인 줄 모르고 당국의 허가를 받지 아니하고 거래계약규제구역으로 지정 · 고시된 지역 안에 위치한 토지를 매수한 경우(대판 1992.4.24, 92도245) 04. 경찰승진

6. 동해시청 앞 잔디광장이 옥외장소에 해당함을 모르고 노조집단행위를 한 경우(대판 2006.2.10, 2005도3490) 14. 9급 철도경찰

7. 자신의 범행이 구 부동산소유권 이전등기 등에 관한 특별조치법에 위반되는지를 몰랐다고 하더라도 이는 단순한 법률의 부지에 불과하며 형법 제16조의 법률의 착오에 해당하지 않는다(대판 1990.10.30, 90도1126). 24. 9급 검찰 · 마약수사 · 철도경찰

정당한 이유가 있는지 여부는 행위자에게 자기 행위의 위법의 가능성에 대해 심사숙고하거나 조회할 수 있는 계기가 있어 자신(일반인 ×)의 지적능력을 다하여 이를 회피하기 위한 진지한 노력을 다하였더라면 스스로의 행위에 대하여 위법성을 인식할 수 있는 가능성이 있었음에도 이를 다하지 못한 결과 자기 행위의 위법성을 인식하지 못한 것인지 여부에 따라 판단하여야 할 것이고, 이러한 위법성의 인식에 필요한 노력의 정도는(일반인의 입장에서 판단 ×) 구체적인 행위정황과 행위자 개인의 인식능력 그리고 행위자가 속한 사회집단에 따라 달리 평가되어야 한다(대판 2006.3.24, 2005도3717 ; 대판 2009.10.22, 2009도7436). 19. 변호사시험, 20. 법원행시, 21. 해경 1차, 22. 해경간부 · 해경 2차, 23. 경찰승진, 24. 경찰간부 · 해경승진 · 경력채용 · 7급 검찰 · 순경 2차, 25. 9급 검찰 · 마약수사 · 철도경찰 · 순경 1차

Ⅰ. 담당공무원·관할관청·상급관청·법률전문가의 의견을 신뢰한 경우

● 법률의 착오에 정당한 이유가 있는 경우

1. 허가를 담당한 공무원이 허가를 요하지 않는다고 잘못 알려주어 이를 믿고 **채광작업**을 위하여 허가를 받지 않고 **산림을 훼손한** 경우(대판 1993.9.14, 92도1560) 15. 경찰승진, 16. 7급 검찰

   ⚖ **유사판례** : 산림훼손허가를 받으러 군청 산림과에 갔으나 관광지 조성승인이 났으니 산림훼손허가를 받을 필요가 없다는 담당공무원의 말을 듣고, 군수 명의의 산림법배제확인서까지 받아 산림훼손행위를 한 경우(대판 1992.5.22, 91도2525) 14. 법원행시

2. 행정청의 허가를 받아야 하는데도 **담당공무원이 허가를 요하지 않는다고** 잘못 알려주어 이를 믿었기 때문에 허가를 받지 않은 경우(대판 1995.7.11, 94도1814 : 산업기술연수자로 입국하는 외국인의 입국절차를 대행하는 사업의 허가에 관한 것) 17. 법원직·7급 검찰, 24. 경찰승진, 25. 9급 검찰·마약수사·철도경찰

3. 광역시의회 의원이 선거구민들에게 의정보고서를 배부하기에 앞서 **미리** 관할 선거관리위원회 소속 공무원들에게 **자문을 구하고** 그들의 지적에 따라 수정한 의정보고서를 배부한 경우(대판 2005.6.10, 2005도835) 17. 경찰간부·법원직, 19. 경찰승진, 21. 7급 검찰, 22. 해경승진·해경 3차, 24. 9급 검찰·마약수사

   ⚖ **비교판례** : 변호사 자격을 가진 국회의원이 낙천대상자로 선정된 사유에 대한 해명을 넘어 다른 동료의원들이나 네티즌의 **낙천대상자 선정이 부당하다는 취지의 반론을 담은 의정보고서**를 발간하는 과정에서 보좌관을 통하여 선거관리위원회 직원에게 문의하여 답변받은 결과 선거법규에 저촉되지 않는다고 오인한 경우(대판 2006.3.24, 2005도3717) ⇨ 정당한 이유 × 17. 순경 1차, 18. 7급 검찰·경력채용, 19. 경찰승진, 22. 경찰간부·9급 검찰·마약수사, 23. 해경승진

4. 비디오물감상실업자가 자신의 비디오물감상실에 18세 이상 19세 미만의 청소년을 출입시킨 행위가 관련 법률(구 음반·비디오물 및 게임물에 관한 법률 : 18세 미만 출입금지, 관할부서의 행정지도 : 만 18세 미만의 연소자 출입금지 표시를 출입구에 부착하라)에 의하여 허용된다고 믿은 경우(대판 2002.5.17, 2001도4077) 15. 순경 3차, 16. 7급 검찰·철도경찰, 18. 경력채용, 22. 법원행시

5. 범행과 동일한 성질의 행위(십전대보초를 제조·광고한 행위)에 대하여 검찰의 혐의없음 결정을 받은 적이 있어서 죄가 되지 않는다고 판단한 경우(이전에 **검찰의 '혐의 없음' 결정을 받은** 피고인이 **가감삼십전대보초를 판매한** 경우)(대판 1995.8.25, 95도717) 16. 변호사시험, 18. 7급 검찰, 22. 경찰간부·경찰승진

6. **한국교통사고상담센터**의 직원이 교통부장관이 **승인한** 수수료를 받고 사고피해사의 **위임**하에 사고회사와의 사이에 화해의 중재·알선을 한 경우(대판 1975.3.25, 74도2882) 11. 순경, 15. 경찰간부

7. **부대장의 허가를** 받아 부대 내에서 유류를 저장하는 것이 죄가 되지 않는 것으로 오인한 경우(대판 1971.10.12, 71도1356) 10. 경찰승진, 11. 순경

8. **초등학교장**이 도교육위원회의 지시에 따라 교과내용으로 되어 있는 **양귀비**를 교과식물로 비치하려고 교무실 앞 화단에 심은 행위(대판 1972.3.31, 72도64) 13. 경찰승진, 18. 경력채용

9. 변리사의 감정결과(타인의 상품과 피고인의 상품이 유사하지 않다는 것)와 특허국의 등록사정을 믿고 **발가락 5개의 양말**을 제조·판매한 경우(대판 1982.1.19, 81도646) 16. 경찰승진, 22. 해경간부

10. **장의물품 도매업자**가 가정의례에 관한 법률상의 영업허가를 얻고자 서울시장에게 신청하였으나, 장의사영업허가를 받은 상인에게 납품하는 행위는 **영업허가가 필요 없다고 하여** 영업허가가 반려된 것을 믿고 허가 없이 영업한 경우(대판 1989.2.28, 88도1141) 15. 사시, 17. 경찰승진

11. 기부를 전제로 한 시설물의 축조 이외에는 **국유지상에 건물을 신축할 수 없음에도** 불구하고 **담당공무원**에게 문의한 결과 국유재산을 불하받지 못하게 되면 건물을 즉시 철거하겠다는 각서를 제출하면 된다는 **답변을 듣고** 건축허가를 받고 건물을 신축한 경우(대판 1993.10.12, 93도1888) 12. 9급 철도경찰, 15. 경찰간부

12. 관할 공무원과 변호사에게 확인하여 자기의 채권이 긴급명령에 의해 신고해야 할 **기업사채에 해당**되지 않는다고 믿고 신고를 하지 않은 경우(대판 1976.1.13, 74도3680) 15 · 19. 경찰간부

13. 서울시의 공문과 구청의 **질의회신을 믿고 미숫가루 제조행위**에는 별도의 허가가 필요하지 않다고 믿고 허가 없이 이를 제조한 경우, 쌀과자를 만들면서 구청에 질의한 결과 양곡관리법이나 식품위생법위반은 아니라고 회신을 받고 **쌀과자**를 만들어 판매한 경우(대판 1983.2.22, 81도2763 ; 대판 1995.7.11, 94도1814) 03. 입시

• 법률의 착오에 정당한 이유가 없는 경우

1. **유선비디오방송**은 허가대상이 되지 않는다는 **정통부장관의 회신을 믿고** 허가 없이 유선비디오방송설비를 설치한 경우(대판 1989.2.14, 87도1860) 13. 순경 2차, 15. 경찰간부 · 순경 3차

2. 민원사무 담당공무원에게 **탐정사업**이 인허가 또는 등록사항이 아니라는 말을 듣고 세무서에 탐정업 및 심부름대행업에 관한 사업자등록을 한 후 **신용조사업법이** 금지하는 소재탐지나 사생활조사 등을 한 경우(대판 1994.8.26, 94도780) 14. 순경 1차, 15. 사시 · 순경 2차, 17. 경찰간부

3. 23년 경력의 **형사가** 검사의 수사지휘대로만 하면 모두 적법할 것이라 믿고 **허위공문서를 작성한** 행위(대판 1995.11.10, 95도2088) 13. 법원직 · 7급 검찰, 20. 경찰승진, 21. 경력채용, 24. 해경승진

4. **부동산중개업협회의 자문**을 통하여 인원수의 제한 없이 중개보조원을 채용하는 것이 허용되는 것으로 믿고 제한인원을 초과하여 채용한 경우(대판 2000.8.18, 2000도2943 : 정당한 이유 × 범의 ○) 15. 사시, 17. 순경 1차 · 법원직, 18. 7급 · 9급 검찰 · 마약수사, 22. 법원행시

5. 변리사로부터 타인의 등록상표가 효력이 없다는 자문과 감정을 받고 **유사한 상표를 사용한 경우**(대판 1995.7.28, 95도702), 고소인의 상표권을 침해하지 않는다는 **변리사의 회답과 감정결과를 믿**었고 또 특허청이 피고인들의 **상표출원**을 받아들여 **등록**까지 해 준 경우(대판 1998.10.13, 97도3377) 13. 7급 검찰, 21. 경찰간부, 24. 해경승진

6. 중국 국적 선박을 구입한 피고인이 **외환은행 담당자의 안내에 따라** 매도인인 중국 해운회사에 선박을 임대하여 받기로 한 **용선료**를 재정경제부장관에게 **미리 신고하지 아니하고** 선박 매매대금과 **상계**함으로써 구 **외국환거래법을** 위반한 사안에서, 자신의 행위가 죄가 되지 아니하는 것으로 오인한 경우(대판 2011.7.14, 2011도2136) 15. 경찰간부 · 순경 3차, 17. 순경 1차

7. 숙박업자가 숙박업소에서 위성방송수신장치를 이용하여 수신한 **외국의 음란한 위성방송 프로그램**을 투숙객 등에게 **제공한** 경우, 그가 이전에 유사한 행위로 '혐의없음' 처분을 받은 전력이 있다거나 일정한 **시청차단장치를** 설치하였다는 등의 사정이 있었던 경우(대판 2010.7.15, 2008도11679) 14. 9급 철도경찰, 15. 사시, 23. 경찰승진

8. 사안을 달리하는 사건에 관한 **대법원 판례**에 비추어 자신의 행위가 적법하다고 오인한 때(대판 1995.7.28, 95도1081) 13. 법원직, 17. 경찰간부, 20. 9급 철도경찰

9. 장애인복지법상의 **보장구제조허가를** 가진 자가 정형외과용 **교정장치인 다리교정기**는 의료용구에 해당되지 않고 보장구라고 스스로 판단하여 다리교정기를 제조한 경우(대판 1995.12.26, 95도2188) 13. 순경 2차

10. 한국간행물윤리위원회나 정보통신윤리위원회가 만화에 대하여 심의하여 음란성 등을 이유로 **청소년유해매체물로 판정**하였을 뿐 더 나아가 시정요구를 하거나 관계기관에 형사처벌 또는 행정처분을 요청하지 않았기 때문에 피고인들의 행위가 죄가 되지 아니하는 것으로 오인한 경우(대판 2006.4.28, 2003도4128) 14. 순경 1차, 16. 7급 검찰 · 철도경찰

11. 식품위생법의 규정에 의하여 **즉석판매제조가공 영업을 허가**받은 자가 의약품의 일종인 '**녹동달오리골드**'를 제조한 경우(대판 2004.1.15, 2001도1429) 14. 순경 1차

12. **변호사** 등에게 문의하여 자문을 받고 **압류물을 집행관의 승인 없이** 관할구역 밖으로 옮긴 경우(대판 1992.5.26, 91도894) 17. 경찰간부, 24. 경찰승진

13. **가처분결정으로 직무집행정지 중인 자**가 변호사의 조언을 받아 중단의 보관금을 소송비용으로 지출 품의서에 결재 후 지급한 경우(대판 1990.10.16, 90도1604) 17. 7급 검찰, 22. 9급 검찰·마약수사, 23. 해경 3차

14. 무선설비기기 수입업자가 **무선설비의 납품처 직원으로부터** 형식등록이 필요없다는 취지의 **답변을 듣고**, 이미 무선설비의 형식승인을 받은 다른 수입업자가 있음을 이용하여 동일한 제품을 법에서 정한 **형식승인 없이 수입·판매한 경우**(대판 2009.6.11, 2008도10373) 17. 7급 검찰, 19. 경찰간부

15. **무혐의 처분**에 대하여 곧바로 고소인의 항고가 받아들여져 **재기수사명령에 따라 재수사**되어 기소에 이르게 된 이상, 무혐의 처분일 이후에 이루어진 행위에 대하여 죄가 되지 않는다고 오인한 경우(대판 1995.6.16, 94도1793) 19·22. 법원행시

16. 도시 및 주거환경정비법 제124조 제4항은 '조합원'이 정비사업 관련 자료의 열람·복사를 요청한 경우에 특별한 사정이 없는 한 조합임원은 열람·복사를 허용할 의무를 부담하고 이를 위반하여 열람·복사를 허용하지 않는 경우에는 형사처벌의 대상이며, 여기에는 신축건물 동호수배정결과도 포함된다. 하지만 정비사업조합의 '조합원'이자 '감사'인 사람이 신축건물의 동호수 자료를 열람요청 하였음에도 조합임원인 피고인은 **조합의 자문변호사가 신축건물의 동호수는 공개하지 않는 것이 좋겠다고 한 답변을 듣고** 자신의 행위가 죄가 되지 않는다고 오인한 경우(대판 2021.2.10, 2019도 18700 ∵ 자문변호사 개인의 독자적 견해에 불과함) 22. 경찰간부

17. 구 건설폐기물의 재활용촉진에 관한 법률 제16조 제1항의 위반행위를 하면서 이를 판단하는 데 직접 적인 자료가 되지 않는 환경부의 질의회신을 받은 경우(대판 2009.1.30, 2008도8607) 18. 7급 검찰, 22. 해경간부·해경 2차

18. 법률 위반 행위 **중간에 일시적으로 판례에 따라 그 행위가 처벌대상이 되지 않는 것으로 해석되었던** 적이 있었다고 하더라도 그것만으로 자신의 행위가 처벌되지 않는 것으로 믿은 데에 정당한 이유가 있다고 할 수 없다(대판 2021.11.25, 2021도10903). 22. 법원직, 23. 경찰승진, 24. 경찰간부·변호사시험·법원 행시, 25. 순경 1차

19. 甲이 **니코틴 용액 제조의 경우**에도 담배제조업 허가를 받아야 하는지를 담배 담당 주무부서에 문의 하여 **답변을 받아 허가사항임을 충분히** 인식하였고, 자신이 제조한 것과 같은 니코틴 용액을 세소한 A주식회사의 무허가 담배제조로 인한 담배사업법 위반죄에 관하여 **검사의 불기소결정이 담배사업 법 개정 이전에 있었던 경우**, 담배사업법 이 금지하는 무허가 담배제조행위의 위법성을 인식하지 못한 데 **정당한 사유가 있다고 보기 어렵다**(대판 2018.9.28, 2018도9828). 24. 순경 2차

20. 피고인이 선거관리위원회에 단순히 피고인이 억울하게 연고도 없는 지역으로 전출발령을 받은 것에 대하여 동료나 지인에게 구두답변을 대신하여 그 경위를 기재한 **유인물을 교부하는 경우**에 선거법 에 저촉되는지 여부를 질의한 것이고, **선거관리위원회가 회신한 내용도 그러한 행위는 선거법의 적용대상이 아니거나 선거법상 후보자 비방행위에 해당하지 않는다는 것**에 불과하다면, 피고인이 선거관리위원회에 질의 내지 자문을 한 후 위와 같은 유인물을 배부하였다고 하더라도, 그 사유만으 로 피고인의 범행이 형법 제16조에서 말하는 **'그 오인에 정당한 이유가 있는 때'에 해당한다고 할 수 없다**(대판 2002.1.25, 2000도1696). 24. 법원행시

Ⅱ. 행위자 스스로의 판단에 의하여 허용된다고 오인한 경우

● 법률의 착오에 정당한 이유가 있는 경우

1. 이복동생 이름으로 군복무 중 휴가시, 위 동생이 군복무 중임을 알았고, 다른 사람의 이름으로 군생활을 할 필요가 없다고 생각하여 귀대하지 않은 경우(대판 1974.7.23, 74도1399) 10. 경찰승진, 15. 경찰간부

2. 주민등록지를 이전한 자가 이미 같은 주소에 향토예비군대원 신고가 되어 있으므로 재차 동일 주소에 대원신고를 할 필요가 없다고 생각하여 이를 행하지 아니한 경우(대판 1974.11.12, 74도2676 : 법률의 착오 ⇨ 범의조각) 11. 순경

3. 민사소송법 기타 공법의 해석을 잘못하여 가압류의 효력이 없어진 것으로 착오하였거나 또는 봉인 등을 손상 또는 효력을 해할 권리가 있다고 오신한 경우(대판 1970.9.22, 70도1206 : 법률의 착오 ⇨ 범의조각) 25. 해경경사

    ⚖ 비교판례 : 법규해석을 잘못하여 공무원이 직무상 실시한 봉인 등의 표시가 법률상 효력이 없다고 믿고 손상, 은닉 기타의 방법으로 그 효용을 해한 경우 ⇨ 정당한 이유 ×(대판 2000.4.21, 99도5563 ∴ 공무상 표시무효죄) 15. 순경 1차, 19. 경찰간부, 20. 해경승진

● 법률의 착오에 정당한 이유가 없는 경우

1. 수사처리의 관례상 일부 상치된 내용을 일치시키기 위하여 적법하게 작성된 참고인 진술조서를 찢어버리고 진술인의 진술도 듣지 아니하고 그 내용을 일치시킨 새로운 진술조서를 작성한 경우(대판 1978.6.27, 76도2196) 14. 경찰승진, 24. 9급 검찰 · 마약수사 · 철도경찰, 25. 해경경사

2. 제약회사에서 쓰는 아편을 구해주어도 죄가 되지 않는다고 믿고 생아편을 수수한 경우(대판 1983.9.13, 83도1927) 13. 7급 검찰, 15. 경찰승진, 24. 해경승진

3. 부동산중개업자가 아파트분양권의 매매를 중개하면서 중개수수료 산정에 관한 지방자치단체의 조례를 잘못 해석하여 법에서 허용하는 금액을 초과한 중개수수료를 수수한 경우(대판 2005.5.27, 2004도62 : 정당한 이유 ×, 범의 ○) 17. 경찰간부 · 7급 검찰, 20. 9급 검찰 · 철도경찰, 22. 법원직

4. 정부공인의 체육종목인 '활법'의 사회체육지도자 자격증을 취득한 자가 무면허의료행위(척추교정시술행위)를 한 경우(대판 2002.5.10, 2000도2807) 11. 9급 검찰, 15. 경찰승진

5. 자격기본법에 의한 민간자격관리자로부터 대체의학자격증을 수여받은 자가 사업자등록을 한 후 침술원을 개설하여 자신의 행위가 무면허의료행위에 해당되지 아니한다고 믿고 체침을 시술한 경우(대판 2003.5.13, 2003도939) 16. 경찰간부, 18. 경찰승진, 22. 해경간부 · 해경 2차

6. 사람이 죽으면 당국에 신고한 후에 매장해야 함을 몰랐기 때문에 신고 없이 매장한 경우(대판 1979.8.28, 79도1671) 14. 법원행시

7. 임대업자가 임차인으로 하여금 계약상의 의무이행을 강요하기 위한 수단으로 계약서의 조항을 근거로 임차물에 대하여 일방적으로 단전 · 단수조치를 함에 있어 자신의 행위가 죄가 되지 않는다고 오인하더라도, 특별한 사정이 없는 한 그 오인에는 정당한 이유가 있다고 볼 수는 없다(대판 2006.4.27, 2005도8074). 14. 7급 검찰 · 철도경찰

8. 도의회의원 선거에 출마하려는 자가 비전문가인 스스로의 사고에 의하여 기부행위금지기간에 기부행위 등의 사전선거운동을 하는 것이 의례적인 행위로 합법이라고 판단하고 사전선거운동을 한 경우(대판 1996.5.10, 96도620) 09. 경찰승진

    ⚖ 유사판례 : 도의회의원으로 출마하려는 농협협동조합장이 의례적인 행위로 합법이라 판단하고 조합자금으로 노인대학을 운영하면서 관광을 제공하고 자신의 주관하에 그 행사를 시행한 것처럼 인사를 경우(대판 1996.5.10, 96도620)

9. 학생회의 동의가 있어 그 침입이 위법하지 않다고 믿고 학생회관에 들어간 경우(대판 1995.4.14, 95도12 ∵ 학생회관의 관리권은 그 대학 당국에 귀속됨 ∴ 주거침입죄 ○) 14. 법원행시

10. 긴급명령이 시행된지 오래되지 않아 비밀보장의무의 내용에 관해 확립된 규정이나 관계기관의 유권해석 및 금융관행이 확립되어 있지 아니하므로 금융거래의 내용을 공개한 경우(대판 1997.6.27, 95도1964) 12. 경찰승진, 19. 경찰간부

11. 운전교습용 비디오카메라 장치의 특허권자에게 대가를 지불하고 사용승낙을 받은 이상 불법운전교육을 해도 처벌받지 않는다고 생각한 경우(대판 2006.1.13, 2005도8873) 10. 9급 검찰, 14. 법원행시

12. 피고인이 과거 지방선거에서 이 사건 홍보물과 같은 내용의 선거홍보물을 사용하였지만 처벌받지 않아 이 사건 홍보물의 내용이 구 공직선거법에 위반됨을 알지 못한 경우(대판 2006.3.10, 2005도6316) 12. 9급 철도경찰, 16. 경찰간부

13. 증뢰를 하면서 관행으로 생각하고 죄가 되지 않는다고 믿는 경우(대판 1995.6.30, 94도1017)
    ⚖ 유사판례 : ① 지방자치단체장이 관행적으로 간담회를 열어 업무추진비 지출 형식으로 참석자들에게 음식물을 제공해 온 경우(대판 2007.11.16, 2007도7205), 14. 9급 철도경찰, 16. 9급 검찰·마약수사, 17. 순경 1차 ② 사격연맹 사무국장이 종전부터 이어져 내려온 관행에 따라 선수등록업무를 처리한 경우(대판 2003.7.25, 2002도6006), ③ 실질적으로는 한 사람에게 대출금이 귀속됨에도 다른 사람의 명의를 빌려 그들 사이에 형식적으로만 공동투자약정을 맺고 동일인 한도를 초과하는 대출을 받는, 이른바 '사업자 쪼개기' 방식의 대출이 관행적으로 이루어져 온 만큼 죄가 되지 않는다고 인식하고 상호저축은행에서 대출을 받은 경우(대판 2010.4.29, 2009도13868) 17. 경찰간부, 21. 경력채용 ④ 사법경찰관직무취급을 하는 자가 참고인의 진술 내용을 피의자의 그것과 일치시키기 위해, 이미 적법하게 작성된 참고인진술조서를 찢어 버리고 진술인의 진술도 듣지 않고 그 내용을 일치시킨 새로운 진술조서를 작성한 경우, 그것이 수사기록의 체계화를 위하여 관례상 늘 있는 일이어서 적법한 것이라고 믿었다고 할지라도 그렇게 오인함에 정당한 이유가 있다고 볼 수 없다(대판 1978.6.27, 76도2196). 24. 9급 검찰·마약수사·철도경찰

14. 사립학교인 甲외국인학교 경영자인 피고인이 甲학교의 교비회계에 속하는 수입을 수회에 걸쳐 乙외국인학교에 대여하였다고 하여 사립학교법 위반으로 기소된 경우, 피고인이 외국인으로서 국어에 능숙하지 못하였다거나 학교운영위원회에서 자금 대여 안건을 보고하였다는 것만으로는 제16조의 정당한 이유가 없다(대판 2017.3.15, 2014도12773). 21. 경찰간부, 22. 경찰승진

15. 정기간행물의 등록을 강제하는 법률규정이 있다는 것을 몰랐고 또 간행물이 발행될 당시뿐만 아니라 그 발행이 중단되고 오랜 기간이 지난 다음에도 이에 대하여 문제가 제기된 바 없었던 경우(대판 1994.12.9, 93도3223) 21. 경찰간부

16. 일반음식점 영업허가를 받은 자가 실제로는 주로 주류를 조리판매하는 영업을 하더라도 일반음식점 영업허가를 받은 이상 청소년보호법의 규정에 저촉되지 않는다고 믿고 19세 미만의 청소년을 고용한 경우(대판 2004.2.12, 2003도6282) 06. 사시

17. 체육지도자 자격증을 취득하고 당국의 인가를 받아 체육관을 운영하면서 일종의 의료시술행위를 하는 것이 죄가 되지 않는다고 믿은 경우(대판 1995.4.7, 94도1325)

18. 주택관리사보자격만이 있는 자에게 아파트의 관리업무를 수행하도록 하여도 법 위반이 되는지를 공무원에게 질의를 한 후(공무원은 법에 위반되지 않는다는 확실한 답변 ×) 아파트의 관리업무를 수행한 경우(대판 2003.4.11, 2003도451)

19. 병원에 설치된 장례의식에 필요한 각종 부대시설을 임차한 후 장례식장도 병원의 부속용도에 해당하므로 용도변경의 제한을 받지 않는다고 믿고, 의료시설(병원) 및 근린생활시설(음식점)로 사용승인을 받아 '장례예식장, 일반한식'으로 영업신고 및 사업자등록을 마친 경우(대판 2005.9.29, 2005도4592)

20. 파업이 예고된 상태에서 사용자 측 교섭위원이 직원들을 상대로 설명회를 개최하려고 지역 사업소에 도착하자 노동조합의 간부인 甲이 '사용자 측에서 조합원들이 파업을 못하게 할 의도로 특별교육을 시킨다'고 스스로 판단한 뒤, 교육장 안으로 들어가지 못하게 몸으로 가로막아 설명회 개최를 저지한 행위가 죄가 되지 아니한다고 오인한 경우(대판 2013.1.10, 2011도15497) 21. 경력채용

21. 초등학교 교사인 피고인이 13세 미만인 아동·청소년들로 하여금 성적인 호기심을 갖도록 하고 이를 이용하여 성적 행위를 한 것이 죄가 되지 않는다고 오인한 데에 정당한 이유가 있다고 볼 수 없다(대판 2015.2.12, 2014도11501 ∴ 미성년자의제강간죄 ○).

22. 마취전문 간호사가 의사의 구체적인 지시없이 독자적으로 마취약제와 양을 결정하고 마취액을 직접 주사하여 척수마취를 시행하는 행위를 유권해석에 따라 의료법규에 의해 허용된다고 오인한 경우(대판 2010.3.25, 2008도590 ∴ 무면허의료행위 ○) 22. 경찰간부

---

01 위법성 인식과 법률의 착오에 대한 설명으로 옳은 것은?(다툼이 있는 경우 판례에 의함)

21. 9급 검찰 · 마약수사 · 철도경찰

① 위법성 인식의 체계적 지위에 관한 학설 중 고의설에 따르면 법률의 착오와 사실의 착오 모두 고의가 조각된다.

② 위법성 인식에 필요한 노력의 정도는 행위자 개인의 인식능력의 문제이므로 행위자가 속한 사회집단에 따라 달리 평가되어서는 안 된다.

③ 형법 제16조의 법률의 착오는 처벌규정의 존재를 인식하지 못한 법률의 부지뿐만 아니라 일반적으로 범죄가 되는 행위이지만 자기의 특수한 경우에는 법령에 의하여 허용되는 행위로 오인한 경우를 말한다.

④ 형법 제16조에 따르면 법률의 착오에 있어서 오인에 정당한 이유가 있으면 벌하지 않으며 정당한 이유가 없는 경우에는 형을 감경할 수 있다.

해설 ① ○ : 고의설은 고의가 성립하기 위해서는 범죄사실의 인식과 위법성의 인식이 필요하다는 견해로 사실의 착오(범죄사실에 관한 착오)와 법률의 착오(위법성에 관한 착오) 모두 고의가 조각된다.
② × : 위법성의 인식에 필요한 노력의 정도는(일반인의 입장에서 판단 ×) 구체적인 행위정황과 행위자 개인의 인식능력 그리고 행위자가 속한 사회집단에 따라 달리 평가되어야 한다(대판 2006.3.24, 2005도3717).
③ × : ~ 못한 법률의 부지가 아니라, 일반적으로 ~ 말한다(대판 2009.5.28, 2008도11857).
④ × : ~ 없는 경우에는 처벌된다(대판 2006.3.24, 2005도3717).

02 위법성의 인식에 대한 설명으로 옳지 않은 것은?(다툼이 있는 경우 판례에 의함)

24. 9급 검찰·마약수사·철도경찰

① 고의설은 위법성 인식을 고의의 한 요소로 보지만, 책임설은 위법성 인식을 고의의 요소 아닌 별개의 책임 요소로 본다.

② 제한고의설은 위법성 인식의 가능성만으로 고의 성립을 인정하기도 하지만, 엄격고의설은 고의 성립에 현실적인 위법성 인식이 필요하다고 본다.

③ 엄격책임설은 위법성조각사유 전제사실 착오도 위법성 착오의 일종으로 취급하면 족하다고 보지만, 제한책임설은 위법성조각사유 전제사실 착오는 일반적인 위법성 착오와는 달리 취급하여야 한다고 본다.

④ 소극적 구성요건표지이론과 제한책임설은 모두 위법성조각사유 전제사실 착오가 있으면 구성요건적 고의가 조각된다고 본다.

해설 ①②③ 옳다.

④ ✕ : 소극적 구성요건표지이론은 위법성조각사유 전제사실 착오가 있으면 구성요건적 고의가 조각된다고 보나, (법효과) 제한적 책임설(다수설)은 구성요건적 고의는 인정되고 책임고의가 조각된다고 본다.

03 법률의 착오에 관한 설명 중 옳지 않은 것은 모두 몇 개인가?(다툼이 있는 경우 판례에 의함)

20. 법원행시

> ㉠ 형법 제16조에서 "자기가 행한 행위가 법령에 의하여 죄가 되지 아니한 것으로 오인한 행위는 그 오인에 정당한 이유가 있는 때에 한하여 벌하지 아니한다."라고 규정하고 있는 것은 단순한 법률의 부지를 말하는 것이 아니고, 일반적으로 범죄가 되는 경우이지만 자기의 특수한 경우에는 법령에 의하여 허용된 행위로서 죄가 되지 아니한다고 그릇 인식하고 그와 같이 그릇 인식함에 정당한 이유가 있는 경우에는 벌하지 않는다는 취지이다.
>
> ㉡ 형법 제16조의 정당한 이유가 있는지 여부는 행위자에게 자기 행위의 위법의 가능성에 대해 심사숙고하거나 조회할 수 있는 계기가 있어 일반인의 지적능력을 다하여 이를 회피하기 위한 진지한 노력을 다하였더라면 스스로의 행위에 대하여 위법성을 인식할 수 있는 가능성이 있었음에도 이를 다하지 못한 결과 자기 행위의 위법성을 인식하지 못한 것인지 여부에 따라 판단하여야 한다.
>
> ㉢ 형법 제16조의 정당한 이유와 관련한 위법성의 인식에 필요한 노력의 정도는 구체적인 행위정황과 행위자 개인의 인식능력 그리고 행위자가 속한 사회집단에 따라 달리 평가되어야 한다.
>
> ㉣ 행정청의 허가가 있어야 함에도 불구하고 허가를 받지 아니하여 처벌대상의 행위를 한 경우라도, 허가를 담당하는 공무원이 허가를 요하지 않는 것으로 잘못 알려주어 이를 믿었기 때문에 허가를 받지 아니한 것이라면 허가를 받지 않더라도 죄가 되지 않는 것으로 착오를 일으킨 데 대하여 정당한 이유가 있는 경우에 해당하여 처벌할 수 없다고 할 것이다.

① 1개   ② 2개   ③ 3개

④ 4개   ⑤ 없 음

해설 ㉠ ○ : 대판 2003.4.11, 2003도451
㉡ × : ~ (2줄) 계기가 있어 자신(일반인 ×)의 지적능력을 다하여 이를 회피하기 위한 진지한 노력을 다하였더라면 스스로의 행위에 대하여 위법성을 인식할 수 있는 가능성이 있었음에도 이를 다하지 못한 결과 자기 행위의 위법성을 인식하지 못한 것인지 여부에 따라 판단하여야 한다(대판 2006.3.24, 2005도3717).
㉢ ○ : 대판 2006.3.24, 2005도3717
㉣ ○ : 대판 2005.8.19, 2005도1697

04 금지착오에 대한 설명 중 가장 적절하지 않은 것은?(다툼이 있는 경우 판례에 의함) 20. 경찰승진

① 행위자가 처벌되지 않는 행위를 처벌되는 행위로 오인하고 행위를 한 경우 금지착오에 해당하며 오인에 정당한 이유가 있으면 책임이 조각된다.

② 사인이 현행범인을 체포하면서 그 범인을 자기 집안에 24시간까지 감금할 수 있다고 오인하고 감금한 경우 금지착오에 해당한다.

③ 단순한 법률의 부지의 경우는 형법 제16조의 적용대상이 되지 않는다는 것이 판례의 입장이다.

④ 약 23년간 경찰공무원으로 근무해 온 형사계 강력 1반장이 검사의 수사지휘대로만 하면 모두 적법한 것이라고 믿고 허위공문서를 작성한 경우 오인에 정당한 이유가 없다.

해설 ① × : ~ 행위를 한 경우 반전된 금지착오(환각범)에 해당하여 불가벌이다.
② ○ : 위법성조각사유의 한계에 관한 착오로 금지착오에 해당한다.
③ ○ : 대판 2009.5.28, 2008도11857
④ ○ : 대판 1995.11.10, 95도2088

05 법률의 착오에 대한 설명 중 옳고 그름의 표시(○, ×)가 바르게 된 것은?(다툼이 있는 경우 판례에 의함)
21. 경찰간부

㉠ 위법성의 인식에 필요한 노력의 정도는 일반인의 입장에서 판단되어야 하며, 구체적인 행위정황과 행위자 개인의 의사능력 그리고 행위자가 속한 사회집단 등에 따라 다르게 평가될 수 없다.

㉡ 정기간행물의 등록을 강제하는 법률규정이 있다는 것을 몰랐고 또 간행물이 발행될 당시뿐만 아니라 그 발행이 중단되고 오랜 기간이 지난 다음에도 이에 대하여 문제가 제기된 바 없었다면, 자신의 간행물 발행행위가 죄가 되지 아니한다고 믿는 데 정당한 이유가 있다고 할 수 있다.

㉢ 甲이 변리사로부터 받은 A의 상표권을 침해하지 않는다는 취지의 회답과 감정결과 통보, 특허청의 상표출원등록 등을 근거로 자신의 행위가 상표권을 침해하는 것이 아니라고 믿은 데에는 정당한 이유가 인정되지 않는다.

㉣ 외국인학교 경영자인 甲이 학교의 교비회계에 속하는 자금을 다른 외국인학교에 대여함으로써 사립학교법을 위반한 경우, 甲이 외국인으로서 국어에 능숙하지 못하였고 학교운영위원회에서 자금대여 안건을 보고한 사실이 있었다면, 비록 그와 같은 대여행위가 적법한지에 관하여 관할 도교육청의 담당공무원에게 정확한 정보를 제공하고 회신을 받거나 법률전문가에게 자문을 구하는 등의 조치를 취하지 않았더라도 형법 제16조에 따라 처벌되지 않는다.

Answer 4.① 5.③

① ㉠(×), ㉡(○), ㉢(×), ㉣(×)   ② ㉠(○), ㉡(○), ㉢(×), ㉣(×)
③ ㉠(×), ㉡(×), ㉢(○), ㉣(×)   ④ ㉠(×), ㉡(×), ㉢(×), ㉣(○)

해설 ㉠ × : 위법성의 인식에 필요한 노력의 정도는 구체적인 행위정황과 행위자 개인의 인식능력 그리고 행위자가 속한 사회집단에 따라 달리 평가되어야 한다(대판 2006.3.24, 2005도3717).
㉡ × : ~ 정당한 이유가 있다고 할 수 없다(대판 1994.12.9, 93도3223).
㉢ ○ : 대판 1998.10.13, 97도3377
㉣ × : ~ 취하지 않았다면 형법 제16조에 따라 처벌된다(대판 2017.3.15, 2014도12773 ∵ 제16조의 정당한 이유 ×)

06 법률의 착오에 대한 설명으로 옳은 것만을 모두 고르면?(다툼이 있는 경우 판례에 의함)

21. 7급 검찰

㉠ 처벌규정이 있음에도 그 규정의 존재 자체를 알지 못하는 경우도 형법 제16조가 적용된다.
㉡ 광역시의회 의원이 선거구민들에게 의정보고서를 배부하기에 앞서 미리 관할 선거관리위원회 소속 공무원들에게 자문을 구하고 그들의 지적에 따라 수정한 의정보고서를 배부한 경우, 자기의 행위가 죄가 되지 않는 것으로 오인한 것에는 정당한 이유가 있다.
㉢ 일본 영주권을 가진 재일교포가 영리를 목적으로 관세물품을 구입한 것이 아니므로 입국시 관세신고를 하지 않아도 되는 것으로 착오하였다면 외국인으로서 그 오인에 정당한 이유가 있다고 볼 수 있다.
㉣ 죄가 되지 않는다고 오인한 행위의 정당성 여부는 행위자가 진지한 노력을 다하였더라면 스스로의 행위에 대하여 위법성을 인식할 수 있는 가능성이 있었음에도 이를 다하지 못한 결과 자기 행위의 위법성을 인식하지 못한 것인지 여부에 따라 판단하여야 한다.

① ㉠, ㉢   ② ㉡, ㉢   ③ ㉡, ㉣   ④ ㉢, ㉣

해설 ㉠ × : 단순한 법률의 부지는 형법 제16조(법률의 착오)가 적용되지 않는다(대판 2009.5.28, 2008도11857).
㉡ ○ : 대판 2005.6.10, 2005도835
㉢ × : 단순한 법률의 부지 ⇨ 법률의 착오에 해당 ×(대판 2007.5.11, 2006도1993)
㉣ ○ : 대판 2006.3.24, 2005도3717

07 다음 중 형법 제16조 '정당한 이유'가 인정되는 사례를 모두 고른 것은?(다툼이 있는 경우 판례에 의함)

21. 경력채용

㉠ 변호사 자격을 가진 국회의원 甲이 보좌관을 통하여 관할 선거관리위원회 직원에게 구두 문의한 후, 낙천대상자로 선정된 것에 대한 반론 보도를 넘어 특정 정당이나 후보자를 지지하거나 반대하는 내용을 포함하는 의정보고서를 제작·배부하면서 죄가 되지 아니 한다고 오인한 경우
㉡ 약 23년간 경찰공무원으로 근무하여 왔고, 이 사건 범행당시에는 경찰서 형사과 형사계에 근무하고 있었던 甲이 검사의 수사지휘만 받으면 허위로 공문서를 작성하여도 죄가 되지 아니하는 것으로 오인한 경우

Answer 6.③ 7.①

> ⓒ 甲이 동일인 대출한도 제한규정을 회피하기 위하여, 실질적으로 한 사람에게 대출금이 귀속됨
> 에도 다른 사람의 명의를 빌려 그들 사이에 형식적으로만 공동투자약정을 맺고 동일인 한도
> 를 초과하는 이른바 '사업자쪼개기' 방식으로 대출을 받으면서, 본 행위가 상호저축은행들에
> 서 관행적으로 이루어져 왔으며 또한 금융감독원도 2008년 이전에는 이를 적발하지 못하였다
> 는 사실을 믿고 본인의 대출행위가 죄가 되지 않는다고 오인한 경우
> ⓔ 파업이 예고된 상태에서 사용자 측 교섭위원이 직원들을 상대로 설명회를 개최하려고 지역
> 사업소에 도착하자 노동조합의 간부인 甲이 '사용자 측에서 조합원들이 파업을 못하게 할 의
> 도로 특별교육을 시킨다'고 스스로 판단한 뒤, 교육장 안으로 들어가지 못하게 몸으로 가로막
> 아 설명회 개최를 저지한 행위가 죄가 되지 아니한다고 오인한 경우

① 없 음　　　　② 1개　　　　③ 2개　　　　④ 3개

해설 • 정당한 이유 × : ㉠ 대판 2006.3.24, 2005도3717 ㉡ 대판 1995.11.10, 95도2088 ㉢ 대판 2010.
4.29, 2009도13868 ㉣ 대판 2013.1.10, 2011도15497

08 법률의 착오에 대한 설명으로 옳지 않은 것은?(다툼이 있는 경우 판례에 의함)

22. 9급 검찰 · 마약수사 · 철도경찰

① 제한책임설은 위법성조각사유의 전제사실에 관한 착오를 법률의 착오로 보는 것이다.

② 변호사자격을 가진 국회의원이 의정보고서를 발간하는 과정에서 선거관리위원회에 정식
으로 질의를 하여 공식적인 답변을 받지 않고 보좌관을 통하여 선거관리위원회 직원에게
문의하여 답변을 들은 것만으로 선거법규에 저촉되지 않는다고 오인한 경우, 그 오인에
정당한 이유가 있다고 하기 어렵다.

③ 가처분결정으로 직무집행정지 중에 있던 종단대표자가 종단소유의 보관금을 소송비용으
로 사용함에 있어 변호사의 조언이 있었다는 것만으로 보관금인출사용행위가 법률의 착
오에 의한 것이라 할 수 없다.

④ 자신의 행위가 건축법상의 허가대상인 줄을 몰랐다는 사정은 단순한 법률의 부지에 불과
하고 법률의 착오에 기인한 행위라고는 할 수 없다.

해설 ① × : ~ 착오를 법률의 착오로 보지 않고, 사실의 착오를 유추적용하거나(유추적용 제한적 책임설)
불법고의는 인정되나 책임고의가 조각된다(법효과제한적 책임설)고 보아 과실범 성립 여부가 문제된다. 법
률의 착오로 보는 것은 엄격책임설이다.
② 대판 2006.3.24, 2005도3717
③ 대판 1990.10.16, 90도1604
④ 대판 1991.10.11, 91도1566

09 형법 제16조는 "자기의 행위가 법령에 의하여 죄가 되지 아니하는 것으로 오인한 행위는 그 오인에 정당한 이유가 있는 때에 한하여 벌하지 아니한다."고 규정하고 있다. 다음 중 판례가 오인의 정당한 이유를 인정한 것은?

22. 경찰간부

① 마취전문 간호사가 의사의 구체적인 지시없이 독자적으로 마취약제와 양을 결정하고 마취액을 직접 주사하여 척수마취를 시행하는 행위를 유권해석에 따라 의료법규에 의해 허용된다고 오인한 경우

② 변호사 자격을 가진 국회의원이 선거운동의 실질을 갖추고 있는 의정보고서를 발간하면서 그 보좌관을 통하여 관할 선거관리위원회 직원에게 문의하여 이 사건 의정보고서 내용을 게재하는 것이 허용된다는 답변을 듣고 선거법규에 저촉되지 않는다고 오인한 경우

③ 피고인이 과거 당국의 면허없이 가감삼십전대보초와 한약 가지수에만 차이가 있는 십전대보초를 제조하고 그 효능에 대하여 광고, 판매한 사실에 대하여 이전에 검찰로부터 '혐의 없음' 처분을 받고, 재차 당국의 면허없이 의약품인 가감삼십전대보초를 제조, 판매한 사안에서 범행 당시에 검찰의 처분을 신뢰하여 자신의 행위가 죄가 되지 않는다고 오인한 경우

④ 도시 및 주거환경정비법 제124조 제4항은 '조합원'이 정비사업 관련 자료의 열람·복사를 요청한 경우에 특별한 사정이 없는 한 조합임원은 열람·복사를 허용할 의무를 부담하고 이를 위반하여 열람·복사를 허용하지 않는 경우에는 형사처벌의 대상이며, 여기에는 신축건물 동호수배정결과도 포함된다. 하지만 정비사업조합의 '조합원'이자 '감사'인 사람이 신축건물의 동호수 자료를 열람요청하였음에도 조합임원인 피고인은 조합의 자문변호사가 신축건물의 동호수는 공개하지 않는 것이 좋겠다고 한 답변을 듣고 자신의 행위가 죄가 되지 않는다고 오인한 경우

> **해설** • **정당한 이유** ○ : ③ 대판 1995.8.25, 95도717
> • **정당한 이유** × : ① 대판 2010.3.25, 2008도590(∵ 무면허의료행위 ○) ② 대판 2006.3.24, 2005도3717 ④ 대판 2021.2.10, 2019도18700(∵ 자문변호사 개인의 독자적 견해에 불과함)

10 형법 제16조 법률의 착오에 관한 다음 설명 중 가장 옳지 않은 것은?(다툼이 있는 경우 판례에 의함)

22. 법원직

① 형법 제16조에서 자기가 행한 행위가 법령에 의하여 죄가 되지 아니한 것으로 오인한 행위는 그 오인에 정당한 이유가 있는 때에 한하여 벌하지 아니한다고 규정하고 있는 것은 단순히 법률의 부지를 말하는 것이 아니다.

② 형법 제16조는 일반적으로 범죄가 되는 경우이지만 자기의 특수한 경우에는 법령에 의하여 허용된 행위로서 죄가 되지 아니한다고 그릇 인식하고 그와 같이 그릇 인식함에 정당한 이유가 있는 경우에는 벌하지 않는다는 취지이다.

Answer   9. ③   10. ③

③ 법률위반 행위 중간에 판례에 따라 그 행위가 처벌대상이 되지 않는 것으로 해석되었던 적이 있었던 경우에는 자신의 행위가 처벌되지 않는 것으로 믿은 데에 정당한 이유가 있다고 할 수 있다.

④ 부동산중개업자가 부동산중개업협회의 자문을 통하여 인원수의 제한 없이 중개보조원을 채용하는 것이 허용되는 것으로 믿고서 제한인원을 초과하여 중개보조원을 채용함으로써 부동산중개업법 위반행위에 이르게 되었다고 하더라도 그러한 사정만으로 자신의 행위가 법령에 저촉되지 않는 것으로 오인함에 정당한 이유가 있는 경우에 해당한다거나 범의가 없었다고 볼 수는 없다.

해설 ①② 대판 2009.5.28, 2008도11857

③ × : 법률 위반 행위 중간에 일시적으로 판례에 따라 그 행위가 처벌대상이 되지 않는 것으로 해석되었던 적이 있었다고 하더라도 그것만으로 자신의 행위가 처벌되지 않는 것으로 믿은 데에 정당한 이유가 있다고 할 수 없다(대판 2021.11.25, 2021도10903).

④ 대판 2000.8.18, 2000도2943

11 **금지착오에 대한 설명 중 가장 적절한 것은?**(다툼이 있는 경우 판례에 의함)　　23. 경찰승진

① 위법성의 인식에 필요한 노력의 정도는 행위자 개인의 인식능력과 행위자가 속한 사회집단에 따라 달리 평가되어서는 안 되며, 사회 평균적 일반인의 입장에서 객관적으로 판단되어야 한다.

② 숙박업자가 자신이 운영하는 숙박업소에서 위성방송 수신장치를 이용하여 수신한 외국의 음란한 위성방송 프로그램을 투숙객 등에게 제공한 경우 그 이전에 그와 유사한 행위로 '혐의 없음' 처분을 받은 전력이 있거나 일정한 시청차단장치를 설치하였다면 형법 제16조의 정당한 이유가 인정된다.

③ 법률위반행위 중간에 일시적으로 판례에 따라 그 행위가 처벌대상이 되지 않는 것으로 해석되었던 적이 있었다고 하더라도 그것만으로 자신의 행위가 처벌되지 않는 것으로 믿은 데에 정당한 이유가 있다고 할 수 없다.

④ 처벌규정이 존재함에도 불구하고 행위자가 처벌규정의 존재를 인식하지 못한 법률의 부지의 경우 그 오인에 정당한 이유가 있으면 벌하지 아니한다.

해설 ① × : 위법성의 인식에 필요한 노력의 정도는 구체적인 행위정황과 행위자 개인의 인식능력 그리고 행위자가 속한 사회집단에 따라 달리 평가되어야 한다(대판 2006.3.24, 2005도3717).

② × : ~ (3줄) 설치하였다 하더라도 형법 제16조의 정당한 이유가 없다(대판 2010.7.15, 2008도11679).

③ ○ : 대판 2021.11.25, 2021도10903

④ × : ~ 정당한 이유가 있어도 벌한다(대판 1995.8.25, 95도1351).

12 법률의 착오에 관한 설명으로 옳은 것은 모두 몇 개인가?(다툼이 있는 경우 판례에 의함)

> ㉠ 형법 제16조의 규정은 단순한 법률의 부지를 말하는 것이 아니고, 일반적으로 범죄가 되는 경우이지만 자기의 특수한 경우에는 법령에 의하여 허용된 행위로서 죄가 되지 아니한다고 그릇 인식하고 그와 같이 그릇 인식함에 정당한 이유가 있는 경우에는 벌하지 않는다는 것이다.
> ㉡ 전송의 방법으로 공중송신권을 침해하는 게시물이나 그 게시물이 위치한 웹페이지 등에 연결되는 링크를 한 행위자가, 그 링크 사이트 운영 도중에 일시적으로 판례에 따라 그 행위가 처벌 대상이 되지 않는 것으로 해석되었던 적이 있었다 하더라도 그것만으로 자신의 행위가 처벌되지 않는 것으로 믿은 데에 정당한 이유가 없다.
> ㉢ 형법 제16조의 정당한 이유는 행위자에게 자기 행위의 위법 가능성에 대해 심사숙고하거나 조회할 수 있는 계기가 있어 자신의 지적 능력을 다하여 이를 회피하기 위한 진지한 노력을 다하였더라면 스스로의 행위에 대하여 위법성을 인식할 수 있는 가능성이 있었는데도 이를 다하지 못한 결과 자기 행위의 위법성을 인식하지 못한 것인지 여부에 따라 판단해야 한다.
> ㉣ 숙박업소에서 위성방송수신장치를 이용하여 수신한 외국의 음란한 위성방송프로그램을 투숙객 등에게 제공한 행위로 구 풍속영업의 규제에 관한 법률 제3조 제2호 위반행위를 한 피고인이 그 이전에 그와 유사한 행위로 '혐의 없음' 처분을 받은 전력이 있다거나 일정한 시청차단장치를 설치하였다면 형법 제16조의 정당한 이유가 있는 경우에 해당한다.

① 1개 　　　　② 2개 　　　　③ 3개 　　　　④ 4개

해설 ㉠ ○ : 대판 2009.5.28, 2008도11857
㉡ ○ : 대판 2021.11.25, 2021도10903
㉢ ○ : 대판 2006.3.24, 2005도3717
㉣ × : ~ (4줄) 장치를 설치하였다 하더라도 형법 제16조의 정당한 이유가 있는 경우에 해당하지 않는다 (대판 2010.7.15, 2008도11679).

13 금지착오에 관한 설명으로 가장 적절하지 않은 것은?(다툼이 있는 경우 판례에 의함)

① 자신의 행위가 사회정의와 조리에 어긋난다는 것을 인식하여도 금지규범에 위반한다는 것을 인식하지 못하였다면 위법성의 인식이 있는 것으로 볼 수 없다.
② 일본 영주권을 가진 재일교포가 국내 입국시 관세신고를 하지 않아도 되는 것으로 착오한 것은 그 오인에 정당한 이유가 있는 경우에 해당하지 않는다.
③ 행정청의 허가가 있어야 함에도 불구하고 허가를 담당하는 공무원이 허가를 요하지 않는 것으로 잘못 알려 주어 이를 믿고 허가를 받지 아니하고 처벌대상의 행위를 한 경우라면, 허가를 받지 않더라도 죄가 되지 않는 것으로 착오를 일으킨 데 대하여 정당한 이유가 있는 경우에 해당한다.

④ 변호사에게 상세한 내용의 문의를 하지는 않았지만 자문을 받은 후 압류물을 집달관의 승인 없이 관할구역 밖으로 옮긴 경우 그 오인에 대해 정당한 이유가 있는 경우에 해당하지 않는다.

> **[해설]** ① × : ~ 것을 인식하였다면 금지규범에 위반한다는 것을 인식하지 못하였더라도(단순한 법률의 부지) 위법성의 인식이 있는 것으로 볼 수 있다(대판 1987.3.24, 86도2673).
> ② 대판 2007.5.11, 2006도1993
> ③ 대판 1995.7.11, 94도1814
> ④ 대판 1992.5.26, 91도894

14 법률의 착오에 대한 설명으로 옳은 것은?(다툼이 있는 경우 판례에 의함)

24. 9급 검찰 · 마약수사 · 철도경찰

① 자신의 범행이 구 부동산소유권 이전등기 등에 관한 특별조치법에 위반되는지를 몰랐다면, 이는 법률의 부지로 형법 제16조의 법률의 착오에 해당한다.

② 사법경찰관직무취급을 하는 자가 참고인의 진술 내용을 피의자의 그것과 일치시키기 위해, 이미 적법하게 작성된 참고인진술조서를 찢어 버리고 진술인의 진술도 듣지 않고 그 내용을 일치시킨 새로운 진술조서를 만들었더라도, 그것이 수사기록의 체계화를 위하여 관례상 늘 있는 일이어서 적법한 것이라고 믿었다면 그렇게 오인함에 정당한 이유가 있는 때에 해당한다.

③ 부동산중개업자가 아파트 분양권의 매매를 중개하면서 법이 허용하는 금액을 초과한 중개수수료를 수수한 것이 중개수수료 산정에 관한 지방자치단체의 조례를 잘못 해석한 데에 기인한 것이라면, 자신의 행위가 법령에 저촉되지 않는다고 오인함에 정당한 이유가 있는 때에 해당한다.

④ 광역시의회 의원이 선거구민들에게 의정보고서를 배부하기에 앞서 미리 관할 선거관리위원회 소속 공무원들에게 자문을 구하고 그들의 지적에 따라 수정한 의정보고서를 배부한 경우 구 공직선거 및 선거부정방지법에 위반되지 않는다고 오인함에 정당한 이유가 있는 때에 해당한다.

> **[해설]** ① × : ~ 몰랐다고 하더라도 이는 단순한 법률의 부지에 불과하며 형법 제16조의 법률의 착오에 해당하지 않는다(대판 1990.10.30, 90도1126).
> ② × : ~ (3줄) 새로운 진술조서를 작성한 경우, 그것이 수사기록의 체계화를 위하여 관례상 늘 있는 일이어서 적법한 것이라고 믿었다고 할지라도 그렇게 오인함에 정당한 이유가 있다고 볼 수 없다(대판 1978.6.27, 76도2196).
> ③ × : ~ (3줄) 오인함에 정당한 이유가 있는 경우에 해당한다고 볼 수 없다(대판 2000.8.18, 2000도2943).
> ④ ○ : 대판 2005.6.10, 2005도835

Answer　14.④

15 형법 제16조(법률의 착오)에 관한 설명으로 가장 적절한 것은?(다툼이 있는 경우 판례에 의함)
24. 순경 2차

① 자기의 행위가 법령에 의하여 죄가 되지 아니하는 것으로 오인한 행위는 그 오인에 정당한 이유가 있는 때에 한하여 형을 감경 또는 면제할 수 있다.

② 사인 甲이 현행범을 체포하면서 자신의 집 창고에 24시간 이상 감금하여도 형사소송법상 허용된다고 위법성조각사유의 허용한계를 오인하는 행위는 금지착오의 유형에 해당하지 않는다.

③ 오인에 정당한 이유가 있는지 여부를 판단하는 과정에서 위법성 인식에 필요한 노력의 정도는 행위 당시의 구체적 상황에 행위자 대신에 법률가나 관련 분야의 전문가가 아닌 사회평균인을 두고 이 평균인의 관점에서 판단해야 하며, 행위자가 속한 사회집단에 따라 달리 평가되면 안 된다.

④ 甲이 니코틴 용액 제조의 경우에도 담배제조업 허가를 받아야 하는지를 담배 담당 주무부서에 문의하여 답변을 받아 허가사항임을 충분히 인식하였고, 자신이 제조한 것과 같은 니코틴 용액을 제조한 A주식회사의 무허가 담배제조로 인한 담배사업법 위반죄에 관하여 검사의 불기소결정이 담배사업법 개정 이전에 있었던 경우, 담배사업법이 금지하는 무허가 담배제조행위의 위법성을 인식하지 못한 데 정당한 사유가 있다고 보기 어렵다.

[해설] ① × : ~ 한하여 벌하지 아니한다(제16조).
② × : ~ 유형에 해당한다(허용한계의 착오).
③ × : 위법성의 인식에 필요한 노력의 정도는(사회평균인의 입장에서 판단 ×) 구체적인 행위정황과 행위자 개인의 인식능력 그리고 행위자가 속한 사회집단에 따라 달리 평가되어야 한다(대판 2006.3.24, 2005도3717).
④ ○ : 대판 2018.9.28, 2018도9828

16 법률의 착오에 대한 설명으로 옳지 않은 것은?(다툼이 있는 경우 판례에 의함)
25. 9급 검찰 · 마약수사 · 철도경찰

① 행정청의 허가가 있어야 함에도 불구하고 허가를 받지 아니하여 처벌대상의 행위를 한 경우라도, 허가를 담당하는 공무원이 허가를 요하지 않는 것으로 잘못 알려 주어 이를 믿었기 때문에 허가를 받지 아니한 것이라면 허가를 받지 않더라도 죄가 되지 않는 것으로 착오를 일으킨 데 대하여 정당한 이유가 있는 경우에 해당하여 처벌할 수 없다.

② 위법성의 인식에 필요한 노력의 정도는 구체적인 행위정황과 행위자 개인의 인식능력 그리고 행위자가 속한 사회집단에 따라 달리 평가되어서는 안 된다.

③ 법률 위반 행위 중간에 일시적으로 판례에 따라 그 행위가 처벌대상이 되지 않는 것으로 해석되었던 적이 있었다고 하더라도 그것만으로 자신의 행위가 처벌되지 않는 것으로 믿은 데에 정당한 이유가 있다고 할 수 없다.

Answer   15. ④   16. ②

④ 범죄의 성립에 있어서 위법성의 인식은 그 범죄사실이 사회정의와 조리에 어긋난다는 것을 인식하는 것으로서 족하고 구체적인 해당 법조문까지 인식할 것을 요하는 것은 아니므로 형법상의 허위공문서작성죄에 해당되는 줄 몰랐다고 하더라도 그와 같은 사유만으로는 위법성의 인식이 없었다고 할 수 없다.

[해설] ① 대판 1995.7.11, 94도1814
② × : ~ 달리 평가되어야 한다(대판 2009.10.22, 2009도7436).
③ 대판 2021.11.25, 2021도10903 ④ 대판 1987.3.24, 86도2673

17 형법상 착오의 처리에 대한 다음 설명 중 적절하지 않은 것만을 고른 것은 모두 몇 개인가?(다툼이 있는 경우 판례에 의함) 20. 순경 2차

> ㉠ 행위자가 제1행위에 의하여 이미 의도한 결과가 발생했다고 믿었으나 실제로는 연속된 제2행위에 의하여 그 결과가 발생된 사안은, 제1행위에 대한 미수범과 제2행위에 대한 과실범의 실체적 경합범으로 처리된다.
> ㉡ 정당방위 상황이 존재하지 않는데도 불구하고 그러한 상황이 존재한다고 오인한 상태에서 행한 방위행위에 대해서, 위법성 인식을 독자적인 책임요소로 파악하는 엄격책임설에 따르면 구성요건적 고의는 언제나 인정된다.
> ㉢ 위법하지 않은 행위를 행위자는 위법한 것으로 오인한 경우, 그 행위자는 금지규범에 대한 착오를 일으킨 것이며 그러한 법률의 무지에 대해서 형벌을 부여해야 한다.
> ㉣ 추상적 사실의 착오 중 객체의 착오 및 방법의 착오에 대한 구체적 부합설과 법정적 부합설의 결론은 동일하다.

① 없 음　　② 1개　　③ 2개　　④ 3개

[해설] ㉠ × : 인과과정의 착오의 경우, 판례는 고의기수범이 성립한다(대판 1988.6.28, 88도650)고 본다.
㉡ ○ : 오상방위의 경우, 엄격책임설에 따르면 구성요건적 고의는 언제나 인정되며 책임조각 여부만 문제된다.
㉢ × : ~ 오인한 경우 ⇨ 반전된 금지의 착오(환각범) ⇨ 불가벌
㉣ ○ : 옳다.

18 다음 사례에 대한 설명으로 옳은 것은?(다툼이 있는 경우 판례에 의함) 23. 7급 검찰

> (가) 甲이 주차된 자동차를 A의 소유인 줄 알고 손괴하였는데, 알고 보니 B의 소유인 경우
> (나) 유흥접객업소의 업주 乙이 청소년의 출입을 금지하는 관련 규정의 존재를 몰라 청소년을 자신의 유흥접객업소에 출입시킨 경우
> (다) 丙이 C의 자동차를 맞히려고 돌을 던졌으나 빗나가 C가 돌에 맞아 다친 경우

① (가)는 주관적 정당화 요소를 결한 사례이며, 판례에 따르면 甲은 재물손괴죄의 불능미수에 해당한다.

② (가)는 구체적 사실의 착오 중 객체의 착오 사례이며, 판례에 따르면 甲에게는 A의 자동차에 대한 손괴미수죄와 B의 자동차에 대한 과실손괴죄의 상상적 경합이 성립하지만, 과실손괴죄의 처벌규정이 없어 손괴미수죄만 인정된다.

③ (나)는 법률의 착오 사례이며, 판례에 의하면 乙은 그 오인에 정당한 이유가 있어 책임이 조각된다.

④ (다)는 추상적 사실의 착오 중 방법의 착오로서 추상적 부합설에 의하면 丙에게는 손괴기수죄와 과실치상죄의 상상적 경합이 성립한다.

> **해설** ① × ② × : (가)는 구체적 사실의 착오 중 객체의 착오 사례이며, 판례(법정적 부합설)에 따르면 甲은 B의 자동차에 대한 재물손괴죄(기수)에 해당한다.
> ③ × : (나)는 단순한 법률의 부지의 사례이며, 판례에 의하면 형법 제16조(법률의 착오)의 적용대상이 되지 않아 오인에 정당한 이유가 있어도 벌한다(대판 1995.8.25, 95도1351).
> ④ ○ : 옳다.

19 착오에 관한 설명 중 옳은 것은?(다툼이 있는 경우 판례에 의함)　　　24. 변호사시험

① 형법 제16조의 법률의 착오는 행위자가 자기의 행위를 금지하는 법규의 존재 자체를 인식하지 못하는 법률의 부지뿐만 아니라, 일반적으로 범죄가 되는 경우이지만 자기의 특수한 경우에는 법령에 의하여 허용된 행위로서 죄가 되지 아니한다고 그릇 인식한 경우를 포함한다.

② 甲이 A를 살해할 의도를 갖고 A와 비슷한 외모의 B를 A로 오인하여 B에게 총을 발사한 결과 B가 사망에 이른 경우, 구체적 부합설에 따르면 甲에게는 A에 대한 살인미수죄와 B에 대한 과실치사죄의 상상적 경합이 성립한다.

③ 법률 위반 행위 중간에 일시적으로 판례에 따라 그 행위가 처벌대상이 되지 않는 것으로 해석되었던 적이 있었던 경우에는 행위자가 자신의 행위가 처벌되지 않는 것으로 믿은 데에 형법 제16조의 '오인에 정당한 이유'가 있다.

④ 甲이 A가 자신의 아버지임을 알아보지 못하고 A를 살해한 경우, 이와 같은 착오는 존속살해의 고의를 조각하지 못한다.

⑤ 관리자에 의해 출입이 통제되는 건조물에 관리자의 현실적인 승낙을 받아 통상적인 출입방법으로 들어간 경우, 승낙의 동기에 착오가 있어 관리자가 행위자의 실제 출입 목적을 알았더라면 출입을 승낙하지 않았을 사정이 있더라도 행위자에게 건조물침입죄가 성립하지 않는다.

> **해설** ① × : ~ (2줄) 법률의 부지가 아니라, 일반적으로 범죄가 되는 경우이지만 자기의 특수한 경우에는 법령에 의하여 허용된 행위로서 죄가 되지 아니한다고 그릇 인식한 경우를 포함한다(대판 2009.5.28, 2008도11857). ② × : 구체적 사실의 착오 중 객체의 착오 ⇨ 구체적 부합설 : B에 대한 살인기수죄
> ③ × : ~ '오인에 정당한 이유'가 없다(대판 2021.11.25, 2021도10903).
> ④ × : ~ 고의를 조각한다(대판 1960.10.31, 4293형상491 ∴ 보통살인죄).
> ⑤ ○ : 대판 2022.3.31, 2018도15213

Answer 　19. ⑤

제4절 기대가능성

THEMA 38

다음 중 기대가능성이 없어 벌할 수 없는 것은 모두 몇 개인가?(판례에 의함)

ⓐ 의사가 임산부의 청원에 못 이겨 임신중절수술을 한 경우
ⓑ 판매하려는 기름이 직장상사가 불법제조한 기름이라는 사실을 알면서 판매한 경우
ⓒ 처자식이 생활고로 행방불명이 되었다 하여 귀대하지 않은 경우
ⓓ 부하직원이 직무상 지휘복종관계에 있는 직장상사의 범법행위(뇌물수수)에 가담한 경우
ⓔ 중앙정보부직원이 소속 상관의 명령에 따라 살인한 경우
ⓕ 국가정보원의 상사의 명령에 따라 부하직원이 대통령선거에서 특정후보에게 불리한 여론을 조성하기 위하여 허위사실을 담은 책자를 발간·배포한 경우
ⓖ 선거기간 중 지구당의 대표자가 당직회의를 마치고 난 후 음식점에서 지구당 회의에 참석한 당직자와 일반당원에게 술과 음식을 제공한 경우
ⓗ 토지거래신고지역으로 지정된 구역 안에 있는 토지를 매수한 자가 미등기 전매하면서 국토의 계획 및 이용에 관한 법률 소정의 신고를 하지 않은 경우
ⓘ 기관고장과 풍랑으로 표류 중 납북되어 북한을 찬양·고무·동조하고 송환될 때 지령을 받고 수락한 경우
ⓙ 이혼남과 혼인 후 전처의 이혼무효의 소제기로 전혼이 부활되고 자신의 혼인은 취소된 후에도 남편과 동거생활을 계속한 여자의 간통행위
ⓚ 사용자가 퇴직금 지급을 위하여 최선의 노력을 다하였으나 경영부진으로 인한 자금사정 등으로 도저히 지급기일 내에 퇴직금을 지급할 수 없었던 경우
ⓛ 당국이 전교조의 옥내외집회를 금지하자 그 간부들이 관할경찰서장에게 신고하지 않고 옥외집회를 주최한 경우
ⓜ 자신의 강도상해 범행을 일관되게 부인하였으나 유죄판결이 확정된 피고인이 별건으로 기소된 공범의 형사사건에서 자신의 범행사실을 부인하는 증언을 한 경우
ⓝ 나이트클럽 주인이 수학여행을 온 대학생 34명 중 일부만의 학생증을 제시받아 성년자임을 확인하고 입장시켰으나 그들 중 1명이 미성년자였던 경우
ⓞ 입학시험 응시자가 우연한 기회에 출제될 시험문제를 알게 되어 답을 암기하여 답안지에 기재한 경우
ⓟ 교수가 출제교수들로부터 대학원신입생전형시험문제를 제출받아 알게 된 것을 틈타서 그 시험문제를 알려주었고 수험생이 그 답안쪽지를 작성한 다음 이를 답안지에 그대로 베껴 써서 그 정을 모르는 시험감독관에게 제출한 경우

① 3개　　　　　② 4개　　　　　③ 5개　　　　　④ 6개

해설

- 기대가능성을 부정한 경우 : ⓘ 대판 1967.10.4, 67도1115 ⓙ 대판 1993.1.6, 92고단4640 ⓚ 대판 2001. 2.23, 2001도204 ⓝ 대판 1987.1.20, 86도874 ⓞ 대판 1966.3.22, 65도1164
- 기대가능성을 인정한 경우 : ⓐ 대판 1985.6.11, 84도1958 ⓑ 대판 1986.5.27, 86도614 ⓒ 대판 1969.12.23, 69도2084 ⓓ 대판 1999.7.23, 99도1911 ⓔ 대판 1980.5.20, 80도306 ⓕ 대판 1999.4.23, 99도636 ⓖ 대판 1998.6.9, 97도856 ⓗ 대판 1990.10.30, 90도1798 ⓘ 대판 1992.8.14, 92도1246 ⓜ 대판 2008.10.23, 2005도10101 ⓟ 대판 1991.11.12, 91도2211　　　　　》③

---

01 다음 중 기대가능성이 없는 경우는 모두 몇 개인가?(다툼이 있는 경우 판례에 의함)

17. 경찰간부, 22. 해경간부

> ㉠ 나이트클럽 주인이 수학여행을 온 대학생 34명 중 일부만의 학생증을 제시받아 성년자임을 확인하고 입장시켰으나 그들 중 1명이 미성년자였던 경우
> ㉡ 직무상 지휘·복종관계에 있는 직장 상사의 범법행위에 가담한 부하의 경우
> ㉢ 비서가 주종관계에 있는 상사의 지시에 따라 공무원에게 뇌물을 공여한 경우
> ㉣ 기관고장과 풍랑으로 표류 중 납북되어 북한을 찬양·고무·동조하고 송환될 때 지령을 받고 수락한 경우
> ㉤ 교수가 출제교수들로부터 대학원 신입생전형 시험문제를 제출받아 알게 된 것을 틈타서 그 시험문제를 알려주었고 수험생이 그 답안쪽지를 작성한 다음 이를 답안지에 그대로 베껴 써서 그 정을 모르는 시험감독관에게 제출한 경우

① 1개　　　　② 2개　　　　③ 3개　　　　④ 4개

해설 • 기대가능성을 인정한 경우 : ㉡ 대판 2007.5.11, 2007도1373 ㉢ 대판 1983.3.8, 82도2873 ㉤ 대판 1991.11.12, 91도2211
　　　• 기대가능성을 부정한 경우 : ㉠ 대판 1987.1.20, 86도874 ㉣ 대판 1967.10.4, 67도1115

---

02 적법행위의 기대가능성에 대한 설명으로 옳지 않은 것은?(다툼이 있는 경우 판례에 의함)

22. 7급 검찰

① 입학시험에 응시한 수험생이 스스로 부정한 방법으로 탐지한 것이 아니라 우연한 기회에 장차 출제될 시험문제를 알게 되어 그 답을 암기한 후 입학시험 답안지에 기재해서 제출한 경우, 그 수험생에게 그와 같이 암기한 답을 답안지에 기재하지 않을 것을 기대하는 것은 불가능하다.

② 甲이 비서라는 특수신분 때문에 주종관계에 있는 사장의 지시를 거절할 수 없어 공무원에게 뇌물을 공여하였더라도 그러한 사정만으로는 甲에게 뇌물공여 이외의 행위를 기대할 수 없는 경우였다고 볼 수 없다.

Answer　1.②　2.③

③ 적법행위를 기대할 가능성이 있는지는 행위자 개인에 대한 비난가능성으로서의 책임 유무에 관련하는 것이므로 행위 당시 행위자의 관점에서 판단하여야 한다.

④ 甲이 자신의 형사사건에서 범행을 일관되게 부인하였지만 유죄의 확정판결을 받은 후라면, 별건으로 기소된 공범 乙의 형사사건에서 증인으로 출석한 甲에게 유죄판결이 확정된 자신의 범행에 대해 사실대로 진술할 것을 기대하는 것은 가능하다.

[해설] ① 대판 1966.3.22, 65도1164 ② 대판 1988.3.8, 82도2873
③ × : 피고인에게 적법행위를 기대할 가능성이 있는지 여부를 판단하기 위해서는 행위 당시의 구체적 상황 하에 행위자 대신에 사회적 평균인을 두고 이 평균인의 관점에서 그 기대가능성 유무를 판단해야 한다(대판 2008.10.23, 2005도10101). ④ 대판 2008.10.23, 2005도10101

03 기대가능성에 대한 설명 중 옳은 것만을 모두 고르면?(다툼이 있는 경우 판례에 의함)

20. 7급 검찰, 21. 경찰간부

> ㉠ 영업정지처분에 대한 집행정지 신청이 잠정적으로 받아들여졌다는 사정만으로는, 구 음반·비디오물 및 게임물에 관한 법률위반으로 기소된 피고인에게 적법행위의 기대가능성이 없다고 볼 수 없다.
>
> ㉡ 자신의 강도상해 범행을 일관되게 부인하였으나 유죄판결이 확정된 피고인의 경우, 별건으로 기소된 공범의 형사사건에서 자신이 유죄판결을 받은 사실관계에 대해 사실대로 진술할 것에 대한 기대가능성이 없다.
>
> ㉢ 사용자가 퇴직금 지급을 위하여 최선의 노력을 다하였으나 경영부진으로 인한 자금사정 등으로 도저히 지급기일 내에 퇴직금을 지급할 수 없었던 경우, 퇴직금의 기일 내 지급의무 이행에 대한 기대가능성이 없다.
>
> ㉣ 불법 건축물이라는 이유로 일반음식점 영업신고의 접수가 거부되었고 이전에 무신고 영업행위로 형사처벌까지 받았음에도 계속하여 일반음식점 영업행위를 한 피고인의 행위는 식품위생법상 무신고 영업행위로서 적법행위에 대한 기대가능성이 없는 경우에 해당하지 아니한다.
>
> ㉤ 직장의 상사가 범법행위를 하는 데 부하직원이 가담한 경우, 범법행위에 가담하지 않을 기대가능성이 있다고 할 수 없다.
>
> ㉥ 교수가 출제교수들로부터 대학원입학전형시험 문제를 제출받아 알게 된 것을 틈타서 수험생 등에게 그 시험문제를 알려주었고, 그렇게 알게 된 위 수험생이 답안쪽지를 작성한 다음 이를 답안지에 그대로 베껴 써서 그 정을 모르는 시험감독관에게 제출하였다면 기대가능성이 없는 경우에 해당한다.

① ㉠, ㉡, ㉤   ② ㉠, ㉢, ㉣   ③ ㉠, ㉢, ㉤   ④ ㉡, ㉢, ㉣

[해설] ㉠ ○ : 대판 2010.11.11, 2007도8645
㉡ × : ~ 기대가능성이 없다고 볼 수 없다(대판 2008.10.23, 2005도10101).
㉢ ○ : 대판 2001.2.23, 2001도204
㉣ ○ : 대판 2009.4.23, 2008도6829
㉤ × : ~ 기대가능성이 없다고 할 수 없다(대판 2007.5.11, 2007도1373).
㉥ × : ~ 경우에 해당하지 않는다(대판 1991.11.12, 91도2211).

Answer 3. ②

04 **기대가능성에 대한 설명으로 옳지 않은 것은?**(다툼이 있는 경우 판례에 의함)

25. 9급 검찰 · 마약수사 · 철도경찰

① 기대불가능한 사정이 없음에도 불구하고 그것이 있었다고 오인한 경우에 금지착오의 규정을 유추 적용하는 견해에 따르면 그 착오에 정당한 이유가 있으면 책임이 조각되고, 정당한 이유가 없으면 책임을 인정할 수 있다.

② 자신의 강도상해 범행을 일관되게 부인하였으나 유죄판결이 확정된 피고인이 별건으로 기소된 공범의 형사사건에서 자신의 범행사실을 부인하는 증언을 한 경우, 피고인에게 기대가능성이 없으므로 위증죄가 성립하지 않는다.

③ 우연한 기회에 미리 출제될 시험문제를 알게 된 수험생인 피고인이 암기한 답을 답안지에 기재하여서는 아니 된다는 것을 기대한다는 것은 보통의 경우 도저히 불가능하다.

④ 피고인이 비서라는 특수신분 때문에 주종관계에 있는 공동피고인들의 지시를 거절할 수 없어 뇌물을 공여한 것이라 하더라도 그와 같은 사정만으로는 피고인에게 뇌물공여 이외의 반대행위를 기대할 수 없는 경우였다고 볼 수 없다.

해설 ① 옳다.

② × : ~ (3줄) 기대가능성이 있으므로 위증죄가 성립한다(대판 2008.10.23, 2005도10101).

③ 대판 1966.3.22, 65도1164

④ 대판 1983.3.8, 82도2873

THEMA 39 · '강요된 행위' 총정리

> **제12조** 저항할 수 없는 폭력이나 자기 또는 친족의 생명, 신체에 대한 위해를 방어할 방법이 없는 협박에 의하여 강요된 행위는 벌하지 아니한다.

1. 형법 제12조에서 말하는 강요된 행위는 저항할 수 없는 폭력이나 생명, 신체에 위해를 가하겠다는 협박 등 다른 사람의 강요에 의하여 이루어진 행위를 의미하는데, 여기서 저항할 수 없는 폭력은 **심리적 의미**에 있어서 육체적으로 어떤 행위를 절대적으로 하지 아니할 수 없게 하는 경우와 **윤리적 의미**에 있어서 **강압된 경우를 말하고**, 협박이란 자기 또는 친족의 생명, 신체에 대한 위해를 달리 막을 방법이 없는 협박을 말하며, 강요라 함은 피강요자의 자유스런 의사결정을 하지 못하게 하면서 특정한 행위를 하게 하는 것을 말하는 것이다(대판 1983.12.13, 83도2276). 18. 변호사시험·9급 검찰·마약수사, 19. 7급 검찰·철도경찰, 21. 경찰간부·법원직·경찰승진, 23. 순경 1차

   - **강요된 행위에 해당된다고 본 경우**
     1. 남편의 계속적인 구타에 못이겨 처가 허위내용(간통사실을 폭로하겠다고 협박당하여 돈을 주었다는 내용)의 고소장을 작성하여 제출한 경우(대판 1983.12.13, 83도2276 : 처는 무고죄의 구성요건에 해당하고 위법하나 강요된 행위로 책임조각, 남편은 강요죄와 무고죄의 간접정범)
     2. 18세의 소년이 취직시켜 준다는 꼬임에 빠져 도일 후 조총련간부의 감시·감금하에 강요에 못이겨 공산주의자가 되어 북한에 갈 것을 서약한 행위(대판 1972.5.9, 71도1178) 09. 9급 검찰

   - **강요된 행위에 해당되지 않는다고 본 경우**
     1. **성장교육과정을 통하여 형성된 관념이나 확신**으로 인하여 행위자의 의사결정이 사실상 강제된 상태에서 한 테러행위(대판 1990.3.27, 89도1670) : KAL 폭파범 김현희 사건 10. 사시, 11. 경찰승진, 14. 9급 철도경찰, 17. 법원행시, 19. 7급 검찰, 21. 경찰간부, 22·23. 순경 1차
     2. **자초한 강제상태가 야기된 경우**〔자의로 북한에 탈출한 이상 그 구성원과의 회합은 예측가능(대판 1973.1.30, 72도2585), 월선조업을 하다가 납북되었다가 돌아온 경험이 있는 자가 납치될 것을 예상하면서 월선조업을 하다가 납치되어 한 제보(대판 1971.2.23, 70도2629), 단신 월북하여 조선노동당에 가입하고 남파되어 간첩행위를 한 경우(대판 1958.9.26, 4291형상352)〕 13. 경찰승진, 21. 9급 검찰
     3. 상사의 지시에 따라 군용물을 불법매각한 경우(대판 1983.12.13, 83도2276) 09. 9급 검찰

2. **효 과**

피강요자	피강요자의 강요된 행위는 적법행위에 대한 기대가능성이 없어 책임이 조각되므로 '벌하지 아니한다(제12조)'. 즉, 무죄이다.
강요자	강요자는 처벌되지 않는 자(피강요자)를 이용하여 범죄를 실행한 것이므로 강요된 범죄행위의 **간접정범**으로 처벌된다(통설). 제한적 종속형식에 의하더라도 강요자의 의사지배가 인정되므로 역시 간접정범이 된다. 또한 **강요죄**도 성립가능하다(상상적 경합).

   ① 강요된 행위는 구성요건에 해당하고 위법하나 책임이 조각될 뿐이므로, 강요된 행위에 대해 상대방은 정당방위를 할 수 있다. 08. 9급 검찰, 11. 경찰승진·사시
   ② 강요의 수단인 폭력 또는 협박과 강요된 행위 사이에 인과관계가 없을 경우에는 피강요자의 책임이 조각되지 않고 피강요자가 강요자와 공범이 될 수 있다. 14. 9급 철도경찰, 23. 순경 1차

01 강요된 행위에 대한 설명으로 옳은 것은?(다툼이 있는 경우 판례에 의함)　　21. 경찰간부

① 친족의 명예에 위해를 가하겠다는 협박을 받아 자유로운 의사결정을 하지 않은 경우에는 강요된 행위에 해당한다.

② 형법 제12조가 말하는 '저항할 수 없는 폭력'은 심리적 의미에 있어서 어떤 행위를 절대적으로 하지 아니할 수 없게 하는 경우와 윤리적 의미에 있어서 강압된 경우를 말한다.

③ 상관의 명령에 절대 복종하여야 한다는 것이 불문율로 되어 있다면 중대하고 명백하게 위법인 명령에 따르는 행위라도 이는 강요된 행위로 인정되어 적법행위에 대한 기대가능성이 없는 경우에 해당한다.

④ 형법 제12조에서 말하는 강요된 행위는 어떤 사람의 성장 교육과정을 통하여 형성된 내재적인 관념 내지 확신으로 인하여 행위자 스스로의 의사결정이 사실상 강제되는 결과를 낳게 하는 경우도 포함한다.

해설 ① × : 친족의 생명·신체(명예 ×)에 위해를 ~ 해당한다(제12조).
② ○ : 대판 1983.12.13, 83도2276 ③ × : 강요된 행위 × ⇨ 기대가능성이 없는 경우 ×(대판 1988.2.23, 87도2358) ④ × : ~ 경우는 포함되지 않는다(대판 1990.3.27, 89도1670).

02 강요된 행위에 관한 설명 중 가장 적절하지 않은 것은?(다툼이 있는 경우 판례에 의함)
23. 순경 1차

① 형법 제12조의 '저항할 수 없는 폭력'은 심리적인 의미에 있어서 육체적으로 어떤 행위를 절대적으로 하지 않을 수 없게 하는 행위와 윤리적 의미에 있어서 강압된 경우를 말한다.

② 형법 제12조의 '협박'이란 자기 또는 친족의 생명, 신체에 대한 위해를 달리 막을 방법이 없는 협박을 말한다.

③ 어떤 사람의 성장교육과정을 통하여 형성된 내재적인 관념 내지 확신으로 인하여 행위자 스스로의 의사결정이 사실상 강제되는 결과를 낳게 하는 경우도 형법 제12조의 강요된 행위에 포함된다.

④ 행위자의 강요와 피강요자의 강요된 행위 사이에는 인과관계가 요구되며, 피강요자의 강요된 행위는 적법행위의 기대가능성이 없기 때문에 책임이 조각되어 범죄가 성립하지 않는다.

해설 ① 대판 1983.12.13, 83도2276 ② 대판 1983.12.13, 83도2276
③ × : ~ 하는 경우는 형법 제12조의 강요된 행위에 포함되지 않는다(대판 1990.3.27, 89도1670).
④ 타당하다.

03 기대가능성에 관한 설명 중 가장 적절하지 않은 것은?(다툼이 있는 경우 판례에 의함)
22. 순경 2차

① 기대가능성의 판단기준을 국가에 두면 국가는 국민의 적법행위를 기대하므로 기대가능성이 없다는 이유로 책임이 조각되는 경우가 축소될 수 있다.

② 甲이 담배제조업 허가 없이 전자장치를 이용해 흡입할 수 있는 니코틴이 포함된 용액을 제조한 경우, 궐련담배제조업의 허가기준은 존재하나 전자담배제조업에 관한 허가기준이 없는 이상 甲에게 담배제조업 관련 법령의 허가기준을 준수하거나 허가기준이 새롭게 마련될 때까지 법 준수를 요구하는 것을 기대할 수 없다.

③ 형법 제12조의 '저항할 수 없는 폭력'은 심리적 의미에 있어서 육체적으로 어떤 행위를 절대적으로 할 수밖에 없게 하는 경우와 윤리적 의미에서 강압된 경우를 의미한다.

④ 영업정지처분에 대한 집행정지 신청이 잠정적으로 받아들여졌다는 사정만으로는 구 음반비디오물 및 게임물에 관한 법률 위반으로 기소된 피고인에게 적법행위의 기대가능성이 없다고 볼 수 없다.

해설 ① 옳다(국가표준설).
② × : ~ (2줄) 제조(전자담배 제조)한 경우, 담배사업법령에서 궐련담배제조업에 관한 허가기준은 이미 마련되어 있는 상황에서 담배제조업 관련 법령의 허가기준을 준수하거나 허가기준이 새롭게 마련될 때까지 법 준수를 요구하는 것이, 피고인이 아닌 사회적 평균인의 입장에서도 불가능하거나 현저히 곤란한 것을 요구하여 죄형법정주의 원칙에 위반된다거나 기대가능성이 없는 행위를 처벌하는 것이어서 위법하다고 보기 어렵다(대판 2018.9.28, 2018도9828). ③ 대판 1983.12.13, 83도2276 ④ 대판 2010.11.11, 2007도8645

04 기대가능성에 관한 설명으로 옳지 않은 것을 모두 고른 것은?(다툼이 있는 경우 판례에 의함)
24. 경찰승진

㉠ 직장의 상사가 범법행위를 하는 데 가담한 부하에게 직무상 지휘 복종관계에 있다 하여 범법행위에 가담하지 않을 기대가능성이 없다고 할 수 없다.

㉡ 병역법 제88조 제1항은 현역입영 등의 통지서를 받고도 정당한 사유 없이 이에 응하지 않은 사람을 처벌하는데 여기에서 정당한 사유는 구성요건해당성을 조각하는 사유가 아니라 책임조각사유인 기대불가능성을 의미한다.

㉢ 자기 또는 친족의 생명, 신체, 재산에 대한 위해를 방어할 방법이 없는 협박에 의하여 강요된 행위는 형법 제12조에 따라 벌하지 아니하며, 이때의 강요라 함은 피강요자의 자유스러운 의사결정을 하지 못하게 하면서 특정한 행위를 하게 하는 것을 말한다.

㉣ 기대가능성은 행위자에 대한 비난가능성을 판단하기 위한 것이므로 양심상의 결정에 반한 행위를 기대할 가능성이 있는지 여부를 판단하기 위해서는, 행위 당시의 구체적 상황하에 사회적 평균인이 아니라 행위자를 두고 이 행위자의 관점에서 기대가능성 유무를 판단하여야 한다.

① ㉠, ㉡　　　② ㉡, ㉣　　　③ ㉢, ㉣　　　④ ㉡, ㉢, ㉣

해설 ㉠ ○ : 대판 2007.5.11, 2007도1373
㉡ × : ~ (2줄) 정당한 사유는 구성요건해당성을 조각하는 사유이다. 이는 형법상 위법성조각사유인 정당행위나 책임조각사유인 기대불가능성과는 구별된다(대판 2018.11.1, 2016도10912 전원합의체).
㉢ × : 자기 또는 친족의 생명, 신체(재산 ×)에 대한 위해를 방어할 방법이 없는 협박에 의하여 강요된 행위는 형법 제12조에 따라 벌하지 아니하며, 이때의 강요라 함은 피강요자의 자유스러운 의사결정을 하지 못하게 하면서 특정한 행위를 하게 하는 것을 말한다(대판 1983.12.13, 83도2276).
㉣ × : ~ (2줄) 상황하에 행위자 대신에 사회적 평균인을 두고 이 평균인의 관점에서 기대가능성 유무를 판단하여야 한다(대판 2008.10.23, 2005도10101).

Answer 4.④

01 책임조각에 대한 설명으로 가장 적절하지 않은 것은?(다툼이 있는 경우 판례에 의함)

20. 순경 2차

① 야간에 자신의 방에 들어오는 룸메이트를 강도로 오인하고 상해의 고의는 없이 방어할 의사로 그를 폭행하였는데 강도로 오인한 과실이 회피 가능하였을 경우, 법률효과제한적 책임설에 따르면 행위자는 무죄가 된다.

② 엄청난 체력과 힘의 소유자인 체육선생이 연약한 만 16세 여학생 甲의 손목을 잡고 휘둘러 甲의 손으로 옆에 앉아 있던 乙에게 상해를 입힌 경우, 甲의 상해행위는 형법 제12조 강요된 행위에 의해 책임이 조각된다.

③ 경기 불황 상황에서 임금 지급을 위한 모든 성의와 노력을 다했으나 경영부진으로 인한 자금사정 등 도저히 지급기일 안에 임금을 지급할 수 없었다는 등의 피할 수 없는 사정이 인정된다면 근로기준법 제36조 위반범죄의 책임이 조각된다.

④ 수학여행을 온 대학교 3학년생들 중 일부만의 학생증을 제시 받아 성년임을 확인한 후 나이트클럽에 단체로 입장시켰으나 그들 중 1인이 미성년자인 경우, 미성년자가 섞여 있을지도 모른다는 것을 예상하여 그들의 증명서를 일일이 확인할 것을 요구하는 것은 사회통념상 기대가능성이 없으므로 책임이 조각된다.

해설 ① 오상방위 ⇨ 법률효과제한적 책임설 : 구성요건적 고의 ○, 책임고의 × ⇨ 고의 ×, 과실 ○ ⇨ 과실폭행죄 처벌 × ∴ 무죄
② × : 제12조(강요된 행위)의 '저항할 수 없는 폭력'에서 '폭력'은 강제적 폭력(피강요자의 의사형성에 작용하여 그로 하여금 강요된 사실을 행하지 않을 수 없도록 의사결정을 강제하는 심리적 폭력)을 말하므로, 사례와 같은 절대적 폭력(사람의 신체에 직접 유형력을 행사하여 육체적으로 저항할 수 없도록 하는 물리적 폭력)에 의한 피강요자(甲)의 행위는 '의사 없는 도구'로서 형법상의 행위로 볼 수 없어 구성요건해당성이 조각되는 것이지 제12조 강요된 행위에 의해 책임이 조각되는 것이 아니다.
③ 대판 2015.2.12, 2014도12753 ④ 대판 1987.1.20, 86도874

02 다음 설명 중 가장 옳은 것은?(다툼이 있는 경우 판례에 의함)

21. 법원직

① 절도죄 범행 당시 11세였더라도 판결선고 당시 14세가 된 경우에는 징역형으로 처벌할 수 있다.

② 원칙적으로 충동조절장애와 같은 성격적 결함은 형의 감면사유인 심신장애에 해당한다.

③ 형법 제10조에 규정된 심신장애는 생물학적 요소로서 정신병 또는 비정상적 정신상태와 같은 정신적 장애가 있는 외에 심리학적 요소로서 이와 같은 정신적 장애로 말미암아 사물에 대한 변별능력과 그에 따른 행위통제능력이 결여되거나 감소되었음을 요하므로, 정신적 장애가 있는 자라고 하여도 범행 당시 정상적인 사물변별능력이나 행위통제능력이 있었다면 심신장애로 볼 수 없다.

Answer　1.②　2.③

④ 형법 제12조(강요된 행위)의 저항할 수 없는 폭력은, 심리적인 의미에 있어서 육체적으로 어떤 행위를 절대적으로 하지 아니할 수 없게 하는 경우를 말할 뿐이고, 윤리적 의미에 있어서 강압된 경우를 말하지는 않는다.

해설 ① × : 절도죄 범행 당시 14세가 되지 아니한 경우에는 형법 제9조에 의하여 처벌할 수 없다(대판 1991.12.10, 91도2478). ② × : ~ 해당하지 않는다(대판 2006.10.13, 2006도5360).
③ ○ : 대판 1992.8.18, 92도1425
④ × : ~ (2줄) 없게 하는 경우와 윤리적 의미에 있어서 강압된 경우를 말한다(대판 1983.12.13, 83도2276).

03 책임에 대한 설명으로 가장 적절한 것은?(다툼이 있는 경우 판례에 의함)　　　22. 경찰승진
① 자신의 강도상해 범행을 일관되게 부인하였으나 유죄판결이 확정된 甲이 별건으로 기소된 공범의 형사사건에서 유죄가 확정된 자신의 범행사실을 부인하는 증언을 한 경우, 甲에게 사실대로 진술할 기대가능성이 없어 위증죄가 성립하지 않는다.
② 심신장애로 인하여 사물을 변별할 능력이나 의사를 결정할 능력이 미약한 자의 행위는 형을 감경한다.
③ 모든 성의와 노력을 다했어도 임금이나 퇴직금의 체불이나 미불을 방지할 수 없었다는 것이 사회통념상 긍정할 정도가 되어 사용자에게 더 이상의 적법행위를 기대할 수 없거나 불가피한 사정이었음이 인정되는 경우, 그러한 사유는 근로기준법이나 근로자퇴직급여보장법에서 정하는 임금 및 퇴직금 등의 기일 내 지급의무 위반죄의 책임조각사유가 된다.
④ 사춘기 이전의 소아들을 상대로 한 성행위를 중심으로 성적 흥분을 강하게 일으키는 공상, 성적 충동, 성적 행동이 반복되어 나타나는 소아기호증과 같은 질환이 있다는 사정은 그 자체만으로 형의 감면사유인 심신장애에 해당한다.

해설 ① × : 기대가능성 ○ ⇨ 위증죄 ○(대판 2008.10.23, 2005도10101)
② × : ~ 형을 감경할 수 있다(제10조 제2항). ③ ○ : 대판 2015.2.12, 2014도12753
④ × : ~ 심신장애에 해당하지 않는다(대판 2007.2.8, 2006도7900).

04 범죄의 성립에 관한 설명으로 가장 적절한 것은?(다툼이 있는 경우 판례에 의함)　　　22. 순경 1차
① 성장교육과정을 통하여 형성된 내재적인 관념 내지 확신으로 인하여 행위자 스스로의 의사결정이 사실상 강제된 상태에서 행한 행위도 형법 제12조에 정한 강요된 행위에 해당한다.
② 자신의 행위가 위법함을 인식하지 못한 이유가 단순한 법률의 부지로 인한 경우라 하더라도 그 오인에 정당한 이유가 있는 경우에 한하여 책임이 조각된다.
③ 음주운전을 할 의사를 가지고 음주만취한 후 운전을 결행하여 교통사고를 일으킨 경우는 음주시에 교통사고를 일으킬 위험성을 예견하였는데도 자의로 심신장애를 야기한 경우에 해당하므로 과실에 의한 원인에 있어서 자유로운 행위에 해당한다.

④ 법률의 착오와 관련하여 위법성의 인식에 필요한 노력의 정도는 행위자 개인의 인식능력이 기준이 되는 것이므로, 행위자가 어떤 사회집단에 소속되어 있는가는 고려할 필요가 없다.

해설 ① × : 강요된 행위 ×(대판 1990.3.27, 89도1670)
② × : 단순한 법률의 부지 ⇨ 법률의 착오(제16조)×(대판 2009.5.28, 2008도11857)
③ ○ : 대판 1992.7.28, 92도999
④ × : 위법성의 인식에 필요한 노력의 정도는 구체적인 행위정황과 행위자 개인의 인식능력 그리고 행위자가 속한 사회집단에 따라 달리 평가되어야 한다(대판 2006.3.24, 2005도3717).

05 다음 설명 중 옳지 않은 것은 모두 몇 개인가?(다툼이 있는 경우 판례에 의함)　　24. 법원행시

> ㉠ 듣거나 말하는 데 모두 장애가 있는 사람의 행위에 대하여는 그 형을 감경 또는 면제할 수 있다.
> ㉡ 10세 미만의 자는 범죄행위를 하더라도 어떠한 형사적인 처분이나 소년법상 제재로부터도 면책된다.
> ㉢ 피고인에게 적법행위를 기대할 가능성이 있는지 여부를 판단하기 위하여는 행위 당시의 구체적인 상황하에 행위자 대신 사회적 평균인을 두고 이 평균인의 관점에서 그 기대가능성 유무를 판단하여야 하므로, 기자가 취재원과 하던 전화통화를 끊지 않던 중 전화기 너머로 들리는 다른 대화를 녹음한 경우에 불법녹음을 하지 아니할 기대가능성이 있다고 볼 수 있다.
> ㉣ 병원 중환자실에 입원해 있던 부친이 피고인을 찾아서 급히 가야 한다는 사유만으로 피고인이 음주·무면허운전을 하지 않을 기대가능성이 없었다고 볼 수 없다.
> ㉤ 소년에 대한 형의 임의적 감경을 규정한 소년법 제60조 제2항의 소년이라 함은 특별한 정함이 없는 한 소년법 제2조에서 말하는 소년을 의미한다고 할 것이고, 이는 심판의 조건이므로 범행시뿐만 아니라 심판시까지 계속되어야 한다고 보아야 하므로, 피고인이 범행시에 소년이었다고 하더라도 사실심 판결 선고 당시 이미 성년이 되었다면 소년법 제60조 제2항이 적용될 수 없다.

① 없 음　　② 1개　　③ 2개　　④ 3개　　⑤ 4개

해설 ㉠ × : ~ 대하여는 형을 감경(면제 ×)한다(제11조).
㉡ ○ : 옳다(제9조).
㉢ ○ : 대판 2016.5.12, 2013도15616
㉣ ○ : 대판 2008.2.28, 2008도470
㉤ ○ : 대판 2000.8.18, 2000도2704

06 책임에 관한 설명으로 옳지 않은 것은?(다툼이 있는 경우 판례에 의함)　　24. 경위공채

① 위법성은 행위에 대한 반가치 판단이므로 개인적 특수성을 고려하지 않지만 책임은 행위자에 대한 반가치 판단이므로 개인적 특수성을 고려한다.
② 정신적 장애가 있는 사람이라 하여도 범행 당시 정상적인 사물변별능력과 행위통제능력이 있었다면 심신장애로 볼 수 없다.

③ 일반적으로 범죄가 성립하지만 자신의 특수한 사정에 비추어 법령에 따라 허용된 행위로서 죄가 되지 않는다고 그릇 인식하고 그러한 인식에 정당한 이유가 있는 경우에는 법률의 착오에 해당한다.

④ 병역법 제88조 제1항은 현역입영 또는 소집통지서를 받고도 정당한 사유 없이 이에 응하지 않은 사람을 처벌하고 있는데 여기에서 '정당한 사유'는 책임을 조각하는 사유이기 때문에 사회적 평균인의 관점에서 그 기대가능성 유무를 판단해야 한다.

[해설] ① 옳다.
② 대판 1992.8.18, 92도1425
③ 대판 2009.5.28, 2008도11857
④ × : ~ (2줄) '정당한 사유'는 구성요건해당성을 조각하는 사유이기 때문에 위법성조각사유인 정당행위나 책임조각사유인 기대불가능성과는 구별된다(대판 2018.11.1, 2016도10912 전원합의체).

07 착오와 기대가능성에 관한 설명으로 가장 적절한 것은?(다툼이 있는 경우 판례에 의함)

25. 순경 1차

① 형법 제16조의 '정당한 이유'가 있는지 여부는 행위자에게 자기 행위의 위법의 가능성에 대해 심사숙고하거나 조회할 수 있는 계기가 있어 자신의 지적 능력을 다하여 이를 회피하기 위한 진지한 노력을 다하였더라면 스스로의 행위에 대하여 위법성을 인식할 수 있는 가능성이 있었음에도 이를 다하지 못한 결과 자기 행위의 위법성을 인식하지 못한 것인지 여부에 따라 판단하여야 하고, 이러한 위법성의 인식에 필요한 노력의 정도를 행위자 개인의 인식능력이나 행위자가 속한 사회집단에 따라 달리 평가하여서는 안 된다.

② 자신의 강도상해 범행을 일관되게 부인하였으나 유죄판결이 확정된 피고인이 별건으로 기소된 공범의 형사사건에서 유죄가 확정된 자신의 범행사실을 부인하는 증언을 한 경우, 피고인에게 사실대로 진술할 기대가능성이 없으므로 위증죄는 성립하지 않는다.

③ 법률 위반행위 중간에 일시적으로 판례에 따라 그 행위가 처벌대상이 되지 않는 것으로 해석된 적이 있었다면, 자신의 행위가 처벌되지 않는 것으로 믿은 데에 정당한 이유가 있다고 할 수 있다.

④ 甲이 경찰관 A의 직무집행에 저항하기 위하여 A를 폭행한다는 사실 자체는 인식하였지만 법적 평가를 잘못하여 A의 적법한 직무집행이 위법하다고 오인한 경우, 甲에게 위법성 조각사유의 전제사실에 대한 착오가 있었다고 볼 수는 없다.

[해설] ① × : ~ (6줄) 사회집단에 따라 달리 평가되어야 한다(대판 2009.10.22, 2009도7436).
② × : ~ (3줄) 기대가능성이 있으므로 위증죄가 성립한다(대판 2008.10.23, 2005도10101).
③ × : ~ (2줄) 적이 있었다고 하더라도 그것만으로 자신의 행위가 처벌되지 않는 것으로 믿은 데에 정당한 이유가 있다고 할 수 없다(대판 2021.11.25, 2021도10903).
④ ○ : 대판 2024.7.25, 2023도16951

Answer　7.④

공편저자 약력·저서

조충환

• 중앙대학교 법학박사(형사법전공)

現 • 교재집필 및 연구

前 • 박문각 경찰승진 형사소송법 대표교수
  • 중앙대·울산대 출강
  • 노량진 남부경찰학원 대표강사
  • 노량진 남부행정고시학원 대표강사
  • 노량진 한교경찰학원 대표강사
  • 노량진 베리타스경찰학원 대표강사
  • 법무부 출간 교정지 출제위원
  • 경찰청 인터넷방송 초빙교수

주요저서

• SPA 형법
• SPA 형사소송법
• 객관식 테마 형법
• 객관식 테마 형사소송법
• ALL THAT 올댓 형사법 형법 총론
• ALL THAT 올댓 형사법 형법 각론
• ALL THAT 올댓 형사법 수사·증거
• 수사경과 대비 형사법능력평가
• COPSPA 경찰 형법
• COPSPA 경찰 형사소송법
• 3+3 형법
• 3+3 형사소송법
• 논문 다수

상 훈

• 중앙대 강의평가 우수강사 총장 표창(3회)
• 모범강사 전국학원연합회 회장표창

양 건

現 • 박문각 경찰승진 형법 대표교수
  • 공무원저널 형사법 판례교실 집필위원
  • 법률저널 경찰·교정직 집필위원

前 • 조이에듀경찰학원 형법 대표강사
  • 신림동 태학관 법정연구회 강의
  • 종로행정고시학원 경찰승진 형법 대표강사
  • 중앙경찰고시학원 형법 대표강사
  • 경찰승진특강
  • 노량진 한교경찰학원 대표강사(형법)
  • 노량진 베리타스경찰학원 대표강사(형법)

주요저서

• SPA 형법
• SPA 형사소송법
• 객관식 테마 형법
• 객관식 테마 형사소송법
• ALL THAT 올댓 형사법 형법 총론
• ALL THAT 올댓 형사법 형법 각론
• ALL THAT 올댓 형사법 수사·증거
• 수사경과 대비 형사법능력평가
• COPSPA 경찰 형법
• COPSPA 경찰 형사소송법
• 3+3 형법
• 3+3 형사소송법

2026 전면개정판 조충환·양건 객관식 테마 형 법 총론 Ⅰ

초판인쇄 : 2025년 7월 15일   초판발행 : 2025년 7월 20일
공편저자 : 조충환·양건   발 행 인 : 박 용
발 행 처 : (주)박문각출판   등   록 : 2015. 4. 29 제2019-000137호
주   소 : 06654 서울시 서초구 효령로 283 서경 B/D
전   화 : 교재문의 (02) 6466-7202
팩   스 : (02) 584-2927

저자와의 협의하에 인지생략

정가 78,000원(전4권)

ISBN 979-11-7519-017-7
ISBN 979-11-7519-016-0(세트)